ANÁLISE TÉCNICA DO MERCADO FINANCEIRO

GUIA DEFINITIVO E MÉTODOS DE NEGOCIAÇÃO

ANÁLISE TÉCNICA DO MERCADO FINANCEIRO

GUIA DEFINITIVO E MÉTODOS DE NEGOCIAÇÃO

JOHN J. MURPHY

ALTA BOOKS
E D I T O R A
Rio de Janeiro, 2021

Análise Técnica do Mercado Financeiro

Copyright © 2021 da Starlin Alta Editora e Consultoria Eireli. ISBN: 978-85-5081-568-8

Translated from original Technical analysis of the future markets. Copyright © 1999 by John J. Murphy. ISBN 9780735200661. This translation is published and sold by permission of New York Institute of Finance and NYIF, an imprint of Penguin Group (USA) Inc., the owner of all rights to publish and sell the same. PORTUGUESE language edition published by Starlin Alta Editora e Consultoria Eireli, Copyright © 2021 by Starlin Alta Editora e Consultoria Eireli.

Todos os direitos estão reservados e protegidos por Lei. Nenhuma parte deste livro, sem autorização prévia por escrito da editora, poderá ser reproduzida ou transmitida. A violação dos Direitos Autorais é crime estabelecido na Lei nº 9.610/98 e com punição de acordo com o artigo 184 do Código Penal.

A editora não se responsabiliza pelo conteúdo da obra, formulada exclusivamente pelo(s) autor(es).

Marcas Registradas: Todos os termos mencionados e reconhecidos como Marca Registrada e/ou Comercial são de responsabilidade de seus proprietários. A editora informa não estar associada a nenhum produto e/ou fornecedor apresentado no livro.

Impresso no Brasil — 1ª Edição, 2021 — Edição revisada conforme o Acordo Ortográfico da Língua Portuguesa de 2009.

Produção Editorial Editora Alta Books	**Produtores Editoriais** Illysabelle Trajano Thiê Alves	**Coordenação de Eventos** Viviane Paiva eventos@altabooks.com.br	**Editor de Aquisição** José Rugeri j.rugeri@altabooks.com.br
Gerência Editorial Anderson Vieira	**Assistente Editorial** Ian Verçosa	**Assistente Comercial** Filipe Amorim vendas.corporativas@altabooks.com.br	**Equipe de Marketing** Livia Carvalho Gabriela Carvalho marketing@altabooks.com.br
Gerência Comercial Daniele Fonseca			
Equipe Editorial Luana Goulart Maria de Lourdes Borges Raquel Porto Rodrigo Ramos Thales Silva	**Equipe de Design** Larissa Lima Marcelli Ferreira Paulo Gomes	**Equipe Comercial** Daiana Costa Daniel Leal Kaique Luiz Tairone Oliveira Vanessa Leite	
Tradução Edite Siegert	**Revisão Gramatical** Kamila Wozniack Vivian Sbravatti	**Revisão Técnica** Paulo Portinho Analista de Valores Mobiliários - CVM	**Capa** Marcelli Ferreira **Diagramação** Luisa Maria Gomes
Copidesque Alessandro Thomé			

Publique seu livro com a Alta Books. Para mais informações envie um e-mail para **autoria@altabooks.com.br**

Obra disponível para venda corporativa e/ou personalizada. Para mais informações, fale com **projetos@altabooks.com.br**

Erratas e arquivos de apoio: No site da editora relatamos, com a devida correção, qualquer erro encontrado em nossos livros, bem como disponibilizamos arquivos de apoio se aplicáveis à obra em questão.

Acesse o site **www.altabooks.com.br** e procure pelo título do livro desejado para ter acesso às erratas, aos arquivos de apoio e/ou a outros conteúdos aplicáveis à obra.

Suporte Técnico: A obra é comercializada na forma em que está, sem direito a suporte técnico ou orientação pessoal/exclusiva ao leitor.

A editora não se responsabiliza pela manutenção, atualização e idioma dos sites referidos pelos autores nesta obra.

Ouvidoria: ouvidoria@altabooks.com.br

Dados Internacionais de Catalogação na Publicação (CIP) de acordo com ISBD

M978a   Murphy, John J.
           Análise Técnica do Mercado Financeiro: Guia Definitivo e Métodos de Negociação / John J. Murphy. - Rio de Janeiro : Alta Books, 2021.
           576 p. : il. ; 16cm x 23cm.

           Inclui bibliografia, índice e apêndice.
           ISBN: 978-85-5081-512-1

           1. Economia. 2. Mercado Financeiro. 3. Análise Técnica. 4. Métodos de Negociação. I. Título.

2021-167   CDD 330
                                                    CDU 33

Elaborado por Vagner Rodolfo da Silva - CRB-8/9410

Rua Viúva Cláudio, 291 — Bairro Industrial do Jacaré
CEP: 20.970-031 — Rio de Janeiro (RJ)
Tels.: (21) 3278-8069 / 3278-8419
www.altabooks.com.br — altabooks@altabooks.com.br
www.facebook.com/altabooks — www.instagram.com/altabooks

*Para meus pais,
Timothy e Margaret,
e para Patty, Clare e Brian*

Sumário

Sobre o Autor *xxi*

Sobre os Colaboradores *xxiii*

Introdução *xxv*

Agradecimentos *xxix*

1
Filosofia da Análise Técnica *1*

Introdução *1*

Filosofia ou Lógica *2*

Previsão Técnica versus Fundamentalista *5*

Flexibilidade e Adaptabilidade da Análise Técnica *8*

Análise Técnica Aplicada a Diferentes Mercados *9*

Análise Técnica Aplicada a Diferentes Dimensões de Tempo *10*

Previsão Econômica *11*

Técnico ou Grafista? *12*

Uma Breve Comparação da Análise Técnica em Ações e Futuros *13*

Menor Dependência de Médias e Indicadores de Mercado   *16*

Algumas Críticas à Abordagem Técnica   *17*

A Hipótese do Passeio Aleatório   *21*

Princípios Universais   *24*

2 A Teoria de Dow   *25*

Introdução   25

Princípios Básicos   *27*

O Uso de Preços de Fechamento e a Presença de Linhas   *33*

Algumas Críticas à Teoria de Dow   *34*

Ações Como Indicadores Econômicos   *35*

A Teoria de Dow Aplicada à Operação de Futuros   *35*

Conclusão   *36*

3 Construção de Gráficos   *37*

Introdução   37

Tipos de Gráficos Disponíveis   *38*

Candlesticks   *39*

Escala Aritmética versus Logarítmica   *42*

Construção do Gráfico de Barras Diário   *43*

Volume   *44*

Interesse Aberto de Futuros   *45*

Gráficos de Barras Semanais e Mensais   *47*

Conclusão   49

Sumário   **ix**

4 Conceitos Básicos de Tendência   _51_

Definição de Tendência   51

A Tendência Tem Três Direções   53

A Tendência Tem Três Classificações   _54_

Suporte e Resistência   _57_

Linhas de Tendência   _68_

O Princípio do Leque   _78_

A Importância do Número Três   _80_

A Inclinação Relativa da Linha de Tendência   _80_

A Linha do Canal   _84_

Porcentagens de Retração   _89_

Speedlines   _91_

Linha de Gann e Leque de Fibonacci   _94_

Linhas de Tendência Internas   _94_

Dias de Reversão   _95_

Gaps de Preço   _98_

Conclusão   102

5 Padrões de Reversão Importantes   _103_

Introdução   103

Padrões de Preço   _104_

Dois Tipos de Padrões: Reversão e Continuação   _104_

O Padrão de Reversão de Cabeça e Ombros   _108_

A Importância do Volume   *112*

Encontrando um Objetivo de Preço   *113*

Cabeça e Ombros Invertido   *115*

Padrões Complexos de Cabeça e Ombros   *117*

Topos e Fundos Triplos   *120*

Topos e Fundos Duplos   *122*

Variações do Padrão Ideal   126

Pires e Spikes   *130*

Conclusão   *132*

6
Padrões de Continuação   *133*

Introdução   *133*

Triângulos   *134*

O Triângulo Simétrico   *136*

O Triângulo Ascendente   *140*

O Triângulo Descendente   *142*

Formação de Alargamento   *145*

Bandeiras e Flâmulas   *146*

A Formação em Cunha   *151*

A Formação do Retângulo   *153*

Medindo os Movimentos   *157*

O Padrão de Continuação de Cabeça e Ombros   *159*

Confirmação e Divergência   *161*

Conclusão   *162*

7
Volume e Interesse Aberto   *163*

Introdução   *163*

Volume e Interesse Aberto Como Indicadores Secundários   *164*

Interpretação do Volume para Todos os Mercados   *168*

Interpretação de Interesse Aberto em Futuros   *176*

Resumo das Regras de Volume e Interesse Aberto   *182*

Explosões e Clímaces de Vendas   *183*

O Relatório de Compromisso dos Traders   *184*

Fique de Olho nos Comerciais   *185*

Posições Líquidas de Traders   *185*

Interesse Aberto em Opções   *186*

Coeficientes de Venda/Compra   *187*

Combine Sentimento de Opções com Técnica   *188*

Conclusão   *188*

8
Gráficos de Longo Prazo   *189*

Introdução   *189*

A Importância de uma Perspectiva de Longo Prazo   *190*

Construção de Gráficos Contínuos para Mercados Futuros   *190*

O Perpetual Contract™   *192*

Tendências de Longo Prazo Contestam a Aleatoriedade   *193*

Padrões nos Gráficos: Reversões Semanais e Mensais   *193*

Gráficos de Longo a Curto Prazo   *194*

Por Que Gráficos de Longo Prazo

Devem Ser Ajustados pela Inflação?   *194*

Gráficos de Longo Prazo São Inadequados para Fins de Trade   *196*

Exemplos de Gráficos de Longo Prazo   *197*

9
Médias Móveis   *203*

Introdução   *203*

A Média Móvel: Um Dispositivo Suavizador
com Defasagem de Tempo   *205*

Envelopes de Médias Móveis   *214*

Bandas de Bollinger   *216*

Usando Bandas de Bollinger Como Alvos   *218*

A Largura da Banda Mede a Volatilidade   *218*

Médias Móveis Atreladas a Ciclos   *219*

Números de Fibonacci Usados Como Médias Móveis   *220*

Médias Móveis Aplicadas a Gráficos de Longo Prazo   *220*

A Regra Semanal   *223*

Otimizar ou Não   *228*

Resumo   *230*

A Média Móvel Adaptável   *230*

Alternativas à Média Móvel   *231*

10
Osciladores e Opinião Contrária   *233*

Introdução   *233*

Osciladores Usados em Combinação com Tendências   *234*

Medindo o Momentum   *236*

Taxa de Variação (ROC)   *242*

Construindo Um Oscilador Usando Duas Médias Móveis   *242*

Índice de Canal de Commodities   *245*

O Índice de Força Relativa (IFR)   *247*

Usando as Linhas 70 e 30 Para Gerar Sinais   *253*

Estocásticos (K%D)   *254*

Larry Williams %R   *258*

A Importância da Tendência   *259*

Quando os Osciladores São Mais Úteis   *260*

Convergência/Divergência de Média Móvel (MACD)   *261*

Histograma MACD   *264*

Combine Semanais e Diários   *265*

O Princípio da Opinião Contrária em Futuros   *266*

Leitura da Disposição do Investidor   *270*

Números da Investors Intelligence   *271*

11
Gráficos de Ponto e Figura   *273*

Introdução   *273*

Gráfico de Ponto e Figura versus Gráfico de Barras   *274*

Construção do Gráfico Intraday de Ponto e Figura   *279*

A Contagem Horizontal   *282*

Padrões de Preço   *284*

Gráficos de Ponto e Figura com Três Reversões   *286*

Construindo o Gráfico Reversão de Três Pontos   *287*

Traçando Linhas de Tendência   *291*

Técnicas de Mensuração   *295*

Táticas de Trading   *295*

Vantagens dos Gráficos de Ponto e Figura   *297*

Indicadores Técnicos de P&F   *301*

Gráficos de Ponto e Figura por Computador   *301*

Médias Móveis de Ponto e Figura   *304*

Conclusão   *306*

12
Candlesticks Japoneses   *307*

Introdução   *307*

Gráficos de Candlestick   *307*

Candlesticks Básicos   *309*

Análise de Padrões de Candle   *311*

Padrões de Candle Filtrados   *317*

Conclusão   *319*

13
A Teoria das Ondas de Elliott   *329*

Antecedentes Históricos   *329*

Os Fundamentos do Princípio das Ondas de Elliott   *330*

A Ligação Entre as Ondas de Elliott e a Teoria de Dow   *334*

Ondas de Correção   *334*

A Regra da Alternância   *341*

Canais   *342*

A Onda 4 Como Área de Suporte   *344*

Números de Fibonacci Como Base do Princípio das Ondas *344*

Razões e Retrações de Fibonacci *345*

Alvos de Tempo de Fibonacci *348*

Combinando os Três Aspectos da Teoria das Ondas *348*

As Ondas de Elliott Aplicadas a Ações versus Commodities *350*

Resumo e Conclusão *351*

Material de Referência *352*

14
Ciclos de Tempo *353*

Introdução *353*

Ciclos *354*

Como Conceitos Cíclicos Ajudam a
Explicar Técnicas de Representação Gráfica *365*

Ciclos Dominantes *368*

Combinando Duração de Ciclos *372*

A Importância da Tendência *372*

A Transposição (Translation) Para a Esquerda e a Direita *374*

Como Isolar Ciclos *374*

Ciclos Sazonais *380*

Ciclos no Mercado de Ações *384*

O Barômetro de Janeiro *384*

O Ciclo Presidencial *384*

Combinando Ciclos com Outras Ferramentas Técnicas *385*

Análise Espectral de Entropia Máxima *385*

Leitura de Ciclos e Softwares *386*

15
Computadores e Sistemas de Trading   *387*

Introdução   *387*

Alguns Requisitos dos Computadores   *389*

Agrupando as Ferramentas e Indicadores   *390*

Usando as Ferramentas e Indicadores   *391*

A Parabólica e os Sistemas de Movimento
Direcional de Welles Wilder   *391*

Prós e Contras dos Sistemas de Trading   *398*

Precisa de Ajuda de um Especialista?   *400*

Teste Sistemas ou Crie o Seu   *401*

Conclusão   *401*

16
Gerenciamento de Dinheiro e
Táticas de Trading   *403*

Introdução   *403*

Os Três Elementos do Trading Bem-sucedido   *404*

Gerenciamento de Dinheiro   *405*

Relação Risco/Retorno   *408*

Operando Posições Múltiplas: Unidades de
Tendência versus Unidades de Trading   *408*

O que Fazer Depois de Períodos de Sucesso e Adversidade   *409*

Táticas de Trading   *410*

Combinando Fatores Técnicos e Gerenciamento de Dinheiro   *413*

Tipos de Ordens de Trading   *414*

De Gráficos Diários a Gráficos de Preços Intraday   *416*

O Uso de Pontos Pivot Intraday   *418*

Resumo das Diretrizes de
Gerenciamento de Dinheiro e Trading   *419*

Aplicação a Ações   *420*

Alocação de Recursos   *421*

Contas Gerenciadas e Fundos Mútuos   *421*

Perfil de Mercado   *422*

17
A Ligação entre Ações e Futuros: Análise Intermercado   *423*

Análise Intermercado   *424*

Program Trading: O Elo Definitivo   *425*

O Elo Entre Títulos e Ações   *426*

O Elo Entre Títulos e Commodities   *428*

O Elo Entre Commodities e o Dólar   *429*

Setores de Ações e Grupos Industriais   *430*

O Dólar e Large Caps   *432*

Análise Intermercado e Fundos Mútuos   *432*

Análise de Força Relativa   *432*

Força Relativa e Setores   *434*

Força Relativa e Ações Individuais   *435*

Abordagem de Mercado de Cima para Baixo   *436*

Cenário de Deflação   *437*

Correlação Intermercado   *438*

Software de Redes Neurais Intermercado   *440*

Conclusão   *440*

18
Indicadores do Mercado de Ações   *443*

Medindo a Amplitude do Mercado   *443*

Dados de Amostra   *444*

Comparando Médias de Mercado   *445*

A Linha de Avanço e Declínio   *446*

Divergência LAD   *447*

LADs Diárias versus Semanais   *448*

Variações na LAD   *448*

Oscilador McClellan   *449*

Índice Somatório McClellan   *450*

Novas Altas versus Novas Baixas   *450*

Índice de Novas Altas-Novas Baixas   *452*

Volume de Alta versus Volume de Baixa   *453*

O Arms Index   *454*

TRIN versus TICK   *454*

Suavizando o Arms Index   *455*

Open Arms   *456*

Gráficos Equivolume   *457*

CandlePower   *458*

Comparando Médias de Mercado   *459*

Conclusão   *462*

19
Juntando Tudo — Uma Checklist   *463*

A Checklist Técnica   *464*

Como Coordenar a Análise Técnica
e Fundamentalista   *465*

Chartered Market Technician (CMT)   *466*

Market Technicians Association (MTA)   *467*

O Alcance Global da Análise Técnica   *467*

A Análise Técnica com Qualquer Nome   *468*

O Federal Reserve Finalmente Aprova   *469*

Conclusão   *470*

APÊNDICES   471

Apêndice A: Indicadores Técnicos Avançados   *473*

Índice de Demanda (ID)   *473*

Índice de Resultado de Herrick (HPI)   *476*

Bandas Starc e Canais de Keltner   *479*

Fórmula Para o Índice de Demanda   *483*

Apêndice B: Perfil de Mercado   *485*

Introdução   *485*

O Gráfico de Perfil de Mercado   *488*

Estrutura de Mercado   *489*

Princípios de Organização do Perfil de Mercado   *490*

Desenvolvimento de Faixa e Padrões de Perfis   *494*

Rastreando Atividade de Mercado de Longo Prazo   *497*

Conclusão   *501*

Apêndice C: A Base da Construção de um Sistema de Trading   *503*

O Plano de Cinco Etapas   *504*

Etapa 1: Comece com um Conceito (uma Ideia)   *505*

Etapa 2: Transforme-o em um Conjunto de Regras Objetivas   *507*

Etapa 3: Verifique-o Visualmente nos Gráficos   *507*

Etapa 4: Teste-o Formalmente com o Computador   *507*

Etapa 5: Avalie os Resultados   *510*

Gerenciamento de Dinheiro   *511*

Conclusão   *512*

Apêndice D: Contratos Futuros Contínuos   *515*

Nearest Contract   *515*

Next Contract   *516*

Contratos de Gann   *517*

Continuous Contracts   *517*

Constant Forward Continuous Contracts   *518*

Glossário   *521*

Bibliografia   *533*

Índice   *537*

Sobre o Autor

John J. Murphy utiliza análise técnica há três décadas. Ele foi diretor de Pesquisa Técnica de Futuros e consultor sênior de Negociação de Contas Gerenciadas no Merrill Lynch, além de ter sido analista técnico na CN-BC-TV durante sete anos. Ele é autor de três livros, incluindo *Technical Analysis of the Futures Markets*, precursor deste livro. Seu segundo livro, *Intermarket Technical Analysis*, abriu um novo campo de análise. E seu terceiro livro, *The Visual Investor*, aplica o trabalho técnico a fundos mútuos.

Em 1996, o Sr. Murphy fundou, com o desenvolvedor de software Greg Morris, a MURPHYMORRIS, Inc., para produzir produtos educacionais interativos e análise online para investidores. Seu site é:

www.murphymorris.com [conteúdo em inglês]

Ele também dirige sua empresa de consultoria, JJM Technical Advisors, localizada em Oradell, Nova Jersey.

Sobre os Colaboradores

Thomas E. Aspray (Apêndice A) é analista de Mercado de Capitais no Princeton Economic Institute Ltd., localizado em Princeton, Nova Jersey. O Sr. Aspray atua no ramo desde a década de 1970, e muitas técnicas em que foi pioneiro no início dos anos de 1980 hoje são empregadas por outros traders profissionais.

Dennis C. Hynes (Apêndice B) é diretor-geral e cofundador da R.W. Pressprich & Co., Inc., uma corretora/dealer de renda fixa em Nova York. Ele também é estrategista-chefe de mercado da empresa. O Sr. Hynes é trader de futuros e opções e consultor de negociação de commodities. Ele tem mestrado em Finanças pela Universidade de Houston.

Greg Morris (Capítulo 12 e Apêndice D) há vinte anos vem desenvolvendo sistemas e indicadores de negociação para investidores e traders a serem usados em importantes softwares de análise técnica. Ele é autor de dois livros sobre gráficos de candlestick (veja o Capítulo 12). Em agosto de 1996, o Sr. Morris se juntou a John Murphy para fundar a MURPHY-MORRIS Inc., uma empresa sediada em Dallas dedicada ao treinamento de investidores.

xxiii

Fred G. Schutzman, CMT (Apêndice C) é presidente e diretor-executivo da Briarwood Capital Management, Inc., uma empresa de consultoria de negociação de commodities sediada em Nova York. Ele também é responsável pelas pesquisas técnicas e pelo desenvolvimento de sistemas de trading na Emcor Eurocurrency Management Corporation, uma empresa de consultoria em gestão de risco. O Sr. Schutzman é membro da Market Technicians Association e atualmente participa de seu Conselho Administrativo.

Introdução

Quando *Technical Analysis of the Futures Markets* [*Análise Técnica de Mercados Futuros*, em tradução livre] foi publicado, em 1986, eu não tinha ideia de que exerceria tão grande impacto no mercado. Ele tem sido indicado para muitos na área como a "Bíblia" da análise técnica. A Market Technicians Association o usa como principal fonte em seu processo de teste no programa de Chartered Market Technician (CMT). O Federal Reserve o citou em estudos de pesquisa que analisam o valor da abordagem técnica. Além disso, ele foi traduzido para oito idiomas. Eu também não estava preparado para o longo tempo que o livro permaneceria em catálogo. Ele continuou a vender com a mesma intensidade mesmo dez anos depois de ter sido publicado.

Contudo, ficou claro que uma grande quantidade de material novo foi acrescentada ao ramo da análise técnica na última década. Eu mesmo adicionei parte disso. Meu segundo livro, *Intermarket Technical Analysis* (Wiley, 1991), ajudou a criar esse novo ramo da análise técnica, amplamente utilizado hoje. Técnicas antigas, como a japonesa de gráficos de candlestick, e mais recentes, como a de Perfil de Mercado, tornaram-se parte do panorama técnico. Estava claro que esse novo trabalho tinha que ser incluído em qualquer livro que tentasse mostrar um quadro abrangente da análise técnica. E o foco de meu trabalho também mudou.

Enquanto meu interesse principal há dez anos estava no mercado futuro, meu trabalho recente tem focado mais o mercado de ações. Dessa forma, fechei o círculo, visto que comecei minha carreira como analista da bolsa de valores há trinta anos. Esse também foi um dos efeitos colaterais de ter sido analista técnico na CNBC-TV durante sete anos. Esse foco naquilo que o público em geral estava fazendo gerou meu terceiro livro, *The Visual Investor* (Wiley, 1996), que se concentrou no uso de ferramentas técnicas para setores de mercado, principalmente por meio de fundos mútuos, que se tornaram muito populares na década de 1990.

Muitos dos indicadores técnicos sobre os quais escrevi há dez anos, que eram usados principalmente no mercado futuro, foram incorporados ao trabalho com o mercado de ações. Era hora de mostrar o que estava sendo feito. Finalmente, como ocorre em qualquer setor ou disciplina, escritores também evoluem. Fatos que me pareciam muito importantes há dez anos não são mais importantes hoje. À medida que meu trabalho evoluiu para uma gama mais ampla de aplicações de princípios técnicos, pareceu certo que qualquer revisão de trabalhos anteriores refletisse essa evolução.

Tentei manter a estrutura do livro original. Assim, muitos dos capítulos originais permanecem. Contudo, eles foram revisados com base no material novo e atualizados com novos gráficos. Como os princípios de análise técnica são universais, não foi difícil ampliar o foco e incluir todos os mercados financeiros. Porém, como o foco original estava nos mercados futuros, foi adicionado muito material sobre o mercado de ações.

Foram acrescentados três novos capítulos. Os dois capítulos sobre Gráficos de Ponto e Figura (Capítulos 11 e 12) foram combinados em um. Um novo Capítulo 12, sobre gráficos candlestick, foi incluído, e também foram

Introdução   *xxvii*

acrescentados dois capítulos ao final do livro. O Capítulo 17 é uma introdução do meu trabalho sobre análise intermercados, e o Capítulo 18 trata de indicadores do mercado de ações. Substituímos os apêndices anteriores por novos. O Perfil de Mercado é apresentado no Apêndice B. Os outros apêndices mostram alguns dos indicadores técnicos mais avançados e explicam como criar um sistema de trading. Há também um glossário.

Trabalhei nesta revisão com alguma inquietação. Não tinha certeza de que reescrever um livro considerado um "clássico" fosse uma boa ideia, e espero ter tido êxito em deixá-lo ainda melhor. Abordei este trabalho da perspectiva de um autor e analista mais experiente e maduro, e em todo o livro tentei mostrar o respeito que sempre nutri pela disciplina da análise técnica e pelos muitos analistas talentosos que a praticam. O sucesso do trabalho deles, além de sua dedicação a essa especialidade, sempre foi fonte de bem-estar e inspiração para mim. Só espero ter feito justiça a ela e a eles.

John Murphy

Agradecimentos

A pessoa que merece o maior crédito pela segunda edição deste livro é Ellen Schneid Coleman, editora executiva da Simon & Schuster. Ela me convenceu de que era hora de revisar *Technical Analysis of the Futures Markets* e ampliar seu escopo. Estou feliz por ela ter sido tão persistente. Agradeço em especial ao pessoal da Omega Research, que me ofereceu o software para criação de gráficos de que eu precisava, e em especial a Gaston Sanchez, que passou muito tempo ao telefone comigo. Os autores que colaboraram comigo — Tom Aspray, Dennis Hynes e Fred Schutzman — adicionaram seus conhecimentos específicos onde eram necessários. Além disso, vários analistas contribuíram com gráficos, incluindo Michael Burke, Stan Ehrlich, Jerry Toepke, Ken Tower e Nick Van Nice. A revisão do Capítulo 2, sobre a Teoria de Dow, foi um trabalho de colaboração com Elyce Picciotti, uma escritora técnica independente e consultora de mercado em Nova Orleans, Luisiana. Greg Morris merece menção especial. Ele escreveu o capítulo sobre gráficos de candlestick, colaborou com o artigo no Apêndice D, e realizou a maior parte do trabalho gráfico. Fred Dahl, da Inkwell Publishing Services (Fishkill, NY), que cuidou da produção da primeira edição deste livro, cuidou desta também, e foi ótimo trabalhar com ele outra vez.

xxix

ANÁLISE TÉCNICA DO MERCADO FINANCEIRO

GUIA DEFINITIVO E MÉTODOS DE NEGOCIAÇÃO

1
Filosofia da Análise Técnica

INTRODUÇÃO

Antes de iniciar um estudo sobre as técnicas e ferramentas existentes usadas na análise técnica, é necessário definir o que é a análise técnica, discutir as premissas filosóficas nas quais é baseada, estabelecer algumas distinções claras entre análise técnica e fundamentalista e, finalmente, discutir algumas críticas frequentemente feitas à abordagem técnica.

O autor tem profunda convicção de que uma avaliação completa da abordagem técnica deve começar com uma compreensão clara do que a análise técnica alega ser capaz de fazer e, talvez ainda mais importante, a filosofia e a lógica em que ela baseia essas alegações.

Primeiro definiremos o tema. *Análise técnica é o estudo da ação do mercado, principalmente por meio do uso de gráficos, com o objetivo de prever tendências de preço futuras.* O termo "ação do mercado" (market action) inclui as três fontes de informação disponíveis ao técnico — preço, volume e interesse aberto. (O interesse aberto é usado apenas em mercados futuros e de opções.) O termo "movimentos de preço" (price action), muitas vezes usado, parece muito limitado, porque a maioria dos técnicos inclui volume e interesse aberto como parte integrante de sua análise de mercado. Feita essa distinção, os termos "movimentos de preço" e "ação do mercado" são usados de modo intercambiável no restante desta conversa.

FILOSOFIA OU LÓGICA

A abordagem técnica baseia-se em três premissas:

1. O mercado desconta tudo.
2. Os preços se movimentam em tendências.
3. A história se repete.

O Mercado Desconta Tudo

A declaração "o mercado desconta tudo" forma o que provavelmente é o pilar da análise técnica. A menos que todo o significado dessa primeira premissa seja entendido e aceito por completo, os passos seguintes não farão muito sentido. O técnico acredita que tudo que pode afetar os preços — em termos fundamentalistas, políticos, psicológicos etc. — realmente se reflete nos preços desse mercado. Consequentemente, só precisamos de um estudo de price action. Embora essa alegação possa parecer presunçosa, é difícil discordar dela se nos dispusermos a considerar seu verdadeiro significado.

Na verdade, o técnico está alegando que o price action deve refletir mudanças na oferta e na demanda. Se a demanda exceder a oferta, os pre-

Filosofia da Análise Técnica

ços sobem. Se a oferta superar a demanda, os preços caem. Essa ação é a base de todas as previsões econômicas e fundamentalistas. O técnico então inverte essa declaração para chegar à conclusão de que, se os preços estão aumentando, quaisquer que sejam as razões específicas para tanto, a demanda deve exceder a oferta e os fundamentos devem estar bullish (mercado touro). Se os preços caírem, os fundamentos devem estar bearish (mercado urso). Embora este último comentário sobre fundamentos possa parecer surpreendente no contexto de uma discussão de análise técnica, isso não deveria ocorrer, afinal, o técnico estuda indiretamente os fundamentos. A maioria dos técnicos provavelmente concordará que são as forças implícitas da oferta e da demanda, os fundamentos econômicos de um mercado, que causam a alta e a baixa nos mercados. Os gráficos em si não fazem os mercados subir ou descer, eles simplesmente refletem a psicologia de alta e baixa do mercado.

Como regra, os grafistas não se preocupam com os motivos de os preços subirem ou caírem. Nos primeiros estágios de uma tendência de preço ou em um ponto de virada, é comum ninguém saber exatamente por que um mercado está mostrando determinado desempenho. Embora a abordagem técnica possa, às vezes, dar a impressão de apresentar alegações excessivamente simplistas, a lógica que fundamenta essa primeira premissa — a de que os mercados descontam tudo — torna-se mais convincente à medida que aumenta nossa experiência de mercado. Como consequência, se tudo que afeta os preços do mercado acaba se refletindo nele, então o estudo dos preços de mercado é tudo de que precisamos. Ao estudar gráficos de preço e vários indicadores auxiliares, o grafista efetivamente deixa que o mercado lhe diga o rumo que provavelmente tomará. O grafista não tenta necessariamente ludibriar ou ser mais esperto que o mercado. Todas as ferramentas técnicas discutidas mais adiante são apenas técnicas usadas para ajudar o grafista a estudar a ação do mercado. Ele simplesmente não acha que conhecer esses motivos seja necessário ao processo de previsão.

Os Preços Se Movimentam em Tendências

O conceito de tendência é absolutamente essencial à abordagem técnica. Novamente, a menos que se aceite a premissa de que os mercados realmente seguem uma tendência, não tem sentido continuar a leitura. O principal objetivo de analisar o price action de um mercado com gráficos é identificar tendências nos primeiros estágios de seu desenvolvimento com o propósito de operar de acordo com elas. Na verdade, a maioria das técnicas usadas nessa abordagem acompanha as tendências, ou seja, seu intuito é identificar e seguir tendências existentes. (Veja a Figura 1.1.)

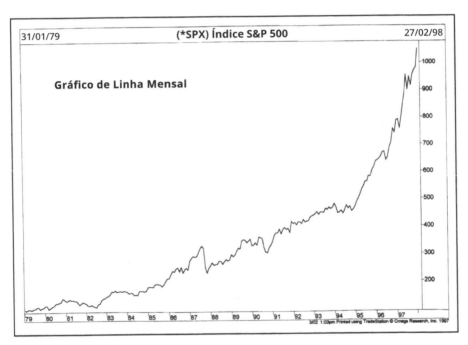

Figura 1.1 *Exemplo de uma tendência de alta. A análise técnica se baseia na premissa de que o mercado segue tendências e que elas costumam persistir.*

Daí, da premissa de que os preços se movimentam em tendências, deduz-se que *uma tendência em movimento tem maior probabilidade de continuar do que de reverter*. Esse corolário, é claro, é uma adaptação da primeira lei de Newton, a lei da inércia. Outra forma de expressá-lo é dizer que uma tendência em movimento continuará na mesma direção até se reverter. Essa é uma das alegações técnicas que parecem quase circulares. Mas toda a abordagem de acompanhamento de tendências se baseia em adotar uma tendência até que mostre sinais de reversão.

A História se Repete

Grande parte da estrutura da análise técnica e do estudo da ação do mercado tem a ver com o estudo da psicologia humana. Padrões gráficos, por exemplo, que têm sido identificados e categorizados nos últimos cem anos, refletem certos cenários que aparecem nos gráficos de preços. Esses cenários revelam a psicologia de alta ou baixa do mercado. Como esses padrões funcionaram bem no passado, presume-se que eles continuarão a funcionar bem no futuro. Eles se baseiam no estudo da psicologia humana, que tende a não mudar. Outra forma de expressar essa última premissa — a de que a história se repete — é dizer que o segredo para entender o futuro reside em um estudo do passado, ou que o futuro é só uma repetição do passado.

PREVISÃO TÉCNICA VERSUS FUNDAMENTALISTA

Enquanto a análise técnica foca o estudo da ação do mercado, a análise fundamentalista foca as forças econômicas da oferta e demanda que fazem os preços subir, descer ou se estabilizar. A abordagem fundamentalista analisa todos os fatores relevantes que afetam os preços no mercado a fim de determinar o valor intrínseco desse mercado. O valor intrínseco é o que o ponto de vista fundamentalista indica como sendo o verdadeiro valor de algo com base na lei da oferta e demanda. Se esse valor intrínseco for menor que o preço atual de mercado, este está sobrevalorizado, e deve ser vendido. Se o preço de mercado for menor que o valor intrínseco, então o mercado está subvalorizado, e deve ser comprado.

Ambas as abordagens à previsão de mercado tentam resolver o mesmo problema, isto é, determinar a provável direção que os preços seguirão. Elas apenas tratam a questão a partir de pontos de vista diferentes. *Os fundamentalistas estudam a causa do movimento do mercado, enquanto os técnicos analisam o efeito.* O técnico, naturalmente, acredita que o efeito é tudo o que ele precisa saber e que as razões, ou as causas, são desnecessárias. O fundamentalista sempre precisa saber o porquê.

A maioria dos traders se classifica como técnicos ou fundamentalistas. Na verdade, suas funções se sobrepõem. Muitos fundamentalistas têm conhecimento prático dos princípios básicos da análise gráfica. Ao mesmo tempo, muitos técnicos têm, pelo menos, um conhecimento superficial dos fundamentos. O problema é que gráficos e fundamentos frequentemente entram em conflito uns com os outros. Geralmente, no início de importantes movimentos de mercado, os fundamentalistas não explicam tampouco apoiam o que o mercado parece estar fazendo. É nesses momentos críticos que a tendência das duas abordagens parece divergir mais. Normalmente elas voltam a entrar em sincronia em algum ponto, mas muitas vezes é tarde demais para o trader agir.

Uma explicação para essas aparentes discrepâncias é que *o preço de mercado tende a antecipar os fundamentos conhecidos.* Em outras palavras, *o preço de mercado age como um indicador antecedente (leading indicator) dos fundamentos* ou a sabedoria convencional do momento. Embora os fundamentos conhecidos já tenham sido descontados e já estejam "no mercado", os preços agora estão reagindo a fundamentos desconhecidos. Alguns dos momentos mais dramáticos de alta e queda do mercado na história começaram com pouca ou nenhuma mudança percebida dos fundamentos. Quando essas mudanças ficaram conhecidas, a nova tendência já tinha se instalado.

Depois de algum tempo, o técnico desenvolve uma confiança maior em sua capacidade de analisar os gráficos. Ele aprende a ficar à vontade com a situação em que o movimento do mercado diverge da assim chamada sabedoria convencional e começa a apreciar ser parte de uma minoria. Ele sabe que, em algum momento, os motivos da ação do mercado se tornarão de conhecimento comum. Ocorre que o técnico não está disposto a esperar por essa confirmação adicional.

Ao aceitar as premissas da análise técnica, percebe-se por que os técnicos consideram sua abordagem superior à dos fundamentalistas. Se um trader tivesse que escolher somente uma das duas abordagens, a escolha lógica teria que ser a técnica, porque, por definição, ela inclui a fundamentalista. Se os fundamentos refletem no preço de mercado, então o estudo desses fundamentos se tornará desnecessário. A análise dos gráficos se torna uma alternativa mais rápida à análise fundamentalista. A recíproca, porém, não é verdadeira. A análise fundamentalista não inclui estudos do price action. É possível negociar em mercados financeiros usando apenas a abordagem técnica, e é improvável que alguém possa negociar com base apenas nos fundamentos, sem considerar o lado técnico do mercado.

ANÁLISE VERSUS TIMING

Este último ponto fica mais claro se o processo de tomada de decisão for dividido em dois estágios separados: análise e timing. Devido ao elevado fator de alavancagem nos mercados futuros, o timing é especialmente importante nessa área. É perfeitamente possível estar certo sobre a tendência geral do mercado e ainda perder dinheiro. Como na negociação de mercados futuros as exigências de margem são muito baixas (geralmente inferiores a 10%), um movimento relativamente pequeno no preço na direção errada pode obrigar o trader a sair do mercado com a perda de toda ou quase toda essa margem. Em contrapartida, na negociação de ações, o trader que se encontrar no lado errado do mercado pode simplesmente decidir manter as ações, na esperança de que elas se recuperem em algum momento.

Traders de futuros não podem se dar a esse luxo. A estratégia de "buy and hold" não se aplica ao ambiente de futuros. As abordagens técnica e fundamentalista podem ser usadas na primeira fase — o processo de previsão. Entretanto, as questões de timing, de determinar pontos específicos de entrada e saída, são quase puramente técnicos. Assim, considerando as etapas que o trader precisa cumprir antes de se comprometer no mercado, pode-se ver que a aplicação correta de princípios técnicos se torna indispensável em algum momento do processo, mesmo que a análise fundamentalista tenha sido aplicada em estágios iniciais da decisão. O timing também é importante na seleção individual de ações e na compra e venda no mercado de ações e setores industriais.

FLEXIBILIDADE E ADAPTABILIDADE DA ANÁLISE TÉCNICA

Um dos principais pontos positivos da análise técnica é seu poder de adaptação a praticamente qualquer meio de negociação e dimensão de tempo. Não existe área de negociação no mercado de ações ou de futuros em que esses princípios não se apliquem.

O grafista pode acompanhar tantos mercados quantos desejar com facilidade, o que geralmente não ocorre com seu colega fundamentalista. Devido à imensa quantidade de dados com que este último precisa lidar, a maioria dos fundamentalistas tende a se especializar. As vantagens aqui não devem ser ignoradas.

Por um lado, os mercados passam por períodos de atividade e inação e estágios em que seguem e não seguem tendências. O técnico pode concentrar a atenção e os recursos nos mercados que apresentam fortes tendências e decidir ignorar o resto. Como resultado, o grafista pode alternar sua atenção e seu capital de modo a aproveitar a natureza cíclica dos mercados. Em momentos diferentes, certos mercados se "aquecem" e experimentam tendências importantes. Geralmente, esses períodos de tendência são seguidos por condições de mercado calmos e relativamente sem tendências, enquanto outro mercado ou setor assume. O trader técnico está livre para selecionar e escolher. Entretanto, o fundamentalista, que tende a se especializar em apenas um setor, não tem essa flexibilidade. Mesmo que ele tivesse a liberdade de trocar de setor, teria muito mais dificuldade em fazê-lo do que o grafista.

O técnico ainda tem a vantagem do "cenário global". Ao acompanhar todos os mercados, ele tem uma excelente percepção do que estes em geral estão fazendo e evita a "visão de túnel" que pode resultar do acompanhamento de apenas um setor de mercados. Além disso, como tantos mercados criam relacionamentos econômicos integrados e reagem a fatores econômicos semelhantes, o price action em um mercado ou setor pode oferecer pistas valiosas da direção futura de outro mercado ou setor de mercados.

ANÁLISE TÉCNICA APLICADA A DIFERENTES MERCADOS

Os princípios da análise gráfica se aplicam a *ações* e *futuros*. Na verdade, a análise técnica foi aplicada primeiro ao mercado de ações e, depois, adaptada ao de futuros. Com a criação do *índice futuro*, a linha divisória entre essas duas áreas está desaparecendo rapidamente. Os *mercados internacionais de ações* também são mostrados em gráficos e analisados segundo princípios técnicos. (Veja a Figura 1.2.)

Futuros financeiros, incluindo *mercados de taxas de juros* e *moedas estrangeiras*, tornaram-se muito populares na última década e provaram ser excelentes objetos para análise gráfica.

Os princípios técnicos têm um papel a desempenhar na *negociação de opções*, e as previsões técnicas também podem ser usadas com grande proveito em *processos de hedging*.

Figura 1.2 *A bolsa de valores japonesa bem representada em gráficos, como a maioria das bolsas de valores em todo o mundo.*

ANÁLISE TÉCNICA APLICADA A DIFERENTES DIMENSÕES DE TEMPO

Outro ponto positivo da abordagem gráfica é a capacidade de lidar com diferentes dimensões de tempo. Quer o usuário esteja negociando de acordo com pequenas mudanças de preço durante o dia *para fazer day trade* ou negociando de acordo com a tendência intermediária, os mesmos princípios se aplicam. Uma dimensão de tempo muitas vezes ignorada é a *previsão técnica de longo alcance*. A opinião de alguns setores de que gráficos são úteis somente no curto prazo não procede, e alguns profissionais sugeriram que a análise fundamentalista deve ser usada em previsões de longo prazo com fatores técnicos limitados ao timing de curto prazo. Ocorre que a previsão de longo prazo, usando gráficos semanais e mensais de vários anos, provou ser uma aplicação extremamente útil dessas técnicas.

Depois que os princípios técnicos discutidos neste livro forem bem compreendidos, eles proporcionarão ao usuário uma enorme flexibilidade em termos de sua aplicação, tanto do ponto de vista do meio a ser analisado quanto da dimensão de tempo a ser estudada.

PREVISÃO ECONÔMICA

A análise técnica também desempenha um papel na previsão econômica. Por exemplo, a direção dos preços de commodities revela algo sobre a direção da inflação. Ela também nos dá pistas sobre a solidez ou fragilidade da economia. O aumento dos preços das commodities geralmente indica uma economia mais forte e aumento da pressão inflacionária, e sua queda geralmente é uma advertência de que a economia está desacelerando com a inflação. A direção das taxas de juros é afetada pela tendência das commodities. Como resultado, gráficos dos mercados de commodities como ouro e petróleo com Títulos do Tesouro podem nos revelar muito sobre a solidez ou fragilidade das expectativas econômicas e inflacionárias, e a direção do dólar norte-americano e futuros em moeda estrangeira também proporciona uma orientação antecipada sobre a solidez ou instabilidade das respectivas economias globais. Ainda mais impressionante é o fato de que as tendências desses mercados futuros geralmente aparecem muito antes de se refletirem nos indicadores econômicos tradicionais que são divulgados mensal ou trimestralmente, e geralmente nos dizem o que já ocorreu. Como o nome sugere, mercados futuros geralmente nos dão insights sobre o futuro. O índice da bolsa de valores S&P 500 há muito tem sido considerado como um importante indicador econômico oficial. Um livro de um dos maiores especialistas do país sobre o ciclo econômico, *Leading Indicators for the 1990s* [*Indicadores Antecedentes para os anos 1990*, em tradução livre] (Moore), apresenta um argumento convincente sobre a importância das tendências de commodities, títulos e ações como indicadores econômicos. Esses três mercados podem ser analisados empregando-se a análise técnica. Falaremos mais sobre o assunto no Capítulo 17, "A Ligação entre Ações e Futuros".

TÉCNICO OU GRAFISTA?

Há diferentes títulos usados pelos profissionais que utilizam a abordagem técnica: analista técnico, grafista, analista de mercado e analista visual. Até recentemente, todos tinham praticamente o mesmo significado, contudo, com o aumento da especialização no campo, tornou-se necessário estabelecer mais diferenças e definir os termos com mais cuidado. Como até a última década quase todas as análises técnicas se baseavam no uso de gráficos, os termos "técnico" e "grafista" tinham o mesmo significado. Hoje isso não é necessariamente verdade.

A área mais ampla da análise técnica está sendo cada vez mais dividida em dois tipos de profissionais, o grafista tradicional e, na falta de um termo melhor, técnicos em estatística. Reconhecemos que muitas das funções se sobrepõem e que, até certo ponto, a maioria dos técnicos combina as duas áreas. Como no caso do técnico versus o fundamentalista, a maioria parece se inserir em uma ou outra categoria.

Quer o grafista tradicional use ou não trabalho quantitativo para suplementar sua análise, os gráficos continuam sendo a principal ferramenta de trabalho. O resto é secundário. Por necessidade, a elaboração de gráficos continua sendo algo subjetivo. O sucesso da abordagem depende, quase sempre, da habilidade do grafista, e o termo "art charting" tem sido usado nessa abordagem porque interpretar um gráfico é, em grande parte, uma arte.

Por outro lado, o analista estatístico, ou quantitativo, pega esses princípios subjetivos e os quantifica, testa e otimiza com o objetivo de desenvolver sistemas mecânicos de trading. Esses sistemas, ou modelos de trading, são então programados em computador e geram sinais mecânicos de "compra" e "venda" e variam do simples ao muito complexo. Entretanto, o intuito é reduzir ou eliminar completamente o elemento subjetivo humano da operação a fim de lhe conferir um caráter mais científico. Esses estatísticos podem ou não usar gráficos de preços em seu trabalho, mas são considerados técnicos desde que se limitem a estudar a ação do mercado.

Até mesmo técnicos em computação podem ser divididos em grupos que preferem sistemas mecânicos, ou a abordagem da "caixa-preta", e os que usam a tecnologia da computação para desenvolver indicadores técnicos melhores. Este último grupo controla a interpretação desses indicadores e também o processo de tomada de decisão.

Uma forma de diferenciar o grafista e o estatístico é dizer que todos os grafistas são técnicos, mas nem todos os técnicos são grafistas. Embora esses termos sejam usados intercambiavelmente em todo este livro, devemos lembrar que a elaboração de gráficos representa apenas uma área de um tópico mais amplo da análise técnica.

UMA BREVE COMPARAÇÃO DA ANÁLISE TÉCNICA EM AÇÕES E FUTUROS

Uma pergunta feita com frequência é se a análise técnica aplicada a futuros é a mesma que a aplicada ao mercado de ações. A resposta é sim e não. Os princípios básicos são os mesmos, mas há algumas diferenças significativas. Os princípios da análise técnica foram aplicados primeiro a previsões no mercado de ações e só depois adaptados ao mercado de futuros. A maioria das ferramentas básicas — gráficos de barras, de ponto e figura, padrões de preços, volume, linhas de tendência, médias móveis e osciladores, por exemplo — é usada nas duas áreas, e qualquer pessoa que tenha aprendido esses conceitos em relação a ações ou futuros não teria muitas dificuldades em se adaptar ao outro lado. Entretanto, há algumas áreas que têm mais a ver com a diferença da natureza das ações e dos futuros do que com as ferramentas em si.

Estrutura de Preços

A estrutura de preços de futuros é muito mais complicada que a de ações. Cada commodity é cotada em diferentes unidades e incrementos. O mercado de grãos, por exemplo, é cotado em centavos por bushel; o gado, em centavos por libra; ouro e prata, em dólares por onça; e taxas de juros, em pontos-base. O trader precisa conhecer os detalhes do contrato de cada mercado: em que bolsa é negociado, como cada contrato é cotado, quais são os incrementos de preços máximos e mínimos e quanto valem esses incrementos.

Tempo de Vida Limitado

Ao contrário das ações, contratos de futuros têm data de validade. Por exemplo, o contrato de um título do governo de março de 1999 expira em março de 1999. O contrato de futuros típico é negociado por cerca de um ano e meio antes da data de vencimento. Assim, em qualquer momento, pelo menos, meia dúzia de diferentes contratos mensais estão operando a mesma commodity ao mesmo tempo. O trader precisa saber que contratos operar e quais evitar. (Esta questão é explicada mais adiante no livro.) Essa característica de tempo de vida limitado causa alguns problemas para a previsão de preços no longo prazo. Ela implica a necessidade contínua de obter novos gráficos assim que os velhos contratos param de ser negociados. O gráfico de um contrato vencido não tem muita utilidade. É preciso obter novos gráficos para os contratos novos, com seus próprios indicadores técnicos. Essa rotatividade constante dificulta muito a manutenção de uma biblioteca de gráficos contínua. Para usuários de computador, isso também exige mais tempo e gastos, visto que é necessário obter constantemente novos dados históricos à medida que os antigos contratos vencem.

Exigências de Margens Menores

Esta provavelmente é a diferença mais importante entre ações e futuros. Todos os futuros são operados com margens, que geralmente são inferiores a 10% do valor do contrato. O resultado das condições com margens tão baixas é uma enorme alavancagem. Movimentos de preço relativamente pequenos em qualquer direção tendem a exercer um impacto maior nos resultados da negociação em geral. Por esse motivo, é possível ganhar ou perder grandes somas de dinheiro muito depressa com futuros. Como o trader estabelece uma margem de apenas 10% do valor do contrato, um movimento de 10% em qualquer direção dobrará ou acabará com seu investimento. Ao aumentar o impacto de até mesmo movimentos pequenos no mercado, o fator de alta alavancagem às vezes faz os mercados de futuros parecerem mais voláteis do que realmente são. Por exemplo, quando alguém diz que ficou "a zero" por causa do mercado de futuros, lembre-se de que ele só comprometeu 10%.

Do ponto de vista da análise técnica, o fator de alta alavancagem torna o timing no mercado de futuros muito mais crítico do que no de ações. O timing correto dos pontos de entrada e saída é crucial na negociação de futuros e muito mais difícil e frustrante que a análise de mercado. Principalmente por esse motivo, as habilidades de negociação técnica tornam-se indispensáveis para um programa de negociação de futuros bem-sucedido.

O Prazo é Muito Menor

Devido a esse fator de alta alavancagem e à necessidade de acompanhamento atento das posições de mercado, o horizonte de tempo (time frame) do trader de commodities é inevitavelmente menor. Técnicos do mercado de ações costumam analisar mais o cenário de longo alcance e falar em prazos que estão além da preocupação do trader médio de commodities. Os técnicos da bolsa de valores falam sobre como o mercado estará dali a três ou seis meses. Traders de futuros querem saber onde os preços estarão na próxima semana, amanhã ou, talvez, na mesma tarde. Isso exigiu o aperfeiçoamento de ferramentas de curtíssimo prazo. A média móvel é um exemplo. As médias mais observadas no mercado de ações é de 50 e 200 dias. Em commodities, a maioria das médias móveis fica abaixo de 40 dias. Por exemplo, uma combinação de média móvel popular em futuros é de 4, 9 e 18 dias.

Maior Dependência do Timing

Timing é tudo na negociação de futuros. Determinar a direção correta do mercado resolve apenas uma parte do problema da operação. Se o timing do ponto de entrada for perdido por um dia ou, às vezes, até alguns minutos, isso pode significar a diferença entre ganhar e perder. Já é ruim o suficiente estar do lado errado do mercado e perder dinheiro. Estar do lado certo e ainda assim perder dinheiro é um dos aspectos mais frustrantes e angustiantes do trading de futuros. E é desnecessário dizer que o timing tem uma natureza quase puramente técnica, pois os fundamentos raramente mudam em uma base diária.

MENOR DEPENDÊNCIA DE MÉDIAS E INDICADORES DE MERCADO

A análise do mercado de ações se baseia grandemente no movimento das médias amplas de mercado — como o índice Dow Jones Industrial Average ou o S&P 500. Além disso, indicadores técnicos que medem solidez ou instabilidade do mercado mais amplo — como a linha de avanço e declínio da NYSE ou a lista de novas altas e novas baixas — são bastante empregados. Enquanto os mercados de commodities podem ser rastreados usando-se medidas como o Índice de Preços de Futuros do Commodity Research Bureau (CRB), menos ênfase é dada à abordagem de mercado mais ampla. A análise do mercado de commodities se concentra mais na ação do mercado individual. Dessa forma, os indicadores técnicos que medem as tendências mais amplas de commodities não são muito usados. Com cerca de apenas vinte mercados de commodities ativos, não há necessidade.

Ferramentas Técnicas Específicas

Embora a maioria das ferramentas técnicas originalmente desenvolvidas no mercado de ações tenha alguma aplicação nos mercados de commodities, elas não são usadas exatamente da mesma forma. Por exemplo, padrões gráficos em futuros geralmente tendem a não se formar tão completamente como no caso das ações.

Traders de futuros dependem grandemente de indicadores de curto prazo que enfatizem sinais de trading mais precisos. Esses pontos de diferença e muitos outros são discutidos mais adiante neste livro.

Finalmente, há outra área com diferenças significativas entre ações e futuros. A análise técnica de ações depende muito mais do uso de *indicadores de sentimento* e análise de *fluxo de fundos*. *Indicadores de sentimento* monitoram o desempenho de diferentes grupos, como lotes fracionários, fundos mútuos e especialistas de pregão. Dá-se muita importância a indicadores de sentimento que medem a situação geral de alta e baixa dos mercados com base na teoria de que a opinião da maioria normalmente está errada. A análise de *fluxo de fundos* se refere à posição de caixa de diferentes grupos, como fundos mútuos ou grandes contas institucionais. O raciocínio aqui é o de que, quanto maior a posição de caixa, mais fundos estarão disponíveis para a compra de ações.

A análise técnica nos mercados de futuros é uma forma muito mais pura de análise de preços. Embora, até certo ponto, a teoria da opinião contrária também seja usada, muito mais ênfase é dada à análise de tendências básicas e à aplicação de indicadores técnicos tradicionais.

ALGUMAS CRÍTICAS À ABORDAGEM TÉCNICA

Geralmente, em qualquer discussão sobre a abordagem técnica surgem algumas dúvidas, e uma dessas preocupações é relativa à *profecia autor-realizável*. Outra é a questão de se dados de preços passados podem ou não ser realmente usados para prever a direção futura de preços. Os críticos normalmente dizem: "Os gráficos nos dizem onde o mercado esteve, mas não podem nos dizer para onde está indo." Por ora deixaremos de lado a resposta óbvia de que um gráfico não poderá lhe dizer nada se você não souber interpretá-lo. Já a Hipótese do Passeio Aleatório (Random Walk) questiona se os preços realmente seguem uma tendência e duvida que qualquer técnica de previsão possa vencer uma simples estratégia de *buy and hold*, e essas perguntas merecem uma resposta.

A Profecia Autorrealizável

A questão da possível existência de uma profecia autorrealizável em ação parece incomodar um grande número de pessoas, porque é frequentemente mencionada. Certamente é uma preocupação válida, mas com importância menor do que as pessoas imaginam. Talvez a melhor forma de tratar essa questão seja citar um texto que discute algumas das desvantagens de usar padrões gráficos:

a. O uso da maioria dos padrões gráficos tem sido amplamente divulgado nos últimos anos. Muitos traders conhecem bem esses padrões e, muitas vezes, trabalham com eles em conjunto. Isso cria uma "profecia autorrealizável", quando ondas de compra ou venda são criadas em resposta a padrões de "alta" e de "baixa" [...]

b. Padrões gráficos são quase totalmente subjetivos. Até agora, nenhum estudo conseguiu quantificá-los matematicamente. Eles estão literalmente na mente de quem os vê [...] (Teweles *et al.*)

Essas duas críticas se contradizem, e o segundo ponto realmente anula o primeiro. Se padrões gráficos forem "totalmente subjetivos" e existirem "na mente de quem os vê", então é difícil imaginar como todos poderiam ver a mesma coisa ao mesmo tempo, que é a base da profecia autorrealizável. Os críticos da análise gráfica não podem defender dois pontos contraditórios. Eles não podem, de um lado, criticar a análise gráfica por ser tão objetiva e óbvia, fazendo todos agirem da mesma forma ao mesmo tempo (fazendo, assim, com que o padrão de preço se realize) e então também criticá-la por ser subjetiva demais.

A verdade é que a análise gráfica é muito subjetiva. A interpretação de gráficos é uma arte. (Possivelmente, a palavra "talento" seja mais apropriada.) Padrões gráficos raramente são claros o bastante para que mesmo grafistas experientes sejam unânimes em sua interpretação. Sempre existe um elemento de dúvida ou divergência. Como este livro demonstra, há muitas abordagens diferentes de análise técnica que muitas vezes entram em conflito.

Filosofia da Análise Técnica

Mesmo que a maioria dos técnicos concordasse sobre uma previsão de mercado, nem todos entrariam no mercado necessariamente ao mesmo tempo e da mesma forma. Alguns tentariam antecipar o sinal gráfico e entrar cedo no mercado. Outros seguiriam o "breakout" (rompimento) de um determinado padrão ou indicador. Outros, ainda, esperariam o "pullback" depois do breakout antes de agir. Alguns traders são agressivos, outros são conservadores. Alguns usam stops para entrar no mercado, enquanto outros gostam de usar ordens a mercado ou ordens limitadas. Alguns negociam no longo prazo, enquanto outros preferem o day trading. Assim, a possibilidade de todos os técnicos agirem ao mesmo tempo e do mesmo modo é realmente muito remota.

Mesmo que a profecia autorrealizável fosse uma preocupação importante, ela provavelmente teria uma natureza "autocorretiva". Em outras palavras, os traders dependeriam muito de gráficos até que suas ações coordenadas começassem a afetar ou distorcer o mercado. Quando os traders percebessem que isso estava ocorrendo, poderiam parar de usar os gráficos ou adaptar suas táticas de operação. Por exemplo, eles tentariam agir antes do público ou esperar mais por uma confirmação maior. Portanto, mesmo que a profecia autorrealizável se tornasse um problema no curto prazo, ela tenderia a se corrigir.

Devemos lembrar que os mercados touro e urso só ocorrem e se mantêm quando justificados pela lei da oferta e demanda. Os técnicos não poderiam promover um movimento importante no mercado só pelo simples poder de comprar e vender. Nesse caso, os técnicos ficariam ricos muito depressa.

O que gera maior preocupação do que os grafistas é o rápido crescimento do uso de sistemas técnicos de trading informatizados no mercado de futuros. Esses sistemas são principalmente de natureza *seguidora de tendência*, o que significa que todos são programados para identificar e negociar de acordo com tendências fortes. Com o crescimento da gestão profissional do dinheiro no setor de futuros, e a proliferação de um público multimilionário e fundos privados, a maioria dos quais está usando esses sistemas quantitativos, imensas concentrações de dinheiro estão perseguindo apenas um punhado de tendências existentes. Como o universo dos mercados de futuros ainda é bastante reduzido, o potencial de esses sistemas distorcerem a ação de preços de curto prazo está aumentando. Entretanto, mesmo em casos em que distorções ocorrem, elas geralmente são breves e não causam movimentos significativos.

Novamente, é provável que até mesmo o problema de concentração de somas de dinheiro usando sistemas técnicos seja autocorrigível. Se todos os sistemas começassem a fazer a mesma coisa ao mesmo tempo, os traders fariam ajustes, tornando seus sistemas mais ou menos sensíveis.

A profecia autorrealizável geralmente é citada como uma crítica à análise gráfica. Talvez fosse mais adequado dizer que é um elogio, afinal, qualquer técnica de previsão que se torna tão popular a ponto de influenciar os acontecimentos deve ser muito boa. Só nos resta especular por que essa preocupação raramente surge em relação ao uso da análise fundamentalista.

O Passado Pode Ser Usado para Prever o Futuro?

Outra dúvida que costuma surgir se refere à utilidade de usar dados de preços passados para prever o futuro. É de surpreender a frequência com que os críticos da abordagem técnica citam esse ponto, porque todo método conhecido de previsão, da previsão do tempo à análise fundamentalista, baseia-se totalmente no estudo de dados passados. Existem outros tipos de dados com que se pode trabalhar?

O campo da estatística estabelece uma diferença entre *estatística descritiva* e *estatística indutiva*. A *estatística descritiva* se refere à apresentação gráfica de dados, como dados de preço em um gráfico de barras padrão. A *estatística indutiva* se refere a generalizações, previsões ou extrapolações inferidas a partir desses dados. Assim, o gráfico de preços em si é classificado como descritivo, enquanto as análises desses dados de preços que os técnicos realizam pertencem à esfera indutiva.

Um artigo sobre estatística afirma: "O primeiro passo na previsão do futuro de negócios ou da economia consiste, portanto, em agrupar observações do passado" (Freund e Williams). A análise gráfica é apenas outra forma de *análise de séries temporais*, baseada em um estudo do passado, que é exatamente o que é feito em todas as formas de análise de séries temporais. O único tipo de dados de que o profissional dispõe são os dados passados. Só podemos calcular o futuro por meio da projeção de experiências passadas no futuro.

Assim, parece que o uso de dados de preços passados para prever o futuro na análise técnica se baseia em conceitos estatísticos sólidos. Se alguém quisesse questionar seriamente esse aspecto da previsão técnica, teria que questionar também a validade de todas as outras formas de previsão baseadas em dados históricos, que incluem todas as análises econômicas e fundamentalistas.

A HIPÓTESE DO PASSEIO ALEATÓRIO

A *Hipótese do Passeio Aleatório*, criada e desenvolvida na comunidade acadêmica, alega que as mudanças de preço são "serialmente independentes" e que o histórico de preços não é um indicador confiável da direção futura dos preços. Em resumo, o movimento de preços é aleatório e imprevisível. A teoria é baseada na *hipótese do mercado eficiente*, que defende que os preços flutuam aleatoriamente em 'torno de seu valor intrínseco. Ela também alega que a melhor estratégia de mercado a seguir seria uma simples estratégia de "buy e hold", em vez de qualquer tentativa de "vencer o mercado".

Embora pareça haver pouca dúvida de que exista uma certa quantidade de aleatoriedade ou "ruído" em todos os mercados, é pouco realista acreditar que *todos* os movimentos de preços são aleatórios. Essa pode ser uma das áreas em que a observação empírica e experiência prática provam ser mais úteis do que técnicas estatísticas sofisticadas, que parecem capazes de provar qualquer coisa que o usuário tenha em mente ou incapazes de refutar qualquer coisa. Pode ser útil lembrar que a aleatoriedade só pode ser definida no senso negativo de uma incapacidade de revelar padrões sistemáticos no price action. O fato de que muitos acadêmicos não tenham sido capazes de descobrir a presença desses padrões não prova que eles não existem.

O debate acadêmico sobre se os mercados seguem uma tendência tem pouco interesse para o trader ou analista de mercado médio, que é forçado a lidar com o mundo real onde as tendências de mercado são claramente visíveis. Se o leitor tem alguma dúvida sobre esse ponto, um olhar casual em qualquer livro de gráficos (selecionado ao acaso) demonstrará a presença de tendências de um modo extremamente gráfico. Como os "passeadores aleatórios" explicam a persistência dessas tendências se os preços são serialmente independentes? Ou seja, o que aconteceu ontem ou na semana passada não influencia o que pode acontecer hoje ou amanhã? Como eles explicam o histórico da lucrativa "vida real" de muitos sistemas seguidores de tendências?

Como, por exemplo, uma estratégia de "buy e hold" se sairia nos mercados de commodities e futuros nos quais o timing é tão crucial? Essas posições longas seriam mantidas durante mercados em baixa? Como os traders poderiam saber a diferença entre mercados em alta ou em baixa se os preços forem imprevisíveis e não seguirem tendências? Na verdade, como poderia um mercado em baixa sequer existir, já que isso implicaria uma tendência? (Veja a Figura 1.3)

Filosofia da Análise Técnica

Figura 1.3 *Um "passeador aleatório" teria dificuldades em convencer o possuidor de uma barra de ouro de que não há uma verdadeira tendência nesse gráfico.*

Parece improvável que dados estatísticos venham provar ou refutar de modo incontestável a Hipótese do Random Walk. Entretanto, a ideia de que os mercados são aleatórios é totalmente rejeitada pela comunidade técnica. Se os mercados fossem realmente aleatórios, nenhuma técnica de previsão funcionaria. Longe de negar a validade da abordagem técnica, a *hipótese do mercado eficiente* está muito perto da premissa técnica de que os *mercados descontam tudo*. Os acadêmicos, porém, acham que, pelo fato de os mercados descontarem todas as informações rapidamente, não há como aproveitar essas afirmações. A base da previsão técnica, já discutida, é a de que informações de mercado importantes são descontadas no preço de mercado muito antes de se tornarem públicas. Sem querer, os acadêmicos destacam com eloquência a necessidade de monitorar a ação dos preços e a futilidade de tentar lucrar com informações fundamentalistas de perto, pelo menos, no curto prazo.

Finalmente, parece mais do que justo observar que qualquer processo parece aleatório e imprevisível para os que não compreendem as regras que regulam esse processo. Um eletrocardiograma, por exemplo, pode parecer um monte de ruídos aleatórios para um leigo, mas para um médico treinado, todos aqueles pequenos bips fazem muito sentido e certamente não são aleatórios. O funcionamento dos mercados pode parecer aleatório aos que não dedicaram tempo para estudar as normas desse comportamento. *A ilusão da aleatoriedade desaparece gradualmente à medida que a habilidade de interpretar o gráfico melhora.* Espera-se que seja exatamente isso o que aconteça quando o leitor avançar pelas várias seções deste livro.

Pode haver esperança até para o mundo acadêmico. Várias universidades norte-americanas importantes começaram a explorar as Finanças Comportamentais, que afirmam que a psicologia humana e os preços de títulos estão interligados. Isso, naturalmente, é a principal base da análise técnica.

PRINCÍPIOS UNIVERSAIS

Quando uma versão anterior deste livro foi publicada, há doze anos, muitas das ferramentas de timing técnico explicadas foram usadas, principalmente, nos mercados de futuros. Na última década, contudo, essas ferramentas foram amplamente empregadas na análise das tendências do mercado de ações. Os princípios técnicos discutidos neste livro podem ser aplicados universalmente a todos os mercados — até a fundos mútuos. Uma característica adicional da operação do mercado de ações que ganhou grande popularidade na década passada foi o investimento por setor, principalmente em opções sobre índice e fundos mútuos. Mais adiante neste livro, mostraremos como determinar que setores são quentes e quais não são aplicando ferramentas de timing técnico.

A Teoria de Dow

INTRODUÇÃO

Charles Dow e seu parceiro Edward Jones fundaram a Dow Jones & Company em 1882, e a maioria dos técnicos e estudiosos dos mercados concorda com o fato de que muito do que hoje chamamos de *análise técnica* se originou nas teorias apresentadas primeiramente por Dow na virada do século. Dow publicou suas ideias em uma série de editoriais escritos para o *Wall Street Journal*, e a maioria dos técnicos modernos reconhece e assimila as ideias básicas de Dow, admitindo sua origem ou não. A *Teoria de Dow* ainda é a base do estudo da análise técnica, mesmo diante da atual tecnologia sofisticada de computação e a proliferação de indicadores técnicos mais novos e supostamente melhores.

Em 3 de julho de 1884, Dow publicou a primeira média do mercado de ações composta pelos preços de fechamento de onze ações: nove companhias ferroviárias e duas manufaturas. Dow sentiu que essas onze ações proporcionavam um bom indicador da saúde econômica do país. Em 1897, Dow decidiu que dois índices separados representariam melhor essa saúde e criou o índice industrial de ações de doze empresas e o índice de ações de vinte companhias ferroviárias. Em 1928, o índice industrial tinha aumentado e abrangia trinta ações, o número que permanece até hoje. Os editores do *Wall Street Journal* atualizaram a lista inúmeras vezes nos anos seguintes, acrescentando um índice de empresas de serviços públicos em 1929. Em 1984, o ano que marcou o centésimo aniversário da primeira publicação do índice Dow, a Market Technicians Association presenteou a Dow Jones & Company com uma vasilha de prata Gorham. Segundo a MTA, o prêmio reconheceu "a duradoura contribuição feita por Charles Dow ao campo da análise de investimentos. Seu índice, o precursor do que hoje é considerado o principal barômetro da atividade do mercado de ações, continua sendo uma ferramenta vital para técnicos do mercado oitenta anos depois de sua morte".

Infelizmente para nós, Dow nunca escreveu um livro sobre sua teoria. Em vez disso, ele descreveu suas ideias sobre o comportamento do mercado de ações em uma série de editoriais publicados pelo *Wall Street Journal* por volta da virada do século. Em 1903, o ano após a morte de Dow, S.A. Nelson compilou esses ensaios em um livro chamado *The ABC of Stock Speculation* [*O ABC da Especulação no Mercado de Ações*, em tradução livre]. Nessa obra, Nelson cunhou o termo "Teoria de Dow". Richard Russell, que escreveu a introdução de uma reedição de 1978, comparou a contribuição de Dow à teoria do mercado de ações com a contribuição de Freud à psiquiatria. Em 1922, William Peter Hamilton (sócio e sucessor de Dow no jornal) classificou e publicou os princípios de Dow em um livro chamado de *The Stock Market Barometer* [*O Barômetro do Mercado de Ações*, em tradução livre], e Robert Rhea desenvolveu ainda mais a teoria em *Dow Theory* (Nova York: Barron's), publicado em 1932.

Dow aplicou seu trabalho teórico às médias do mercado de ações que ele criou, a saber, os índices de transporte ferroviário e de médias industriais. Entretanto, a maioria de suas ideias analíticas se aplica igualmente bem a todas as médias de mercado. Este capítulo descreverá os seis princípios básicos da Teoria de Dow e discutirá como essas ideias se encaixam no estudo moderno da análise técnica. Discutiremos as ramificações dessas ideias nos capítulos a seguir.

PRINCÍPIOS BÁSICOS

1. As Médias Descontam Tudo.

A soma e a tendência das transações da Bolsa de Valores representam a soma de todos os conhecimentos de Wall Street do passado, imediato e remoto, utilizados para descontar o futuro. Não há necessidade de acrescentar às médias, como fazem alguns estatísticos, compilações elaboradas de índices de preços de commodities, compensações bancárias, flutuações de câmbio, volumes de negociações de comércio exterior e interno etc. Wall Street leva todos esses fatores em consideração (Hamilton, p. 40–41).

Soa familiar? A ideia de que os mercados refletem todos os fatores conhecíveis possíveis que afetam a oferta e demanda em geral é uma das premissas básicas da teoria técnica, como mencionamos no Capítulo 1. A teoria se aplica às médias do mercado, assim como a mercados individuais, e até faz concessões a "casos fortuitos". Embora os mercados não possam prever acontecimentos como terremotos e vários outros desastres naturais, eles rapidamente descontam tais ocorrências e incorporam seus efeitos ao price action, quase instantaneamente.

2. O Mercado Tem Três Tendências.

Antes de discutir o comportamento das tendências, devemos esclarecer o que Dow considerava uma tendência. Dow definiu a tendência de alta como uma situação em que cada rali sucessivo fecha em alta maior que a alta do rali anterior, e cada rali de baixa sucessivo também fecha em valor mais alto que o rali de baixa anterior. Em outras palavras, uma tendência de alta apresenta um padrão de picos e vales. A situação oposta, com picos e vales de baixa sucessivos, define uma tendência de baixa. A definição de Dow resistiu ao teste do tempo e ainda forma a base da análise de tendências.

Dow acreditava que as leis de ação e reação se aplicam aos mercados assim como ao universo físico. Ele escreveu: "Registros de negociações mostram que, em muitos casos, quando uma ação atinge o ponto máximo, ela sofrerá um declínio moderado e depois voltará a se aproximar desse ponto máximo. Se depois desse movimento o preço recuar novamente, é provável que ele caia ainda mais" (Nelson, p. 43).

Segundo Dow, uma tendência tem três partes, *primária, secundária* e *terciária*, que ele comparou às marés, ondas e marolas do mar. A tendência primária representa a maré, a secundária, ou intermediária, representa as ondas que formam a maré, e a terciária se comporta como ondulações que seguem as ondas.

Um observador pode determinar a direção da maré ao ver o ponto mais alto atingido por sucessivas ondas na praia. Se cada onda sucessiva atingir uma distância na areia maior do que a anterior, a maré está subindo. Quando o ponto mais alto de cada onda sucessiva recuar, a maré está baixando. E, ao contrário das marés reais, que duram algumas horas, Dow idealizou marés de mercado com duração de mais de um ano e, possivelmente, vários anos.

A tendência secundária, ou intermediária, representa correções na tendência primária e geralmente dura de três semanas a três meses. Essas correções intermediárias geralmente reconstituem entre 1/3 e 2/3 do movimento da tendência anterior e, muitas vezes, cerca de metade do movimento anterior.

Segundo Dow, a tendência terciária (de curto prazo) geralmente dura menos de três semanas. Essa tendência de curto prazo representa flutuações na tendência intermediária. Discutiremos conceitos de tendências em mais detalhes no Capítulo 4, "Conceitos Básicos de Tendência", onde você verá que hoje continuamos a usar os mesmos conceitos básicos e terminologia.

3. Tendências Importantes Têm Três Fases.

Dow concentrou a atenção em tendências primárias ou importantes, que, em sua opinião, ocorrem em três fases distintas: uma fase de acumulação, uma fase de participação do público e uma fase de distribuição. A fase de acumulação representa compras inteligentes por parte de investidores astutos. Se a tendência anterior foi de baixa, então nesse ponto esses investidores astutos reconhecem que o mercado assimilou todas as supostas "más notícias". A fase de participação do público, em que a maioria dos seguidores de tendências começa a participar, ocorre quando os preços começam a avançar rapidamente e as notícias sobre negócios melhoram. A fase de distribuição ocorre quando os jornais começam a divulgar cada vez mais notícias sobre altas no mercado, quando notícias econômicas são melhores do que nunca e quando o volume especulativo e a participação do público aumentam. Nesta última fase, os mesmos investidores bem informados que começaram a "acumular" perto do fundo do mercado em baixa (quando ninguém mais queria comprar) começam a "distribuir" antes que os outros comecem a vender.

Estudiosos da Teoria das Ondas de Elliott reconhecerão essa divisão de um importante mercado em alta em três fases distintas. R. N. Elliott desenvolveu o trabalho de Rhea em *Dow Theory*, para reconhecer que um mercado em alta apresenta três importantes movimentos ascendentes. No Capítulo 13, "A Teoria das Ondas de Elliott", mostraremos a grande semelhança entre as três fases de Dow de um mercado em alta e a sequência de cinco ondas de Elliott.

4. As Médias Devem se Confirmar Umas às Outras.

Dow, ao se referir às Médias Industriais e Ferroviárias, disse que nenhum sinal importante de um mercado em alta ou em baixa pode ocorrer antes que ambas as médias deem o mesmo sinal, confirmando uma à outra. Ele era da opinião de que as duas médias devem exceder um pico anterior secundário para confirmar o início ou continuação de um mercado em alta. Ele não acreditava que os sinais devem ocorrer simultaneamente, mas reconheceu que um período de tempo mais curto entre os dois sinais proporciona uma confirmação mais sólida. Quando as duas médias divergiam uma da outra, Dow partia do pressuposto de que a tendência anterior ainda se mantinha. (A Teoria das Ondas de Elliott requer apenas que os sinais sejam gerados em uma única média.) O Capítulo 6, "Padrões de Continuação", discutirá os principais conceitos de confirmação e divergência. (Veja as Figuras 2.1 e 2.2.)

5. O Volume Deve Confirmar a Tendência.

Dow reconheceu o volume como um fator secundário, mas importante, na confirmação dos sinais de preço. Em outras palavras, *o volume deve se expandir ou aumentar na direção da tendência principal*. Em uma tendência de alta importante, o volume aumentaria à medida que os preços sobem, e diminuiria à medida que os preços caem. Em uma tendência de baixa, o volume aumentaria à medida que os preços caem, e diminuiria à medida que sobem. Dow considerava o volume um indicador secundário. Ele baseava seus sinais de compra e venda reais totalmente nos preços de fechamento. No Capítulo 7, "Volume e Interesse aberto", trataremos do tema do volume e desenvolveremos as ideias de Dow. Os sofisticados indicadores de volume atuais ajudam a determinar se o volume está aumentando ou diminuindo. Traders experientes então comparam essa informação ao price action para ver ser ambos estão se confirmando um ao outro.

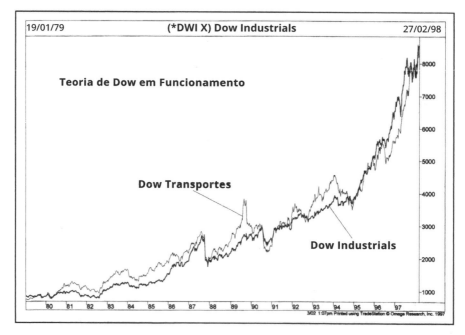

Figura 2.1 *Uma visão de longo prazo da Teoria de Dow em ação. Para que uma tendência de alta importante continue, os índices Industrial e de Transportes devem avançar em conjunto.*

A Teoria de Dow

6. Uma Tendência Estará em Vigor até que Tenha Dado um Sinal Definitivo de que Foi Revertida.

Esse princípio, que citamos no Capítulo 1, forma grande parte da base das abordagens modernas seguidoras de tendências. Ele está relacionado à lei física do movimento do mercado, que afirma que um objeto em movimento (neste caso, a tendência) tende a continuar em movimento até que uma força externa o obrigue a mudar de direção. Os traders dispõem de uma série de ferramentas técnicas para auxiliar na difícil tarefa de identificar sinais de reversão, incluindo o estudo de níveis de suporte e resistência, padrões de preço, linhas de tendências e médias móveis. Alguns indicadores podem até oferecer sinais de advertência antecipados de perda de momentum. Mesmo assim, as probabilidades geralmente são as de que a tendência existente continue.

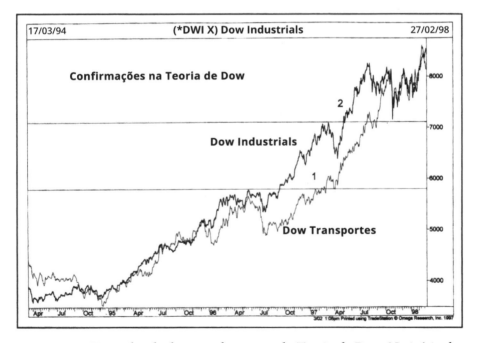

Figura 2.2 *Exemplos de duas confirmações da Teoria de Dow. No início de 1997 (ponto 1), o Dow Transportes confirmou o breakout anterior no índice Industrial. No mês de maio seguinte (ponto 2), o Dow Industrial confirmou a nova alta anterior nos Transportes.*

A tarefa mais difícil para o teórico da Dow ou qualquer seguidor de tendências é distinguir uma correção normal secundária de uma tendência existente e a primeira etapa de uma nova tendência na direção oposta. Esses teóricos muitas vezes discordam sobre quando o mercado mostra um sinal real de reversão. As Figuras 2.3a e 2.3b mostram como essa divergência se manifesta.

As Figuras 2.3a e 2.3b ilustram dois cenários de mercado diferentes. Na Figura 2.3a, observe que o rali no ponto C é menor do que o pico anterior em A. O preço então cai abaixo do ponto B. A presença desses dois picos e dois vales mais baixos dá um sinal claro de venda no ponto em que o mínimo em B é rompido (ponto S). Esse padrão de reversão às vezes é chamado de "falha na oscilação".

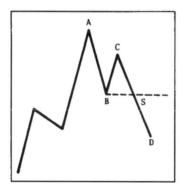 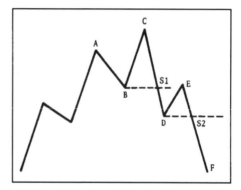

Figura 2.3a *Falha na Oscilação. A falha no pico em C em superar A, seguido pela violação do mínimo em B, constitui um sinal de "venda" em S.*

Figura 2.3b *Não Falha na Oscilação. Observe que C excede A antes de cair abaixo de B. Alguns teóricos da Dow veriam um sinal de "venda" em S1, enquanto outros precisariam ver uma alta menor em E antes de entrar em baixa em S2.*

Na Figura 2.3b, o rali de alta em C é maior do que o pico prévio em A, então o preço cai abaixo do ponto B. Alguns teóricos da Dow não considerariam a violação clara do suporte, em S1, como um sinal de venda bona fide. Eles ressaltariam que neste caso somente existem baixas menores, mas não altas menores. Eles prefeririam ver um rali no ponto E, que é mais baixo que o ponto C, então eles procurariam outra nova baixa abaixo do ponto D. Para eles, S2 representaria o verdadeiro sinal de venda com duas altas mais baixas e duas quedas mais baixas.

O padrão de reversão mostrado na Figura 2.3b é chamado de "Não Falha de Oscilação". Uma Falha de Oscilação (mostrada na Figura 2.3a) é um padrão muito mais fraco do que a Não Falha na Oscilação na Figura 2.3b. As Figuras 2.4a e 2.4b mostram os mesmos cenários em um mercado em baixa.

O USO DE PREÇOS DE FECHAMENTO E A PRESENÇA DE LINHAS

Dow contava exclusivamente com *preços de fechamento*. Ele achava que as médias tinham que *fechar* mais altas do que o pico anterior, ou mais baixas que um vale anterior para serem consideradas importantes. Dow não considerava penetrações intraday válidas.

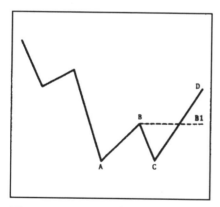
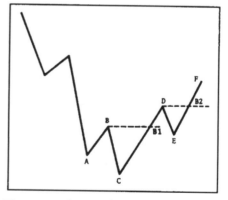

Figura 2.4a *Fundo de Falha na Oscilação. O sinal de "compra" ocorre quando o ponto B é excedido (em B1).*

Figura 2.4b *Fundo de Não Falha na Oscilação. Sinais de "compra" ocorrem nos pontos B1 ou B2.*

Quando traders falam de *linhas*, eles estão se referindo aos padrões horizontais que às vezes ocorrem nos gráficos. Esse mercado andando de lado geralmente desempenha o papel de fases corretivas e normalmente são chamadas de consolidações. Usando termos mais atuais, podemos chamar esses padrões laterais de "retângulos".

ALGUMAS CRÍTICAS À TEORIA DE DOW

A Teoria de Dow teve êxito ao longo dos anos na identificação de importantes mercados de alta e baixa, mas não escapou às críticas. Na média, a Teoria de Dow perde de 20% a 25% de um movimento antes de gerar um sinal, o que muitos traders consideram ser tarde demais. Um sinal de compra, segundo a Teoria de Dow, geralmente ocorre na segunda fase de uma tendência de alta, quando o preço penetra em um pico intermediário anterior. Isso também é, incidentalmente, onde a maioria dos sistemas técnicos seguidores de tendências começam a identificar e participar de tendências existentes.

Em resposta a essas críticas, os traders devem se lembrar de que Dow nunca teve a intenção de prever tendências, mas, sim, procurar reconhecer o surgimento de expressivos mercados em alta e baixa e capturar a grande porção intermediária em movimentos importantes do mercado. Registros existentes sugerem que a Teoria de Dow desempenhou essa função muito bem. De 1920 a 1975, os sinais da Teoria de Dow capturaram 68% dos movimentos nas Médias Industriais e de Transportes e 67% dos participantes do Índice Composto S&P 500 (Fonte: Barron's). Os que criticam a Teoria de Dow por não pegar os verdadeiros máximos e mínimos do mercado não têm um entendimento básico da filosofia do seguimento de tendências.

AÇÕES COMO INDICADORES ECONÔMICOS

Aparentemente, Dow nunca pretendeu usar sua teoria para prever a direção do mercado de ações. Ele sentiu que seu valor real estava em usar a direção do mercado de ações como uma leitura barométrica das condições gerais dos negócios, e nós só podemos admirar a visão e a genialidade de Dow. Além de formular grande parte da metodologia da previsão de preços atual, ele foi um dos primeiros a reconhecer a utilidade das médias do mercado de ações como principal indicador econômico.

A TEORIA DE DOW APLICADA À OPERAÇÃO DE FUTUROS

O trabalho de Dow considerou o comportamento das médias das ações. Embora grande parte de seu trabalho original tenha aplicação significativa em futuros de commodities, há algumas diferenças significativas entre operação de ações e futuros. Por um lado, Dow pressupôs que a maioria dos investidores seguiria apenas as principais tendências e usaria correções intermediárias tendo em vista somente o timing. Ele achava que as tendências menores ou de curto prazo não eram importantes. Obviamente, isso não ocorre com a operação de futuros na qual a maioria dos traders que segue tendências opera com a tendência intermediária, e não a principal. Esses traders precisam prestar muita atenção a pequenas oscilações em termos de timing. Se um trader de futuros esperasse que uma tendência de alta intermediária durasse alguns meses, ele tentaria encontrar sinais de compra em quedas de preço (dips) de curta duração. Em uma tendência de baixa intermediária, o trader usaria pequenos saltos para sinalizar vendas a descoberto. Assim, a tendência menor se torna extremamente importante na operação de futuros.

NOVAS FORMAS DE NEGOCIAR AS MÉDIAS DOW

Durante os primeiros cem anos de sua existência, o Dow Jones Industrial Average só pôde ser usado como indicador de mercado. Tudo mudou em 6 de outubro de 1997, quando futuros e opções começaram a ser operados de acordo com as médias veneráveis de Dow pela primeira vez. O Chicago Board of Trade lançou um contrato de futuros de acordo com a Dow Jones Industrial Average, enquanto opções no índice Dow (símbolo DJX) começaram a ser negociadas na Chicago Board Options Exchange. Além disso, opções também foram lançadas no índice Dow Jones Transportation Average (símbolo: DJTA) e o Dow Jones Utility Index (símbolo: DJUA). Em janeiro de 1998, a American Stock Exchange começou a negociar o Diamonds Trust, um truste de investimentos que imita o 30 Dow industrials. Além disso, dois fundos mútuos foram oferecidos com base no padrão Dow 30.

O Sr. Dow provavelmente ficaria satisfeito em saber que, um século após sua criação, seria possível operar nas médias Dow e realmente pôr sua teoria em prática.

CONCLUSÃO

Este capítulo apresentou uma revisão relativamente breve dos aspectos mais importantes da Teoria de Dow. Ficará claro, à medida que continuar a leitura deste livro, que entender e valorizar a Teoria de Dow proporciona uma base sólida para qualquer estudo de análise técnica. Grande parte do que for discutido nos próximos capítulos representa uma adaptação da teoria original de Dow. A definição padrão de uma tendência, a classificação de uma tendência em três categorias e fases, os princípios de confirmação e divergência, a interpretação do volume e o uso das porcentagens de retração (para citar algumas), todas se originam, de um modo ou de outro, na Teoria de Dow.

Além das fontes já citadas neste capítulo, uma excelente revisão dos princípios da Teoria de Dow pode ser encontrada em *Technical Analysis of Stock Trends* (Edwards & Magee).

Construção de Gráficos

INTRODUÇÃO

Este capítulo é voltado principalmente para os leitores que desconhecem a construção do gráfico de barras. Começaremos discutindo os diferentes tipos de gráficos disponíveis, e depois voltaremos a atenção ao mais usado, *o gráfico de barras diário.* Analisaremos como os dados de preços são lidos e representados no gráfico, no qual, além do preço, *volume e interesse aberto* também são incluídos. Depois analisaremos outras variações do gráfico de barras, incluindo *gráficos semanais e mensais.* Uma vez completada essa parte, estaremos prontos para começar a examinar algumas ferramentas analíticas aplicadas ao gráfico no próximo capítulo. Os leitores que já conhecem gráficos poderão achar este capítulo básico demais, então fiquem à vontade para passar ao próximo.

TIPOS DE GRÁFICOS DISPONÍVEIS

O gráfico de barras diário já foi reconhecido como o tipo de gráfico mais usado na análise técnica. Contudo, há outros tipos de gráficos também usados pelos técnicos, como gráficos de linha, ponto e figura e, mais recentemente, candlesticks. A Figura 3.1 mostra um gráfico de barras diário padrão. Ele se chama gráfico de barras porque cada dia é representado por uma barra vertical. O gráfico de barras mostra os preços de abertura, mínimos, máximos e de fechamento. O movimento à direita da barra vertical é o preço de fechamento, e o preço de abertura é o movimento à esquerda da barra.

A Figura 3.2 mostra o mesmo mercado em um gráfico de linha, em que apenas o preço de fechamento é representado para cada dia sucessivo. Muitos grafistas acham que, como o preço de fechamento é o mais importante em um dia de trading, um gráfico de linha (só fechamento) é uma medida mais válida da atividade de preços.

Figura 3.1 *Um gráfico de barras diário da Intel. Cada barra vertical representa a atividade de um dia.*

Construção de Gráficos

Figura 3.2 *Um gráfico de linha da Intel. Esse tipo de gráfico produz uma linha sólida ao conectar preços de fechamento sucessivos.*

Um terceiro tipo de gráfico, o gráfico de ponto e figura, é mostrado na Figura 3.3. Observe que esse gráfico mostra o mesmo price action em um formato mais compacto. Observe as colunas alternadas de x e o. As colunas x mostram preços em alta, e as colunas o, os preços em queda. É mais fácil encontrar os sinais de compra e venda, além de serem mais precisos, no gráfico de ponto e figura do que no gráfico de barras. Esse tipo de gráfico também tem maior flexibilidade, e falaremos mais dele no Capítulo 11.

CANDLESTICKS

Gráficos de candlestick são a versão japonesa dos gráficos de barras e ficaram muito populares nos últimos anos entre grafistas ocidentais. Os candlesticks japoneses registram os mesmos quatro preços mostrados pelos gráficos de barras tradicionais — abertura, fechamento, máximo e mínimo. Contudo, a apresentação visual difere. No gráfico de candlestick, uma linha fina (chamada de *sombra*) mostra a variação de preço do dia, do máximo ao mínimo. Uma porção mais larga da barra (chamada de *corpo real*) mede a distância entre a abertura e o fechamento. Se o fechamento for maior do que a abertura, o corpo real será branco (positivo). Se o fechamento for menor do que a abertura, o corpo real será preto (negativo). (Veja a Figura 3.4.)

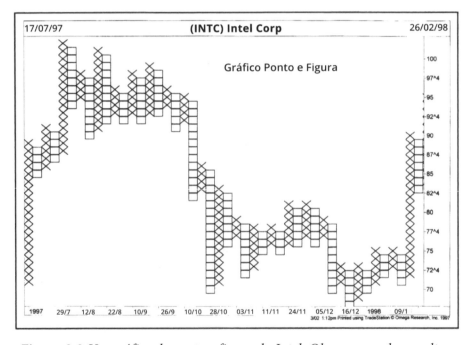

Figura 3.3 *Um gráfico de ponto e figura da Intel. Observe as colunas alternadas de x e o. A coluna de x mostra preços em alta. A coluna de o mostra preços em queda. Sinais de compra e venda são mais precisos neste tipo de gráfico.*

Construção de Gráficos

Nos gráficos de candlestick, a relação entre abertura e fechamento é essencial. Possivelmente devido à crescente popularidade desse tipo de gráfico, os grafistas ocidentais hoje prestam muito mais atenção ao movimento de preço (tic) na abertura e fechamento em seus gráficos de barras. Tudo o que é feito com um gráfico de candlestick pode ser feito com um gráfico de barras. Em outras palavras, todas as ferramentas e indicadores técnicos que mostraremos no gráfico de barras também podem ser usados em candlesticks. Mais adiante neste capítulo, mostraremos como construir gráficos de barras para períodos semanais e mensais, e você pode fazer o mesmo com candlesticks. O Capítulo 12, "Candlesticks Japoneses", apresenta uma explicação mais minuciosa dos gráficos de candlestick.

Figura 3.4 *Um gráfico de candlestick da Intel. A cor do candlestick é determinada pela relação entre abertura e fechamento. Candlesticks brancos são positivos, enquanto candlesticks pretos são negativos.*

ESCALA ARITMÉTICA VERSUS LOGARÍTMICA

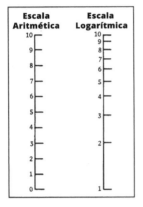

Figura 3.5 *Uma comparação de escalas aritmética e logarítmica. Observe o espaçamento igual da escala à esquerda. A escala logarítmica mostra mudanças percentuais (escala à direita).*

Gráficos podem ser plotados com escalas de preços aritméticas e logarítmicas. Em alguns tipos de análise, principalmente análises de tendência de muito longa variação, pode haver alguma vantagem em usar gráficos logarítmicos. (Veja as Figuras 3.5 e 3.6.) A Figura 3.5 mostra o aspecto de diferentes escalas. Na escala aritmética, a escala de preço vertical mostra uma distância igual para cada unidade de mudança de preço. Observe neste exemplo que cada ponto da escala aritmética é equidistante. Na escala logarítmica, porém, veja que os aumentos percentuais ficam menores à medida que a escala de preço aumenta. A distância entre os pontos 1 e 2 é a mesma que a dos pontos 5 a 10, porque ambos representam a mesma duplicação no preço. Por exemplo, um movimento de 5 para 10 em uma escala aritmética teria a mesma distância que um movimento de 50 a 55, mesmo que o primeiro mostre uma duplicação no preço, enquanto o segundo indica um aumento de apenas 10%. Os preços plotados em escalas de razão ou logarítmicas mostram distâncias iguais para movimentos percentuais semelhantes. Por exemplo, um movimento de 0 a 20 (um aumento de 100%) teria a mesma distância em um gráfico logarítmico que um movimento de 20 a 40, ou 40 a 80. Muitos serviços gráficos do mercado de ações usam gráficos logarítmicos, enquanto serviços gráficos de futuros usam os aritméticos. Pacotes de software de gráficos permitem os dois tipos de escala, como mostra a Figura 3.6.

Construção de Gráficos

CONSTRUÇÃO DO GRÁFICO DE BARRAS DIÁRIO

A construção do gráfico de barras diário é extremamente simples. O gráfico de barras é um gráfico de preços e de tempo. O eixo vertical (o eixo y) mostra uma escala que representa o preço do contrato, o eixo horizontal (o eixo x) registra a passagem do tempo, e datas são marcadas ao longo da parte inferior do gráfico. O usuário apenas precisa plotar os valores máximos e mínimos do dia na barra vertical no dia em questão (chamado de range). Coloque um tic à direita da barra vertical, identificando o preço de fechamento diário. (Veja a Figura 3.7.)

Coloca-se o tic à direita da barra para distingui-lo do preço de abertura, que os grafistas registram à esquerda da barra. Quando a atividade do dia foi plotada, o usuário move um dia para a direita para plotar a ação do dia seguinte. A maioria dos serviços gráficos usa semanas de cinco dias, fins de semana não são exibidos no gráfico, e sempre que uma transação é fechada na semana de negociação, o espaço desse dia é deixado em branco. As barras ao longo da parte inferior do gráfico medem volume. (Veja a Figura 3.7.)

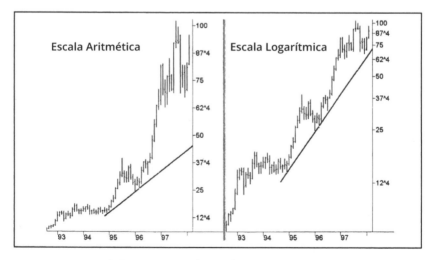

Figura 3.6 *Visão de longo prazo da Intel usando duas escalas de preço diferentes. O gráfico à esquerda mostra a escala aritmética tradicional. O gráfico à direita mostra a escala logarítmica. Observe que a tendência de alta de três anos funciona melhor no gráfico log.*

VOLUME

Outra informação importante deve ser incluída no gráfico de barras: volume. O *volume* representa a atividade de trading total nesse mercado naquele dia. É o número de contratos futuros operados durante o dia ou o número de ações ordinárias que trocam de mão em determinado dia na bolsa de valores. O volume é registrado por uma barra vertical na parte inferior do gráfico sob a barra de preço daquele dia. Uma barra de volume mais alta significa que o volume foi maior naquele dia, e uma barra menor representa um volume menor. Uma escala vertical ao longo da parte inferior do gráfico serve para ajudar a plotar os dados, como mostrado na Figura 3.7.

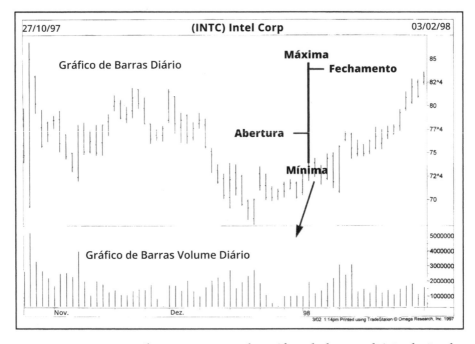

Figura 3.7 *Uma análise mais atenta do gráfico de barras diário da Intel. Cada barra mede a variação de preços diária. O preço de abertura é marcado pelo pequeno tic à esquerda de cada barra. O tic de fechamento fica à direita. As barras ao longo da parte inferior medem o volume de cada dia.*

INTERESSE ABERTO DE FUTUROS

Interesse aberto é o total de contratos de futuros em circulação que estão nas mãos de participantes do mercado no fim do dia e é o número de contratos detidos pelos comprados e pelos vendidos, não do total de ambos. Lembre--se, como estamos lidando com contratos de futuros, cada comprado (longo) deve corresponder a um vendido (curto), assim, só temos que saber o total de um dos lados. O interesse aberto é marcado no gráfico com uma linha sólida ao longo da parte inferior, geralmente logo acima do volume, mas abaixo do preço. (Veja a Figura 3.8.)

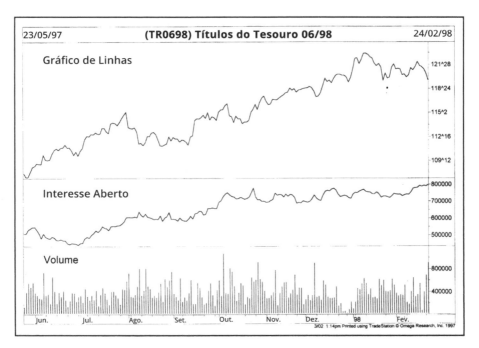

Figura 3.8 *Um gráfico de linha diário de contratos de futuros de Títulos do Tesouro. As barras verticais ao longo da parte inferior medem o volume total diário. A linha sólida no meio representa o total de interesses abertos pendentes para o mercado de futuros de Títulos do Tesouro.*

Números Totais Versus Individuais de Volume e Interesse Aberto em Futuros

Serviços gráficos de futuros, assim como a maioria dos técnicos de futuros, usam somente dados *totais* de volume e de interesse aberto. Apesar de os dados estarem disponíveis para cada mês de vencimento, são os números totais para cada mercado de commodities os usados com fins de previsão, e há um bom motivo para isso.

Nos primeiros estágios da vida de um contrato de futuros, o volume e o interesse aberto geralmente são bastante pequenos. Os números aumentam à medida que o contrato atinge o amadurecimento. Todavia, nos últimos meses antes do vencimento, os números voltam a cair. Obviamente, os traders devem liquidar posições abertas à medida que o contrato se aproxima do vencimento. Assim, o aumento nos números nos primeiros meses de vida e a queda perto do final nada têm a ver com a direção do mercado e são apenas uma função da característica da vida limitada de um contrato de commodities de futuros. Para proporcionar a continuidade necessária nos números de volume e interesse aberto, e para lhes conferir valor de previsão, geralmente são usados os números totais. (Gráficos de ações plotam dados totais de volume, mas não incluem os de interesse aberto.)

Volume e Interesse Aberto Registrados com um Dia de Atraso em Futuros

Volume de futuros e números de interesse aberto são informados com um dia de atraso. Assim, o grafista deve se contentar com o atraso de um dia para obter e interpretar os dados. Os números geralmente são informados durante o período de trading do dia seguinte, mas tarde demais para a publicação nos jornais financeiros do dia. Contudo, dados estimados de volume estão disponíveis depois do fechamento dos mercados e são incluídos no jornal da manhã seguinte. Os dados estimados de volume são apenas isso, mas eles, pelo menos, oferecem uma ideia sobre a intensidade das atividades de negociação do dia anterior aos técnicos de futuros. No jornal da manhã seguinte, portanto, o leitor terá os preços de futuros do dia anterior com uma estimativa de volume, porém, os dados oficiais de volume e interesse aberto se referem ao dia anterior. Grafistas de ações não têm esse problema. Volumes totais de ações estão disponíveis de imediato.

O Valor do Volume e Interesse Aberto Individual em Futuros

Os dados individuais sobre interesse aberto em futuros proporcionam informações valiosas. Eles nos dizem que contratos têm maior liquidez para fins de trade. *Como regra geral, a atividade de trading deve ser limitada aos meses de vencimento do interesse aberto mais elevado. Vencimentos com números de interesse aberto baixos devem ser evitados.* Como o termo sugere, interesse aberto mais elevado significa que há mais interesse em certos vencimentos.

GRÁFICOS DE BARRAS SEMANAIS E MENSAIS

Até agora nos concentramos no gráfico de barras diário. Entretanto, estamos cientes de que um gráfico de barras pode ser elaborado para qualquer período de tempo. O gráfico de barras intraday mede preços máximos, mínimos e finais de períodos de até cinco minutos, e o gráfico de barras diário médio abrange de seis a nove meses de price action. Porém, para uma análise de tendências de prazo mais longo deve-se usar gráficos de barras semanais e mensais. O valor de usar esses gráficos de maior alcance é analisado no Capítulo 8, mas o método de elaboração e atualização de gráficos é essencialmente o mesmo. (Veja as Figuras 3.9 e 3.10.)

No gráfico semanal, uma barra representa a atividade de preço de toda a semana, e no gráfico mensal, cada barra mostra o price action de todo o mês. Obviamente, gráficos semanais e mensais comprimem a ação de preços a fim de possibilitar uma análise de tendência de maior range. Um gráfico semanal pode recuar até cinco anos, e um gráfico mensal, até vinte anos. É uma técnica simples e que ajuda o grafista a estudar os mercados de um ponto de vista mais longo — um ponto de vista valioso que muitas vezes se perde quando se depende somente de gráficos diários.

Figura 3.9 *Um gráfico de barras semanal do Índice do Dólar. Cada barra representa dados de preço de uma semana. Ao comprimir os dados de preço, o gráfico de barras semanal possibilita uma análise das tendências de longo prazo, geralmente por um período de cerca de cinco anos.*

Construção de Gráficos

Figura 3.10 *Um gráfico de barras mensal do Índice do Dólar. Cada barra representa dados de preço de um mês. Ao comprimir ainda mais os dados, o gráfico mensal possibilita uma análise de gráficos por períodos de até vinte anos.*

CONCLUSÃO

Agora que sabemos plotar um gráfico de barras, e depois de apresentar as três fontes básicas de informação — preço, volume e interesse aberto —, estamos prontos para analisar como esses dados são interpretados. Lembre-se de que o gráfico só registra os dados, que sozinhos têm pouco valor. É como um pincel e uma tela. Sozinhos, eles não têm valor. Nas mãos de um artista talentoso, porém, podem ajudar a criar imagens maravilhosas. Talvez uma comparação ainda melhor seja um bisturi. Nas mãos de um cirurgião habilidoso, pode salvar vidas. Nas mãos da maioria das pessoas, porém, um bisturi não só é inútil, mas pode até ser perigoso. Depois de entendidas as normas, um gráfico pode se tornar um instrumento útil na arte ou habilidade de prever o mercado. Para dar início ao processo, no próximo capítulo veremos alguns dos conceitos básicos de tendências e o que considero como o fundamento da análise gráfica.

Conceitos Básicos de Tendência

DEFINIÇÃO DE TENDÊNCIA

O conceito de *tendência* é absolutamente essencial à abordagem técnica na análise de mercado. Todas as ferramentas usadas pelo grafista — níveis de suporte e resistência, padrões de preços, médias móveis, linhas de tendências etc. — têm o único propósito de ajudar a medir uma tendência de mercado com o objetivo de participar dela. Muitas vezes, ouvimos expressões conhecidas como "sempre opere na direção da tendência", "nunca contrarie a tendência", ou "a tendência é sua amiga". Portanto, dedicaremos algum tempo para definir o que é uma tendência e classificá-la em algumas categorias.

De modo geral, uma tendência é simplesmente a direção, o rumo que o mercado está tomando. Todavia, precisamos trabalhar com uma definição mais precisa. Em primeiro lugar, os mercados não costumam se mover em linha reta em nenhuma direção. Movimentos de mercado se caracterizam por uma série de *ziguezagues*, que lembram uma série de ondas sucessivas, com picos e vales relativamente evidentes. *É a direção desses picos e vales que forma a tendência do mercado.* Os movimentos desses picos e vales para cima, para baixo ou para o lado nos mostram a tendência do mercado. Uma *tendência de alta* pode ser definida como uma série de picos e vales sucessivamente mais altos; uma *tendência de baixa* é exatamente o oposto, uma série de picos e vales em queda; picos e vales horizontais identificariam uma tendência lateral. (Veja as Figuras 4.1a–d.)

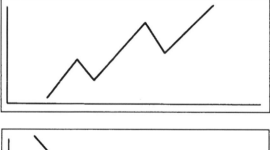

Figura 4.1a *Exemplo de uma tendência de alta com picos e vales ascendentes.*

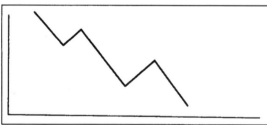

Figura 4.1b *Exemplo de uma tendência de baixa com picos e vales descendentes.*

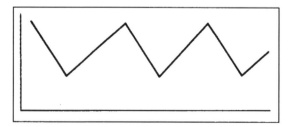

Figura 4.1c *Exemplo de uma tendência lateral com picos e vales horizontais. Muitas vezes, esse tipo de mercado é chamado de "sem tendência".*

Conceitos Básicos de Tendência

Figura 4.1d *Exemplo de uma tendência de baixa se transformando em tendência de alta. A primeira porção à esquerda mostra uma tendência de baixa. De abril de 1996 a abril de 1997, o mercado operou lateralmente. Durante o verão de 1997, a tendência passou a ser de alta.*

A TENDÊNCIA TEM TRÊS DIREÇÕES

Mencionamos a tendência de alta, de baixa e lateral por um ótimo motivo. A maioria das pessoas costuma pensar nos mercados como estando sempre em alta ou em baixa. O fato é que os mercados se movem em três direções — para cima, para baixo e para os lados. É importante ficar atento a essa diferença porque, pelo menos, em um terço do tempo, segundo uma estimativa conservadora, os preços se movem em um padrão plano e horizontal que chamamos de *trading range*. Esse tipo de ação lateral reflete um período de equilíbrio no nível de preços em que as forças da oferta e da demanda se encontram em uma situação de estabilidade. (Você certamente se lembra de que a Teoria de Dow chama esse tipo de padrão de *linha*.) Embora tenhamos definido um mercado estável como tendo uma tendência lateral, ele é mais comumente considerado como *sem tendência*.

Quase todas as ferramentas e sistemas técnicos são seguidores de tendências, o que significa que eles são principalmente destinados a mercados que estão se movendo para cima ou para baixo. Geralmente eles funcionam mal, quando funcionam, quando os mercados entram nas fases laterais ou "sem tendências". É durante esses períodos de movimento lateral do mercado que traders técnicos experimentam uma grande frustração, e traders de sistemas, as maiores perdas de patrimônio. Um sistema que segue tendências precisa, por definição, de uma tendência para poder funcionar. A falha aqui não é do sistema, mas, sim, do trader, que está tentando aplicar um sistema projetado para mercados com tendências a um ambiente de mercado sem tendências.

O trader se vê diante de três decisões: comprar (ficar long), vender (ficar short) ou não fazer nada (ficar de fora). Quando um mercado está em alta, a estratégia de compra é preferível. Quando em queda, a segunda abordagem seria a correta. *Entretanto, quando o mercado está se movendo lateralmente, a terceira opção — ficar fora do mercado — geralmente é a mais inteligente.*

A TENDÊNCIA TEM TRÊS CLASSIFICAÇÕES

Além de três direções, as tendências geralmente se dividem nas três categorias mencionadas no capítulo anterior. Essas três categorias são *primária, intermediária* e *de curto prazo*. Na verdade, existe uma quantidade quase infinita de tendências interagindo umas com as outras, de tendências de prazo muito curto que abrangem minutos e horas a tendências superlongas durando de cinquenta a cem anos. A maioria dos técnicos, porém, limita as classificações de tendências a três. Todavia, diferentes analistas são um tanto ambíguos ao definir cada tendência.

A Teoria de Dow, por exemplo, classifica a *tendência primária* como estando em efeito por mais de um ano. Como os traders de futuros operam em uma dimensão de tempo mais curta do que investidores em ações, estou propenso a reduzir a tendência primária para algo acima de seis meses nos mercados de commodities. Dow definiu a tendência intermediária, ou secundária, com duração de três semanas a vários meses, o que também parece adequado para os mercados de futuros. A tendência de curto prazo geralmente é definida como durando em torno de duas ou três semanas.

Conceitos Básicos de Tendência

Cada tendência se torna uma porção de sua próxima tendência maior. Por exemplo, a tendência intermediária seria uma *correção* na tendência primária. Em uma tendência de alta de longo prazo, o mercado faz uma pausa para se corrigir por alguns meses antes de retomar a escalada ascendente. Essa correção secundária consistiria em ondas mais curtas que seriam identificadas como dips e ralis de curto prazo. Esse tema se repete muitas vezes — que cada tendência é parte da próxima tendência maior e é composta por tendências menores. (Veja as Figuras 4.2a e b.)

Na Figura 4.2a, a tendência primária está em alta, conforme indicado pelo aumento dos picos e vales (pontos 1, 2, 3, 4). A fase corretiva (2-3) representa uma correção intermediária dentro de uma tendência de alta primária. Note, porém, que a onda 2-3 também se divide em três ondas menores (A, B, C). No ponto C, o analista diria que a tendência primária ainda estava em alta, mas as tendências intermediária e de curto prazo estavam em baixa. No ponto 4, as três tendências estão em alta. É importante compreender a diferença entre os vários graus das tendências. Quando alguém pergunta qual é a tendência em determinado mercado, é difícil, se não impossível, responder até que você saiba a que tendência a pessoa está se referindo. Talvez você tenha de responder do jeito discutido anteriormente, definindo as três classificações diferentes de tendências.

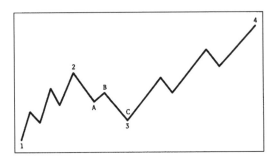

Figura 4.2a *Exemplo dos três graus de tendências: primária, secundária e de curto prazo. Os pontos 1, 2, 3 e 4 mostram a tendência principal de alta. A onda 2-3 representa uma correção secundária dentro da tendência de alta principal. Por sua vez, cada onda secundária se divide em tendências de curto prazo. Por exemplo, a onda secundária 2-3 se divide nas ondas menores A-B-C.*

Figura 4.2b *A tendência primária (de um ano) estava em alta em 1997. Uma correção de curto prazo ocorreu em março. Uma correção intermediária durou de agosto a novembro (três meses). A correção intermediária se dividiu em três tendências de curto prazo.*

Muitos mal-entendidos surgem devido às diferentes percepções dos traders sobre o significado de uma tendência. Para traders de posições de longo prazo, o price action de alguns dias a algumas semanas pode ser insignificante, e para um day trader, uma antecipação de dois ou três dias pode representar uma tendência de alta significativa. Então é especialmente importante compreender os diferentes graus das tendências e se certificar de que todos os envolvidos em uma transação estão falando sobre as mesmas tendências.

De maneira geral, a maioria das abordagens que seguem tendências foca a tendência intermediária, que pode durar vários meses. A tendência de curto prazo é usada principalmente com fins de timing. Em uma tendência de alta intermediária, contratempos de curto prazo seriam usados para iniciar posições longas (compradas).

SUPORTE E RESISTÊNCIA

Na discussão anterior sobre tendências, declaramos que os preços se movem em uma série de picos e vales, e que a direção desses picos e vales determina a tendência do mercado. Agora daremos o nome adequado a esses picos e vales e, ao mesmo tempo, apresentaremos os conceitos de *suporte* e *resistência*.

Os vales, ou reações de baixa (*reaction lows*), são chamados de *suporte*. O termo é autoexplicativo e indica que o suporte é um nível ou área no gráfico *abaixo do mercado* (*under the market*) em que o interesse de compra é forte o bastante para superar a pressão de venda. Como resultado, uma queda é interrompida, e o preço volta a subir. Geralmente, um nível de suporte é identificado com antecedência por uma reação de baixa anterior. Na Figura 4.3a, os pontos 2 e 4 representam níveis de suporte em uma tendência de alta. (Veja as Figuras 4.3a e b.)

Resistência é o oposto de suporte e representa um nível ou área de preços *acima do mercado* (*over the market*) em que a pressão de venda supera a pressão de compra e um avanço de preço é revertido. Geralmente, um nível de resistência é identificado por um pico anterior. Na Figura 4.3a, os pontos 1 e 3 são níveis de resistência. A Figura 4.3a mostra uma tendência de alta. Em uma tendência de alta, os níveis de suporte e de resistência mostram um padrão ascendente. A Figura 4.3b mostra uma tendência de baixa com picos e vales descendentes. Na tendência de baixa, os pontos 1 e 3 são níveis de suporte abaixo do mercado, e os pontos 2 e 4 são níveis de resistência acima do mercado.

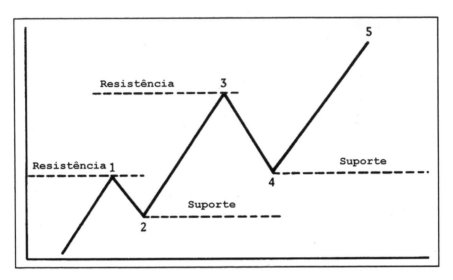

Figura 4.3a *Mostra o aumento nos níveis de suporte e resistência em uma tendência de alta. Os pontos 2 e 4 são níveis de suporte que geralmente são reações de baixa anteriores. Os pontos 1 e 3 são níveis de resistência, geralmente marcados por picos anteriores.*

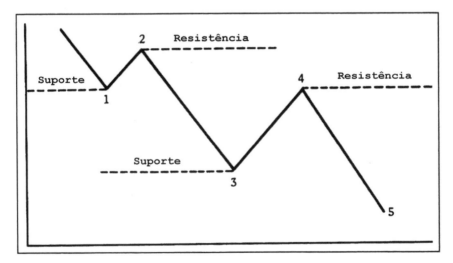

Figura 4.3b *Mostra suporte e resistência em uma tendência de baixa.*

Conceitos Básicos de Tendência

Em uma tendência de alta, os níveis de resistência representam pausas nessa tendência e geralmente são excedidos em algum ponto. Em uma tendência de baixa, os níveis de suporte não são suficientes para impedir a queda permanentemente, mas são capazes, ao menos, de desacelerá-la temporariamente.

É necessário ter um conhecimento profundo dos conceitos de suporte e resistência para um completo entendimento do conceito de tendência. Para que uma tendência de alta continue, cada baixa sucessiva (nível de suporte) deve ser maior do que a precedente. Cada rali de alta (nível de resistência) deve ser maior do que a anterior. Se o dip corretivo na tendência de alta for brusco e alcançar a baixa anterior, ele pode ser uma advertência inicial de que a tendência de alta está terminando ou, pelo menos, passando de uma tendência de alta para uma tendência lateral. Se o suporte for rompido, então é provável que ocorra uma *reversão* da tendência de cima para baixo.

Sempre que um pico de resistência estiver sendo testado, a tendência de alta se encontra em uma fase especialmente crítica. Não exceder um pico anterior em uma tendência de alta ou a capacidade de os preços se afastarem da baixa de suporte anterior geralmente são os primeiros avisos de que a tendência existente está mudando. Os Capítulos 5 e 6, sobre *padrões de preços*, mostram como o teste desses níveis de suporte e resistência formam quadros nos gráficos que sugerem uma reversão ou apenas uma pausa na tendência existente. Porém, os principais fundamentos em que esses padrões de preço se baseiam são níveis de suporte e resistência.

As Figuras 4.4a–c são exemplos de uma reversão de tendência clássica. Observe, na Figura 4.4a, que no ponto 5 os preços não excederam o ponto de pico anterior (ponto 3) antes de desacelerar e violar a baixa anterior no ponto 4. Essa reversão de tendência poderia ter sido identificada com a simples observação dos níveis de suporte e resistência. Em nossa análise de padrões de preços, esse tipo de padrão de reversão será identificado como um *topo duplo*.

Como os Níveis de Suporte e Resistência Invertem seus Papéis

Até agora, definimos "suporte" como uma baixa anterior, e "resistência", como uma alta anterior. Entretanto, isso nem sempre ocorre, e isso nos leva a um dos aspectos mais interessantes e menos conhecidos de suporte e resistência: a inversão de papéis. *Sempre que um nível de suporte ou resistência for penetrado por uma quantidade significativa, elas invertem seus papéis e se tornam o oposto.* Em outras palavras, um nível de resistência se torna um nível de suporte, e o suporte se torna resistência. Para compreender por que isso ocorre, talvez seja útil discutir a psicologia que fundamenta a criação dos níveis de suporte e resistência.

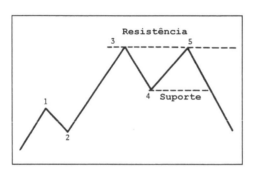

Figura 4.4a *Exemplo de inversão de tendência. Os preços não excederem, no ponto 5, o pico anterior no ponto 3 seguido pela violação da queda da baixa anterior no ponto 4 constitui uma inversão da tendência de queda. Esse tipo de padrão é chamado de topo duplo.*

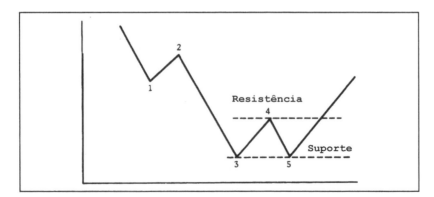

Figura 4.4b *Exemplo de um padrão de inversão de fundo. Geralmente, o primeiro sinal de um fundo é a capacidade de os preços no ponto 5 ficarem acima da baixa anterior no ponto 3. O fundo é confirmado quando o pico em 4 é excedido.*

Conceitos Básicos de Tendência   **61**

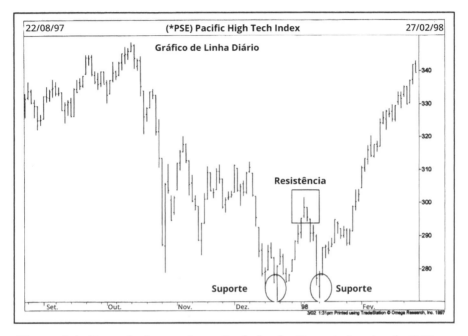

Figura 4.4c *Exemplo de uma inversão de fundo. Durante janeiro de 1998, os preços retestaram a baixa de suporte de dezembro e se afastaram dela, formando um segundo nível de suporte. A penetração ascendente do pico de resistência médio sinalizou uma nova tendência de alta.*

A Psicologia da Suporte e da Resistência

Para fins de ilustração, dividiremos os participantes do mercado em três categorias: os longos, os curtos e os não comprometidos. Os longos são os traders que já adquiriram contratos; os curtos são os que já se comprometeram com o lado da venda; e os não comprometidos são os que saíram do mercado ou estão indecisos sobre em que lado entrar.

Vamos supor que um mercado comece a se mover para além de uma área de suporte em que os preços têm flutuado por algum tempo. Os longos (que compraram perto da área de suporte) ficam maravilhados, mas lamentam não ter comprado mais. Se o mercado voltasse para perto dessa área de suporte outra vez, eles poderiam aumentar suas posições longas. Os curtos agora se dão conta (ou têm fortes suspeitas) de que estão do lado errado do mercado. (A distância que o mercado percorreu para longe dessa área de suporte terá grande influência nessas decisões, mas voltaremos a esse ponto depois.) Os curtos esperam (e torcem) por um dip de volta a essa área em que venderam a descoberto para poderem sair do mercado no ponto em que entraram (seu ponto de equilíbrio).

Os que estão nas margens podem ser divididos em dois grupos — os que nunca tiveram uma posição e os que, por um motivo ou outro, liquidaram posições longas anteriormente mantidas na área de suporte. O último grupo, é claro, está zangado consigo mesmo por ter liquidado suas posições longas antes do tempo e espera por outra chance de recuperá-las perto do ponto em que as venderam.

O grupo final, os indecisos, percebem agora que os preços estão aumentando e resolvem entrar no mercado acreditando em uma alta na próxima boa oportunidade de compra. Os quatro grupos estão decididos a "comprar na próxima queda". Todos têm um "interesse especial" na área de suporte abaixo do mercado. Naturalmente, se os preços caírem para perto desse suporte, renovar as compras pelos quatro grupos materializará a alta dos preços.

Quanto mais operações ocorrem nessa área de suporte, mais significativas elas se tornam, porque mais participantes têm um interesse especial nessa área. A quantidade de operações em uma determinada área de suporte ou resistência pode ser determinada de três formas: a quantidade de tempo gasto, o volume e há quanto tempo a operação ocorreu.

Quanto maior o período de tempo em que os preços são operados em uma área de suporte ou resistência, mais significativa a área se torna. Por exemplo, se os preços fossem operados lateralmente durante três semanas em uma área de congestão antes de subirem, essa área de suporte seria mais importante do que se apenas três dias de trading tivessem ocorrido.

O volume é outra forma de medir a importância de suporte e resistência. Se um nível de suporte se forma devido a um grande volume, isso indica que um grande número de unidades trocaram de mãos e marca esse nível de suporte como mais importante do que se apenas poucas operações tivessem sido realizadas. Gráficos de ponto e figura que medem atividade de operações intraday são especialmente úteis para identificar esses níveis de preço onde a maior parte do trading ocorre e, consequentemente, onde provavelmente suporte e a resistência ocorrerão.

Uma terceira forma de determinar a importância de uma área de suporte ou resistência é definindo quando a operação ocorreu. Como estamos lidando com a reação de traders ao movimento do mercado e a posições que eles já adquiriram ou deixaram de adquirir, é evidente que, quanto mais recente a atividade, mais potente ela se torna.

Agora inverteremos as coisas e imaginaremos que, em vez de subirem, os preços caiam. No exemplo anterior, como os preços avançaram, a reação combinada dos participantes de mercado fez com que cada reação de baixa fosse recebida com compras adicionais (desse modo, criando novo suporte). Entretanto, se os preços caírem e atingirem um nível inferior ao da área de suporte anterior, a reação será exatamente o oposto. Todos os que compraram na área de suporte percebem agora que cometeram um erro. Para traders de futuros, seus corretores pedem freneticamente uma margem maior. Devido à natureza altamente alavancada da operação de futuros, os traders não podem sustentar as perdas por muito tempo. Eles precisam conseguir maiores margens ou liquidar suas posições de perda.

O que criou o suporte anterior foi a predominância de ordens de compra abaixo do mercado. Agora, porém, todas as ordens de compra anteriores abaixo do mercado se tornaram ordens de venda acima do mercado. *Suporte se tornou resistência.* E quanto mais significativa foi a área de suporte anterior — isto é, quanto mais recentes e mais volumosas foram as operações realizadas ali —, mais potente ela se torna agora como área de resistência. Todos os fatores que criaram suporte pelas três categorias de participantes — os longos, os curtos e os não comprometidos — agora funcionarão para colocar um teto nos preços em subsequentes rallies ou bounces.

De vez em quando, é útil parar e refletir sobre como os padrões de preços usados pelos grafistas e conceitos como suporte e resistência realmente funcionam. Não é por causa de alguma mágica produzida pelos gráficos ou algumas linhas desenhadas neles. Esses padrões funcionam porque oferecem imagens do que os participantes do mercado estão realmente fazendo e nos permitem determinar suas reações às ocorrências do mercado. A análise gráfica é, na verdade, um estudo da psicologia humana e das reações dos traders às mudanças nas condições do mercado. Infelizmente, como vivemos no acelerado mundo dos mercados financeiros, costumamos depender muito da terminologia dos gráficos e de expressões de atalho que ignoram as forças subjacentes que criaram as imagens nos gráficos. Há razões psicológicas sólidas pelas quais níveis de suporte e resistência podem ser identificados nos gráficos de preço e por que podem ser usados para ajudar a prever movimentos de mercado.

Suporte Tornando-se Resistência e Vice-Versa: Grau de Penetração

Um nível de suporte, penetrado por uma margem significativa, torna-se um nível de resistência, e vice-versa. As Figuras 4.5a–c são semelhantes às Figuras 4.3a e b, mas com uma melhoria. Observe que quando os preços sobem na Figura 4.5a, a reação no ponto 4 para no ou acima do topo do pico no ponto 1. Esse pico anterior no ponto 1 foi um nível de resistência. Mas quando ele foi decisivamente penetrado pela onda 3, esse pico de resistência anterior tornou-se um nível de suporte. Todas as vendas anteriores perto do topo da onda 1 (criando um nível de resistência) agora se tornaram compras abaixo do mercado. Na Figura 4.5b, que mostra preços em queda, o ponto 1 (que foi um nível de suporte anterior abaixo do mercado) agora se tornou um nível de resistência acima do mercado atuando como um teto no ponto 4.

Conceitos Básicos de Tendência

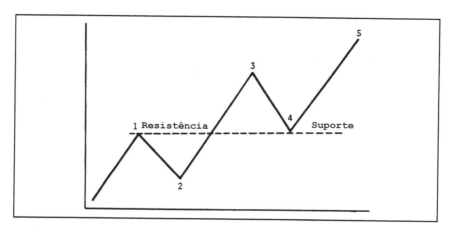

Figura 4.5a *Em uma tendência de alta, os níveis de resistência que foram quebrados por uma margem significativa tornam-se níveis de suporte. Observe que, quando a resistência no ponto 1 é excedida, ela fornece suporte no ponto 4. Picos anteriores funcionam como suporte em correções subsequentes.*

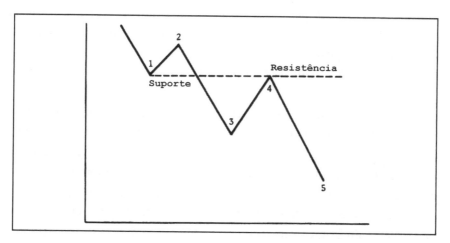

Figura 4.5b *Em uma tendência de baixa, níveis de suporte violados tornam-se níveis de resistência em bounces subsequentes. Note como o suporte anterior no ponto 1 se torna resistência no ponto 4.*

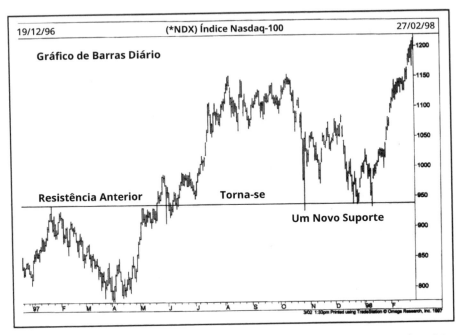

Figure 4.5c *Inversão de papéis em ação. Quando o pico de resistência do início de 1997 foi quebrado, ele inverteu papéis para se tornar um nível de suporte. Um ano depois, a queda do preço intermediário encontrou suporte exatamente nesse pico de resistência anterior que tinha se tornado um novo suporte.*

Mencionamos anteriormente que a distância percorrida pelos preços para longe do suporte ou resistência aumentou a importância desse suporte e resistência. Isso vale especialmente quando os níveis de suporte e de resistência são penetrados e invertem papéis. Por exemplo, afirmou-se que os níveis de suporte e resistência invertem papéis apenas após uma penetração significativa. Mas quando ela é significativa? A questão de determinar se uma penetração é significativa ou não é bastante subjetiva. Como parâmetro, alguns grafistas usam uma penetração de 3% como critério, principalmente para níveis de suporte e de resistência importantes. Áreas de suporte e resistência de prazo menor provavelmente exigiriam números muito menores, como 1%. Na verdade, cada analista deve decidir por si mesmo o que configura uma penetração significativa. Contudo, é importante lembrar que áreas de suporte e resistência só invertem os papéis quando o mercado se afasta o suficiente para convencer os participantes do mercado de que eles cometeram um erro. Quanto mais o mercado se afasta, mais convencidos eles ficam.

A Importância de Números Redondos como Suporte e Resistência

Números redondos tendem a parar avanços e quedas. Os traders costumam pensar em termos de números redondos importantes, como 10, 20, 25, 50, 75, 100 (e múltiplos de 1.000), como objetivos de preço e agem em função deles. Esses números redondos, porém, muitas vezes agem como níveis de suporte e resistência "psicológicos". Um trader pode usar essas informações para começar a obter lucro quando um número redondo importante se aproxima.

O mercado do ouro é um excelente exemplo desse fenômeno. O mercado em baixa de 1982 estava exatamente a US$300. O mercado subiu para um pouco acima de US$500 no primeiro trimestre de 1983, antes de cair para US$400. Um aumento do ouro em 1987 parou em US$500 outra vez. De 1990 a 1997, o ouro falhou em todas as tentativas de ultrapassar US$400. A Dow Jones Industrial Average mostrou uma tendência de estagnação em múltiplos de 1000.

Uma aplicação desse princípio é *evitar colocar ordens de trading com esses números redondos óbvios*. Por exemplo, se o trader estiver tentando comprar em uma pequena queda a curto prazo durante uma tendência de alta, seria interessante colocar ordens limitadas logo acima de um importante número redondo. Como outros estão tentando comprar o mercado no número redondo, é possível que o mercado nunca chegue lá. Os traders que estão procurando vender na baixa devem colocar uma ordem logo abaixo de um número redondo. O oposto ocorre quando se colocam stops protetivos em posições existentes. Como regra geral, *evite colocar stops protetivos ao redor de números redondos óbvios*.

Em outras palavras, stops protetivos em posições longas devem ser colocados abaixo de números redondos e em posições curtas, acima desses números. A tendência de os mercados respeitarem números redondos e, especialmente, os números redondos mais importantes anteriormente citados é uma dessas características peculiares que se mostram muito úteis para o trader voltado para a técnica.

LINHAS DE TENDÊNCIA

Agora que entendemos suporte e resistência, acrescentaremos outro fundamento ao nosso arsenal de ferramentas técnicas: *a linha de tendência*. (Veja as Figuras 4.6a–c.) A linha de tendência básica é uma das ferramentas técnicas mais simples empregadas pelo grafista, mas também é uma das mais valiosas. Uma *linha de tendência de alta* é uma linha reta desenhada para cima e à direita ao longo de reações de baixa sucessivas como mostra a linha sólida na Figura 4.6a. Uma *linha de tendência descendente* é traçada para baixo e para a direita ao longo de picos de alta sucessivos, como mostra a Figura 4.6b.

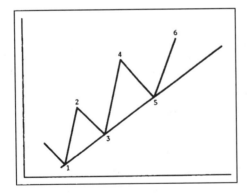

Figura 4.6a *Exemplo de uma linha de tendência de alta. Ela é traçada embaixo das reações de baixa ascendentes. Primeiro, uma linha de tendência preliminar é traçada embaixo de duas baixas sucessivas mais altas (pontos 1 e 3), mas ela precisa de uma terceira para confirmar a validade da linha de tendência (ponto 5).*

Conceitos Básicos de Tendência

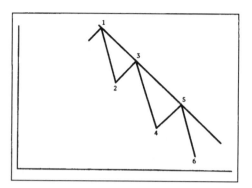

Figura 4.6b *Uma linha de tendência descendente é traçada sobre ralis sucessivamente mais baixos. A linha de tendência preliminar precisa que dois pontos (ponto 1 e 3) sejam traçados e de um terceiro teste (5) para confirmar sua validade.*

Figura 4.6c *Linha de tendência ascendente de longo prazo em ação. A linha de tendência de alta foi traçada para cima e para a direita ao longo das duas primeiras reações de baixa (veja as setas). A terceira baixa no início de 1998 dá um salto na linha ascendente, dessa forma mantendo a tendência de alta intacta.*

Traçando uma Linha de Tendência

Traçar linhas de tendência corretamente é como qualquer outro aspecto da criação de gráficos, e geralmente é necessário ter alguma experiência com diferentes linhas a fim de encontrar a certa. Às vezes, uma linha de tendência que parece correta pode ter de ser redesenhada. Contudo, há algumas diretrizes úteis para encontrar a linha correta.

Em primeiro lugar, deve haver evidências de uma tendência. Isso significa que, para que se desenhe uma linha de tendência ascendente, deve haver, pelo menos, duas reações de baixa, em que a segunda é maior que a primeira. Naturalmente, sempre são necessários dois pontos para desenhar qualquer linha reta. Por exemplo, na Figura 4.6a, somente após os preços terem começado a subir a partir do ponto 3, o grafista tem alguma confiança de que uma reação de baixa se formou, e somente então pode desenhar uma linha preliminar de alta sob os pontos 1 e 3.

Alguns grafistas precisam que o pico no ponto 2 seja penetrado para confirmar a tendência de alta antes de desenhar a linha de tendência. Outros precisam apenas de uma retração de 50% na onda 2–3, ou que os preços se aproximem do topo da onda 2. Embora os critérios possam variar, é importante lembrar que o grafista quer estar relativamente seguro de que uma reação de baixa se formou antes de identificar uma reação de baixa válida. Quando duas baixas ascendentes forem identificadas, uma linha reta é desenhada conectando os mínimos, projetada para o alto e para a direita.

A Linha de Tendência Preliminar Versus Válida

Até agora, tudo o que temos é uma linha de *tendência preliminar*. Todavia, a fim de confirmar a validade de uma linha de tendência, essa linha deve ser tocada pela terceira vez por preços que se afastam dela. Assim, na Figura 4.6a, o teste bem-sucedido da linha de tendência no ponto 5 confirmou a validade dessa linha. A Figura 4.6b mostra uma tendência de baixa, mas as regras são as mesmas. O teste bem-sucedido da linha de tendência ocorre no ponto 5. Resumindo, são necessários dois pontos para traçar a linha, e um terceiro ponto para torná-la *válida*.

Como Usar a Linha de Tendência

Quando o terceiro ponto for confirmado e a tendência prosseguir na direção original, essa linha de tendência se tornará muito útil de várias maneiras. Um dos conceitos básicos das tendências é o de que uma tendência em movimento tende a permanecer em movimento. Daí, quando uma tendência assume uma certa inclinação ou taxa de velocidade, como identificado pela linha de tendência, geralmente ela mantém a mesma inclinação. Então a linha de tendência não só ajuda a determinar as extremidades de fases corretivas, mas, talvez mais importante, nos diz quando essa tendência está mudando.

Por exemplo, em uma tendência de alta, o dip corretivo inevitável muitas vezes toca ou se aproxima muito da linha de tendência ascendente. Como a intenção do trader é comprar em quedas em uma tendência de alta, essa linha de tendência oferece um limite de suporte abaixo do mercado que pode ser usada como área de compra. Uma linha de tendência descendente pode ser usada como área de resistência para propósitos de venda. (Veja as Figuras 4.7a e b.)

Desde que a linha de tendência não seja violada, ela pode ser usada para determinar áreas de compra e venda. Entretanto, no ponto 9 nas Figuras 4.7a–b, a violação da linha de tendência sinaliza uma mudança de tendência, pedindo uma liquidação de todas as posições na direção da tendência anterior. Com grande frequência, *a quebra de linha de tendência é um dos melhores sinais iniciais de mudança na tendência.*

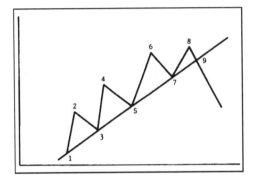

Figura 4.7a *Quando uma linha de tendência é definida, dips subsequentes perto da linha podem ser usados como áreas de compra. Os pontos 5 e 7 neste exemplo poderiam ter sido usados para longas novas ou adicionais. A quebra de uma linha de tendência no ponto 9 pede a liquidação de todas as posições longas, sinalizando uma inversão da tendência de baixa.*

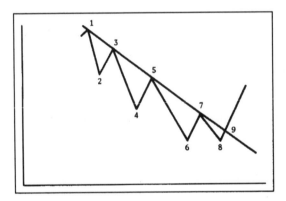

Figura 4.7b *Os pontos 5 e 7 poderiam ter sido usados como áreas de venda. A quebra da linha de tendência no ponto 9 sinalizou uma inversão para a tendência de alta.*

Como Determinar a Importância de Uma Linha de Tendência

Vamos discutir algumas sutilezas das linhas de tendência. Primeiro, o que determina a importância de uma linha de tendência? A resposta é dupla: *o máximo de tempo em que ficou intacta e o número de vezes em que foi testada*. Por exemplo, uma linha de tendência que foi testada com sucesso oito vezes e que demonstrou sua validade continuamente por certo é mais importante do que uma que só foi tocada três vezes. Além disso, uma linha de tendência que está ativa por nove meses é mais importante do que uma que está em vigor há nove semanas ou nove dias. Quanto mais importante a linha de tendência, mais confiança ela inspira e mais importante é sua penetração.

Linhas de Tendência Devem Incluir Todos os Price Actions

Linhas de tendência em gráficos de barras devem ser desenhadas em cima ou embaixo das variações de preço de todo o dia. Alguns grafistas preferem desenhar a linha de tendência conectando apenas os preços de fechamento, mas esse não é o procedimento padrão. O preço de fechamento pode muito bem ser o preço mais importante do dia, mas ainda representa apenas uma pequena amostra da atividade desse período. A técnica de incluir a variação considera toda a atividade e é mais comumente usada. (Veja a Figura 4.8.)

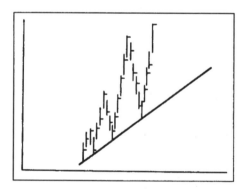

Figura 4.8 *A representação correta de uma linha de tendência deve incluir a faixa de negociação de todo o dia.*

Como Lidar com Pequenas Penetrações nas Linhas de Tendência

Às vezes, os preços violam a linha de tendência em uma base intraday, mas depois fecham na direção da tendência original, deixando o analista em dúvida se a linha de tendência foi realmente quebrada. (Veja a Figura 4.9.) A Figura 4.9 mostra como essa situação se apresenta. Os preços caíram abaixo da linha de tendência durante o dia, mas voltaram a fechar acima da linha de tendência de alta. A linha de tendência deve ser redesenhada?

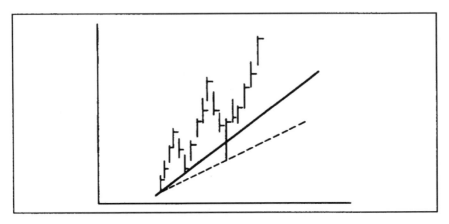

Figura 4.9 *Às vezes, a violação de uma linha de tendência durante o dia deixa o grafista em dúvida se a tendência original ainda é válida ou se deve ser desenhada uma nova linha. O consenso manda manter a linha de tendência original, mas desenhar uma nova linha pontilhada até que se possa determinar melhor qual é a linha correta.*

Infelizmente, não há uma regra rígida e rápida a ser seguida nessa situação. Às vezes, é melhor ignorar uma quebra menor, principalmente se a ação de mercado subsequente provar que a linha original ainda é válida.

O que Constitui uma Quebra Válida de uma Linha de Tendência?

Como regra geral, *um fechamento além da linha de tendência é mais significativo do que apenas uma penetração intraday*. Às vezes, até mesmo uma penetração no fechamento não é suficiente para avançar mais um passo. A maioria dos técnicos emprega uma variedade de filtros de tempo e preço na tentativa de isolar penetrações válidas na linha de tendência e eliminar maus sinais e "whipsaws". Um exemplo de filtro de preço é o *critério*

Conceitos Básicos de Tendência

de penetração de 3%, usado principalmente para uma quebra de linhas de tendência de prazo mais longo, mas requer que ela seja quebrada, em uma base de fechamento, em, pelo menos, 3%. (A regra de 3% não se aplica a alguns futuros financeiros, como os mercados de taxas de juros.)

Se, por exemplo, os preços do ouro quebrassem uma linha de tendência importante a US$400, os preços teriam de fechar abaixo dessa linha a 3% do nível de preço em que a linha foi quebrada (nesse caso, os preços teriam de fechar em US$12 abaixo da linha de tendência, ou a US$388). É óbvio que um critério de penetração de US$12 não seria adequado para negociações de prazo menor. Talvez um critério de 1% fosse mais adequado nesses casos. A regra de porcentagem representa apenas um tipo de filtro. Grafistas de ações, por exemplo, podem precisar de uma penetração de ponto pleno e ignorar movimentos fracionários. Há uma troca envolvida no uso de qualquer tipo de filtro. Se o filtro for muito pequeno, não será muito útil na redução do impacto de whipsaws. Se for muito grande, então grande parte do movimento inicial será perdida antes que um sinal válido seja dado. Aqui, outra vez, o trader precisa determinar que tipo de filtro é mais adequado ao grau de tendência sendo seguida, sempre fazendo concessões para as diferenças nos mercados individuais.

Uma alternativa ao filtro de preço (que exige que uma linha de tendência seja quebrada por uma porcentagem ou um incremento de preço predeterminado) é o *filtro de tempo*. Um filtro de tempo comum é a *regra dos dois dias*. Em outras palavras, para ter uma quebra de linha de tendência válida, os preços precisam fechar além da linha de tendência por dois dias sucessivos. Assim sendo, para quebrar uma linha de tendência de alta, os preços precisam fechar abaixo da linha de tendência dois dias seguidos. A violação de um dia não conta. As regras de 1–3% e de dois dias também são aplicadas à quebra de níveis importantes de suporte e resistência, não só a linhas de tendência relevantes. Outro filtro exigiria que uma sexta-feira fechasse em um ponto de breakout importante para garantir um sinal semanal.

Como as Linhas de Tendência Invertem os Papéis

Mencionamos anteriormente que os níveis de suporte e resistência assumem papéis opostos quando violados. O mesmo princípio se aplica às linhas de tendências. (Veja as Figuras 4.10a–c.) Em outras palavras, uma linha de tendência de alta (uma linha de suporte) normalmente se torna uma linha de resistência quando é decisivamente quebrada. Uma linha de tendência de queda (uma linha de resistência) muitas vezes se tornará uma linha de suporte quando é decisivamente quebrada. É por esse motivo que geralmente é uma boa ideia projetar todas as linhas de tendência o máximo possível para a direita no gráfico, mesmo depois de terem sido quebradas. É surpreendente a frequência com que antigas linhas de tendência funcionam como linhas de suporte e resistência outra vez no futuro, mas no papel oposto.

Implicações de Mensuração das Linhas de Tendências

As linhas de tendências podem ser usadas para ajudar a determinar objetivos de preço. Nos próximos dois capítulos, sobre padrões de preço, falaremos muito mais sobre objetivos de preço. Na verdade, alguns dos objetivos de preço tratados originados de vários padrões de preço são semelhantes ao que discutiremos aqui com as linhas de tendências. Resumindo, quando uma linha de tendência é quebrada, os preços normalmente avançam uma distância além da linha de tendência igual à distância vertical alcançada pelos preços no outro lado da linha, antes da inversão de tendência.

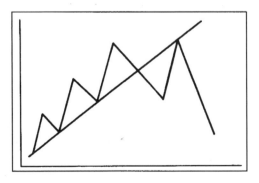

Figura 4.10a *Exemplo de uma linha de suporte ascendente se tornando resistência. Normalmente, uma linha de suporte funcionará como uma barreira de resistência em aumentos marcantes subsequentes, depois de ter sido quebrada na queda.*

Conceitos Básicos de Tendência

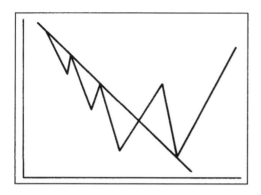

Figura 4.10b *Muitas vezes, uma linha de tendência de baixa se tornará uma linha de suporte quando for quebrada na alta.*

Figure 4.10c *Linhas de tendência também invertem papéis. Neste gráfico, a linha de tendência quebrada torna-se uma barreira de resistência para a tentativa de rali seguinte.*

Em outras palavras, se na tendência de alta anterior os preços se movessem US$50 acima da linha de tendência ascendente (medida verticalmente), então se esperaria que os preços caíssem os mesmos US$50 abaixo da linha de tendência depois de quebrada. No próximo capítulo, por exemplo, veremos que a regra de mensuração que usa a linha de tendência é semelhante à usada no conhecido padrão de reversão *cabeça e ombros*, em que a distância da "cabeça" até a base do "pescoço" é projetada para além da linha quando é quebrada.

O PRINCÍPIO DO LEQUE

Isso nos leva a outro uso interessante da linha de tendência: o *princípio do leque*. (Veja as Figuras 4.11a-c.) Às vezes, após a violação de uma linha de tendência de alta, os preços caem um pouco antes de voltarem a subir ao fundo da antiga linha de tendência de alta (agora uma linha de resistência). Na Figura 4.11a, observe como os preços sobem, mas sem conseguir penetrar a linha 1. Agora uma segunda linha de tendência (linha 2), que também está quebrada, pode ser traçada. Depois de outra tentativa de rali fracassada, uma terceira linha é traçada (linha 3). *A quebra dessa terceira linha de tendência geralmente indica que os preços estão caindo.* Na Figura 4.11b, a quebra da terceira linha de tendência de baixa (linha 3) constitui um novo sinal de tendência de alta. Note nesses exemplos como linhas de suporte anteriormente quebradas se tornam resistência e linhas de resistência se tornam suporte. O termo "princípio do leque" se origina da aparência das linhas que gradativamente se abrem, parecendo um leque. É importante lembrar aqui que a quebra da terceira linha é o sinal válido de inversão de tendência.

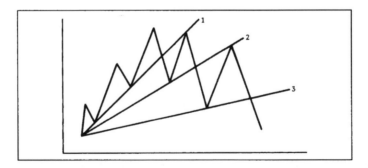

Figura 4.11a *Exemplo do princípio de leque. A quebra da terceira linha de tendência indica a inversão de uma tendência. Note também que as linhas de tendência quebradas 1 e 2 muitas vezes se tornam linhas de resistência.*

Conceitos Básicos de Tendência

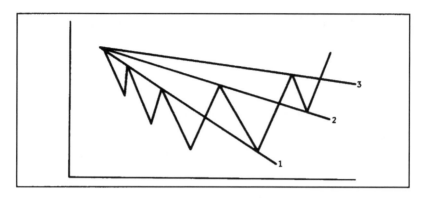

Figura 4.11b *O princípio do leque no fundo. A quebra da terceira linha de tendência indica uma inversão de tendência de alta. As linhas de tendência quebradas anteriormente (1 e 2) muitas vezes se tornam níveis de suporte.*

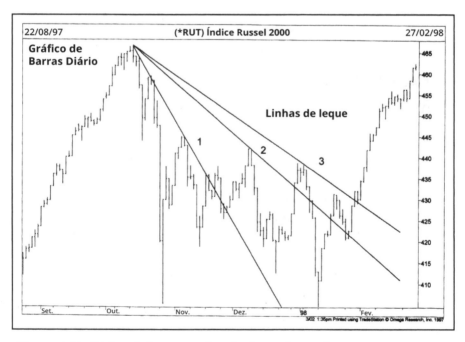

Figura 4.11c *Linhas de leque são desenhadas ao longo de picos sucessivos, como mostrado neste gráfico. A quebra da terceira linha do leque geralmente indica o início de uma tendência de alta.*

A IMPORTÂNCIA DO NÚMERO TRÊS

Ao examinar as três linhas no princípio do leque, é interessante notar com que frequência o número três aparece no estudo da análise técnica e o papel importante que ele desempenha em muitas abordagens técnicas. Por exemplo, o princípio do leque usa três linhas; mercados em alta e baixa importantes geralmente passam por três fases importantes (Teoria de Dow e Teoria das Ondas de Elliott); há três tipos de *gaps* (falaremos sobre isso em breve); alguns dos padrões de reversão mais conhecidos, como o *topo triplo* e o *ombro-cabeça-ombro*, têm três picos proeminentes; há três classificações diferentes de tendência (primária, secundária e de curto prazo) e três direções de tendência (alta, baixa e lateral); entre os padrões de continuação geralmente aceitos, há três tipos de *triângulos*: simétrico, ascendente e descendente; há três fontes principais de informação: preço, volume e interesse aberto. Qualquer que seja o motivo, o número três desempenha um papel de muito destaque em todo o campo da análise técnica.

A INCLINAÇÃO RELATIVA DA LINHA DE TENDÊNCIA

A inclinação relativa da linha de tendência também é importante. Em geral, tendências de linha ascendentes costumam se aproximar de uma inclinação média de 45°. Alguns grafistas simplesmente traçam uma linha de 45° no gráfico de uma alta ou baixa proeminente e a usam como uma linha de tendência importante. A linha de 45° foi uma das técnicas preferidas de W. D. Gann. Ela reflete uma situação em que o preço está avançando ou caindo em tal ritmo, que preço e tempo estão em equilíbrio perfeito.

Conceitos Básicos de Tendência

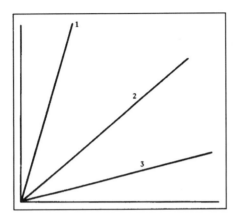

Figura 4.12 *A maioria das linhas de tendências sobe a um ângulo aproximado de 45° (veja a linha 2). Se a linha de tendência for inclinada demais (linha 1), isso geralmente indica que a taxa de subida não é sustentável. Se uma linha de tendência for muito plana (linha 3), sugere que a tendência de alta é muito fraca e, provavelmente, suspeita. Muitos técnicos usam linhas de 45° de pontos altos ou baixos anteriores como linhas de tendência importantes.*

Se uma linha de tendência for muito inclinada (veja a linha 1 na Figura 4.12), ela geralmente indica que os preços estão avançando depressa demais e que a atual subida acentuada não será sustentada. A quebra dessa linha de tendência com inclinação acentuada pode ser apenas uma reação de volta a uma inclinação mais sustentável perto da linha de 45° (linha 2). Se uma linha de tendência for muito plana (veja linha 3), ela pode indicar que essa tendência de alta é muito fraca para ser confiável.

Como Ajustar Linhas de Tendências

Às vezes, linhas de tendências devem ser ajustadas para serem compatíveis com uma tendência decrescente ou crescente. (Veja a Figura 4.13 e as Figuras 4.14a e b.) Por exemplo, como mostrado no caso anterior, se uma linha de tendência de inclinação acentuada for quebrada, talvez seja necessário traçar uma linha de tendência mais moderada. Se a linha de tendência original for plana demais, talvez tenha de ser redesenhada em um ângulo mais inclinado. A Figura 4.13 mostra uma situação em que a quebra de linha de tendência com inclinação mais acentuada (linha 1) exigiu que se traçasse uma linha mais moderada (linha 2).

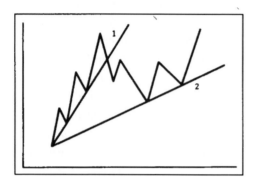

Figura 4.13 *Exemplo de uma linha de tendência com inclinação acentuada demais (linha 1). A linha de tendência ascendente original mostrou ser inclinada demais. Muitas vezes, a quebra de uma linha de tendência muito inclinada é só um ajuste para uma linha de tendência de alta mais lenta e sustentável (linha 2).*

Na Figura 4.14a, a linha de tendência original (linha 1) é plana demais e precisa ser redesenhada em um ângulo mais inclinado (linha 2). A tendência de alta acelerou, exigindo uma linha mais inclinada. Uma linha de tendência longe demais do price action obviamente tem pouca utilidade no acompanhamento da tendência.

Às vezes, no caso de uma tendência em aceleração, várias linhas de tendência podem ter de ser desenhadas em ângulos cada vez mais acentuados. Em minha experiência, porém, quando linhas de tendência de inclinação mais acentuadas se tornam necessárias, é melhor recorrer a outra ferramenta — a média móvel —, que é igual a uma linha de tendência curvilínea. Uma das vantagens de ter acesso a diferentes tipos de indicadores técnicos é poder escolher o mais adequado para uma determinada situação. Todas as técnicas discutidas neste livro funcionam bem em algumas situações, mas não tão bem em outras. Ao dispor de um arsenal de ferramentas, o técnico pode mudar rapidamente de uma a outra que funcione melhor em dada circunstância. Uma tendência acelerada é um dos casos em que uma média móvel seria mais útil do que uma série de linhas de tendência com inclinação cada vez mais acentuada.

Conceitos Básicos de Tendência

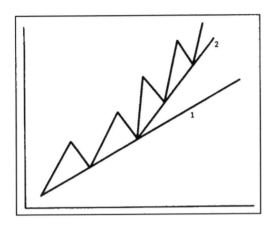

Figura 4.14a *Exemplo de uma linha de tendência de alta que é plana demais (linha 1). A linha 1 provou ser lenta demais quando a tendência de alta acelerou. Neste caso, uma segunda linha de tendência de inclinação mais acentuada (linha 1) deve ser desenhada para acompanhar uma tendência em alta mais de perto.*

Figura 4.14b *Uma tendência de alta acelerada requer o desenho de linhas de tendências mais inclinadas, como mostra este gráfico. A linha de tendência mais inclinada se torna a mais importante.*

Assim como há diferentes graus de tendência em ação em determinado momento, também existe a necessidade de se traçar diferentes linhas de tendências para medir essas tendências variadas. Uma linha de tendência de alta importante, por exemplo, ligaria os dois pontos baixos da tendência de alta principal, enquanto uma linha mais curta e sensível poderia ser usada para oscilações secundárias. E uma linha ainda mais curta pode medir movimentos de curto prazo. (Veja a Figura 4.15.)

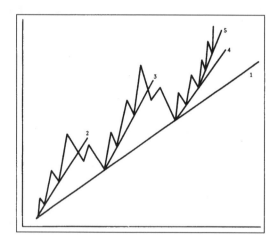

Figura 4.15 *Diferentes linhas de tendências são usadas para definir os diversos graus da tendência. A Linha 1 no exemplo é a linha de tendência ascendente principal, definindo a tendência de alta principal. As Linhas 2, 3 e 4 definem as tendências de alta intermediárias. Finalmente, a Linha 5 define um avanço de prazo mais curto dentro da última tendência de alta intermediária. Os técnicos usam muitas linhas de tendência diferentes no mesmo gráfico.*

A LINHA DO CANAL

A *linha do canal,* ou a *linha de retorno,* como às vezes é chamada, é outra variação útil da técnica de linha de tendências. Às vezes, os preços seguem uma tendência entre duas linhas paralelas — a linha de tendência básica e a linha de canal. Obviamente, quando é o caso e quando o analista reco-

Conceitos Básicos de Tendência

nhece que o canal existe, essa informação pode ser usada para obter uma vantagem lucrativa.

Traçar uma linha de canal é relativamente simples. Em uma tendência de alta (veja a Figura 4.16a), trace primeiro a linha de tendência básica ascendente ao longo dos mínimos. Depois trace uma linha pontilhada do primeiro pico proeminente (ponto 2) que é paralela à linha de tendência de alta básica. Ambas as linhas se movem para cima e à direita, formando um canal. Se o próximo rali atingir e recuar da linha de canal (ponto 4), então pode existir um canal. Se os preços caírem para a linha de tendência original (no ponto 5), então é provável que exista um canal. O mesmo se aplica a uma tendência de baixa (Figura 4.16b), mas, é claro, na direção oposta.

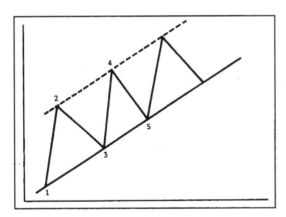

Figura 4.16a *Exemplo de um canal de tendência. Quando a linha de tendência básica ascendente é traçada (abaixo dos pontos 1 e 3) uma linha de canal, ou retorno (pontilhada), pode ser projetada sobre o primeiro pico em 2, que é paralela à linha de tendência básica.*

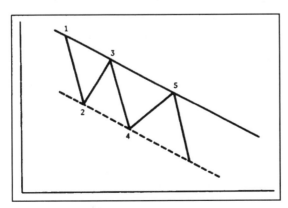

Figura 4.16b *Um canal de tendência em uma tendência de baixa. O canal é projetado para baixo a partir do primeiro mínimo no ponto 2, paralelo à linha de tendência de baixa ao longo dos picos 1 e 3. Muitas vezes, os preços se manterão dentro desse canal de tendência.*

Figure 4.16c *Note como os preços flutuaram entre os canais paralelos superior e inferior em um período de 25 anos. Os máximos de 1987, 1989 e 1993 ocorreram exatamente acima da linha de canal superior. O mínimo de 1994 se afastou da linha de tendência inferior.*

O leitor pode perceber de imediato o valor dessa situação. A linha de tendência básica de alta pode ser usada para a iniciação de novas posições compradas (long). A linha de canal pode ser usada para obter lucro de curto prazo. Traders mais agressivos podem até usar a linha de canal para iniciar uma posição vendida (short) contrária à tendência, embora negociar na direção oposta da tendência predominante possa ser uma tática perigosa e, geralmente, custosa. Como no caso da linha de tendência básica, quanto mais tempo o canal permanecer intacto e maior a frequência com que for testado com sucesso, mais importante e confiável ele se torna.

A quebra da linha de tendência principal indica uma mudança importante na tendência, mas a quebra de uma linha de canal ascendente tem o significado exatamente oposto e sinaliza uma aceleração da tendência existente. Alguns traders encaram o rompimento da linha superior do canal, em uma tendência de alta, como um sinal para adicionar posições compradas.

Conceitos Básicos de Tendência

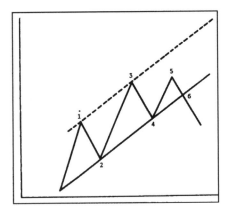

Figura 4.17 *O fato de não atingir o limite superior do canal muitas vezes é um aviso de que a linha inferior vai ser quebrada. Note que a falha em atingir a linha superior no ponto 5 é seguida pela quebra da linha de tendência básica ascendente no ponto 6.*

Outra forma de se usar a técnica de canal é encontrar falhas em atingir a linha de canal, geralmente um sinal de enfraquecimento de uma tendência. Na Figura 4.17, a incapacidade de os preços atingirem o ponto máximo do canal (no ponto 5) pode ser um sinal precoce de que a tendência está virando e aumenta a probabilidade de que a outra linha (a linha de tendência básica ascendente) seja quebrada. Como regra, a falha de qualquer movimento dentro de um canal de preço estabelecido em atingir um lado do canal geralmente indica que a tendência está mudando e aumenta a probabilidade de que o outro lado do canal seja quebrado.

O canal também pode ser usado para ajustar a linha de tendência básica. (Veja as Figuras 4.18 e 4.19.) Se os preços se moverem acima da linha de canal ascendente projetada por uma quantia significativa, esse fato geralmente indicará um fortalecimento da tendência. Alguns grafistas então traçam uma linha de tendência básica ascendente com inclinação mais acentuada a partir da paralela da última reação de baixa para a nova linha de canal (como mostrado na Figura 4.18). Muitas vezes, a nova linha de suporte mais inclinada funciona melhor do que a linha mais plana anterior. Da mesma forma, a falha de uma tendência de alta em atingir a extremidade superior de um canal justifica traçar uma nova linha de suporte embaixo da última paralela de reação de baixa para uma nova linha de resistência acima dos dois últimos picos (como mostra a Figura 4.19).

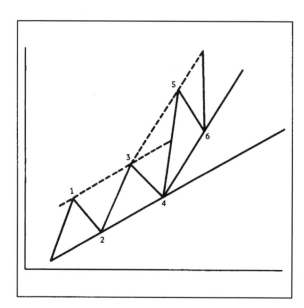

Figura 4.18 *Quando a linha de canal superior é quebrada (como na onda 5), muitos grafistas redesenham a paralela da linha de tendência básica ascendente até a nova linha de canal superior. Em outras palavras, a linha 4-6 é desenhada paralelamente à linha 3-5. Como a tendência de alta está acelerando, diz a lógica que a linha de tendência básica ascendente fará o mesmo.*

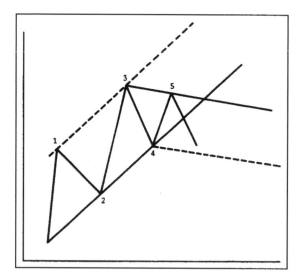

Figura 4.19 *Quando os preços não atingem a linha de canal superior e uma linha de tendência descendente é desenhada em cima dos dois picos em declínio (linha 3-5), uma linha de canal preliminar pode ser traçada do mínimo na paralela no ponto 4 até a linha 3-5. Às vezes, a linha de canal inferior indica onde a sustentação inicial será evidente.*

Linhas de canal têm implicações de mensuração. *Quando ocorre um breakout a partir de um canal de preço existente, os preços geralmente percorrem uma distância igual à largura do canal.* Assim, o usuário deve sim-

Conceitos Básicos de Tendência   **89**

plesmente medir a largura do canal e então projetar esse número a partir do ponto em que cada linha de tendência é quebrada.

Porém, devemos nos lembrar sempre de que das duas linhas, a linha de tendência básica é, de longe, a mais importante e mais confiável. A linha de canal é um uso secundário da técnica da linha de tendência. Mas o uso da linha de canal muitas vezes funciona bem o bastante para justificar sua inclusão na caixa de ferramentas do grafista.

PORCENTAGENS DE RETRAÇÃO

Em todos os exemplos anteriores de tendências de alta e de baixa, o leitor certamente notou que, após um movimento de mercado específico, os preços refazem uma porção da tendência anterior para então retomar o movimento na direção original. Esses movimentos contrários à tendência costumam se encaixar em parâmetros de porcentagem previsíveis. A aplicação mais conhecida do fenômeno é a *retração* de 50%. Por exemplo, digamos que um mercado esteja com tendência de alta e passe do nível 100 para o nível 200. Com muita frequência, a reação subsequente refaz cerca de metade do movimento anterior até perto do nível 150 antes de recuperar o impulso para cima. Essa é uma tendência de mercado muito conhecida e ocorre com frequência. Além disso, essas porcentagens de retração se aplicam a qualquer grau de tendência — primária, secundária e de curto prazo.

Além da retração de 50%, há parâmetros de porcentagem mínimos e máximos que também são amplamente reconhecidos — *as retrações de 1/3 e 2/3*. Em outras palavras, a tendência de preço pode ser dividida em terços. Geralmente, uma retração mínima é de cerca de 33%, e a uma máxima, de 66%. Isso significa que, na correção de uma tendência forte, o mercado geralmente refaz, pelo menos, 1/3 do movimento anterior. Essa informação é muito útil por vários motivos. Se um trader estiver procurando uma área de compra abaixo do mercado, ele pode simplesmente computar uma zona de 33–50% no gráfico e usar essa zona de preço como uma estrutura geral de referência para oportunidades de compra. (Veja as Figuras 4.20a e b.)

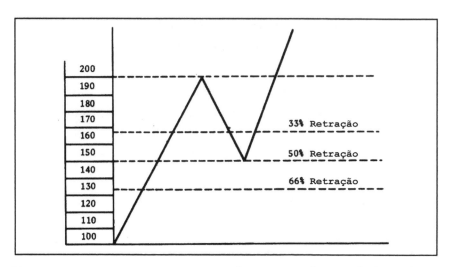

Figura 4.20a *Muitas vezes, os preços refazem cerca de metade da tendência anterior antes de retomar a direção original. Este exemplo mostra uma retração de 50%. A retração mínima é de 1/3, e a máxima, de 2/3 da tendência anterior.*

O parâmetro máximo de retração é 66%, que se torna uma área especialmente crítica. Caso se queira manter a tendência anterior, a correção deve parar no ponto de 2/3. Esta, então, torna-se uma área de compra de risco relativamente baixo em uma tendência de alta ou área de venda em uma tendência de baixa. Se os preços se moverem além do ponto de 2/3, é provável que haja uma reversão de tendência, em vez de apenas uma retração. Nesse caso, a movimentação geralmente reconstituirá 100% da tendência anterior.

Você deve ter notado que os parâmetros da retração de 3% que mencionamos até agora — 50%, 33% e 66% — foram retirados da Teoria de Dow original. Quando chegarmos à Teoria das Ondas de Elliott e às porcentagens de Fibonacci, veremos que os seguidores dessa abordagem usam retrações percentuais de 38% e 62%. Eu prefiro combinar as duas abordagens para uma zona de retração mínima de 33–38% e uma zona máxima de 62–66%. Alguns técnicos arredondam esses números ainda mais para atingir uma zona de retração de 40–60%.

Conceitos Básicos de Tendência

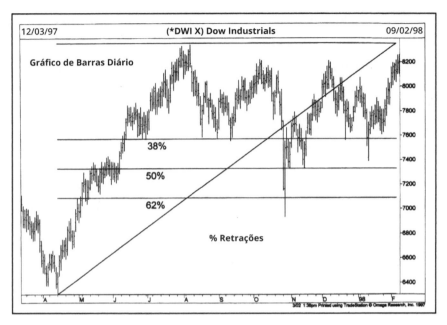

Figura 4.20b *As três linhas horizontais marcam os níveis de retração de 38%, 50% e 62%, medidos do mínimo, em abril de 1997, ao máximo, em agosto. O primeiro declínio se encontra na linha de 38%, o segundo, na linha de 62%, e o terceiro, perto da linha de 50%. A maior parte das correções encontrará sustentação nas zonas de retração de 38% a 50%. As linhas de 38% e 62% são* **retrações** *de Fibonacci e são populares entre os grafistas.*

Alunos de W. D. Gann estão cientes de que ele dividiu a estrutura de tendências em oitavos — 1/8, 2/8, 3/8, 4/8, 5/8, 6/8, 7/8, 8/8. Entretanto, até Gann deu importância especial aos números de retrações de 3/8 (38%), 4/8 (50%) e 5/8 (62%) e também sentiu que era importante dividir a tendência em terços —1/3 (33%) e 2/3 (66%).

SPEEDLINES

Falando em terços, citaremos outra técnica que combina a linha de tendência com retrações de porcentagem — *speedlines*. Esta técnica, desenvolvida por Edson Gould, é, na verdade, uma adaptação da ideia de dividir a tendência em terços. A principal diferença do conceito de retração de porcentagem é que as linhas de resistência e velocidade (ou speedlines) medem a taxa de subida ou descida de uma tendência (em outras palavras, suas velocidades).

Para construir uma *speedline* de alta, encontre o ponto mais alto na tendência ascendente atual. (Veja a Figura 4.2a.) Desse ponto elevado no gráfico, traça-se uma linha vertical em direção ao fundo do gráfico para onde a tendência começou. Essa linha vertical então é dividida em terços. Uma linha de tendência é então traçada do início da tendência através dos dois pontos marcados na linha vertical, representando os pontos de 1/3 e 2/3. Em uma tendência de baixa, basta inverter esse processo. Meça a distância vertical do ponto mínimo na tendência de baixa até o início da tendência e trace duas linhas do início da tendência até os pontos de 1/3 e 2/3 na linha vertical. (Veja as Figuras 4.21a e b.)

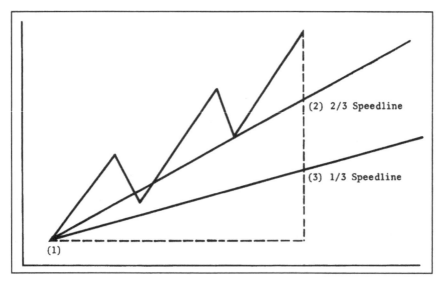

Figura 4.21a *Exemplos de speedlines de resistência em uma tendência de alta. A distância vertical do pico ao início da tendência é dividida em terços. Duas linhas de tendência são então traçadas do ponto 1, atravessando os pontos 2 e 3. A linha superior é a speedline de 2/3, e a inferior, de 1/3. As linhas devem agir como suporte durante correções de mercado. Quando rompidas, elas se revertem e passam a agir como resistência em bounces. Às vezes, essas speedlines se cruzam com o price action.*

Conceitos Básicos de Tendência

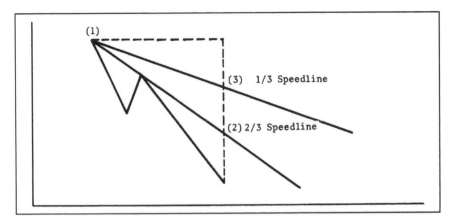

Figura 4.21b *Speedlines em uma tendência de baixa.*

Sempre que uma nova alta é indicada em uma tendência de alta ou uma nova baixa em uma tendência de baixa, uma nova série de linhas deve ser traçada (porque agora há um novo ponto máximo ou ponto mínimo). Como as *speedlines* são traçadas do início de uma tendência até os pontos de 1/3 e 2/3, às vezes essas linhas de tendência podem passar por algumas dos price actions. Esse é um caso em que as linhas de tendência não são traçadas embaixo de mínimos e acima de máximos, mas, sim, através do price action.

Se uma tendência de alta estiver no processo de se corrigir, a correção de baixa normalmente parará na speedline mais alta (a speedline de 2/3). Se isso não ocorrer, os preços cairão até a speedline inferior (a speedline de 1/3). Se a linha inferior também for rompida, os preços provavelmente continuarão sem parar até o início da tendência anterior. Em uma tendência de baixa, o rompimento da linha inferior indica um provável aumento para uma linha mais elevada. Se esta for rompida, será iniciado um rali para o topo da tendência anterior.

Como ocorre com todas as linhas de tendência, as speedlines invertem os papéis quando rompidas. Assim, se a linha superior (linha de 2/3) for rompida e os preços caírem para a linha de 1/3 e avançarem a partir dali durante a correção de uma tendência de alta, essa linha superior se tornará uma barreira de resistência. Só quando essa linha superior for rompida será dado um sinal de que as antigas altas provavelmente serão desafiadas. O mesmo princípio se aplica a tendências de baixa.

LINHA DE GANN E LEQUE DE FIBONACCI

Softwares gráficos também permitem que se tracem linhas de leque de *Gann e Fibonacci*. Linhas de leque de *Fibonacci* são traçadas da mesma forma que a speedline, com a diferença de que as linhas de Fibonacci são traçadas em ângulos de 38% e 62%. (Explicaremos de onde vêm os números referentes a 38% e 62% no Capítulo 13, "A Teoria das Ondas de Elliott".) As linhas de *Gann* (que recebeu o nome do lendário trader de commodities, W.D. Gann) são linhas de tendência traçadas a partir de topos ou fundos proeminentes em ângulos geométricos específicos. A linha de Gann mais importante é traçada a um ângulo de 45° de um pico ou vale. Linhas de Gann com inclinação mais acentuada podem ser traçadas durante uma tendência de alta a ângulos de $63^{3/4}$ e 75°. Linhas de Gann mais planas podem ser traçadas em linhas com ângulos de $26^{1/4}$ e 15°. É possível traçar até nove linhas de Gann diferentes.

As linhas de Gann e de Fibonacci são usadas da mesma forma que as speedlines. Elas devem proporcionar suporte durante correções de baixa. Quando uma linha é rompida, normalmente os preços caem até a próxima linha inferior. As linhas de Gann são um tanto controversas. Mesmo quando uma delas funciona, não se pode ter certeza com antecedência sobre qual delas será, e alguns grafistas questionam a validade de traçar quaisquer linhas de tendência geométricas.

LINHAS DE TENDÊNCIA INTERNAS

São variações da linha de tendência que não dependem de máximos e mínimos extremos. Em vez disso, linhas de tendência *internas* são traçadas através do price action e ligadas a quantos picos ou vales internos quanto possível. Alguns grafistas desenvolvem um bom olho para esse tipo de linha de tendência e a consideram útil. O problema com elas é que seu traçado é muito subjetivo; as normas para traçar linhas de tendência mais tradicionais ao longo de máximos e mínimos extremos são mais exatas. (Veja a Figura 4.21c.)

DIAS DE REVERSÃO

Outro fundamento importante é o *dia da reversão*. Essa formação de gráfico em particular tem vários nomes: o dia da reversão de altas, o dia de reversão de baixas, o *clímax de compra e venda*, e o dia de reversão-chave. Por si só, essa formação não tem grande importância, mas, considerando o contexto de outras informações técnicas, às vezes ela pode ser significativa. Primeiro definiremos o que é um dia de reversão.

Figura 4.21c *Linhas de tendência internas são traçadas através do price actions conectando tantos máximos e mínimos quanto possível. Essa linha de tendência interna traçada ao longo dos altos do início de 1996 proporcionou suporte um ano depois, durante a primavera de 1997.*

Um *dia de reversão* ocorre em altas e em baixas. A definição geral aceita que um *dia de reversão de topo* é a criação de uma nova alta em uma tendência ascendente, seguida por um fechamento mais baixo no mesmo dia. Em outras palavras, os preços estabelecem uma nova alta de um determinado movimento de alta em algum ponto durante o dia (normalmente na abertura ou perto dela) então enfraquecem e realmente fecham mais baixo do que o fechamento do dia anterior. Um *dia de reversão de fundo* seria uma nova baixa durante o dia seguida por um fechamento mais alto.

Quanto mais ampla a variação no dia e mais pesado o volume, mais significativo é o sinal de uma possível reversão de tendência de curto prazo. As Figuras 4.22a–b mostram as duas situações em um gráfico de barras. Note o volume maior no dia de reversão. Note, também, que a alta e a baixa no dia da reversão excedem a faixa do dia anterior, formando um *dia externo*. Embora um dia externo não seja uma exigência para um dia de reversão, ele tem mais significado. (Veja a Figura 4.22c.)

Às vezes, o dia de reversão de fundo é chamado de *clímax de venda*. Normalmente, essa é uma reviravolta significativa no fundo de um movimento descendente em que todos os comprados sem muita convicção foram finalmente forçados a sair do mercado por causa do grande volume. A ausência subsequente de pressão de venda cria um vácuo no mercado, em que o aumento dos preços rapidamente tenta preencher. O clímax de venda é um dos exemplos mais significativos do dia de reversão, e, embora possa não marcar o fundo final de um mercado em queda, geralmente sinaliza que uma baixa significativa foi vista.

Conceitos Básicos de Tendência

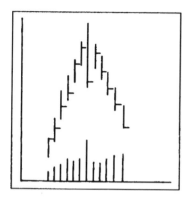

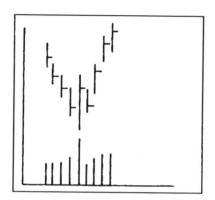

Figura 4.22a *Exemplo de um dia de reversão de topo. Quanto maior o volume e mais ampla a variação no dia de reversão, mais importante ela se torna.*

Figura 4.22b *Exemplo de um dia de reversão de fundo. Se o volume for especialmente grande, as reversões de fundo muitas vezes são chamadas de "clímax de venda".*

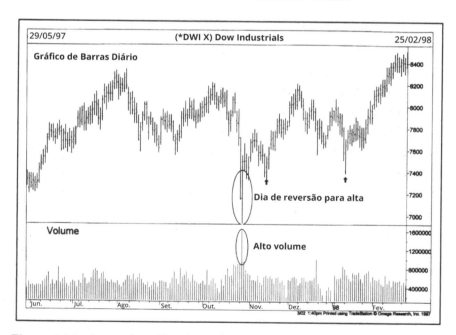

Figura 4.22c *A ação do gráfico de 28 de outubro de 1997 foi um exemplo clássico de um dia de reversão de alta ou um dia de "clímax de venda". Os preços abriram em forte queda e fecharam em forte alta. A barra de volume excepcionalmente pesado para esse dia aumentou sua importância. Dois dias de reversão de alta menos significativos (veja as setas) também marcaram os preços de fundo.*

Reversões Semanais e Mensais

Esse tipo de padrão de reversão aparece em gráficos de barras semanais e mensais e com muito mais importância. Em um gráfico semanal, cada barra representa toda a variação da semana com o fechamento registrado na sexta-feira. Uma *reversão semanal de alta*, portanto, ocorreria quando o mercado tem volume de negociação menor durante a semana, apresenta uma nova baixa no movimento, mas na sexta-feira fecha acima do fechamento da sexta-feira anterior.

Por motivos óbvios, reversões semanais são muito mais importantes do que reversões diárias, e são observadas com atenção pelos grafistas por sinalizar pontos de virada importantes. Da mesma forma, reversões mensais são ainda mais importantes.

GAPS DE PREÇO

Gaps de preços simplesmente são áreas no gráfico de barras em que não houve negociação. Em uma tendência de alta, por exemplo, os preços abrem acima do preço mais alto do dia anterior, deixando um hiato ou espaço aberto no gráfico que não é preenchido durante o dia. Em uma tendência de baixa, o preço mais alto do dia fica abaixo do preço mais baixo do dia anterior. Gaps de alta são sinais de força do mercado, enquanto gaps de baixa geralmente são sinais de fraqueza. Eles podem aparecer em gráficos semanais e mensais, e, quando o fazem, geralmente são muito significativos. Mas eles costumam ser mais vistos em gráficos de barras diários.

Existem vários mitos referentes à interpretação de gaps. Uma das máximas frequentemente ouvidas é a de que "gaps sempre são preenchidos". Isso simplesmente não é verdade. Alguns devem ser preenchidos, e outros não. Também vemos que gaps têm diferentes implicações de previsão, dependendo de que tipos são e quando ocorrem.

Três Tipos de Gaps

Há três tipos gerais de gaps: breakaway, runaway (ou medida), e de exaustão.

O breakaway gap. Geralmente ocorre no final de um padrão de preço importante e geralmente sinaliza o início de um movimento de mercado importante. Depois que o mercado completou um padrão de base significativo, o rompimento de resistência muitas vezes ocorre em um breakaway gap. Fugas importantes de áreas de alta ou de base são terrenos férteis para esse tipo de gap. O rompimento de uma linha de tendência importante, sinalizando a reversão de uma tendência, também apresenta um breakaway.

Costumam ocorrer com grandes volumes. Com frequência, os breakaway gaps não são preenchidos. Os preços podem voltar para a extremidade superior do gap (no caso de uma fuga de alta), e podem até fechar uma parte do gap, mas parte ficará sem ser preenchida. Como norma, quanto maior o volume após o surgimento do gap, menor é a probabilidade de ele ser preenchido. Gaps de alta geralmente agem como áreas de suporte em correções subsequentes de mercado. É importante que os preços não caiam abaixo dos gaps durante uma tendência de alta. Em todos os casos, um fechamento abaixo de um gap de alta é sinal de fraqueza. (Veja as Figuras 4.23a e b.)

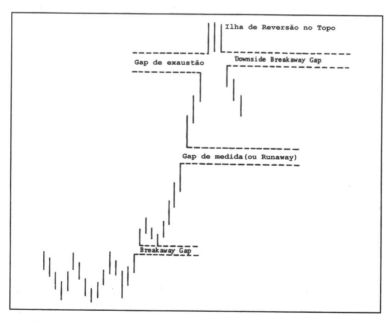

Figura 4.23a *Os três tipos de gaps. O breakaway sinalizou o final de um padrão de base. O runaway ocorreu aproximadamente no ponto central (motivo*

pelo qual também é chamado de gap de medida). Um gap de exaustão na alta, seguido por um breakaway em baixa dentro de uma semana, deixou uma ilha de reversão de alta. Note que os gaps de breakaway e runaway não foram preenchidos na subida, o que ocorre com frequência.

O gap runaway ou de medida. Depois que o movimento se iniciou há algum tempo, em algum ponto da metade do movimento, os preços darão um salto para a frente para formar um segundo tipo de gap (ou uma série de gaps), chamado de *runaway* gap. Este tipo de gap revela uma situação em que o mercado está se movendo sem esforço em um volume moderado. Em uma tendência de alta, é um sinal de força do mercado; em uma tendência de baixa, um sinal de fraqueza. Aqui, novamente, runaway gaps agem como suporte embaixo do mercado em correções subsequentes e muitas vezes não são preenchidos. Como no caso do breakaway, um fechamento abaixo do runaway gap é um sinal negativo em uma tendência de alta.

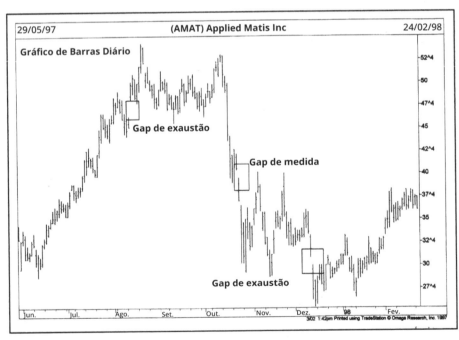

Figura 4.23b *O primeiro box mostra um gap de "exaustão" perto do final de um aumento de preço. Preços que caem abaixo desse gap sinalizaram uma alta.*

O segundo box é um runaway gap a cerca de meio caminho da tendência de baixa. O terceiro box é outro gap de "exaustão" no fundo. O movimento de volta acima desse gap sinalizou preços mais altos.

Essa variedade de gap também é chamada de *gap de medida*, porque ela geralmente ocorre no ponto médio de uma tendência. Ao medir a distância que a tendência já percorreu a partir do sinal original da tendência ou breakout, uma estimativa da extensão provável do movimento restante pode ser determinada dobrando a quantidade já atingida.

O gap de exaustão. O último tipo de gap aparece perto do final do movimento do mercado. Depois que todos os objetivos foram atingidos e os outros dois tipos de gap (breakaway e runaway) foram identificados, o analista deve começar a esperar o *gap de exaustão*. Perto do fim de uma tendência de alta, os preços saltam para a frente em um último impulso, por assim dizer. Entretanto, esse salto para cima desaparece rapidamente, e os preços ficam mais baixos dentro de alguns dias ou em uma semana. Quando os preços fecham abaixo desse último gap, geralmente é prova suficiente de que o gap apareceu. Esse é um exemplo clássico de quando cair abaixo de um gap em uma tendência de alta tem implicações de baixa.

A Ilha de Reversão

Isso nos leva ao *padrão da ilha de reversão*. Às vezes, após um gap de exaustão de alta se formar, os preços serão negociados em uma faixa limitada por alguns dias ou algumas semanas antes de formar um gap para baixo. Essa situação deixa os poucos dias de price action parecendo uma "ilha" cercada por espaço ou água. O gap de exaustão para o alto seguido por um breakaway gap para baixo completa o padrão de ilha de reversão e geralmente indica uma reversão de tendência de alguma magnitude. Naturalmente, a dimensão do significado da reversão depende de onde os preços se encontram na estrutura de tendência geral. (Veja a Figura 4.23c.)

Figura 4.23c *Os dois gaps nesse gráfico diário formam uma "ilha de reversão" de alta. O primeiro box mostra um gap de alta depois de um rali. O segundo box mostra um gap de baixa três semanas depois. Essa combinação de gaps geralmente sinaliza uma alta importante.*

CONCLUSÃO

Este capítulo apresentou ferramentas técnicas introdutórias que eu considero serem os fundamentos da análise gráfica: suporte e resistência, linhas de tendência e canais, retrações de porcentagem, speedlines de resistência, dias de reversão e gaps. Cada abordagem técnica tratada nos capítulos posteriores usa esses conceitos e ferramentas de um jeito ou outro. Armados de uma melhor compreensão desses conceitos, agora estamos prontos para estudar padrões de preços.

Padrões de Reversão Importantes

INTRODUÇÃO

Até agora, falamos sobre a Teoria de Dow, que é a base de quase todo o trabalho de seguimento de tendências usado hoje em dia. Examinamos os conceitos básicos das tendências, como suporte, resistência e linhas de tendência, e apresentamos o volume e o interesse aberto. Agora estamos prontos para passar à próxima etapa, que é o estudo de padrões gráficos, e rapidamente você verá que esses padrões se baseiam nos conceitos anteriores.

No Capítulo 4, definimos tendência como uma série de picos e vales ascendentes ou descendentes. Enquanto fossem ascendentes, a tendência era de alta; se fossem descendentes, a tendência estava em baixa. Ressaltamos, porém, que os mercados também se movem lateralmente por algum tempo. São esses períodos de movimento lateral do mercado que mais nos preocuparão nos próximos dois capítulos.

Seria um erro supor que quase todas as mudanças nas tendências são ocorrências bruscas, porque o fato é que mudanças importantes nas tendências geralmente exigem um período de transição. O problema é que esses períodos de transição nem sempre sinalizam uma reversão de tendência. Às vezes, esses períodos laterais apenas indicam uma pausa ou consolidação da tendência existente, depois do que a tendência original é retomada.

PADRÕES DE PREÇO

O estudo desses períodos de transição e as implicações de suas previsões nos levam à questão dos padrões de preço. Em primeiro lugar, o que são padrões de preços? Eles são quadros ou formações que aparecem nos gráficos de preços de ações ou commodities, que podem ser classificados em diferentes categorias e que têm valor preditivo.

DOIS TIPOS DE PADRÕES: REVERSÃO E CONTINUAÇÃO

Existem duas categorias principais de padrões de preço: reversão e continuação. Como os nomes sugerem, padrões de reversão indicam que uma reversão importante em uma tendência está ocorrendo. Os padrões de continuação, por outro lado, sugerem que o mercado está apenas fazendo uma pequena pausa, possivelmente para corrigir uma condição de supercompra ou supervenda, depois do que a tendência existente será retomada. O segredo está em distinguir entre os dois tipos de padrão o mais cedo possível durante a formação dos padrões.

Neste capítulo, examinaremos os cinco padrões de reversão mais comumente usados: cabeça e ombros, topo e fundo triplos, topo e fundos duplos, topos e fundos spike (ou V) e o padrão arredondado (ou pires). Examinaremos a formação de preços em si, como é formada no gráfico e como pode ser identificada. Em seguida, faremos outras considerações importantes: *o padrão de volume* e as *implicações de mensuração* que os acompanham.

O *volume* desempenha um importante papel de confirmação em todos esses padrões de preço. Em momentos de dúvida (e eles são muitos), um estudo do padrão de volume que acompanha dados de preço pode ser fator decisivo quanto ao grau de confiabilidade do padrão.

A maioria dos padrões de preço também tem certas *técnicas de mensuração* que ajudam o analista a determinar os objetivos de preço mínimo. Embora esses objetivos sejam apenas uma aproximação do tamanho do movimento subsequente, eles são úteis para ajudar o trader a determinar a relação risco/retorno.

No Capítulo 6, analisaremos uma segunda categoria de padrões: a variedade da continuação. Ali examinaremos triângulos, bandeiras, flâmulas, cunhas e retângulos. Esses padrões geralmente refletem pausas, e não uma reversão na tendência existente, e normalmente são classificados como intermediários e menores em oposição a principais.

Pontos Preliminares Comuns a Todos os Padrões de Reversão

Antes de começar a discussão sobre os principais padrões de reversão individuais, veja alguns pontos preliminares a serem considerados que são comuns a todos os padrões de reversão.

1. Um pré-requisito de qualquer padrão de reversão é a existência de uma tendência anterior.
2. Muitas vezes, o primeiro sinal de reversão iminente em uma tendência é o rompimento de uma linha de tendência importante.
3. Quanto mais amplo o padrão, maior é o movimento subsequente.
4. Padrões de topo normalmente são mais curtos e mais voláteis do que os de fundo.
5. Fundos normalmente têm variações de preço menores e demoram mais para se formar.
6. O volume normalmente é mais importante na alta.

A Necessidade de uma Tendência Anterior. A existência de uma tendência anterior relevante é um pré-requisito para qualquer padrão de reversão. Naturalmente, o mercado precisa ter algo para reverter. Ocasionalmente aparece uma formação nos gráficos semelhante a um dos padrões de reversão. Contudo, se esse padrão não foi precedido por uma tendência, não há nada a ser revertido, e o padrão é suspeito. Saber onde determinados padrões têm mais condições de ocorrer na estrutura de uma tendência é um dos elementos-chave no reconhecimento de padrões.

Uma consequência de se precisar de uma tendência anterior para reverter é uma questão das implicações de mensuração. Declaramos antes que a maior parte das técnicas de mensuração mostra apenas objetivos de preço *mínimo*. O objetivo *máximo* seria a extensão total da movimentação anterior. Se ocorreu um mercado de alta significativo e um padrão de alta estiver se formando, a implicação máxima para o movimento em potencial de baixa seria uma retração de 100% do mercado de alta, ou o ponto em que tudo começou.

O Rompimento de Linhas de Tendência Importantes. O primeiro sinal de uma reversão de tendência iminente muitas vezes é o rompimento de uma linha de tendência importante. Lembre-se, porém, de que a violação de uma linha de tendência importante não sinaliza necessariamente uma reversão de tendência. O que está sendo sinalizado é uma mudança na tendência. O rompimento de uma linha de tendência de alta relevante pode sinalizar o início de um padrão de preço lateral, que depois seria identificado como sendo uma reversão ou consolidação, e às vezes o rompimento de uma linha de tendência importante coincide com a finalização de um padrão de preço.

Quanto Mais Amplo o Padrão, Maior o Potencial. Quando usamos o termo "amplo", estamos nos referindo à altura e largura do padrão de preço. A altura mede a volatilidade do padrão, e a largura é a quantidade de tempo necessária para se construir e completar o padrão. Quanto maior o padrão — isto é, quanto maior é a oscilação de preço dentro do padrão (volatilidade) e quanto maior é o tempo necessário para construí-lo —, mais importante o padrão se torna e maior é o potencial para gerar um movimento de preço.

Praticamente todas as técnicas de mensuração nesses dois capítulos se baseiam na *altura* do padrão. Esse é o método aplicado principalmente a gráficos de barras, que usam o critério de mensuração *vertical*. A prática de fazer uma medida *horizontal* de um padrão de preço geralmente é reservada para gráficos de ponto e figura. Esse método gráfico usa um dispositivo chamado *contagem*, que pressupõe uma forte relação entre a largura do topo ou fundo e o subsequente alvo de preço.

Diferenças Entre Topos e Fundos. Padrões de topo normalmente têm duração menor e são mais voláteis do que fundos, e oscilações de preço nos topos são mais amplas e mais violentas. Topos normalmente se formam mais depressa, e fundos normalmente têm variações de preço menores, mas demoram mais a se formar. Por esse motivo, geralmente é mais fácil e menos custoso identificar e negociar fundos do que alcançar topos do mercado. Um fator de consolo e que faz os padrões mais traiçoeiros valerem a pena é que os *preços tendem a cair mais depressa do que sobem*. Assim, o trader geralmente pode ganhar dinheiro muito mais depressa capturando o momento de ficar vendido em um mercado em baixa do que o momento de ficar comprado em um mercado em alta. Tudo na vida é uma troca entre retorno e risco. Os riscos maiores são compensados por retornos maiores, e vice-versa. Padrões de alta são mais difíceis de serem capturados, mas valem o esforço.

O Volume é Mais Importante na Alta. O volume geralmente deve aumentar em direção a essa tendência de mercado e é um importante fator de confirmação na finalização de todos os padrões de preços. A finalização de cada padrão deve ser acompanhada por um aumento notável no volume. Entretanto, nos primeiros estágios da reversão de uma tendência, o *volume não é tão importante nos topos do mercado*. Os mercados têm uma forma de "cair com o próprio peso" quando um movimento de baixa se inicia. Grafistas gostam de ver um aumento na atividade de negociação quando os preços caem, mas isso não é essencial. Nos fundos, porém, a aceleração do volume é absolutamente essencial. Se o padrão de volume não mostrar um aumento significativo durante o *rompimento* de alta, todo o padrão de preço deve ser questionado. Analisaremos o volume com mais profundidade no Capítulo 7.

O PADRÃO DE REVERSÃO DE CABEÇA E OMBROS

Agora examinaremos o que provavelmente é o mais conhecido e confiável entre os principais padrões de reversão existentes: *a reversão cabeça e ombros*. Dedicaremos mais tempo a esse padrão porque ele é importante, e explicaremos todas as nuances envolvidas. Quase todos os outros padrões de reversão são apenas variações do cabeça e ombros, e não exigem um tratamento tão detalhado.

Esse importante padrão de reversão, como todos os outros, é apenas um aperfeiçoamento dos conceitos de tendência tratados no Capítulo 4. Imagine uma situação em uma tendência de alta significativa em que vários picos e vales ascendentes começam a perder força gradativamente, e então a tendência de alta se estabiliza por algum tempo. Durante esse período, as forças da demanda e oferta se encontram em relativo equilíbrio. Quando a fase de distribuição se completa, os níveis de suporte ao longo do fundo da faixa de trade horizontal são rompidos, e uma nova tendência de baixa é criada. Essa nova tendência de baixa agora tem picos e vales descendentes.

Veremos como ficaria esse cenário no topo de um *cabeça e ombros*. (Veja as Figuras 5.1a e 5.1b.) No ponto A, a tendência de alta está avançando como esperado, sem sinais de um topo. O volume se expande no movimento de preço para novas altas, o que é normal. O dip corretivo até o ponto B ocorre no volume maior, o que também é esperado. Todavia, no ponto C, o grafista atento poderá notar que o volume no breakout de alta pelo ponto A está um pouco menor do que no rali anterior. Essa mudança, em si, não tem grande importância, mas uma pequena luz amarela de atenção se acende na mente do analista.

Padrões de Reversão Importantes

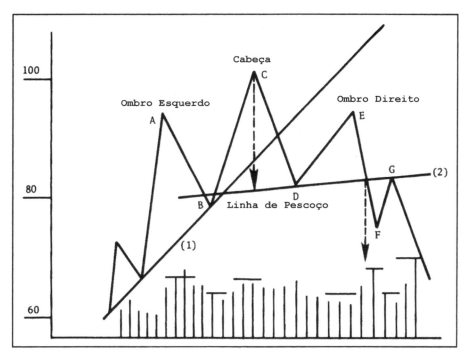

Figura 5.1a *Exemplo de um topo de cabeça e ombros. Os ombros esquerdo e direito (A e E) têm mais ou menos a mesma altura. A cabeça (C) é mais alta que os ombros. Note o volume menor em cada pico. O padrão é completado em um fechamento abaixo da linha do pescoço (linha 2). O objetivo mínimo é a distância vertical da cabeça até a linha do pescoço projetada para baixo a partir do rompimento da linha do pescoço. Muitas vezes, um movimento de retorno ocorrerá de volta à linha do pescoço, que não deveria cruzar a linha do pescoço novamente depois de rompida.*

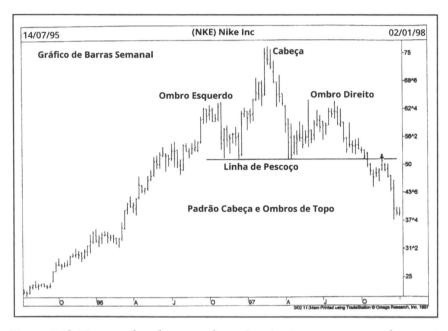

Figura 5.1b *Um topo de cabeça e ombros. Os três picos mostram a cabeça mais alta que os ombros. O movimento de retorno (veja a seta) de volta à linha do pescoço ocorreu no prazo.*

Os preços então começam a cair para o ponto D, e algo ainda mais perturbador ocorre: a queda ultrapassa o topo do pico anterior no ponto A. Lembre-se de que, em uma tendência de alta, a penetração em um pico deve funcionar como suporte para correções subsequentes. A queda para bem abaixo do ponto A, quase até a reação de baixa anterior no ponto B, é outro aviso de que algo pode dar errado na tendência de alta.

O mercado se recupera em direção ao ponto E, desta vez com um volume ainda menor, sem conseguir atingir o topo do pico anterior no ponto C. (Este último rali no ponto E muitas vezes retraça de metade a dois terços da queda dos pontos C a D.) Para continuar uma tendência de alta, cada ponto alto deve exceder o ponto alto do rali anterior. O fracasso do rali no ponto E ao tentar atingir o pico anterior no ponto C atende à metade da exigência para uma nova tendência de baixa — ou seja, picos descendentes.

Nesse momento, uma linha de tendência de alta importante (linha 1) já foi rompida, geralmente no ponto D, criando outro sinal de perigo. Contudo, apesar de todos esses avisos, só nesse ponto sabemos que a tendência passou de alta para lateral. Isso pode ser motivo suficiente para liquidar posições de compra, mas não necessariamente suficiente para justificar novas vendas a descoberto.

O Rompimento da Linha do Pescoço Completa o Padrão

Agora uma linha de tendência mais plana pode ser traçada embaixo das duas últimas reações de baixa (pontos B e D), e ela é chamada de *linha do pescoço* (veja linha 2). Geralmente, essa linha mostra uma leve inclinação ascendente nos topos (embora, às vezes, seja horizontal e, com menor frequência, inclinada para baixo). *O fator decisivo na resolução do topo do cabeça e ombros é uma violação decisiva no fechamento dessa linha do pescoço.* O mercado agora violou a linha de tendência ao longo do fundo dos pontos B e D, rompeu-se abaixo do suporte no ponto D e completou a exigência para uma nova tendência de baixa — picos e vales descendentes. A nova tendência de baixa agora é identificada pelas altas e baixas em queda nos pontos C, D, E e F. O volume deve aumentar na quebra da linha do pescoço. Um aumento acentuado no volume de queda, porém, não é essencialmente importante nos estágios iniciais de um topo de mercado.

O Movimento de Retorno

Geralmente, ocorre um *movimento de retorno*, que é um salto de volta ao fundo da linha do pescoço ou à reação de baixa anterior no ponto D (veja o ponto G), sendo que ambos agora se tornaram resistência overhead. O movimento de retorno nem sempre ocorre, ou às vezes é apenas um salto menor. O volume pode ajudar a determinar o tamanho do salto. Se o rompimento inicial da linha do pescoço ocorrer em um trade muito pesado, as chances de ocorrer um movimento de retorno diminuem, porque o aumento da atividade reflete uma pressão de baixa maior. Menor volume no rompimento inicial da linha do pescoço aumenta a probabilidade de um movimento de retorno. Esse salto, contudo, deverá ocorrer com volume pequeno, e a retomada subsequente da nova tendência de baixa deverá ser acompanhada por uma atividade de trade notavelmente mais intensa.

Resumo

Vamos rever os ingredientes básicos do topo de um cabeça e ombros.

1. Uma tendência de alta anterior.
2. Um ombro esquerdo com volume maior (ponto A) seguido por um dip corretivo para o ponto B.
3. Um rali em novas altas, mas com volume menor (ponto C).
4. Uma queda que se mova para baixo do pico anterior (em A) e se aproxima da reação de baixa anterior (ponto D).
5. Um terceiro rali (ponto E) com volume notadamente leve que não consegue atingir o topo da cabeça (no ponto C).
6. Um fechamento perto da linha do pescoço.
7. Um movimento de retorno de volta à linha do pescoço (ponto G) seguido por novas baixas.

O que ficou evidente são os três picos bem definidos. O pico do centro (a cabeça) é ligeiramente mais alto que os dois ombros (pontos A e E). O padrão, porém, só fica completo quando a linha do pescoço é decididamente rompida em uma base de fechamento. Novamente, o critério de penetração de 1% a 3% (ou alguma variação dele) ou a exigência de dois fechamentos sucessivos abaixo da linha do pescoço (a regra dos dois dias) podem ser usados para confirmação adicional. Contudo, até essa violação de baixa ocorrer, sempre há a possibilidade de o padrão não ser realmente um topo de cabeça e ombros e a tendência de alta ser retomada em algum ponto.

A IMPORTÂNCIA DO VOLUME

O padrão de volume correspondente desempenha um papel importante no desenvolvimento do topo da cabeça e ombros, como ocorre em todos os padrões de preço. Como regra, o segundo pico (a cabeça) deve ocorrer em um volume menor do que o ombro esquerdo. Essa não é uma exigência, mas uma forte tendência e um aviso inicial de diminuição da pressão de compra. O sinal de volume mais importante ocorre durante o terceiro pico (o ombro direito). O volume deve ser notadamente menor do que nos dois picos anteriores. Então, o volume deve se expandir no rompimento da linha do pescoço, cair durante o movimento de retorno e depois se expandir outra vez quando o movimento de retorno terminar.

Como já mencionamos, o volume é menos importante durante a finalização dos topos de mercado, mas em algum ponto, o volume deve começar a aumentar se a nova tendência de baixa for continuar. O volume desempenha um papel mais decisivo em fundos de mercado, um tema a ser discutido em breve. Antes disso, porém, discutiremos as implicações de mensuração do padrão de cabeça e ombros.

ENCONTRANDO UM OBJETIVO DE PREÇO

O método para se atingir um objetivo de preço se baseia na *altura* do padrão. Tome a distância vertical da cabeça (ponto C) até a linha do pescoço. Em seguida, projete essa distância do ponto em que a linha do pescoço se rompe. Suponha, por exemplo, que o topo da cabeça está em 100, e a linha do pescoço, em 80. Portanto, a distância vertical seria a diferença, que é 20. Esses 20 pontos seriam medidos para baixo a partir do nível em que a linha do pescoço se rompeu. Se a linha do pescoço na Figura 5.1a estiver em 82 quando rompida, um objetivo de baixa seria projetado ao nível 62 (82 - 20 = 62).

Outra técnica que realiza mais ou menos a mesma tarefa, mas é um pouco mais fácil, é simplesmente medir o comprimento da primeira onda da queda (pontos C a D) e então dobrar o resultado. Em qualquer caso, quanto maior a altura ou volatilidade do padrão, maior o objetivo. O Capítulo 4 mostrou que a mensuração da penetração de uma linha de tendência era semelhante à usada no padrão de cabeça e ombros. Você pode ver isso agora. Os preços percorrem praticamente a mesma distância abaixo da linha quebrada do pescoço quanto percorrem acima, e em todo nosso estudo de padrões de preço você verá que *a maioria dos alvos de preço em gráficos de barras se baseia na altura ou volatilidade de vários padrões. O* tema de medir a altura do padrão e então projetar essa distância de um ponto de breakout será repetido constantemente.

É importante lembrar que o objetivo calculado é somente um alvo mínimo. Muitas vezes, os preços se movem bem além do objetivo. Todavia, ter um objetivo mínimo com que trabalhar é muito útil para determinar com antecedência se há potencial suficiente em um movimento de mercado que justifique assumir uma posição. Se o mercado exceder o objetivo de preço, será apenas a cereja no bolo. O objetivo *máximo* é o tamanho do movimento anterior. Se o mercado em alta anterior foi de 30 a 100, então o objetivo de queda máximo de um padrão de alta seria uma retração completa de todo o movimento ascendente até 30. Só se pode esperar que padrões de reversão revertam ou refaçam o que aconteceu antes deles.

Ajustando Objetivos de Preço

Vários outros fatores devem ser considerados quando se tenta calcular um objetivo de preço. As técnicas de mensuração de padrões de preço, como o que acabamos de mencionar para o topo de cabeça e ombros, são apenas um primeiro passo. Há outros fatores técnicos a serem levados em consideração. Por exemplo, onde estão os níveis de suporte proeminentes deixados pelas reações de baixa durante o movimento de alta anterior? Muitas vezes, mercados em baixa param nesses níveis. E as retrações percentuais? O *objetivo máximo* seria uma retração de 100% do mercado em alta anterior. Mas onde estão os níveis de retração de 50% e 66%? Esses níveis geralmente proporcionam suporte significativo abaixo do mercado. E quaisquer gaps proeminentes abaixo disso? Muitas vezes, eles funcionam como áreas de suporte. Existem quaisquer linhas de tendência de longo prazo visíveis abaixo do mercado?

O técnico deve considerar outros dados técnicos ao tentar identificar preços-alvo tirados de padrões de preços. Por exemplo, se uma mensuração de preço em baixa projeta um alvo em 30 e existe um nível de suporte proeminente em 32, então o grafista seria inteligente ao ajustar a mensuração de baixa para 32, e não para 30. Como regra, quando existe uma leve discrepância entre um alvo projetado ou um nítido nível de suporte ou resistência, geralmente é seguro ajustar o alvo de preço. Muitas vezes, é necessário ajustar os alvos medidos a partir dos padrões de preço e levar em conta informações técnicas adicionais. O analista dispõe de muitas ferramentas diferentes. Os analistas técnicos mais habilidosos são os que aprendem a combinar todas essas ferramentas adequadamente.

CABEÇA E OMBROS INVERTIDO

O fundo da cabeça e ombros, ou o *cabeça e ombros invertido*, como às vezes é chamado, é praticamente uma imagem de espelho dos padrões de alta. Como mostra a Figura 5.2a, há três fundos distintos em que a cabeça (vale central) fica um pouco mais baixa do que os ombros. Também é necessário que haja um fechamento decisivo do vale para completar o padrão, e a técnica de mensuração é a mesma. Uma leve diferença no fundo é a tendência maior para que o movimento de retorno de volta à linha do pescoço ocorra após um breakout de alta. (Veja a Figura 5.2b.)

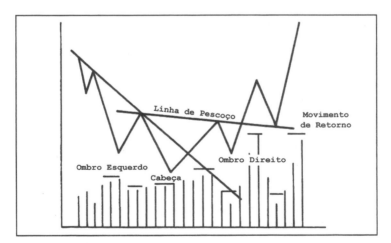

Figura 5.2a *Exemplo de um cabeça e ombros invertido. A versão de fundo desse padrão é uma imagem espelhada do topo. A única diferença significativa é o padrão de volume na segunda metade do padrão. O rali da cabeça deve ver um volume maior, e o rompimento da linha do pescoço deve ver uma explosão na atividade de negociação. O movimento de retorno para a linha do pescoço é mais comum nos fundos.*

A diferença mais importante entre os padrões de topo e fundo é a sequência de volume, pois este desempenha um papel muito mais relevante na identificação e finalização do fundo do cabeça e ombros. Isso geralmente se aplica a todos os padrões de fundo. Dissemos anteriormente que os mercados tendem a "cair por causa do próprio peso". Contudo, nos fundos, os mercados exigem um aumento significativo na pressão de compra, refletida em maior volume, para lançar um novo mercado de alta.

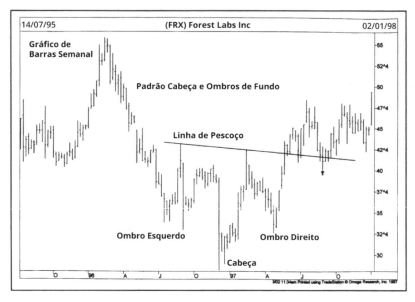

Figura 5.2b *Um fundo de cabeça e ombros. A linha do pescoço tem uma leve inclinação para baixo, o que ocorre normalmente. O recuo após o breakout (veja a seta) desviou um pouco a linha de pescoço, mas depois retomou a tendência de alta.*

Uma forma mais técnica de analisar essa diferença é que o mercado pode cair devido à inércia. A falta de procura ou interesse de compra por parte dos traders muitas vezes é suficiente para empurrar o mercado para baixo, mas um mercado não sobe na inércia. Os preços só aumentam quando a procura excede a oferta e os compradores são mais agressivos que os vendedores.

Padrões de Reversão Importantes

O padrão de volume no fundo é muito parecido ao do topo na primeira metade do padrão. Isto é, o volume na cabeça é um pouco menor do que no ombro esquerdo. O rali na cabeça, contudo, deve começar a mostrar não só um aumento na atividade de trade, mas que o nível de volume muitas vezes excede a registrada no rali no ombro esquerdo. O dip para o ombro direito deve ter um volume muito pequeno. O ponto crítico ocorre no rali pela linha do pescoço, e esse sinal deve ser acompanhado por uma forte explosão no volume de negociação se o breakout for real.

Neste ponto, o fundo difere mais do topo. No fundo, o volume maior é um ingrediente absolutamente essencial para finalizar o padrão de base. O movimento de retorno é mais comum em fundos do que em topos e deve ocorrer com volume pequeno. Depois disso, a nova tendência de alta deve recomeçar com volume maior. A técnica de mensuração é a mesma que no topo.

A Inclinação da Linha do Pescoço

A linha do pescoço no topo geralmente se inclina um pouco para cima. Às vezes, porém, ela é horizontal. Em todos os casos, isso não faz muita diferença. De vez em quando, contudo, uma linha de pescoço no topo se inclina para baixo. Essa inclinação é um sinal de fraqueza do mercado e geralmente é acompanhada por um ombro direito fraco, e isso tem um lado positivo e negativo. O analista que espera o rompimento da linha do pescoço para iniciar uma posição de venda tem que esperar um pouco mais, porque o sinal da linha do pescoço em queda ocorre muito mais tarde e só depois que grande parte do movimento já ocorreu. Para padrões de base, a maioria das linhas de pescoço apresenta uma leve inclinação descendente. Uma linha de pescoço ascendente é sinal de maior força do mercado, mas com a mesma desvantagem de mostrar um sinal tardio.

PADRÕES COMPLEXOS DE CABEÇA E OMBROS

Às vezes ocorre uma variação de um padrão de cabeça e ombros chamado de *padrão complexo de cabeça e ombros*, em que podem aparecer duas cabeças ou um ombro direito ou esquerdo duplo. Esses padrões não são muito comuns, mas têm as mesmas implicações de previsão. Um sinal útil nessa questão é a forte tendência em direção à simetria no padrão de cabeça e ombros. Isso significa que um único ombro esquerdo geralmente indica um único ombro direito. Um ombro esquerdo duplo aumenta a probabilidade de um ombro direito duplo.

Táticas

Táticas de mercado desempenham um papel importante em todas as negociações, e nem todos os traders gostam de esperar pelo rompimento da linha do pescoço antes de iniciar uma nova posição. Como mostra a Figura 5.3, traders mais agressivos, acreditando que identificaram corretamente o fundo de cabeça e ombros, começarão a testar as compras durante a formação do ombro direito. Ou comprarão ao primeiro sinal técnico de que o declínio para o ombro direito terminou.

Alguns medirão a distância do rali do fundo da cabeça (pontos C a D) e então comprarão uma retração de 50% ou 66% desse rali. Outros traçarão uma linha de tendência descendente apertada ao longo do declínio dos pontos D a E e comprarão a primeira quebra de alta dessa linha de tendência. Como esses padrões são relativamente simétricos, alguns comprarão no ombro direito quando ele se aproximar do mesmo nível do fundo do ombro esquerdo. Ocorre muita compra antecipada durante a formação do ombro direito. Se a prova de compra se mostrar lucrativa, posições adicionais podem ser acrescentadas na penetração atual da linha do pescoço ou no movimento de retorno de volta à linha do pescoço após o breakout.

Falha no Padrão de Cabeça e Ombros

Depois de atravessar a linha do pescoço e completar o padrão de cabeça e ombros, os *preços não devem cruzar a linha do pescoço outra vez*. No topo, quando a linha do pescoço foi rompida na baixa, qualquer fechamento decisivo de volta acima da linha do pescoço é um sinal importante de que o breakdown inicial provavelmente foi um mau sinal, e cria o que muitas vezes é chamado, por motivos óbvios, de *falha no cabeça e ombros*. Esse tipo de padrão começa parecido com uma reversão clássica de cabeça e ombros, mas em algum ponto de seu desenvolvimento (antes do rompimento da linha do pescoço ou depois dele), os preços retomam a tendência original.

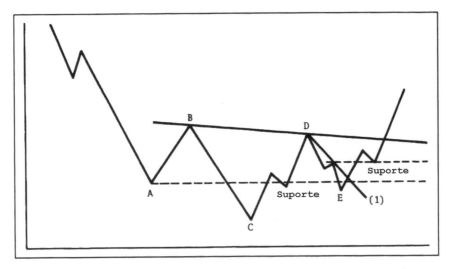

Figura 5.3 *Táticas para o fundo de um cabeça e ombros. Muitos traders técnicos começarão a negociar posições de compra enquanto o ombro direito (E) ainda está sendo formado. Um pullback de metade a dois terços do rali dos pontos C a D, uma queda para o mesmo nível do ombro esquerdo no ponto A ou o rompimento de uma linha de tendência de curto prazo (linha 1) oferecem oportunidades precoces para se entrar no mercado. Mais posições podem ser adicionadas no rompimento da linha do pescoço ou no movimento de retorno à linha do pescoço.*

Há duas lições importantes aqui. A primeira é que nenhum desses padrões gráficos é infalível. Eles funcionam quase o tempo todo, mas não sempre. A segunda é que os traders técnicos devem sempre estar atentos a sinais no gráfico de que sua análise está incorreta. Um dos segredos para sobreviver nos mercados financeiros é manter um nível baixo de perdas de trade e sair de um trade desfavorável o mais cedo possível. Uma das maiores vantagens da análise gráfica é a capacidade de avisar rapidamente o trader de que ele está no lado errado no mercado. A habilidade e disposição de reconhecer rapidamente erros de trading e de tomar medidas defensivas imediatamente são qualidades que devem ser levadas a sério nos mercados financeiros.

Cabeça e Ombros como Padrão de Consolidação

Antes de passarmos ao próximo padrão de preços, há um último ponto a ser apresentado no cabeça e ombros. Começamos esta discussão afirmando que ele é um dos importantes padrões de reversão mais conhecidos e confiáveis. Saiba, porém, que essa formação pode, às vezes, agir como uma consolidação, e não como um padrão de reversão. Quando isso ocorre, é uma exceção, e não a regra. Falaremos sobre isso no Capítulo 6, "Padrões de Continuação".

TOPOS E FUNDOS TRIPLOS

A maioria dos pontos discutidos no tratamento do padrão de cabeça e ombros também se aplica a outros tipos de padrões de reversão. (Veja as Figuras 5.4a–c.) O *topo* ou *fundo triplo*, que é muito mais raro, é só uma ligeira variação desse padrão. A diferença principal é que os três picos ou vales no *topo* ou *fundo triplo* ficam mais ou menos no mesmo nível. (Veja a Figura 5.4a.) Muitas vezes, os grafistas discordam se um padrão de reversão é um cabeça e ombros ou um topo triplo. O argumento é acadêmico, porque ambos implicam exatamente a mesma coisa.

O volume tende a cair em cada pico sucessivo no topo e deve aumentar no breakdown point, e o topo triplo só está completo quando os níveis de suporte ao longo de ambas as baixas intermediárias forem rompidos. Inversamente, os preços devem fechar através dos dois picos intermediários no fundo para completar o fundo triplo. (Como estratégia alternativa, a quebra do pico ou vale mais próximo também pode ser usada como sinal de reversão.) Um volume ascendente alto na finalização do fundo também é essencial.

Padrões de Reversão Importantes

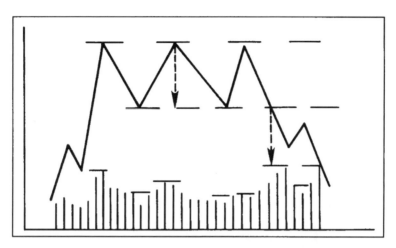

Figura 5.4a *Um topo triplo é semelhante ao cabeça e ombros, exceto pelo fato de que todos os picos estão no mesmo nível. O pico de cada rali deverá ter um volume menor, e o padrão se completa quando ambos os vales forem rompidos com um volume maior. A técnica de mensuração é a altura do padrão projetada para baixo a partir do breakdown point. Movimentos de retorno de volta à linha mais baixa não são incomuns.*

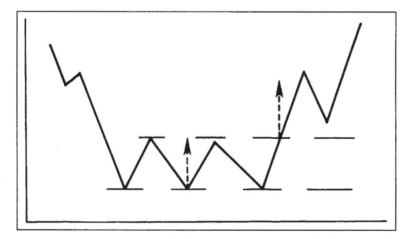

Figura 5.4b *Um fundo triplo é semelhante a um fundo de cabeça e ombros, exceto pelo fato de que cada mínimo está no mesmo nível. Uma imagem espelhada do topo triplo, mas com o volume mais importante no breakout ascendente.*

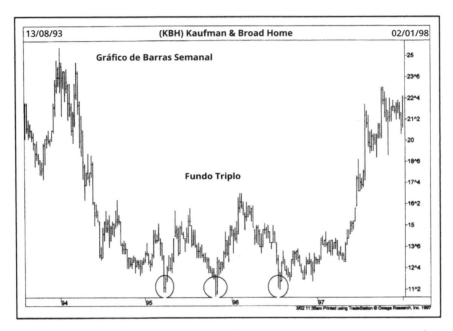

Figura 5.4c *Um padrão de reversão triplo. Os preços encontraram suporte logo abaixo de 12 três vezes neste gráfico antes de lançar um avanço importante. A formação do fundo neste gráfico semanal durou dois anos, conferindo-lhe, assim, grande significado.*

A implicação da mensuração também é semelhante ao cabeça e ombros e se baseia na altura do padrão. Normalmente, os preços se moverão a uma distância mínima do ponto de breakout, pelo menos, igual à altura do padrão. Quando ocorre o breakout, não é incomum haver um movimento de retorno até ele. Como o topo ou fundo triplo representa apenas uma pequena variação do padrão de cabeça em ombros, não falaremos muito sobre ele aqui.

TOPOS E FUNDOS DUPLOS

Um padrão de reversão muito mais comum é o *topo ou fundo duplo*. Depois do *cabeça e ombros*, é o padrão mais visto e facilmente reconhecido. (Veja as Figuras 5.5a–e.) As Figuras 5.5a e 5.5b mostram a variedade de topo e fundo, e muitas vezes o topo é chamado de "M", e o fundo, de "W". As características gerais de um *topo duplo* são semelhantes às do cabeça e ombros e topo triplo, exceto pelo fato de que só aparecem dois picos, e não três. O padrão de volume é semelhante ao da regra de mensuração.

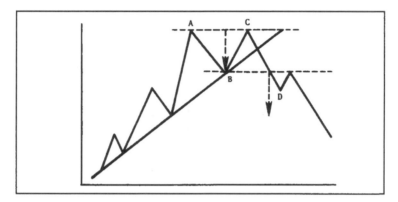

Figura 5.5a *Exemplo de um topo duplo. Esse padrão tem dois picos (A e C) mais ou menos no mesmo nível. O padrão está completo quando o vale central no ponto B é rompido em uma base de fechamento. O volume geralmente é mais leve no segundo pico (C) e melhora no breakdown (D). Um movimento de retorno de volta à linha mais baixa não é incomum. O alvo de mensuração mínimo é a altura do topo projetado para baixo a partir do ponto de breakdown.*

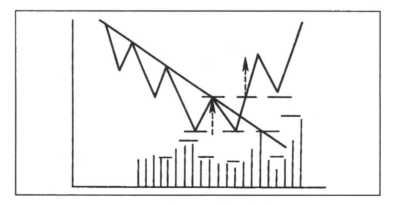

Figura 5.5b *Exemplo de um fundo duplo. Uma imagem espelhada do topo duplo. O volume é mais importante no breakout ascendente. Movimentos de retorno ao ponto de breakout são mais comuns em fundos.*

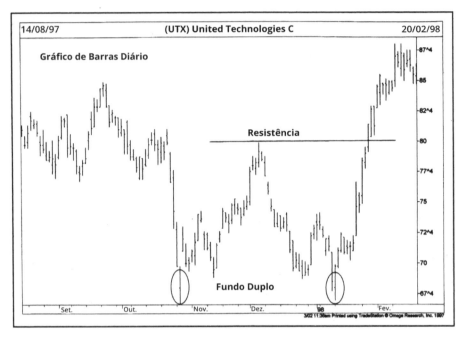

Figura 5.5c *Exemplo de fundo duplo. Esta ação bounced bruscamente do nível 68 duas vezes no período de três meses. Note que o segundo fundo também foi um dia de reversão ascendente. A quebra da resistência em 80 completou o fundo.*

Em uma tendência de alta (como mostra a Figura 5.5a), o mercado estabelece um novo máximo no ponto A, geralmente com aumento de volume, e então cai para o ponto B com diminuição de volume. Até então, tudo está ocorrendo conforme o esperado em uma tendência de alta normal. O próximo rali para o ponto C, porém, é incapaz de penetrar o pico anterior em A em uma base de fechamento e começa a recuar de novo. Um *topo duplo* potencial foi criado. Uso a palavra "potencial" porque, como ocorre em todos os padrões de reversão, a reversão só se completa quando o ponto anterior de suporte em B for violado em uma base de fechamento. Até que isso aconteça, os preços podem estar só em fase de consolidação lateral, preparando-se para retomar a tendência de alta original.

Padrões de Reversão Importantes

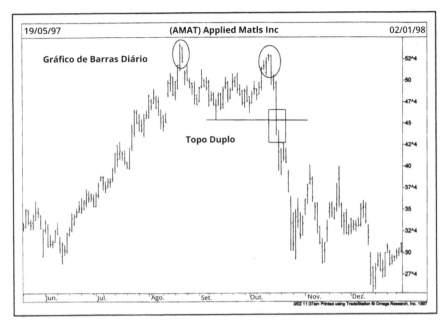

Figura 5.5d *Exemplo de um topo duplo. Às vezes, o segundo pico não atinge o primeiro, como neste exemplo. Esse topo duplo de dois meses sinalizou uma quebra significativa. O sinal real foi o rompimento do suporte próximo a 46 (veja o box).*

O topo ideal tem dois picos proeminentes praticamente no mesmo nível de preço. O volume tende a ser maior durante o primeiro pico e menor no segundo, e um fechamento decisivo abaixo do vale central no ponto B com volume maior completa o padrão e sinaliza a reversão da tendência para baixo. Um movimento de retorno ao ponto de rompimento não é incomum antes da retomada da tendência de baixa.

Técnica de Mensuração para o Topo Duplo

A técnica de mensuração para o topo duplo é a altura do padrão projetada do ponto de breakdown (o ponto em que o vale central no ponto B é quebrado). Como alternativa, meça a altura da primeira descida (pontos A a B) e projete esse comprimento do vale central ao ponto B. A mensuração no fundo é a mesma, mas em outra direção.

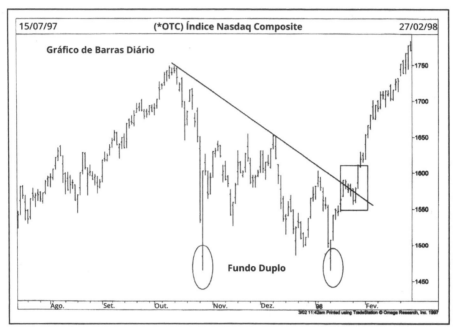

Figura 5.5e *Padrões de preço surgem regularmente nos gráficos de médias de mercado importantes. Neste gráfico, o Nasdaq Composite Index formou um fundo duplo perto do nível 1470 antes de aumentar. A quebra da linha de tendência de baixa (veja box) confirmou a retomada.*

VARIAÇÕES DO PADRÃO IDEAL

Como em quase todas as áreas da análise de mercado, exemplos reais geralmente são uma variação do ideal. Para começar, às vezes os dois picos não estão exatamente no mesmo nível de preço. Pode ser que o segundo pico não atinja o nível do primeiro pico, o que não representa um grande problema. O que causa problemas é quando o segundo pico realmente excede o primeiro por uma pequena margem. O que primeiro parece ser uma quebra para cima e a retomada de uma tendência de alta pode mostrar ser parte do processo de alta. Para ajudar a resolver esse dilema, alguns critérios de filtragem já mencionados podem ser úteis.

Filtros

A maioria dos grafistas exige um fechamento além do pico de resistência anterior, em vez de apenas uma penetração intraday, e um filtro de preço de algum tipo pode ser usado. Um exemplo é o critério de penetração percentual (como 1% ou 3%). A regra de penetração de dois dias também pode ser usada como exemplo de filtro de tempo. Em outras palavras, os preços teriam de fechar além do topo do primeiro pico por dois dias consecutivos para sinalizar uma penetração válida. Outro filtro de tempo poderia ser um fechamento na sexta-feira além do pico anterior. O volume no breakout de alta também pode oferecer uma pista sobre sua confiabilidade.

Esses filtros certamente não são infalíveis, mas servem para reduzir a quantidade de sinais falsos (ou whipsaws) que ocorrem com frequência. Às vezes, esses filtros são úteis, às vezes, não. O analista precisa compreender que está lidando com porcentagens e probabilidades e que haverá momentos em que sinais desfavoráveis ocorrem. Esse é simplesmente um fato da vida de trading.

Não é incomum que a perna ou onda final de um mercado de alta estabeleça uma nova alta antes de reverter a direção. Nesse caso, o breakout de alta final se tornaria uma "armadilha de alta". (Veja as Figuras 5.6a e 5.6b.) Mais adiante, mostraremos alguns indicadores que poderão ajudá-lo a identificar esses breakouts falsos.

O Termo "Topo Duplo" Usado em Excesso

Os termos "fundo e topo duplo" são usados em excesso nos mercados financeiros. A maioria dos topos e fundos duplos acaba sendo outra coisa. Isso ocorre porque os preços têm a tendência de recuar de um pico anterior ou bounce de uma baixa anterior. Essas mudanças de preço são uma reação natural e não constituem um padrão de reversão em si mesmas. Lembre-se de que, no topo, os preços devem violar a baixa de reação anterior para que exista o topo duplo.

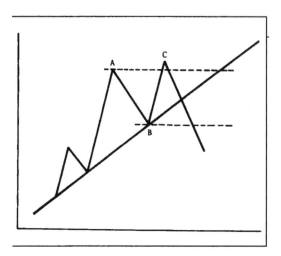

Figura 5.6a *Exemplo de um falso breakout, geralmente chamado de armadilha de alta. Às vezes, perto do final de uma tendência de alta, os preços excederão um pico anterior antes de cair. Os grafistas usam vários filtros de tempo e preço para reduzir esses whipsaws. Esse padrão de topo provavelmente se qualificaria como um topo duplo.*

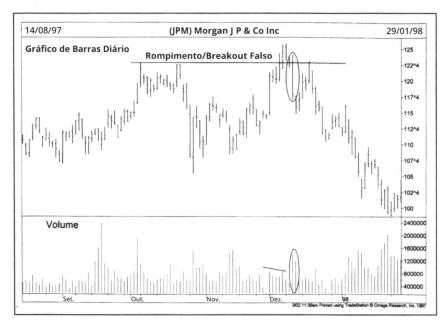

Figura 5.6b *Exemplo de um breakout falso. Note que o breakout de alta tinha um volume baixo e teve uma queda subsequente com volume alto — uma combinação gráfica negativa. Observar o volume ajuda a evitar alguns breakouts falsos, mas não todos.*

Padrões de Reversão Importantes

Note na Figura 5.7a que o preço no ponto C se afasta do pico anterior no ponto A. Essa é uma ação perfeitamente normal em uma tendência de alta. Muitos traders, porém, imediatamente chamarão esse padrão de topo duplo assim que os preços pararem de se afastar do pico na primeira tentativa. A Figura 5.7b mostra a mesma situação em uma tendência de baixa. É muito difícil para o grafista determinar se o pullback do pico anterior ou o afastamento do mínimo anterior é só um retrocesso temporário na tendência existente ou o início de um padrão de topo duplo ou de reversão de fundo. Como as probabilidades técnicas costumam favorecer a continuação da tendência presente, normalmente é sensato esperar a finalização do padrão antes de agir.

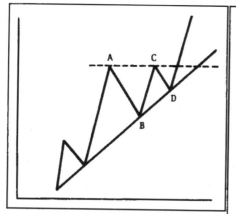
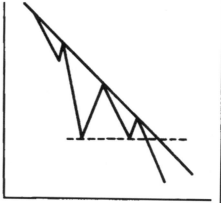

Figura 5.7a *Exemplo de um pullback normal de um pico anterior antes da retomada da tendência de alta. Essa é uma ação de mercado normal e não deve ser confundida com um topo duplo. O topo duplo só ocorre quando o suporte no ponto B é rompido.*

Figura 5.7b *Exemplo de um bounce normal de um mínimo anterior. Essa é uma ação de mercado normal e não deve ser confundida com um fundo duplo. Os preços se afastarão normalmente de um mínimo anterior, pelo menos, uma vez, causando avisos prematuros de um fundo duplo.*

O Tempo entre Picos ou Vales é Importante

Finalmente, o tamanho do padrão sempre é importante. Quanto maior o espaço de tempo entre dois picos e maior a altura do padrão, maior é o potencial de uma reversão iminente. Isso se aplica a todos os padrões gráficos. Em geral, topos ou fundos duplos válidos devem ter, pelo menos, um mês entre dois picos ou vales. Alguns até são separados por dois ou três meses. (Em gráficos mensais e semanais de maior alcance, esses padrões podem abranger vários anos.) A maioria dos exemplos usados nesta discussão descreveu topos de mercado. Agora o leitor já compreende que padrões de fundo são imagens de espelho de topos, exceto por algumas diferenças gerais já mencionadas no início do capítulo.

PIRES E SPIKES

Embora não sejam vistos com tanta frequência, às vezes os padrões de reversão assumem o formato de um pires ou fundos arredondados. O *fundo de pires* mostra uma virada gradual muito lenta de uma tendência de baixa para lateral e para cima. É difícil dizer exatamente quando o pires é completado ou medir até onde os preços irão na direção oposta. Fundos arredondados geralmente são identificados em gráficos semanais ou mensais que abrangem vários anos. Quanto maior sua duração, mais significativos se tornam. (Veja a Figura 5.8.)

Spikes (ou padrões em V) são as viradas de mercado mais difíceis de se lidar, porque ocorrem muito depressa, com pouco ou nenhum período de transição. Eles geralmente ocorrem em um mercado que se estendeu tanto em uma direção, que um fato adverso repentino causa uma reversão abrupta no mercado. Uma reversão diária ou semanal é, às vezes, o único aviso que nos dão. Nesse caso, não há muito mais que possamos dizer sobre eles, exceto que esperamos que você não se depare com muitos deles. Alguns indicadores técnicos que discutimos em capítulos anteriores o ajudarão a determinar quando os mercados ultrapassaram perigosamente o limite. (Veja a Figura 5.9.)

Padrões de Reversão Importantes 131

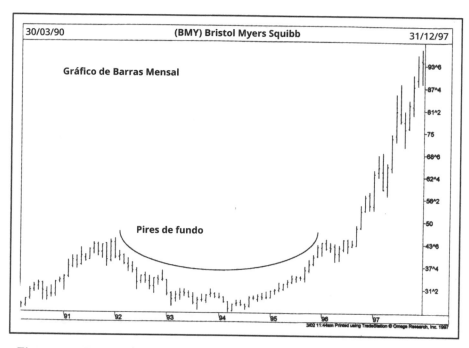

Figura 5.8 *Este gráfico mostra a aparência de um fundo em pires (ou arredondado). Eles são muito lentos e graduais, mas geralmente marcam viradas importantes. Este fundo durou quatro anos.*

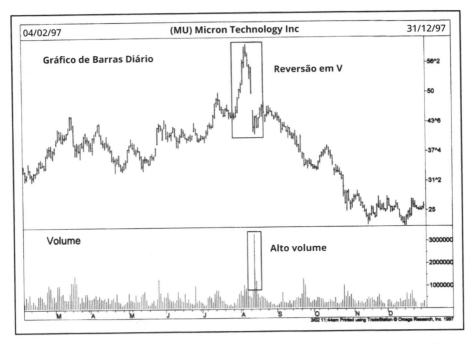

Figura 5.9 *Exemplo de um padrão de reversão em V. Essas reversões repentinas ocorrem com pouco ou nenhum aviso. Uma queda repentina de preço com volume alto geralmente é a única indicação. Infelizmente, é difícil identificar essas viradas repentinas com antecedência.*

CONCLUSÃO

Discutimos os cinco padrões mais comumente usados: cabeça e ombros, fundos e topos duplos e triplos, o pires, e o V ou spike. Desses, os mais comuns são o cabeça e ombros e os topos e fundos duplos. Normalmente, esses padrões sinalizam reversões de tendência importantes em progresso e são classificados como padrões de reversão significativos. Contudo, existe outra classe de padrões de prazo mais curto que geralmente sugerem consolidações de tendências, e não reversões. Eles são adequadamente chamados de padrões de *continuação*, que analisaremos no Capítulo 6.

Padrões de Continuação

INTRODUÇÃO

Os padrões gráficos discutidos neste capítulo são chamados de padrões de *continuação*. Normalmente, esses padrões indicam que a ação de preço lateral no gráfico nada mais é do que uma pausa na tendência predominante e que o próximo movimento seguirá na mesma direção da tendência que antecedeu a formação. Esse fato diferencia este grupo de padrões daqueles do capítulo anterior, que geralmente indicam uma reversão de tendência relevante em progresso.

Outra diferença entre padrões de reversão e de continuação é sua duração. Padrões de reversão normalmente demoram mais para se formar e representam mudanças de tendência importantes. Por outro lado, padrões de continuação geralmente têm duração menor e são classificados com mais precisão como padrões de curto prazo ou intermediários.

Observe o uso constante do termo "geralmente". Todos os padrões gráficos lidam necessariamente com tendências gerais, e não com normas rígidas. Sempre há exceções. Às vezes, mesmo o agrupamento de padrões de

133

preço em diferentes categorias se torna insubstancial. Geralmente, triângulos são padrões de continuação, mas às vezes funcionam como padrões de reversão. Embora triângulos costumem ser considerados padrões intermediários, ocasionalmente podem aparecer em gráficos de longo prazo e assumir a relevância de uma tendência importante. Uma variação do triângulo — a variedade invertida — geralmente sinaliza um tipo de mercado relevante. Mesmo o padrão de cabeça e ombros, o padrão de reversão mais conhecido, às vezes será visto como um padrão de consolidação.

Mesmo quando admitimos uma certa ambiguidade e ocasionais exceções, padrões gráficos geralmente se inserem nas duas categorias citadas e, se adequadamente interpretados, podem ajudar o grafista a determinar o que o mercado provavelmente fará na maior parte do tempo.

TRIÂNGULOS

Começaremos nosso tratamento de padrões de continuação com o *triângulo*. Há três tipos de triângulos — *simétricos*, *ascendentes* e *descendentes*. (Alguns grafistas incluem um quarto tipo de triângulo conhecido como *triângulo expandido* ou de *formação ampliada*. Ele será discutido como um padrão separado mais tarde.) Cada tipo de triângulo tem uma forma ligeiramente diferente e diferentes implicações de previsão.

As Figuras 6.1a–c mostram exemplos da aparência desses triângulos. O triângulo simétrico (veja a Figura 6.1a) mostra duas linhas de tendência convergentes, a linha superior descendente e a linha inferior ascendente. A linha vertical à esquerda, que mede a altura do padrão, é chamada de *base*. O ponto de intersecção à direita, onde as duas linhas se encontram, é chamado de *vértice*. Por motivos óbvios, o triângulo simétrico também é chamado de *mola*.

O triângulo ascendente tem uma linha inferior crescente com uma linha superior plana ou horizontal (veja a Figura 6.1b). O triângulo descendente (Figura 6.1c), por contraste, tem uma linha superior em declínio com uma linha de fundo plana ou horizontal. Vejamos a interpretação de cada um.

Padrões de Continuação

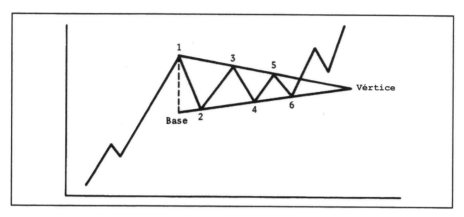

Figura 6.1a *Exemplo de um triângulo simétrico de alta. Observe as duas linhas de tendência convergentes. Um fechamento fora de qualquer uma das linhas de tendência completa o padrão. A linha vertical à esquerda é a base. O ponto à direita onde as duas linhas se encontram é o vértice.*

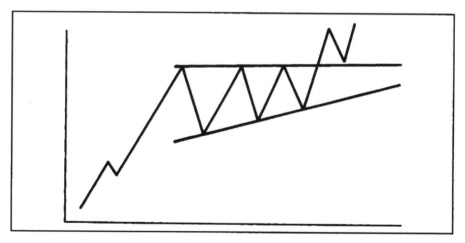

Figura 6.1b *Exemplo de um triângulo ascendente. Observe a linha superior plana e a linha inferior crescente. Geralmente, este é um padrão de alta.*

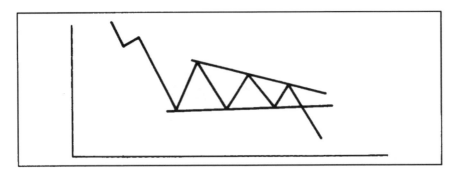

Figura 6.1c *Exemplo de um triângulo descendente. Observe a linha de fundo plana e a linha superior em declínio. Geralmente, este é um padrão de baixa.*

O TRIÂNGULO SIMÉTRICO

O *triângulo simétrico* (ou a *mola*) geralmente é um padrão de continuação. Ele representa uma pausa em uma tendência existente depois do que a tendência original é retomada. No exemplo da Figura 6.1a, a tendência anterior estava em alta, de modo que as porcentagens favorecem uma resolução da consolidação triangular na alta. Se a tendência fosse de queda, o triângulo simétrico teria implicações de baixa.

A exigência mínima para a formação de um triângulo são quatro pontos de reversão. Lembre-se de que sempre são necessários dois pontos para traçar uma linha de tendência. Assim, a fim de traçar duas linhas de tendência convergentes, cada linha deve se tocada, pelo menos, duas vezes. Na Figura 6.1a, o triângulo começa de fato no ponto 1, que é onde começa a consolidação na tendência de alta. Os preços recuam para o ponto 2, e então se recuperam e atingem o ponto 3. Todavia, o ponto 3 está abaixo do ponto 1. A linha de tendência superior só pode ser traçada quando os preços caírem abaixo do ponto 3.

Note que o ponto 4 é mais alto que o ponto 2. A linha inferior ascendente só poderá ser traçada quando os preços aumentarem a partir do ponto 4. É nesse ponto que o analista começa a suspeitar que está lidando com um triângulo simétrico. Agora há quatro pontos de reversão (1, 2, 3 e 4) e duas linhas de tendência convergentes.

Embora a exigência mínima seja de quatro pontos de reversão, muitos triângulos têm seis, como mostra a Figura 6.1a.

Isso significa que há realmente três picos e três vales que se combinam para formar cinco ondas dentro do triângulo antes que a tendência de alta seja retomada. (Quando chegarmos à Teoria das Ondas de Elliott, falaremos mais sobre a tendência de cinco ondas dentro dos triângulos.)

O Limite de Tempo para a Resolução de Triângulos

Há um limite de tempo para a resolução do padrão, e esse é o ponto em que as duas linhas se encontram — o vértice. Como regra geral, os preços devem se mover na direção da tendência anterior em algum ponto entre 2/3 a 3/4 da extensão do triângulo. Isto é, a distância da base vertical à esquerda no padrão até o vértice na extremidade direita. Como as duas linhas devem se encontrar em algum ponto, essa distância de tempo poderá ser medida quando as duas linhas convergentes forem traçadas. Um breakout de alta é sinalizado pela penetração da linha de tendência superior. Se os preços permanecerem dentro do triângulo além do ponto de 3/4, o triângulo começará a perder força, o que, geralmente, significa que os preços continuarão a avançar para fora do vértice e além.

Assim, o triângulo fornece uma combinação interessante de preço e tempo. As linhas de tendência convergentes conferem ao preço os limites do padrão, e indicam em que ponto o padrão foi completado e a tendência retomada pela penetração da linha de tendência superior (no caso de uma tendência de alta). Mas essas linhas de tendência também fornecem um objetivo de tempo ao medir a amplitude do padrão. Se, por exemplo, a amplitude for de 20 semanas, então o breakout deve ocorrer em algum momento entre a 13ª e a 15ª semana (Veja a Figura 6.1d.)

O verdadeiro sinal da tendência é dado pela penetração de fechamento de uma das linhas de tendência. Às vezes, um movimento de retorno ocorre no início da linha de tendência penetrada após o breakout. Em uma tendência de alta, essa linha se torna uma linha de suporte. Em uma tendência de baixa, a linha inferior se torna uma linha de resistência quando for quebrada. O vértice também funciona como um nível de suporte ou resistência importante depois que ocorre o breakout. Vários critérios de penetração podem ser aplicados ao breakout, semelhantes aos discutidos nos dois capítulos anteriores. Um critério de penetração mínimo seria um preço de fechamento fora da linha de tendência, e não apenas uma penetração intraday.

Figura 6.1d *A Dell formou um triângulo simétrico de alta durante o quarto trimestre de 1997. Medida da esquerda para a direita, a amplitude do triângulo é de 18 semanas. Os preços quebraram na 13ª semana (veja o círculo), logo acima do ponto de 2/3.*

A Importância do Volume

O volume deve diminuir à medida que leves oscilações de preço se estreitam dentro do triângulo. Essa tendência de o volume se contrair se aplica a todos os padrões de consolidação. Contudo, o volume deve subir de modo considerável na penetração da linha de tendência que completa o padrão. O movimento de retorno deve ter volume pequeno com atividade maior quando a tendência for retomada.

Há dois outros pontos sobre volume que devem ser mencionados. Como no caso de padrões de reversão, o volume é mais importante na alta do que na baixa. Um aumento de volume é essencial à retomada de uma tendência de alta em todos os padrões de consolidação.

O segundo ponto sobre volume é que, mesmo que a atividade de trading diminua durante a formação do padrão, uma inspeção atenta indica se o volume maior está ocorrendo durante os movimentos ascendentes ou descendentes. Em uma tendência de alta, por exemplo, o volume tende a aumentar um pouco durante os bounces e diminuir nas quedas de preço.

Técnica de Mensuração

Existem técnicas de mensuração para os triângulos. No caso do triângulo simétrico, há algumas técnicas comumente usadas. A mais simples mede a altura da linha vertical na parte mais larga do triângulo (a base) e a distância a partir do ponto de breakout. A Figura 6.2 mostra a distância projetada a partir do ponto de breakout, que é a técnica que prefiro.

No segundo método, traça-se uma linha de tendência do alto da base (o ponto A) paralela à linha de tendência inferior. Essa linha de canal superior torna-se o objetivo de aumento em uma tendência de alta. É possível obter um tempo aproximado para que os preços cheguem à linha de canal superior. Às vezes, os preços atingem a linha de canal ao mesmo tempo em que as linhas convergentes se encontram no vértice.

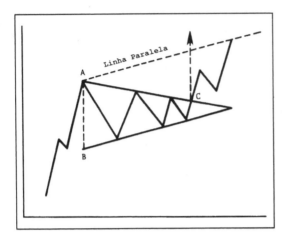

Figura 6.2 *Há duas formas de se medir um triângulo simétrico. Uma é medir a altura da base (AB); projete essa distância vertical do ponto de breakout em C. Em outra, traçamos uma linha paralela ascendente a partir do alto da linha de base (A) paralela à linha inferior do triângulo.*

O TRIÂNGULO ASCENDENTE

Os triângulos ascendentes e descendentes são variações do simétrico, mas têm implicações de previsão diferentes. As Figuras 6.3a e b mostram exemplos de um *triângulo ascendente*. Note que a linha de tendência superior é horizontal, enquanto a linha inferior está subindo. Esse padrão indica que os compradores são mais agressivos que os vendedores. O padrão é considerado de alta e, geralmente, é determinado por um breakout de alta. Os triângulos ascendentes e descendentes apresentam uma diferença importante em relação aos simétricos. Não importa em que ponto da estrutura da tendência os triângulos ascendentes ou descendentes aparecem, eles têm implicações de previsão muito definidas. O triângulo ascendente é de alta e o descendente, de baixa. O triângulo simétrico, em comparação, é inerentemente um padrão neutro. Contudo, isso não significa que o triângulo simétrico não tenha valor preditivo. Ao contrário, como o triângulo simétrico é um padrão de continuação, o analista precisa simplesmente observar a direção da tendência anterior e pressupor que a tendência anterior continuará.

Padrões de Continuação

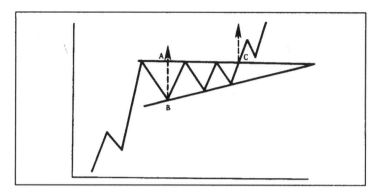

Figura 6.3a *Um triângulo ascendente. O padrão é completado em um fechamento decisivo acima da linha superior. Este breakout deve ver um acentuado aumento de volume. Essa linha de resistência superior deve funcionar como suporte em quedas de preço subsequentes após o breakout. O objetivo de preço mínimo é obtido ao se medir a altura do triângulo (AB) e projetar essa distância para cima a partir do ponto de breakout em C.*

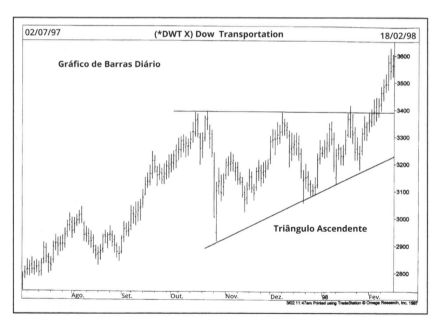

Figura 6.3b *O Dow Transports formou um triângulo ascendente de alta perto do final de 1997. Note a linha superior reta em 3400 e a linha inferior ascendente. Normalmente, este é um padrão de alta, não importa onde apareça no gráfico.*

Voltemos ao triângulo ascendente. Como já dissemos, frequentemente o triângulo ascendente mostra uma alta. O breakout de alta é sinalizado por um fechamento decisivo acima da linha de tendência horizontal superior. Como no caso de todos os breakouts válidos de alta, o volume deve ter um aumento considerável no breakout. Um movimento de retorno à linha de suporte (linha superior horizontal) não é incomum e deve ocorrer em caso de pouco volume.

Técnica de Mensuração

A técnica de mensuração para o triângulo ascendente é relativamente simples. Meça a altura do padrão em seu ponto mais largo e projete a distância vertical a partir do ponto de breakout. Este é apenas outro exemplo do uso da volatilidade de um padrão de preço para determinar um objetivo de preço mínimo.

O Triângulo Ascendente como Fundo

Embora apareça com frequência como tendência de alta e seja considerado um padrão de continuação, às vezes ele aparece como um padrão de fundo. Não é incomum ver um triângulo ascendente se desenvolver no final de uma tendência de baixa. Entretanto, mesmo nessa situação, a interpretação do padrão é de alta. A quebra da linha superior sinaliza a finalização da base e é considerada um sinal de alta. Às vezes, os triângulos ascendentes e descendentes também são chamados de triângulos de *ângulo reto*.

O TRIÂNGULO DESCENDENTE

O *triângulo descendente* é apenas uma imagem de espelho do ascendente e, geralmente, é considerado um padrão de baixa. Note a linha superior descendente e a linha horizontal inferior nas Figuras 6.4a e b. Esse padrão indica que os vendedores estão mais agressivos que os compradores e, geralmente, é definido na baixa. O sinal de baixa é registrado por um fechamento decisivo abaixo da linha de tendência inferior, geralmente com aumento de volume. Às vezes, ocorre um movimento de retorno que deve encontrar resistência na linha de tendência inferior.

A técnica de mensuração é exatamente a mesma que a do triângulo ascendente, sendo que o analista deve medir a altura do padrão na base à esquerda e projetar a distância para baixo a partir do ponto de breakdown.

O Triângulo Descendente como Topo

Embora o triângulo descendente seja um padrão de continuação e, geralmente, seja encontrado em tendências de baixa, às vezes é possível vê-lo em topos de mercado. Não é difícil reconhecer esse tipo de padrão quando aparece em uma situação de topo. Nesse caso, um fechamento abaixo da linha horizontal inferior sinalizaria uma reversão de tendência relevante para baixo.

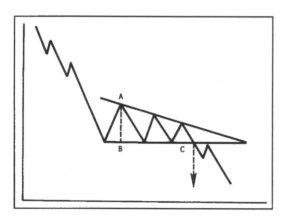

Figura 6.4a *Um triângulo descendente. O padrão de baixa é completado com um fechamento decisivo embaixo da linha horizontal inferior. A técnica de mensuração é a altura do triângulo (AB) projetada para baixo a partir do ponto de breakout em C.*

Figura 6.4b *Um triângulo descendente de baixa formado na Du Pont durante o outono de 1997. A linha superior é descendente, enquanto a linha inferior é horizontal. A quebra da linha inferior no início de outubro definiu o padrão para baixo.*

O Padrão de Volume

O padrão de volume nos triângulos ascendentes e descendentes é muito semelhante no sentido de que o volume diminui à medida que o padrão evolui e então aumenta no breakout. Como no caso do triângulo simétrico, durante a formação, o grafista pode detectar mudanças sutis no padrão de volume coincidentes com as oscilações no price action. Isso significa que, no padrão ascendente, o volume tende a ser ligeiramente maior nas subidas e menor nas quedas. Na formação descendente, o volume deve ser maior na baixa e menor durante os bounces.

O Fator Tempo nos Triângulos

Um último fator a considerar sobre os triângulos é a dimensão do tempo. O triângulo é considerado um padrão intermediário, o que significa que costuma levar mais de um mês para se formar, mas normalmente menos de três meses. Um triângulo que dura menos que um mês provavelmente é de um padrão diferente, como uma flâmula, de que falaremos em breve. Como já mencionamos, às vezes os triângulos aparecem em gráficos de preço de longo prazo, mas seu significado básico é sempre o mesmo.

FORMAÇÃO DE ALARGAMENTO

O próximo padrão de preço é uma variação incomum do triângulo e é relativamente raro. Na verdade, ele é um triângulo invertido, ou um triângulo de trás para a frente. Todos os padrões triangulares que examinamos até agora mostram linhas de tendência convergentes. A *formação de alargamento*, como o nome indica, é exatamente o oposto. Como mostra o padrão na Figura 6.5, as linhas de tendência realmente divergem na formação ampliada, criando uma imagem que se parece com um triângulo em expansão. Ele também é chamado de topo megafone.

O padrão de volume também difere na formação. Em outros padrões triangulares, o volume tende a diminuir à medida que as oscilações de preço ficam mais estreitas. Ocorre exatamente o oposto na formação de alargamento. *O volume tende a se expandir ao longo de oscilações de preço mais amplas.* Essa situação representa um mercado fora de controle e excepcionalmente emocional. Como esse padrão também representa uma quantidade incomum de participação do público, ocorre com frequência em topos de mercado. *O padrão em ampliação, portanto, geralmente é uma formação baixista.* Ele costuma aparecer perto do final de um mercado altista importante.

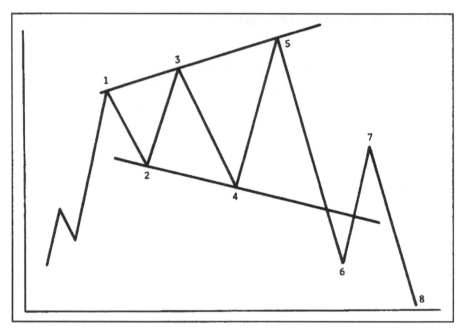

Figura 6.5 *Um topo de alargamento. Esse tipo de triângulo em expansão geralmente ocorre em topos importantes. Ele mostra três picos mais altos sucessivos e dois vales em queda. A violação do segundo vale completa o padrão. Este é um padrão excepcionalmente difícil de ser negociado e, felizmente, relativamente raro.*

BANDEIRAS E FLÂMULAS

As formações de *bandeiras* e *flâmulas* são bastante comuns. Elas geralmente são tratadas em conjunto por serem muito parecidas, costumam surgir mais ou menos no mesmo local em uma tendência existente e usam os mesmos critérios de volume e mensuração.

Bandeiras e *flâmulas* representam breves pausas em um movimento de mercado dinâmico. Na verdade, uma das exigências para ambas é que elas sejam precedidas por um movimento de linha brusco e quase reto. Representam situações em que um avanço ou declínio acentuado se antecipou

Padrões de Continuação

a si mesmo e onde o mercado pausa brevemente para "recuperar o fôlego" antes de partir rapidamente na mesma direção.

Bandeiras e flâmulas estão entre os padrões de continuação mais confiáveis, e só raramente produzem uma reversão de tendência. As Figuras 6.6a–b mostram como são esses dois padrões. Para começar, observe o avanço acentuado de preço que precede a formação de um volume maior. Observe também a queda forte na atividade quando os padrões de consolidação se formam e então a repentina explosão de atividade no breakout de alta.

Construção de Bandeiras e Flâmulas

A construção dos dois padrões difere ligeiramente. A bandeira se parece com um paralelogramo ou retângulo marcado por duas linhas de tendência paralelas que costumam se inclinar contra a tendência prevalecente. Em uma tendência de baixa, a bandeira teria uma leve inclinação para cima.

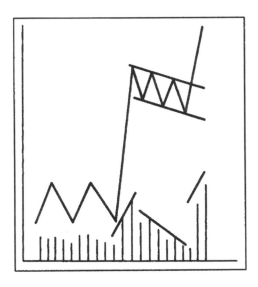

Figura 6.6a *Exemplo de uma bandeira de alta. A bandeira geralmente ocorre depois de um movimento brusco e representa uma leve pausa na tendência. A bandeira deve se inclinar contra a tendência. O volume deve diminuir durante a formação e se formar de novo no breakout. A bandeira geralmente ocorre perto do ponto médio do movimento.*

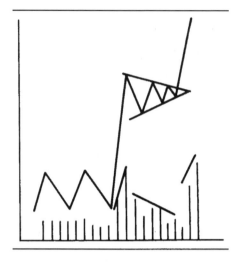

Figura 6.6b *Uma flâmula de alta. Ela se parece com um pequeno triângulo simétrico, mas geralmente não dura mais que três semanas. O volume deve ser pequeno durante sua formação. O movimento após a flâmula ser completada deve duplicar o tamanho do movimento que a precede.*

A flâmula é identificada por duas linhas de tendência convergentes e é mais horizontal. Ela se parece bastante com um pequeno triângulo simétrico. Uma exigência importante é que o volume diminua visivelmente enquanto cada padrão está se formando.

Ambos os padrões são de prazo relativamente curto e devem ser completados dentro de uma a três semanas. Flâmulas e bandeiras em tendências de baixa costumam se desenvolver em um prazo ainda menor e, muitas vezes, não duram mais do que uma ou duas semanas. Ambos os padrões são completados na penetração da linha de tendência superior em uma tendência de alta. A quebra da linha de tendência inferior seria um sinal de retomada de tendências de baixa. A quebra dessas linhas de tendência deve ocorrer com volume maior. Como habitual, o volume ascendente é criticamente mais importante do que o volume descendente. (Veja as Figuras 6.7a–b.)

Implicações de Mensuração

As implicações de mensuração são semelhantes para os dois padrões. Diz-se que bandeiras e flâmulas estão "hasteadas à meia-haste" no *mastro*.

Padrões de Continuação

O mastro é o avanço ou declínio acentuado anterior. O termo "meia-haste" sugere que esses pequenos padrões de continuação costumam aparecer mais ou menos a meio caminho do movimento. Em geral, o movimento após a tendência ter sido retomada duplicará o mastro ou o movimento exatamente anterior à formação do padrão.

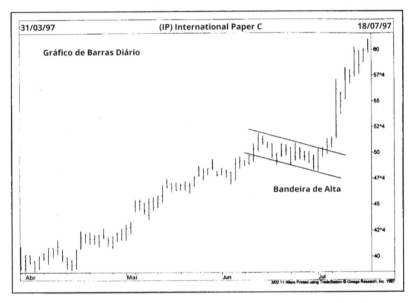

Figura 6.7a *Uma bandeira de alta na International Paper. A bandeira parece um paralelogramo descendente. Note que a bandeira ocorreu exatamente no ponto médio da tendência de alta.*

Para ser mais preciso, meça a distância do movimento precedente a partir do ponto de breakout original. Ou seja, o ponto em que foi dado o sinal da tendência original, seja pela penetração de um nível de suporte ou resistência ou uma linha de tendência importante. A distância vertical do movimento precedente é então medido a partir do ponto de breakout da bandeira ou flâmula — isto é, o ponto em que a linha superior é rompida em uma tendência de alta ou a linha inferior em uma tendência de baixa.

Resumo

Vamos resumir os pontos mais importantes dos dois padrões.

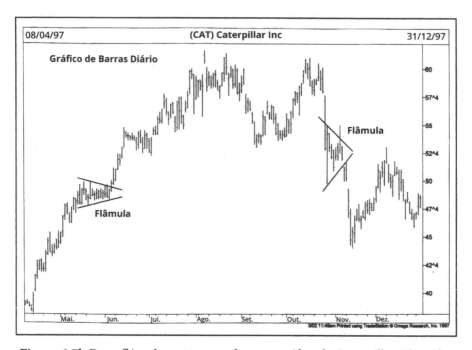

Figura 6.7b *Duas flâmulas estão voando neste gráfico da Caterpillar. Flâmulas são padrões de continuação de curto prazo que parecem pequenos triângulos simétricos. A flâmula da esquerda continuou a tendência de alta, enquanto a da direita continuou a tendência de baixa.*

1. Ambas são precedidas pelo movimento de uma linha quase reta (chamada de mastro) com alto volume.
2. Os preços então pausam por cerca de uma a três semanas, com volume muito pequeno.
3. A tendência é retomada em um impulso de atividade de trading.
4. Ambos os padrões ocorrem aproximadamente no ponto médio do movimento do mercado.

5. A flâmula se parece com um pequeno triângulo simétrico.
6. A bandeira se parece com um pequeno paralelogramo que se inclina contra a tendência prevalecente.
7. Ambos os padrões levam menos tempo para se desenvolver em tendências de baixa.
8. Ambos os padrões são muito comuns nos mercados financeiros.

A FORMAÇÃO EM CUNHA

A formação em *cunha* é semelhante a um triângulo simétrico em termos de forma e da quantidade de tempo que leva para ser formado. Como o triângulo simétrico, ela é identificada por duas linhas de tendências convergentes que se unem em um *vértice*. Em termos da quantidade de tempo para sua formação, ela geralmente dura mais que um mês, mas não mais que três meses, colocando-a na categoria intermediária.

O que distingue a *cunha* é sua evidente inclinação. O padrão em cunha tem uma inclinação nítida tanto para cima quanto para baixo. Como regra, como o padrão de bandeira, a cunha se inclina contra a tendência prevalecente. Portanto, uma *cunha descendente indica alta, e uma cunha ascendente indica baixa*. Note na Figura 6.8a que a cunha em alta se inclina para baixo entre duas linhas de tendência convergentes. Na tendência de baixa na Figura 6.8b, as linhas de tendência têm uma inclinação ascendente inconfundível.

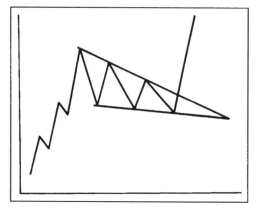

Figura 6.8a *Exemplo de cunha descendente em alta. O padrão de cunha tem duas linhas de tendência convergentes, mas se inclina contra a tendência prevalecente. Uma cunha em queda geralmente é de alta.*

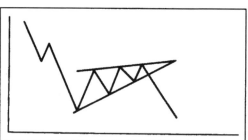

Figura 6.8b *Exemplo de uma cunha em baixa. Uma cunha em baixa deve se inclinar para cima contra a tendência descendente prevalecente.*

Cunhas como Padrões de Reversão de Topos e Fundos

Cunhas surgem com mais frequência dentro de uma tendência existente e geralmente formam padrões de continuação. A cunha pode aparecer em topos e fundos e sinalizar uma reversão de tendência. Mas esse tipo de situação é muito menos comum. Perto do final de uma tendência de alta, o grafista pode observar uma cunha ascendente clara. Como uma cunha de continuação em uma tendência de alta deve se inclinar para baixo contra a tendência prevalecente, a cunha ascendente é uma indicação para o grafista de que esse é um padrão de baixa, e não de alta. Nos fundos, uma cunha em queda seria um alerta do possível fim de uma tendência de baixa.

Quer a cunha apareça no meio ou no final de um movimento de mercado, o analista de mercado deve sempre se orientar pela máxima geral de que *uma cunha ascendente é de baixa, e uma cunha descendente é de alta*. (Veja a Figura 6.8c.)

A FORMAÇÃO DO RETÂNGULO

A *formação do retângulo* tem outros nomes, mas geralmente é fácil de identificar em um gráfico de preços. Ele representa uma pausa na tendência durante a qual os preços se movem lateralmente entre duas linhas horizontais paralelas. (Veja as Figuras 6.9a–c.)

Às vezes, o retângulo é chamado de *faixa de trading* ou *área de congestão*. Na linguagem da Teoria de Dow, ele é chamado de *linha*. Qualquer que seja o nome usado, ele geralmente representa apenas um período de consolidação na tendência existente, e costuma ser resolvido na direção da tendência de mercado que precedeu sua manifestação. Em termos de valor de previsão, ele pode ser visto como sendo semelhante ao triângulo simétrico, mas com linhas de tendência horizontais e não convergentes.

Figura 6.8c *Exemplo de uma cunha ascendente de baixa. As duas linhas de tendência convergentes têm uma inclinação ascendente definida. A cunha se inclina contra a tendência prevalecente. Assim, uma cunha ascendente é de baixa, e uma cunha em queda é de alta.*

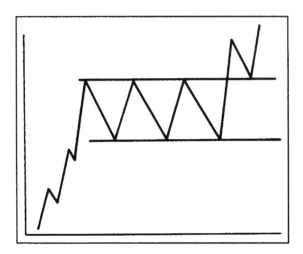

Figura 6.9a *Exemplo de retângulo de alta em uma tendência de alta. Este padrão também é chamado de faixa de trading e mostra preços operados entre duas linhas de tendência horizontais. Ele também é chamado de área de congestão.*

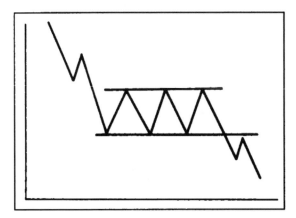

Figura 6.9b *Exemplo de retângulo de baixa. Embora retângulos costumem ser considerados padrões de continuação, o trader sempre deve ficar atento a sinais de que eles possam se tornar um padrão de reversão, como um fundo triplo.*

Padrões de Continuação   155

Figura 6.9c *Um retângulo de alta. A tendência de alta da Compaq foi interrompida por quatro meses enquanto operava lateralmente. A quebra acima da linha superior no início de maio completou o padrão e retomou a tendência de alta. Retângulos geralmente são padrões de continuação.*

Um fechamento decisivo fora do limite superior ou inferior sinaliza o encerramento de um retângulo e mostra a direção da tendência. Porém, o analista de mercado deve estar sempre atento para que a consolidação retangular não se torne um padrão de reversão. Por exemplo, note que na tendência de alta mostrada na Figura 6.9a, os três picos podem ser inicialmente vistos como um possível padrão de reversão de topo triplo.

A Importância do Padrão de Volume

Um sinal importante a ser observado é o padrão de volume. Como as oscilações de preço em ambas as direções são relativamente amplas, o analista deve observar com atenção que movimentos apresentam volume maior. Se as recuperações ocorrerem em volume maior, e os recuos, em volume menor, então é provável que a formação seja a continuação de uma tendência de alta. Se o volume maior ocorrer na baixa, então ele pode ser considerado um aviso de uma possível reversão de tendência no processo.

Swings Dentro da Faixa Podem Ser Negociados

Alguns grafistas negociam swings dentro desse padrão comprando em dips perto do fundo e vendendo ralis perto do topo da variação. Essa técnica permite ao trader de curto prazo aproveitar os limites de preço bem definidos e lucrar com um mercado que, de outra forma, não apresentaria tendências. Como as posições são tomadas nos extremos da variação, os riscos são relativamente pequenos e bem definidos. Se a variação de trading permanecer intacta, essa abordagem de operação de contratendência funcionará muito bem. Quando ocorre um breakout, o trader não só abandona imediatamente o última trade de perda, mas pode reverter a posição anterior iniciando uma nova operação na direção de uma nova tendência. Swings são especialmente úteis em mercados de trading lateral, mas menos úteis quando o breakout ocorre por motivos discutidos no Capítulo 10.

Outros traders partem do pressuposto de que o retângulo é um padrão de continuação e assumem posições compradas perto da extremidade inferior da banda de preço em uma tendência de alta, ou iniciam posições vendidas no topo da faixa em tendências de baixa. Outros evitam totalmente esses mercados sem tendências e esperam um breakout claro antes de comprometer seus recursos. A maioria dos sistemas seguidores de tendências apresenta um péssimo desempenho durante esses períodos de ação de mercados sem tendência e laterais.

Outras Semelhanças e Diferenças

Em termos de duração, o retângulo geralmente cai na categoria de um a três meses, semelhante ao que ocorre com os triângulos e as cunhas. O padrão de volume difere de outros padrões de continuação no sentido de que as oscilações de preços amplas evitam o habitual dropoff visto em outros padrões parecidos.

Padrões de Continuação

A técnica de mensuração mais comum aplicada ao retângulo se baseia na altura da faixa de preço. Meça a altura da faixa de trade, do máximo ao mínimo, e então projete essa distância vertical a partir do ponto de breakout. Esse método é semelhante a outras técnicas de mensuração verticais já mencionadas e se baseia na volatilidade do mercado. Quando tratarmos da contagem em gráficos de ponto e figura, falaremos mais da questão de mensurações de preço horizontais.

Tudo mencionado até agora referente ao volume em breakouts e à probabilidade de movimentos de retorno também se aplica aqui. Como os limites superior e inferior são horizontais e muito bem definidos no retângulo, níveis de suporte e resistência são mais evidentes. Isso significa que, em breakouts ascendentes, o máximo da banda de preço anterior agora deve prover suporte sólido em quaisquer liquidações. Depois de um breakout de baixa em tendências de baixa, o fundo da faixa de trading (a área de suporte anterior) agora deveria providenciar um teto sólido no mercado em quaisquer tentativas de rali.

MEDINDO OS MOVIMENTOS

O *movimento mensurado*, ou a mensuração da *flutuação*, como às vezes é chamada, descreve o fenômeno em que um importante avanço ou queda no mercado é dividido em dois movimentos iguais e paralelos, como mostra a Figura 6.10a. Para que essa abordagem funcione, os movimentos de mercado devem ser bem organizados e definidos. O movimento mensurado é só uma variação de algumas das técnicas já citadas. Vimos que alguns padrões de consolidação, como as bandeiras e flâmulas, geralmente ocorrem no ponto médio de um movimento de mercado. Também mencionamos a tendência que os mercados têm de refazer cerca de 1/3 à metade da tendência anterior antes de retomar essa tendência.

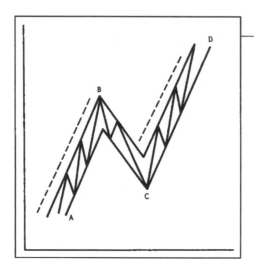

Figura 6.10a *Exemplo de um movimento mensurado (ou mensuração da flutuação) em uma tendência de alta. Essa teoria afirma que a segunda perna no avanço (CD) duplica o tamanho e a inclinação da primeira perna ascendente (AB). A onda corretiva (BC) muitas vezes refaz de 1/3 à metade de AB antes de a tendência de alta ser retomada.*

Figura 6.10b *Um movimento mensurado pega a etapa superior anterior (AB) e acrescenta esse valor ao fundo da correção em C. Neste gráfico, a tendência de alta superior (AB) era de 20 pontos. Somando isso ao ponto mínimo em C (62), gerou-se um alvo de preço de 82 (D).*

No movimento mensurado, quando o grafista vê uma situação bem definida, como na Figura 6.10a, com um rali do ponto A ao ponto B seguido por uma flutuação de contratendência do ponto B para o ponto C (que retraça de 1/3 a 1/2 da onda AB), supõe-se que a próxima etapa na tendência de alta (CD) se aproxime de duplicar a primeira etapa (AB). A altura da onda (AB), portanto, é simplesmente medida para o alto a partir do fundo do ponto de correção no ponto C.

O PADRÃO DE CONTINUAÇÃO DE CABEÇA E OMBROS

No capítulo anterior, tratamos do padrão de cabeça e ombros em detalhes e o descrevemos como o padrão de reversão mais conhecido e confiável de todos. Às vezes, o padrão cabeça e ombros pode parecer um padrão de continuação, e não de reversão.

Na variedade de continuação de cabeça e ombros, os preços traçam um padrão muito semelhante ao padrão retangular lateral, exceto pelo fato de que o vale central em uma tendência de alta (veja a Figura 6.11a) costuma ser mais baixo do que qualquer um dos dois ombros. Em uma tendência de baixa (veja a Figura 6.11b), o pico central na consolidação excede os outros dois picos. O resultado em ambos os casos é um padrão de cabeça e ombros invertido. Pelo fato de ser invertido, não há chance de confundi-lo com o padrão de reversão.

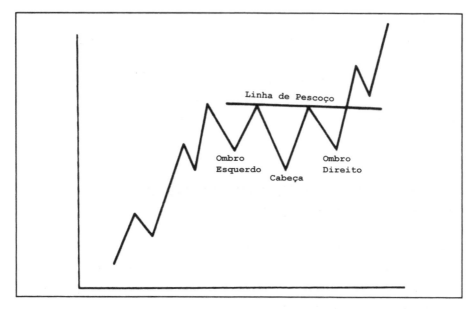

Figura 6.11a *Exemplo de padrão de continuação de cabeça e ombros de alta.*

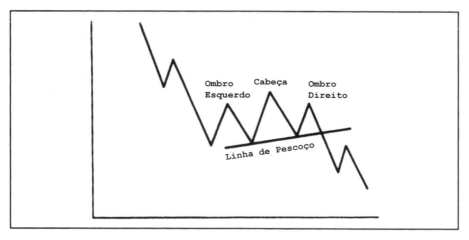

Figura 6.11b *Exemplo de padrão de cabeça e ombros de continuação de baixa.*

Padrões de Continuação

Figura 6.11c *A General Motors formou um padrão de cabeça e ombros de continuação durante a primeira metade de 1997. O padrão é muito claro, mas aparece em um local incomum. O padrão foi completado, e a tendência de alta foi retomada com o fechamento acima do pescoço em 60.*

CONFIRMAÇÃO E DIVERGÊNCIA

O princípio de *confirmação* é um dos temas comuns em toda a matéria da análise de mercado e é usado em conjunto com sua contrapartida — a *divergência*. Apresentaremos os dois conceitos aqui e explicaremos seu significado, mas voltaremos a eles repetidas vezes em todo o livro, porque seu impacto é extremamente importante. Aqui estamos discutindo a confirmação no contexto de padrões gráficos, mas ela se aplica a praticamente todos os aspectos da análise técnica. A *confirmação* se refere à comparação de todos os sinais e indicadores técnicos para assegurar que a maioria desses indicadores estejam apontando na mesma direção e se confirmando uns aos outros.

A *divergência* é o oposto da confirmação e se refere à situação em que diferentes indicadores técnicos falham em se confirmar. Embora ela esteja sendo usada com um sentido negativo, a divergência é um conceito valioso na análise de mercado e um dos primeiros sinais de advertência de reversão de tendência iminente. Discutiremos o princípio da divergência em mais detalhes no Capítulo 10, "Osciladores e Opinião Contrária".

CONCLUSÃO

Aqui terminamos nosso tratamento de padrões de preço. Dissemos antes que os três elementos de dados brutos usados pelos analistas técnicos são *preço, volume* e *interesse aberto*. A maior parte do que dissemos até agora focou o preço. Agora daremos uma olhada melhor no volume e no interesse aberto e em como eles são incorporados ao processo analítico.

7

Volume e Interesse Aberto

INTRODUÇÃO

A maioria dos técnicos nos mercados financeiros usa uma abordagem multidimensional na análise técnica, acompanhando o movimento de três conjuntos de figuras — *preço, volume* e *interesse aberto*. A análise de volume se aplica a todos os mercados, e o interesse aberto se aplica principalmente ao mercado de futuros. No Capítulo 3, discutimos a construção do gráfico de barras diário e mostramos como os três valores foram plotados nesse tipo de gráfico. Afirmamos, então, que mesmo que os valores de volume e interesse aberto estejam disponíveis para cada mês de liquidação nos mercados de futuros, os números *totais* são os geralmente usados para fins de previsão. Grafistas de ações simplesmente plotam o volume total ao longo do preço que o acompanha.

A maioria das discussões referentes à teoria dos gráficos até o momento focou principalmente o price action com alguma menção a volume. Neste capítulo, completaremos a abordagem de três dimensões observando com mais atenção o papel desempenhado pelo volume e o interesse aberto no processo de previsão.

163

VOLUME E INTERESSE ABERTO COMO INDICADORES SECUNDÁRIOS

Daremos o enfoque adequado ao volume e ao interesse aberto. O *preço* é, sem dúvida, o mais importante. O *volume* e o *interesse aberto* têm importância secundária e são usados principalmente como indicadores de confirmação. Dos dois, o volume é o mas importante.

Volume

O *volume* é o número de valores mobiliários negociados durante o período de tempo analisado. Como lidaremos basicamente com gráficos de barras diários, nossa preocupação maior é com o volume diário. Esse volume diário é representado por uma barra vertical na parte inferior do gráfico abaixo do price action do dia. (Veja a Figura 7.1.)

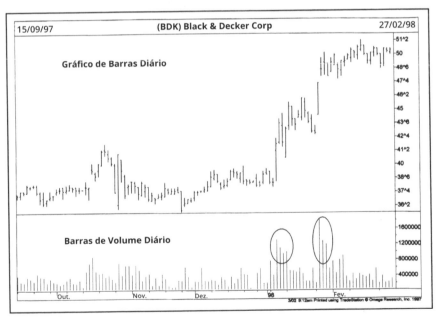

Figura 7.1 *Note que as barras de volume ficam visivelmente maiores à medida que os preços sobem (veja os círculos). Isso significa que o volume está confirmando o aumento de preço e é de alta.*

O volume também pode ser plotado em gráficos de barras *semanais*. Nesse caso, o volume total para a semana simplesmente seria plotado abaixo da barra que representa o price action dessa semana. Entretanto, o volume costuma não ser usado em gráficos de barras *mensais*.

Interesse Aberto em Futuros

O *interesse aberto* é o número total de contratos em circulação e não liquidados no final do dia. Na Figura 7.2, o interesse aberto é a linha sólida plotada no gráfico abaixo de seus dados de preços correspondentes, mas acima das barras de volume. Lembre-se de que, nos mercados de futuros, os números oficiais de volume e interesse aberto são divulgados um dia depois, portanto, são plotados com a defasagem de um dia. (Somente números aproximados de volume do último dia de operação ficam disponíveis.) Isso significa que, todos os dias, o grafista plota o gráfico com o preço máximo, mínimo e de fechamento do último dia de trading, mas plota os números oficiais de volume e interesse aberto do dia anterior.

O interesse aberto representa o número total de compras ou vendas em circulação no mercado, *não a soma de ambos*. Interesse aberto é o número de contratos. Um contrato deve ter um *comprador* e um *vendedor*. Portanto, dois participantes do mercado — um *comprador* e um *vendedor* — combinam-se para criar um único contrato. O número referente ao interesse aberto divulgado todos os dias é seguido por um número positivo ou negativo que mostra o aumento ou a redução na quantidade de contratos naquele dia. São essas mudanças nos níveis de interesse aberto, para cima ou para baixo, que dão sinais ao grafista do caráter da mudança da participação do mercado e conferem ao interesse aberto seu valor preditivo.

Como Ocorrem Mudanças em Interesse aberto. A fim de compreender o significado de como as mudanças nos números em interesse aberto são interpretados, o leitor precisa antes compreender como cada trade produz uma mudança nesses números.

Sempre que um trade é completado no pregão, o interesse aberto é afetado de três modos — ele aumenta, diminui ou permanece inalterado. Vejamos como essas mudanças ocorrem.

COMPRADOR	VENDEDOR	MUDANÇA NO INTERESSE ABERTO
1. Faz uma nova compra	Faz uma nova venda	Aumenta
2. Faz uma nova compra	Vende uma compra antiga	Sem mudança
3. Compra uma venda antiga	Vende uma compra nova	Sem mudança
4. Compra uma venda antiga	Vende uma compra antiga	Diminui

No primeiro caso, tanto o comprador quanto o vendedor estão iniciando uma nova posição, e um novo contrato é estabelecido. No caso 2, o comprador está iniciando uma nova posição de compra, mas o vendedor está simplesmente liquidando uma antiga compra. Um está entrando e o outro está saindo do trade. O resultado é um impasse, e não ocorre nenhuma mudança na quantidade de contratos. No caso 3, ocorre o mesmo, exceto pelo fato de que desta vez é o vendedor quem está iniciando uma nova venda, e o comprador só está cobrindo uma antiga venda. Como um dos traders está entrando e o outro está saindo da operação, novamente nenhuma mudança acontece. No caso 4, ambos os traders estão liquidando uma antiga posição, e o interesse aberto diminui de acordo.

Resumindo, se ambos os participantes de um trade estiverem iniciando uma nova posição, o interesse aberto aumentará. Se ambos estiverem liquidando uma antiga posição, o interesse aberto diminuirá. Se, porém, um estiver iniciando um novo trade enquanto o outro estiver liquidando um trade antigo, o interesse aberto permanecerá inalterado. Ao analisar a mudança líquida no interesse aberto total no final do dia, o grafista pode determinar se o dinheiro está fluindo para dentro ou fora do mercado. Essa informação permite ao analista tirar algumas conclusões sobre a força ou fraqueza da tendência de preço atual.

Regras Gerais para Interpretar Volume e Interesse Aberto

O técnico de futuros incorpora informações sobre volume e interesse aberto à análise de mercado. As regras para interpretar volume e interesse aberto geralmente são combinadas, por serem muito semelhantes. Contudo, existem algumas diferenças entre ambos que devem ser discutidas. Começaremos com a apresentação de regras gerais para os dois. Em seguida, cuidaremos de cada um em separado antes de combiná-los no final.

PREÇO	VOLUME	INTERESSE ABERTO	MERCADO
Crescente	Aumenta	Aumenta	Forte
Crescente	Diminui	Diminui	Fraco
Decrescente	Aumenta	Aumenta	Fraco
Decrescente	Diminui	Diminui	Forte

Se o volume e o interesse aberto estiverem aumentando, então a tendência atual de preço provavelmente continuará na mesma direção (para cima ou para baixo). Porém, se o volume e o interesse aberto estiverem em queda, a ação pode ser encarada como um aviso de que a tendência de preço atual pode estar chegando ao fim. Assim, daremos uma olhada no volume e interesse aberto em separado. (Veja a Figura 7.2.)

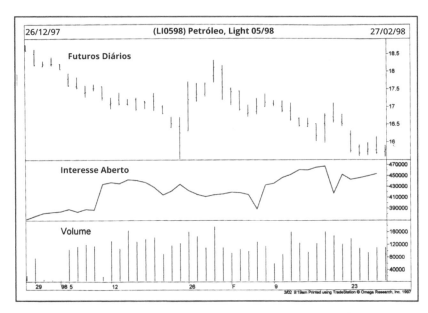

Figura 7.2 *Um gráfico diário de futuros de petróleo mostra volume e interesse aberto (linha contínua). A linha de interesse aberto está subindo, enquanto os preços estão caindo, o que mostra uma baixa.*

INTERPRETAÇÃO DO VOLUME PARA TODOS OS MERCADOS

O nível de volume mede a intensidade ou urgência que fundamenta o movimento de preço. Volume maior reflete um grau mais alto de intensidade ou pressão. Ao monitorar o nível de volume ao longo do price action, o técnico tem melhores condições de avaliar a pressão de compra ou venda que baseia os movimentos de mercado. Essas informações podem então ser usadas para confirmar movimentos de preço ou avisar que um movimento de preço não é confiável. (Veja as Figuras 7.3 e 7.4.)

Resumindo esta regra, *o volume deve aumentar ou expandir na direção da tendência de preço existente.* Em uma tendência de alta, o volume deve ser maior à medida que o preço aumenta, e deve diminuir ou contrair nas quedas de preço. Enquanto o padrão continuar, diz-se que o volume está confirmando a tendência de preço.

Volume e Interesse Aberto 169

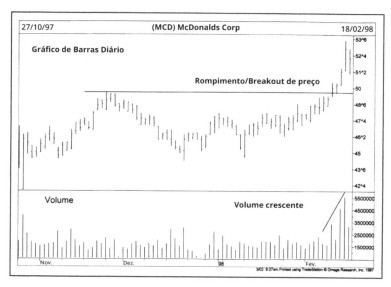

Figura 7.3 *O breakout de preço ascendente do McDonald's no pico de novembro de 1997 foi acompanhado por uma explosão na atividade de trade. Isso mostra uma alta.*

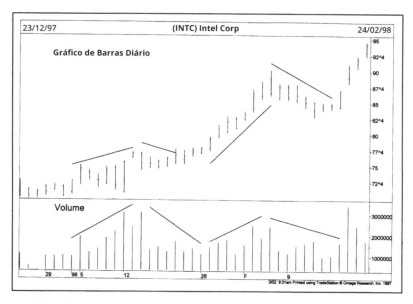

Figura 7.4 *As barras de volume estão seguindo a tendência de alta da Intel. O volume é maior quando os preços estão subindo, e cai quando os preços estão mais baixos. Note a explosão da atividade durante o salto de preço dos últimos três dias.*

O grafista também está atento a sinais de *divergência* (aí está a palavra outra vez). A divergência ocorre se a penetração de uma alta anterior da tendência de preços acontecer durante a diminuição no volume. Essa ação alerta o grafista a diminuir a pressão de compra. Se o volume também mostrar uma tendência de se recuperar nas quedas de preço, o analista começa a se preocupar com a possibilidade de a tendência de alta estar com problemas.

Volume como Confirmação de Padrões de Preço

Durante nossa análise de padrões de preço nos Capítulos 5 e 6, o volume foi mencionado várias vezes como um importante indicador de confirmação. Um dos primeiros sinais de um topo de *cabeça e ombros* ocorreu quando os preços atingiram novas altas durante a formação da *cabeça* em volume baixo com atividade mais intensa no subsequente declínio até o *pescoço*. Os topos *duplos* e *triplos* viram um volume menor em cada pico sucessivo, seguido por atividade descendente maior. Padrões de continuação, como o *triângulo*, devem ser acompanhados por uma queda gradual no volume. Como regra, a resolução de todos os padrões de preço (o ponto de breakout) deve ser acompanhada por atividade de trading mais intensa se o sinal dado por esse breakout for real. (Veja a Figura 7.5.)

Em uma tendência de baixa, o volume deve ser mais intenso durante movimentos de queda e mais leve em bounces. Enquanto esse padrão continuar, a pressão de venda será maior do que a pressão de compra, e a tendência de queda deve continuar. O grafista começará a procurar sinais de um fundo somente quando o padrão começar a mudar.

O Volume Precede o Preço

Ao monitorar o preço e o volume em conjunto, estamos realmente usando duas ferramentas diferentes para medir o mesmo fator — a pressão. Pelo simples fato de os preços estarem em tendência de alta, podemos ver que a pressão de compra é maior do que a de venda. A conclusão lógica é a de que o volume maior ocorre na mesma direção da tendência prevalecente.

Os técnicos acham que o *volume precede o preço*, ou seja, que a perda da pressão de alta em uma tendência ascendente ou uma pressão de baixa em uma tendência descendente realmente se manifesta nos números de volume antes de se manifestar em uma tendência de reversão de preço.

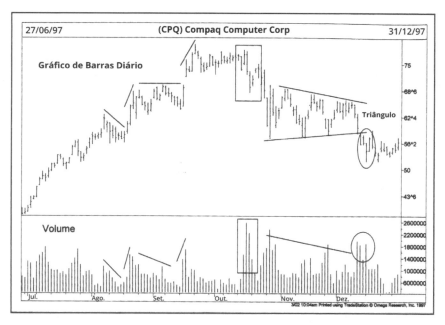

Figura 7.5 *A primeira metade deste gráfico mostra uma tendência positiva com volume maior em dias de alta. O box no topo deste gráfico mostra um declínio repentino com forte volume — um sinal negativo. Note o aumento no trade quando o triângulo de continuação é quebrado na baixa.*

On Balance Volume (OBV)

Os técnicos testaram vários indicadores de volume para ajudar a quantificar a pressão de compra ou venda. Tentar examinar as barras de volume vertical ao longo do fundo do gráfico nem sempre tem a precisão suficiente para detectar mudanças significativas no fluxo do volume. O mais simples e conhecido desses indicadores de volume é o *On Balance Volume* ou *OBV*

(Saldo de Volume). Desenvolvido e popularizado por Joseph Granville em seu livro de 1963, *Timing — A Nova Estratégia Diária de Maximização dos Lucros no Mercado de Ações*, o OBV realmente produz uma linha curva no gráfico de preços. Essa linha pode ser usada para confirmar a qualidade da tendência atual de preços ou avisar sobre uma reversão iminente ao divergir dos price actions.

A Figura 7.6 mostra o gráfico de preços com a linha OBV ao longo do fundo do gráfico, e não ao longo das barras de volume. Observe como é mais fácil acompanhar a tendência de volume com a linha OBV.

A construção da linha OBV é muito simples. Dependendo do preço de fechamento do dia, mais alto ou mais baixo, um valor positivo ou negativo é atribuído ao volume total de cada dia. Um fechamento mais alto faz com que o volume daquele dia receba um valor positivo, enquanto um fechamento mais baixo implica em um volume negativo. Então, um total cumulativo contínuo é mantido adicionando-se ou subtraindo-se o volume de cada dia com base na direção do fechamento do mercado.

O importante é a direção da linha de OBV (sua tendência), não os números reais em si. Os valores reais de OBV serão diferentes, dependendo da data em que você iniciou o gráfico. Deixe que o computador faça os cálculos. Concentre-se na direção da linha OBV.

A linha *on balance volume* deve seguir na mesma direção da tendência de preço. Se os preços mostrarem uma série de picos e vales mais altos (uma tendência de alta), a linha OBV deve fazer o mesmo. Se a tendência dos preços for descendente, o mesmo deve ocorrer com a OBV. Quando a linha de volume não segue na mesma direção que os preços, ocorre uma divergência, sinalizando uma possível reversão na tendência.

Volume e Interesse Aberto   *173*

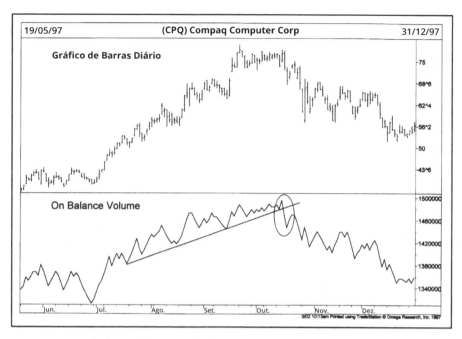

Figura 7.6 *A linha ao longo do fundo mostra On Balance Volume (OBV) para o mesmo gráfico da Compaq. Note como é mais fácil detectar o declínio em outubro de 1997.*

Alternativas ao OBV

A linha *on balance volume* cumpre sua tarefa relativamente bem, mas tem algumas falhas. Por um lado, ela atribui um valor positivo ou negativo a todo o volume do dia. Suponha que o mercado feche em alta em um dia com um valor mínimo como um ou dois tics. É razoável atribuir um valor positivo a toda a atividade daquele dia? Ou pense em uma situação em que o mercado passe quase todo o dia em alta, mas então fecha com uma pequena queda. Deve todo o volume desse dia receber um valor negativo? Para solucionar essas questões, os técnicos testaram muitas variações de OBV na tentativa de descobrir o verdadeiro volume de alta ou baixa.

Uma variação é dar maior peso aos dias em que a tendência é mais forte. Por exemplo, em um dia de alta, o volume é multiplicado pelo valor do ganho de preço. Essa técnica ainda atribui valores positivos e negativos, mas confere maior peso aos dias com maior movimento de preço e reduz o impacto dos dias em que a mudança de preço real é mínima.

Há fórmulas mais sofisticadas que combinam volume (e interesse aberto) com price action. Por exemplo, o Índice de Demanda James Sibbet combina preço e volume em um indicador de mercado importante. O Herrick Payoff Index (Índice de Resultado de Herrick) usa o interesse aberto para medir o fluxo de dinheiro. (Veja uma explicação dos dois indicadores no Apêndice A.)

Deve-se observar que é muito mais útil informar o volume no mercado de ações do que no mercado de futuros. O volume da operação de ações é informado imediatamente, enquanto o de futuros é informado um dia depois. Os níveis de volume de alta e de baixa também ficam disponíveis para ações, mas não para futuros. A disponibilização de dados de volume para ações em cada mudança de preço durante o dia facilitou um indicador ainda mais avançado chamado Money Flow Index (Índice de Fluxo de Dinheiro), desenvolvido por Laszlo Birinyi Jr. Essa versão em tempo real do OBV rastreia o nível de volume de cada mudança de preço a fim de determinar se o dinheiro está fluindo para dentro ou fora de uma ação. Contudo, esse cálculo sofisticado exige um computador potente e não está facilmente disponível para a maioria dos traders.

Essas variações mais sofisticadas de OBV têm basicamente a mesma finalidade — determinar se está ocorrendo volume maior na alta (ascendente) ou na baixa (descendente). Mesmo com essa simplicidade, a linha OBV ainda faz um ótimo trabalho em rastrear o fluxo de volume em um mercado — seja no mercado de futuros ou de ações. E o OBV está facilmente disponível na maioria de softwares gráficos. A maioria dos pacotes, inclusive, permite que você plote a linha OBV ao longo dos dados de preço para uma comparação ainda mais facilitada. (Veja as Figuras 7.7 e 7.8)

Figura 7.7 *Um excelente exemplo de como uma divergência de baixa entre a linha on balance volume (parte inferior) e o preço da Intel advertiu corretamente sobre uma queda importante.*

Outras Limitações de Volume em Futuros

Já mencionamos o problema da defasagem de um dia na divulgação do volume de futuros. Há também a prática um tanto estranha de usar os números do volume total para analisar contratos individuais, e não o volume real de cada contrato. Há bons motivos para se usar o volume total, mas como lidar com a situação quando alguns contratos fecham com valores mais altos, e outros, mais baixos, no mesmo mercado de futuros no mesmo dia? Dias *limite* produzem outros problemas. Dias em que os mercados estão com o *limite bloqueado* geralmente produzem volume muito baixo. Esse é um sinal de força, visto que a quantidade de compradores é tão superior à de vendedores que os preços atingem o limite máximo de trade, e este cessa. Segundo as normas tradicionais de interpretação, volume baixo em um rali caracteriza uma baixa. O volume baixo em dias *limite* é uma violação desse princípio e pode distorcer os números OBV.

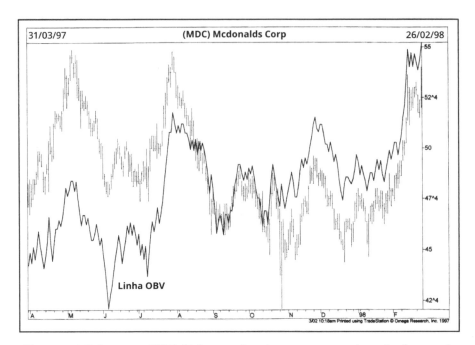

Figura 7.8 *Sobrepor o OBV (linha contínua) exatamente acima das barras de preço facilita a comparação entre preço e volume. Este gráfico do McDonald's mostra a linha OBV levando o preço para cima e avisando com antecedência sobre um breakout de alta.*

Porém, mesmo com essas limitações, a análise de volume ainda pode ser usada em mercados de futuros, e é aconselhável que o trader técnico fique atento às indicações de volume.

INTERPRETAÇÃO DE INTERESSE ABERTO EM FUTUROS

As regras de interpretação de mudanças no interesse aberto são semelhantes às de volume, mas exigem explicação adicional.

1. Com o avanço dos preços em uma tendência ascendente e o aumento do interesse aberto, *dinheiro novo está fluindo no mercado*

Volume e Interesse Aberto

refletindo novas compras agressivas, e é considerado como sendo de alta. (Veja a Figura 7.9.)

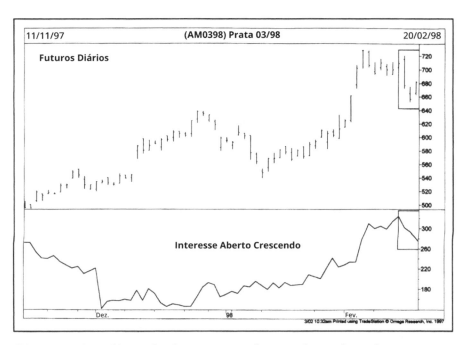

Figure 7.9 *A tendência de alta nos preços da prata foi confirmada por um aumento semelhante na linha de interesse aberto. Os boxes à direita mostram uma liquidação normal de contratos em circulação quando os preços começam a se corrigir para baixo.*

2. Contudo, se os preços estiverem subindo e o interesse aberto estiver caindo, *o rali está sendo causado principalmente por vendas a descoberto* (titulares de posições vendidas perdedoras obrigados a cobrir essas posições). *O dinheiro está saindo, e não entrando no mercado.* Essa ação é considerada de baixa, porque a tendência de alta provavelmente perderá força quando cessar a necessidade de cobrir as posições short. (Veja a Figura 7.10.)

3. Com preços em tendência de baixa e interesse aberto aumentando, o técnico sabe que *novo dinheiro está fluindo no mercado, refletindo novas e agressivas vendas a descoberto*. Essa ação aumenta a probabilidade de que a tendência descendente continue e é considerada de baixa. (Veja a Figura 7.11.)

4. Contudo, se o interesse aberto e os preços estiverem em declínio, *a queda do preço está sendo causada por compras desencorajadas ou perdedoras sendo forçadas a liquidar suas posições*. Acredita-se que esta ação indica o fortalecimento de uma situação técnica, porque a tendência de baixa provavelmente terminará quando o interesse aberto cair o suficiente para mostrar que a maior parte dos perdedores em posições compradas já saiu do mercado.

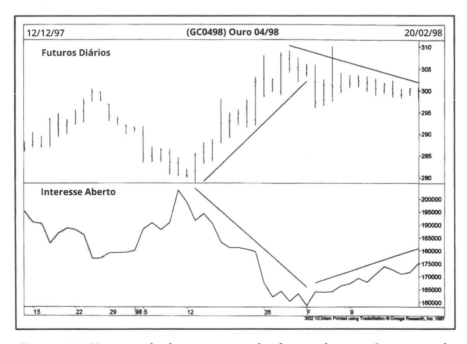

Figura 7.10 *Um exemplo de recuperação dos futuros de ouro. O aumento de preço é acompanhado pela queda do interesse aberto, enquanto o declínio de*

preço mostra aumento do interesse aberto. Uma tendência forte veria o interesse aberto acompanhando a tendência de preço, não a contrariando.

Vamos resumir esses quatro pontos:

1. O aumento do interesse aberto em uma tendência ascendente indica um bull market.
2. Um declínio do interesse aberto em uma tendência de alta indica um bear market.
3. O aumento do interesse aberto em uma tendência descendente indica um bear market.
4. O declínio do interesse aberto em uma tendência de baixa indica um bull market.

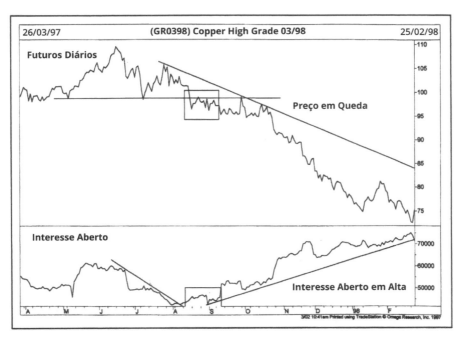

Figura 7.11 *O declínio no cobre no verão de 1997 e a subsequente queda no preço foram acompanhados pelo aumento do interesse aberto. A alta do interesse aberto durante uma queda de preço representa uma baixa porque reflete uma venda a descoberto agressiva.*

Outras Situações em que o Interesse Aberto é Importante

Além das tendências anteriores, existem outras situações de mercado em que pode ser útil a realização de um estudo de interesse aberto.

1. Na direção do fim de movimentos de mercado importantes, quando o interesse aberto tem aumentado em toda a tendência de preço, *uma uniformização ou uma queda no interesse aberto muitas vezes é um sinal precoce de uma mudança na tendência.*

2. *Valores elevados em interesse aberto em topos de mercado podem ser considerados sinal de baixa se a queda nos preços for muito repentina.* Isso significa que todas as novas posições compradas estabelecidas perto do final de uma tendência de alta agora têm posições perdedoras. Sua liquidação forçada manterá os preços sob pressão até que o interesse aberto tenha caído o suficiente. Por exemplo, suponhamos que uma tendência de alta tenha estado em vigor há algum tempo. No mês anterior, o interesse aberto aumentou visivelmente. Lembre-se de que cada contrato novo de interesse aberto tem um novo comprado e um novo vendido. De repente, os preços começam a cair bruscamente, e caem abaixo do menor preço estabelecido no mês anterior. Cada novo comprado estabelecido durante esse mês agora tem prejuízo.

   A liquidação forçada dessas posições compradas mantém os preços sob pressão até que todas tenham sido liquidadas. Ainda pior, sua venda forçada muitas vezes começa a se alimentar de si mesma, e, à medida que os preços são empurrados ainda mais para baixo, isso causa chamadas de margem para outros comprados e intensifica o novo declínio de preço. Complementando o ponto anterior, *um interesse aberto excepcionalmente alto em um mercado de alta é um sinal de perigo.*

Volume e Interesse Aberto

3. *Se o interesse aberto aumentar visivelmente durante uma consolidação lateral ou uma faixa de negociação horizontal, o movimento de preço resultante se intensifica quando ocorre o breakout.* Isso é lógico. O mercado se encontra em um período de indecisão. Ninguém sabe ao certo que direção a tendência do breakout tomará. O aumento no interesse aberto, porém, revela muito sobre os traders que estão tomando posições em antecipação ao breakout. Quando esse breakout ocorrer, muitos traders serão apanhados no lado errado do mercado.

Suponhamos que tivemos uma faixa de trade de três meses e que o interesse aberto apresentou um salto de 10 mil contratos. Isso significa que 10 mil novas posições compradas e 10 mil novas vendidas foram assumidas. Os preços então ficam de ponta-cabeça e novas altas de três meses são estabelecidas. Como os preços estão sendo operados no ponto mais alto em três meses, cada posição vendida (todas as 10 mil) iniciada durante os três meses anteriores agora mostra prejuízo. A corrida para cobrir as posições vendidas perdedoras naturalmente causa uma pressão ascendente nos preços, produzindo ainda mais pânico. Os preços se mantêm fortes até que todas ou a maioria dessas posições vendidas sejam compensadas com a compra em um mercado forte. Se o breakout tivesse ocorrido na queda, então seriam as posições compradas que fariam a corrida.

Os primeiros estágios de qualquer tendência nova que se segue imediatamente a um breakout geralmente são alimentados por uma liquidação forçada pelos apanhados no lado errado do mercado. Quanto mais traders forem apanhados no lado errado (manifestado no interesse aberto em alta), mais intensa é a resposta a um repentino movimento adverso do mercado. De um lado mais positivo, a nova tendência é completada por aqueles no lado certo do mercado cujo julgamento foi confirmado e que agora estão usando os ganhos realizados acumulados para financiar posições adicionais. É possível notar por que *quanto maior o aumento no interesse aberto em uma faixa de trade (ou qualquer formação de preço), maior o potencial para o movimento de preço subsequente.*

4. *Aumentar o interesse aberto na finalização de um padrão de preço é encarado como mais uma confirmação de um sinal e uma tendência confiável.* Por exemplo, o rompimento do *pescoço* no fundo de um *cabeça e ombros* é mais convincente se o breakout ocorrer no aumento do interesse aberto junto de um volume maior. O analista deve ser cuidadoso aqui. Como, com frequência, o ímpeto que segue o sinal inicial da tendência é causado por quem se encontra do lado errado do mercado, *às vezes o interesse aberto cai levemente no começo de uma nova tendência.* Essa pequena queda inicial no interesse aberto pode iludir o leitor de gráficos desavisado e deve desencorajar que se dê muita atenção a mudanças no interesse aberto em prazos muito curtos.

RESUMO DAS REGRAS DE VOLUME E INTERESSE ABERTO

Vamos resumir alguns dos elementos mais importantes de preço, volume e interesse aberto.

1. O volume é usado em todos os mercados; o interesse aberto, principalmente no de futuros.
2. Só o volume e o interesse aberto *total* são usados em futuros.
3. Aumentar o volume (e interesse aberto) indica que a tendência de preço atual provavelmente continuará.
4. Volume (e interesse aberto) em queda sugerem que a tendência de preço pode estar mudando.

5. O volume precede o preço. Muitas vezes, mudanças na pressão de compra ou venda são detectadas no volume antes do preço.

6. O on balance volume (OBV), ou qualquer uma de suas variações, pode ser usado para medir a direção da pressão do volume com mais precisão.

7. Em uma tendência de alta, a estabilização ou queda no interesse aberto é um aviso de mudança de tendência. (Isso se aplica somente a futuros.)

8. Um interesse aberto muito elevado em topos de mercado é perigoso e pode intensificar a pressão de baixa. (Isso se aplica somente a futuros.)

9. Um aumento no interesse aberto durante períodos de consolidação intensifica um subsequente breakout. (Isso se aplica somente a futuros.)

10. Aumentos em volume (e interesse aberto) ajudam a confirmar a resolução de padrões de preço e outros desenvolvimentos gráficos significativos que sinalizam o início de uma nova tendência.

EXPLOSÕES E CLÍMACES DE VENDAS

Uma situação final não discutida até agora que merece ser mencionada é o tipo de ação drástica de mercado que muitas vezes ocorre em topos e fundos — *explosões* e *clímaces de vendas*. *Explosões* ocorrem em topos de mercado importantes, e *clímaces de venda* ocorrem em fundos. Em futuros, explosões muitas vezes são acompanhadas por uma queda no interesse aberto durante o rali final. No caso de uma explosão em topos de mercado, de repente os preços sobem bruscamente após um longo avanço, acompanhados de um grande salto na atividade de trade, e então atingem um pico abruptamente. (Veja a Figura 7.12.) Em um clímax de venda no fundo, os preços caem bruscamente em uma atividade forte de trade e se recuperam com a mesma rapidez. (Consulte a Figura 4.22c.)

O RELATÓRIO DE COMPROMISSO DOS TRADERS

Nossa discussão sobre interesse aberto não estaria completa sem mencionar o relatório do *Compromisso dos Traders (COT)*, e como é usado por técnicos de futuros como uma ferramenta de previsão. O relatório é divulgado pela *Comissão de Negociação de Futuros de Commodities* (CFTC) duas vezes por mês — uma no meio do mês, e outra no final. O relatório divide os números do interesse aberto em três categorias — grandes hedgers, grandes especuladores e pequenos traders. Os grandes hedgers, também chamados de comerciais, usam o mercado de futuros principalmente para propósitos de hedging. Grandes especuladores incluem os grandes fundos de commodities, que contam principalmente com sistemas mecânicos de acompanhamento de tendências. A categoria final de pequenos traders inclui o público em geral, que negociam pequenas quantidades.

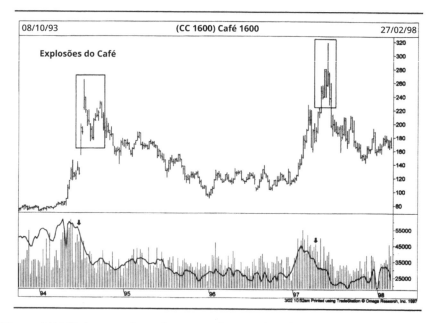

Figura 7.12 *Dois topos de explosões em futuros de café. Nos dois casos, os preços subiram bruscamente com volume pesado. As advertências negativas vêm da queda no interesse aberto (linha contínua) durante os dois aumentos (veja as setas).*

FIQUE DE OLHO NOS COMERCIAIS

O princípio que orienta a análise do Relatório de Compromisso é a crença de que os grandes hedgers comerciais geralmente estão certos, enquanto os traders geralmente estão errados. Nesse caso, a ideia é se colocar na mesma posição que os hedgers e nas posições opostas às duas categorias de traders. Por exemplo, um sinal de alta no fundo do mercado ocorreria quando os comerciais têm muito mais posições compradas, enquanto os pequenos traders têm mais do que posições vendidas. Em um mercado crescente, um sinal de advertência de uma possível alta ocorreria quando os pequenos e grandes traders têm muitos mais posições compradas ao mesmo tempo em que os comerciais adquirem muito mais posições vendidas.

POSIÇÕES LÍQUIDAS DE TRADERS

É possível representar os três grupos de mercado em gráficos e usar essas tendências para localizar extremos em suas posições. Uma forma de fazê-lo é estudar as posições líquidas de traders publicadas em *Futures Charts* (Publicados pelo Commodity Trend Service, PO Box 32309, Palm Beach Gardens, FL 33420). Esse serviço de representação gráfica plota três linhas que mostram as posições líquidas de traders dos três grupos em um gráfico de preços semanal para cada mercado de até quatro anos antes. Ao fornecer dados de quatro anos, é fácil realizar comparações históricas. Nick Van Nice, o editor deste serviço de gráficos, procura situações em que os comerciais estão em um extremo e as duas categorias de traders em outro, para encontrar oportunidades de compra e venda (como mostram as Figuras 7.13 e 7.14). Mesmo que você não use o Relatório COT como principal fonte de informações para tomar decisões de trading, não é má ideia ficar atento ao que esses três grupos estão fazendo.

INTERESSE ABERTO EM OPÇÕES

Nossa abordagem sobre interesse aberto se concentrou nos mercados de *futuros*. O interesse aberto também desempenha um papel importante na operação de *opções*. Os números de interesse aberto são publicados diariamente em relação a opções de *venda* e *compra* em mercados de futuros, médias de ações, índices industriais e ações individuais. Embora o interesse aberto em opções possa não ser interpretado com a mesma exatidão que em futuros, ele nos diz essencialmente a mesma coisa — onde estão o interesse e a liquidez. Alguns traders de opções comparam interesse aberto de *compra* (alta) para interesse aberto de *venda* (baixa) a fim de medir o sentimento do mercado. Outros usam o volume de opções.

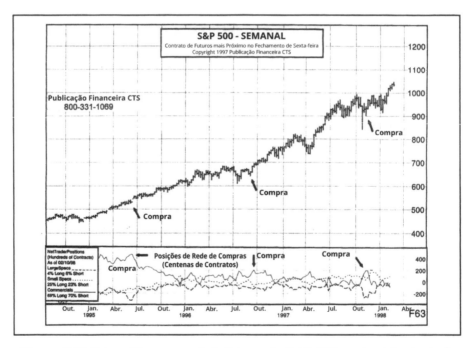

Figura 7.13 *Este gráfico semanal de futuros da S&P 500 mostra três sinais de compra (veja as setas). As linhas ao longo do fundo mostram a rede de compra de comerciais (linha contínua) e a rede de venda de grandes especuladores (linha pontilhada) a cada sinal de compra.*

COEFICIENTES DE VENDA/COMPRA

Os números de volume para os mercados de opções são usados essencialmente da mesma forma que em futuros e ações — isto é, eles nos informam o grau de pressão de compra e venda em determinado mercado. Números de volume em opções são divididos em volume de *compra* (alta) e volume de *venda* (baixa). Ao monitorar o volume de compras versus vendas, podemos determinar o grau de otimismo ou pessimismo em um mercado. Um dos principais usos de dados de volume no trade de opções é na construção de coeficientes de volume de compra/venda. Quando os traders de opções estão otimistas, o volume de compra excede o volume de venda, e o coeficiente venda/compra cai. Uma atitude pessimista se reflete em maior volume de venda e um coeficiente de venda/compra mais alto. O coeficiente venda/compra geralmente é encarado com um indicador de tendência contrária. Um coeficiente muito alto sinaliza um mercado sobrevendido. Um coeficiente muito baixo é um aviso negativo de um mercado sobrecomprado.

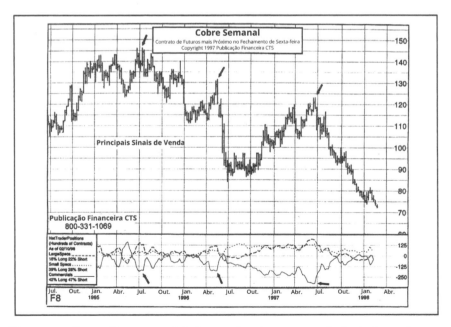

Figura 7.14 *Este gráfico semanal de futuros de cobre mostra três sinais de venda marcados pelas setas. Cada sinal de venda mostra posições de compra das duas categorias de especuladores e uma posição de venda dos comerciais. Os comerciais estavam certos.*

COMBINE SENTIMENTO DE OPÇÕES
COM TÉCNICA

Traders de opções usam números de venda/compra em interesse aberto e volume para determinar extremos em sentimento otimista e pessimista. Essas leituras de sentimento funcionam melhor quando combinadas com mensurações técnicas como suporte, resistência e a tendência do mercado subjacente. Como o timing é tão importante em opções, a maioria dos traders de opções é tecnicamente orientada.

CONCLUSÃO

Assim concluímos a discussão sobre volume e interesse aberto, pelo menos, por ora. A análise de volume é usada em todos os mercados financeiros — futuros, opções e ações. O interesse aberto se aplica só a futuros e opções. Mas, como os futuros e opções são operados em diversos veículos do mercado de ações, é útil compreender como funciona o interesse aberto nas três arenas financeiras. Na maioria de nossas discussões até agora, nos concentramos em gráficos de barras diários. O próximo passo é ampliar nosso horizonte de tempo e aprender a aplicar as ferramentas que vimos a gráficos semanais e mensais, a fim de realizar uma análise de tendência de longo prazo. Faremos isso no próximo capítulo.

8
Gráficos de Longo Prazo

INTRODUÇÃO

De todos os gráficos utilizados pelo analista técnico na previsão e operação nos mercados financeiros, o gráfico de barras *diário* é, de longe, o mais popular. O gráfico de barras diário geralmente cobre apenas um período de seis a nove meses. Entretanto, como a maioria dos traders limita seus interesses à ação de mercado de prazo relativamente curto, os gráficos de barras diários conquistaram ampla aceitação como a principal ferramenta de trabalho do grafista.

Porém, a dependência do trader médio em relação a esses gráficos diários e a preocupação com o comportamento do mercado de curto prazo fazem com que muitos ignorem uma área muito útil e recompensadora dos gráficos de preços — *o uso de gráficos semanais e mensais para análise de tendências e previsão de maior alcance.*

O gráfico de barras diário abrange um período de tempo relativamente curto na vida de qualquer mercado. No entanto, uma análise de tendências minuciosa de um mercado deve incluir algumas considerações de como o preço diário do mercado está se movendo em relação a sua estrutura e

189

tendência de longo prazo. Para realizar essa tarefa, *devem ser empregados gráficos de alcance maior.* Enquanto no gráfico de barras diário cada barra representa o price action de um dia, em gráficos semanais e mensais, cada barra de preço representa a ação de preço de uma semana e um mês, respectivamente. *O objetivo de gráficos semanais e mensais é comprimir o price action de tal forma que o horizonte de tempo possa ser amplamente expandido e períodos de tempo muito mais longos possam ser estudados.*

A IMPORTÂNCIA DE UMA PERSPECTIVA DE LONGO PRAZO

Gráficos de preço de longo prazo proporcionam uma perspectiva da tendência de mercado que seria impossível de atingir apenas com o uso de gráficos diários. Durante nossa apresentação da filosofia técnica no Capítulo 1, ressaltamos que uma das maiores vantagens da análise gráfica é a aplicação de seus princípios a praticamente qualquer dimensão de tempo, incluindo previsão de longo prazo. Também tratamos do falso conceito, defendido por alguns, de que a análise técnica deve se limitar ao "timing" de curto prazo, deixando a previsão de longo prazo para a análise fundamentalista.

Os gráficos correspondentes demonstrarão que os princípios da análise técnica — incluindo a análise de tendências, níveis de suporte e resistência, linhas de tendência, retrações percentuais e padrões de preço — prestam-se bem à análise de movimentos de preço de longo prazo. *Quem não consultar esses gráficos de longo prazo estará perdendo uma quantidade imensa e valiosa de informações de preço.*

CONSTRUÇÃO DE GRÁFICOS CONTÍNUOS PARA MERCADOS FUTUROS

O contrato de futuros regular tem uma vida de trading de cerca de um ano e meio antes do vencimento. Esta característica de *vida limitada* causa alguns problemas óbvios para o analista técnico interessado em construir

Gráficos de Longo Prazo

um gráfico de longo prazo iniciado vários anos antes. Técnicos do mercado de ações não têm esse problema. Gráficos para ações ordinárias individuais e médias de mercado desde o início da operação são encontrados com facilidade. Como, então, o técnico de futuros constrói gráficos de longo prazo para contratos que vencem constantemente?

A resposta é o gráfico *contínuo*. Note a ênfase na palavra "contínuo". A técnica normalmente empregada é simplesmente ligar vários contratos para proporcionar continuidade. Quando um contrato vence, outro é usado. A fim de atingir esse objetivo, o método mais simples e usado pela maioria de serviços gráficos é *sempre usar o preço do contrato com vencimento mais próximo*. Quando o contrato de vencimento mais próximo para de ser operado, o seguinte na fila se torna o contrato mais próximo e passa a ser plotado.

Outros Meios de Construir Gráficos Contínuos

A técnica de ligar preços dos contratos com vencimento mais próximo é relativamente simples e resolve o problema de proporcionar a continuidade de preço. Entretanto, há alguns problemas com esse método. Às vezes, o contrato prestes a vencer pode estar sendo operado com um prêmio ou desconto significativo em relação ao próximo contrato, e a transição para o novo contrato pode causar uma queda ou elevação de preço repentina no gráfico. Outra distorção em potencial é a extrema volatilidade experimentada por alguns contratos spot imediatamente antes do vencimento.

Analistas técnicos de futuros criaram vários meios de lidar com essas distorções ocasionais. Alguns param de plotar o contrato mais próximo um mês ou dois antes do vencimento, para evitar a volatilidade no mês de vencimento. Outros evitarão usar o contrato mais próximo totalmente e, em vez disso, plotarão o segundo ou terceiro contrato. Outro método é plotar o contrato com o interesse aberto mais alto na suposição de que esse mês de entrega é a representação mais fiel do valor de mercado.

Gráficos contínuos também podem ser construídos ligando-se meses específicos. Por exemplo, um gráfico contínuo de soja de novembro combinaria apenas dados históricos fornecidos por cada contrato de soja de novembro de anos sucessivos. (Essa técnica de ligar meses de entrega específicos foi defendido por W.D. Gann.) Alguns grafistas vão ainda mais longe, obtendo a média de preços de vários contratos ou construindo índices que tentam atenuar a transição com ajustes no prêmio ou desconto de preços.

O PERPETUAL CONTRACT™

Uma solução inovadora para o problema da continuidade de preço foi desenvolvido por Robert Pelletier, presidente da Commodity Systems, Inc., um serviço de dados de commodities e ações (CSI. 200 W. Palmetto Park Road, Boca Raton, FL 33422), chamada *Perpetual Contract*.™ ("Perpetual Contract™" é a marca registrada da empresa.)

O objetivo do Perpetual Contract™ [Contrato Perpétuo] é fornecer um histórico de anos de preços de futuros em uma série de tempo contínua. Ele é acompanhado pela construção de uma série de tempo com base em um período de tempo futuro constante. Por exemplo, a série determinaria o valor de três ou seis meses no futuro. Esse período de tempo varia e pode ser escolhido pelo usuário. O Perpetual Contract™ é construído a partir da média ponderada de dois contratos de futuros que cercam o período de tempo desejado.

O valor do Perpetual Contract™ não é um preço real, mas uma média ponderada de dois outros preços. A principal vantagem do Perpetual Contract™ é a eliminação da necessidade de usar só o próximo contrato a vencer e atenuar a série de preços com a eliminação de distorções que podem ocorrer durante a transição entre os meses de entrega. Para fins de análise gráfica, os gráficos contínuos do mês mais próximo publicados por serviços gráficos são mais do que aceitáveis. Uma série contínua de preços, contudo, é mais útil para sistemas de trading e indicadores para verificações posteriores. Uma explicação mais completa de meios de construir contratos de futuros contínuos é oferecida por Greg Morris, no apêndice D.

TENDÊNCIAS DE LONGO PRAZO CONTESTAM A ALEATORIEDADE

Entre as características mais marcantes dos gráficos de longo prazo está o fato de que as tendências não só são claramente definidas, mas as tendências de longo prazo muitas vezes duram anos. Imagine fazer uma previsão com base em uma dessas tendências de longo prazo e não ter de mudá-la durante vários anos!

A persistência das tendências de longo prazo suscita outra questão interessante que deve ser mencionada — a aleatoriedade. Embora os analistas técnicos não concordem com a teoria de que a ação do mercado é aleatória e imprevisível, parece seguro observar que qualquer aleatoriedade que exista no price action provavelmente é um fenômeno de prazo muito curto. *A persistência de tendências existentes em períodos mais longos de tempo, em muitos casos por anos, é um forte argumento contra as alegações dos Teóricos do Random Walk de que os preços são serialmente independentes e que o price action passado não afeta o price action futuro.*

PADRÕES NOS GRÁFICOS: REVERSÕES SEMANAIS E MENSAIS

Padrões de preço aparecem nos gráficos de longo prazo, que são interpretados da mesma forma que nos gráficos diários. *Topos e fundos duplos* são proeminentes nesses gráficos, assim como reversões de cabeça e ombros. *Triângulos*, que geralmente são padrões contínuos, são vistos com frequência.

Outro padrão que ocorre com bastante frequência nesses gráficos é o de *reversão semanal e mensal*. Por exemplo, no gráfico mensal, uma nova alta mensal seguida por um fechamento abaixo do fechamento do mês anterior muitas vezes representa um momento decisivo, principalmente se ocorrer perto de uma área de suporte ou resistência importante. Reversões semanais são muito frequentes nos gráficos semanais. Esses padrões são o equivalente ao *dia de reversão-chave* nos gráficos diários, com a exceção de que em gráficos de longo prazo essas reversões têm importância muito maior.

GRÁFICOS DE LONGO A CURTO PRAZO

Ao se realizar uma análise de tendências minuciosa, é especialmente importante avaliar a ordem em que os gráficos de preço devem ser estudados. A ordem correta a seguir na análise gráfica é começar com o longo prazo e gradativamente passar ao curto prazo. O motivo para isso fica evidente quando se trabalha com diferentes dimensões de tempo. Se o analista começar apenas com o cenário de curto prazo, ele será obrigado a revisar as conclusões à medida que mais dados de preços forem considerados. É possível que a análise minuciosa de um gráfico diário tenha de ser totalmente refeita após se observar os gráficos de longo prazo. Ao começar pelo quadro geral, recuando até vinte anos, todos os dados a serem considerados já estão incluídos no gráfico, e uma perspectiva adequada é atingida. Quando o analista conhece a posição do mercado a partir de uma perspectiva de longa duração, ele pode se concentrar gradativamente no curto prazo.

O primeiro a ser considerado é o gráfico mensal de vinte anos. O analista procura os padrões gráficos mais evidentes, as linhas de tendência importantes ou a proximidade de níveis de suporte ou resistência significativos. Ele então consulta os cinco anos mais recentes no gráfico semanal, repetindo o mesmo processo. Em seguida, o analista reduz o foco para os últimos seis a nove meses da ação de mercado no gráfico de barras diário, dessa forma indo de uma abordagem "macro" a uma "micro". Se o trader quiser avançar mais, então gráficos intraday podem ser consultados para um estudo ainda mais microscópico da ação recente.

POR QUE GRÁFICOS DE LONGO PRAZO DEVEM SER AJUSTADOS PELA INFLAÇÃO?

Uma questão muitas vezes levantada sobre gráficos de longo prazo é se os níveis de preço históricos vistos nos gráficos podem ou não ser ajustados de acordo com a inflação. Afinal, esses picos e vales de longa duração têm validade se não forem ajustados para refletir as mudanças no valor do dólar norte-americano? Este ponto gera controvérsia entre os analistas.

Não acredito que seja necessário qualquer ajuste nesses gráficos de longo prazo, por vários motivos. O principal é que acredito que os próprios mercados realizam os ajustes necessários. A queda no valor de uma moeda faz com que o valor das commodities cotadas segundo essa moeda aumente. Portanto, a queda do valor do dólar contribui para o aumento dos preços das commodities. Uma alta no dólar causaria a queda no preço da maioria das commodities.

Os imensos ganhos de preço no mercado de commodities durante os anos de 1970 e as quedas nos anos de 1980 e 1990 são exemplos clássicos da atuação da inflação. Sugerir que os níveis de preços das commodities que tinham dobrado e triplicado deveriam então ser ajustados para refletir o aumento da inflação não teria feito nenhum sentido. A alta nos mercados de commodities já era uma manifestação dessa inflação. A queda dos mercados de commodities desde os anos de 1980 refletem um longo período de desinflação. Devemos tomar os preços do ouro, que agora vale menos da metade do que valia em 1980, e ajustá-lo a fim de refletir a taxa de inflação menor? O mercado já cuidou disso.

O ponto final nesse debate trata de uma questão essencial da teoria técnica, que afirma que o price action considera tudo, mesmo a inflação. Todos os mercados financeiros se ajustam a períodos de inflação e deflação e a mudanças nos valores cambiais. A verdadeira resposta para se gráficos de longo prazo devem ser ajustados pela inflação reside nos próprios gráficos. Muitos mercados falham em níveis de resistência históricos definidos muitos anos antes e então voltam a níveis de suporte não vistos há anos. Também fica claro que a queda da inflação desde o início dos anos de 1980 ajudou a sustentar mercados em alta em títulos e ações. Parece que esses mercados já fizeram seu próprio ajuste de inflação. (Veja a Figura 8.1.)

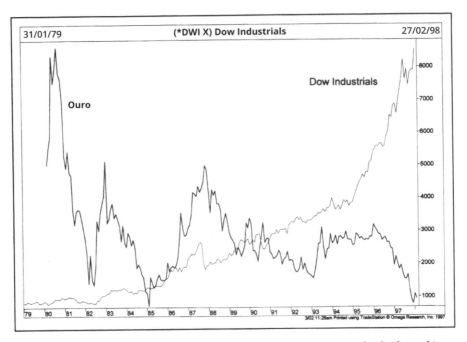

Figura 8.1 *O pico do preço do ouro em 1980 iniciou um período de duas décadas de baixa inflação. A baixa inflação normalmente causa a queda dos preços do ouro e o aumento dos preços das ações, como mostra este gráfico. Por que ajustar os gráficos de novo pela inflação? Isso já foi feito.*

GRÁFICOS DE LONGO PRAZO SÃO INADEQUADOS PARA FINS DE TRADE

Gráficos de longo prazo são inadequados para fins de trade. É preciso fazer uma distinção entre *análise* de mercado para fins de previsão e o *timing* para se comprometer no mercado. Gráficos de longo prazo são úteis no processo analítico de ajudar a determinar a tendência principal e os objetivos de preços. Eles não se prestam, contudo, para o timing dos pontos de entrada e saída e não devem ser usados com esse objetivo. Para essa tarefa sensível, deve-se utilizar gráficos diários e intraday.

Gráficos de Longo Prazo

EXEMPLOS DE GRÁFICOS DE LONGO PRAZO

As próximas páginas contêm exemplos de gráficos de longo prazo semanais e mensais (Figuras 8.2–8.12). A representação nos gráficos se limita a níveis de suporte e resistência, linhas de tendência, retrações de porcentagens, reversões semanais e um padrão de preço ocasional de longo prazo. Lembre-se, porém, de que o que pode ser feito em um gráfico diário também pode ser feito em um gráfico semanal ou mensal. Mais adiante no livro, mostraremos como é realizada a aplicação de vários indicadores técnicos a esses gráficos de longo prazo, e como os sinais em gráficos semanais se tornam filtros valiosos para decisões de timing de prazo mais curto. Lembre-se também de que as escalas nesse gráfico *semilog* são mais valiosas quando se estudam tendências de preços de longo prazo.

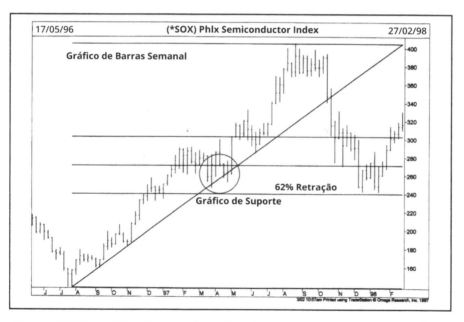

Figura 8.2 *Este gráfico de ações de semicondutores mostra a perspectiva valiosa de um gráfico semanal. A queda de preços no final de 1997 parou exatamente no nível de retração de 62% e se afastou do suporte do gráfico formado na primavera anterior (veja o círculo).*

Figura 8.3 *O fundo do início de 1998 na General Motors começou exatamente na linha de tendência formada ao longo das baixas entre 1995 e 1996. É por esse motivo que é uma boa ideia rastrear gráficos semanais.*

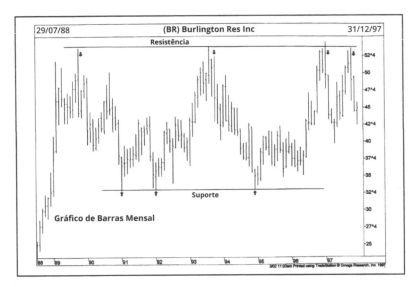

Figura 8.4 *Este gráfico mensal mostra o rali de 1997 na Burlington Resources parando exatamente no mesmo nível em que pararam os ralis de 1989 e 1993. O fundo de 1995 ficou no mesmo nível daquele de 1991. Quem disse que gráficos não têm memória?*

Gráficos de Longo Prazo

Figura 8.5 *Durante o rali de 1997, um investidor da Inco Ltd. poderia ter se beneficiado do conhecimento de que os topos de 1989, 1991 e 1995 ocorreram exatamente em 38.*

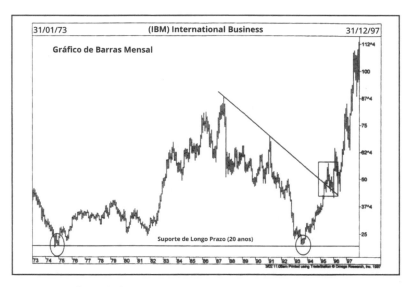

Figura 8.6 *Gráficos de longo prazo são importantes? O fundo de 1993 na IBM ficou no mesmo nível que o fundo formado 20 anos antes, em 1974. O rompimento de uma linha de tendência de baixa de 8 anos (veja box) em 1995 confirmou a nova tendência de alta importante.*

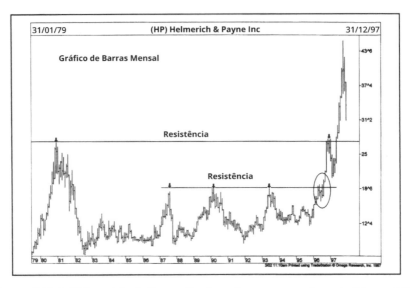

Figura 8.7 A *Helmerich & Payne finalmente rompeu acima de 19, em 1996, depois de cair em 1987, 1990 e 1993. A retração no final de 1996 em 28 ocorreu perto do pico de 1980.*

Figura 8.8 *Este gráfico mensal da Dow Jones mostra um fundo de cabeça e ombros se formando por 10 anos de 1988 a 1997. O ombro direito também tem a forma de um triângulo ascendente de alta. O breakout acima do pescoço em 42 completou o fundo.*

Gráficos de Longo Prazo **201**

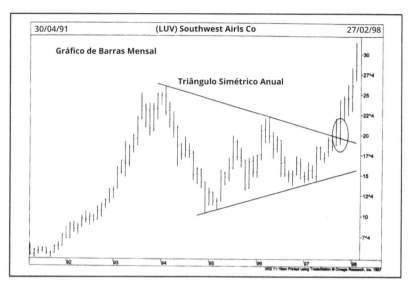

Figura 8.9 *Foi fácil identificar um triângulo simétrico de alta no gráfico mensal da Southwest Airlines. Porém, você provavelmente não o teria visto em um gráfico diário.*

Figura 8.10 *O fundo de 1994 na Dow Utilities subiu em uma linha de tendência que durou 20 anos. Há quem alegue que o preço passado não influencia o preço futuro. Se você ainda acredita nisso, volte e reveja esses gráficos de longo prazo.*

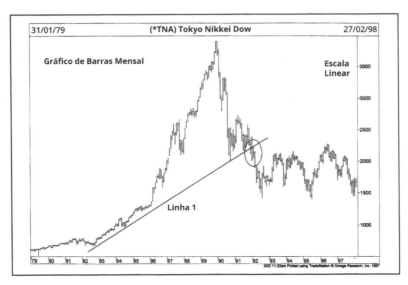

Figura 8.11 *Neste gráfico de escala linear do mercado de ações japonês, a linha de tendência de alta de longo prazo (Linha 1) representada abaixo dos mínimos de 1982 e 1984 foi rompida no início de 1992 (veja o círculo) perto de 22 mil. Isso ocorreu 2 anos após o pico real.*

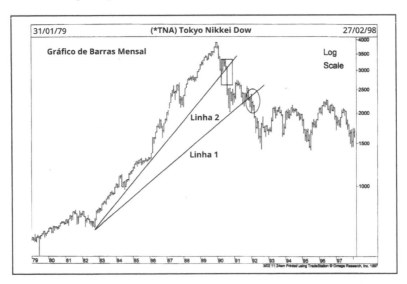

Figura 8.12 *O mesmo gráfico japonês da Figura 8.11 usando escala log. A Linha 1 é a linha de tendência da figura anterior. A linha mais inclinada foi rompida em meados dos anos de 1990 (veja box) em 30 mil. Linhas de tendência de alta em gráficos log são rompidas antes de linhas de tendência de alta lineares.*

Médias Móveis

INTRODUÇÃO

A *média móvel* é um dos indicadores técnicos mais versáteis e mais usados. Devido à maneira como é construído e ao fato de que pode ser facilmente quantificado e testado, ela é a base de muitos sistemas mecânicos de seguimento de tendências usados atualmente.

Testar a análise gráfica é uma tarefa altamente subjetiva e difícil. Como resultado, a análise gráfica não se presta muito bem à informatização. Por outro lado, muitas regras das médias móveis podem ser facilmente programadas em um computador, o que então gera sinais de compra e venda específicos. Embora dois técnicos possam discordar sobre se determinado padrão de preço é um *triângulo* ou uma *cunha*, ou se o padrão de volume favorece o lado altista ou baixista, os sinais de tendência das médias móveis são precisos e não são discutíveis.

Começaremos definindo o que é uma *média móvel*. Como indica a primeira palavra, é a *média* em um certo conjunto de dados. Por exemplo, caso se deseje uma média de preços de fechamento de 10 dias, os preços dos últimos 10 dias são somados e o total é dividido por 10. O termo *móvel* é usado porque somente os preços dos últimos 10 dias são usados no cálculo. Consequentemente, o conjunto de dados a ter a média calculada (os últimos 10 preços de fechamento) avança a cada novo dia de operação. O modo mais comum de calcular a média móvel é partir do total de preços de fechamento dos últimos 10 dias. O novo fechamento é acrescentado ao total diariamente, e o fechamento de 11 dias é subtraído. O novo total é então dividido pelo número de dias (10). (Veja a Figura 9.1a.)

O exemplo citado trata de uma média móvel de 10 dias de preços de fechamento. Contudo, existem outros tipos de médias móveis não tão simples. Também há muitas dúvidas quanto ao melhor modo de empregar a média móvel. Por exemplo, quantos dias devem entrar para o cálculo da média? Devemos usar uma média de curto ou longo prazo? Existe uma média móvel *melhor* para todos os mercados ou para cada mercado individual? O preço de fechamento é o melhor preço a ser usado no cálculo da média? É melhor usar mais de uma média? Que tipo de média funciona melhor — uma média simples, ponderada ou exponencialmente suavizada? Há momentos em que as médias móveis funcionam melhor do que outras?

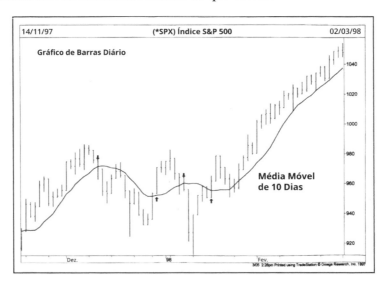

Figura 9.1a *Uma média móvel de 10 dias aplicada a um gráfico de barras diário na S&P 500. Os preços cruzaram a linha média várias vezes (veja as setas) antes de finalmente aumentarem. Os preços se mantiveram acima da média durante o rali subsequente.*

Há muitas questões a serem consideradas quando se usam médias móveis. Trataremos de várias dessas questões neste capítulo e mostraremos exemplos de alguns usos mais comuns da média móvel.

A MÉDIA MÓVEL: UM DISPOSITIVO SUAVIZADOR COM DEFASAGEM DE TEMPO

A *média móvel* é essencialmente um dispositivo de seguimento de tendências. Seu objetivo é identificar ou sinalizar que uma nova tendência começou ou que uma velha terminou ou se reverteu. Seu objetivo é acompanhar o avanço da tendência. Ela pode ser encarada como uma linha de tendência em curva. Porém, ela não prevê a ação do mercado no mesmo sentido em que a análise gráfica tenta fazer. A média móvel é seguidora, não líder. Ela nunca prevê, apenas reage. A média móvel segue o mercado e nos diz que uma tendência começou, mas somente após o fato.

A média móvel é um dispositivo suavizador. Ao calcular a média dos dados de preços, é criada uma linha mais suave, facilitando muito a tarefa de ver a tendência subjacente. No entanto, por sua natureza, a linha da média móvel também apresenta uma defasagem em relação à ação do mercado. Uma média móvel mais curta, como uma média de 20 dias, seria mais fiel ao price action do que uma média de 200 dias. A defasagem de tempo é reduzida com médias mais curtas, mas nunca pode ser totalmente eliminada. Médias de curto prazo são mais sensíveis ao price action, enquanto médias de longo prazo são menos sensíveis. Em certos tipos de mercado, é mais vantajoso usar uma média menor, e em outros, é mais útil empregar uma média mais longa e menos sensível. (Veja a Figura 9.1b.)

Com que Preços Calcular a Média

Temos usado o preço de fechamento em todos os nossos exemplos até agora. Entretanto, embora o preço de fechamento seja considerado o mais importante do dia da operação e o mais comumente usado na construção da média móvel, o leitor deve estar ciente de que alguns analistas técnicos preferem usar outros preços. Alguns preferem usar um valor de *ponto médio*, que é calculado ao se dividir os limites do dia por dois.

Figura 9.1b *A comparação de uma média móvel de 20 e 200 dias. Durante o período lateral de agosto a janeiro, os preços cruzaram a média menor várias vezes. Entretanto, eles permaneceram acima da média de 200 dias em todo o período.*

Outros incluem o preço de fechamento em seu cálculo somando o preço máximo, mínimo e de fechamento e dividindo o resultado por três. Outros, ainda, preferem construir *bandas de preço*, calculando a média de preços máximo e mínimos separadamente. O resultado são duas linhas de médias móveis separadas que agem como uma espécie de aparador de volatilidade ou zona neutra. Apesar dessas variações, o preço de fechamento ainda é o mais comumente usado para a análise da média móvel, e é o preço que focaremos mais neste capítulo.

A Média Móvel Simples

A *média móvel simples*, ou a média aritmética, é o tipo usado pela maioria dos analistas técnicos. Mas há quem questione sua utilidade em dois pontos. A primeira crítica é que apenas o período coberto pela média (por exemplo, os últimos dez dias) é levado em consideração. A segunda é que a média móvel simples confere o mesmo peso ao preço de cada dia. Em uma média de 10 dias, o último dia recebe o mesmo peso no cálculo que o primeiro. Ao preço de cada dia é atribuído um peso de 10%. Em uma média de 5 dias, cada dia teria um peso igual de 20%. Alguns analistas acham que deveria ser dado um peso maior ao price action mais recente.

A Média Móvel Ponderada Linear

Em uma tentativa de corrigir o problema do peso, alguns analistas empregam uma *média móvel ponderada linear*. Neste cálculo, o preço de fechamento do 10º dia (no caso de uma média de 10 dias) seria multiplicado por 10; o 9º dia, por 9; o 8º, por oito, e assim por diante. Assim, o maior peso é conferido aos fechamentos mais recentes. O total é então dividido pela soma dos multiplicadores (55, no caso da média de 10 dias: 10 + 9 + 8 + ... + 1). Entretanto, a média móvel ponderada linear ainda não resolve o problema de incluir apenas o price action coberto pela extensão da média em si.

A Média Móvel Exponencial Suavizada

Este tipo de média trata dos problemas associados com a média móvel simples. Primeiro, a média exponencial suavizada confere um peso maior a dados mais recentes. Consequentemente, é uma média móvel ponderada. Mas, embora ela atribua menor importância a dados de preço passados, inclui em seu cálculo todos os dados da vida do instrumento. Além disso, o usuário pode ajustar a ponderação a fim de conferir maior ou menor peso para o preço mais recente do dia. Isso é feito atribuindo-se um valor percentual ao último preço do dia, que é somado a uma porcentagem do valor do dia anterior. A soma dos dois valores percentuais chega a 100. Por exemplo, ao preço do último dia pode ser atribuído um valor de 10% (.10), que é somado ao valor do dia anterior de 90% (.90). Isso dá ao último dia 10% do peso total. Isso seria o equivalente de uma média de 20 dias. Ao atribuir ao preço do último dia um valor menor de 5% (.05), menor peso é dado aos dados do último dia, e a média é menos sensível. Isso seria o equivalente a uma média móvel de 40 dias. (Veja a Figura 9.2.)

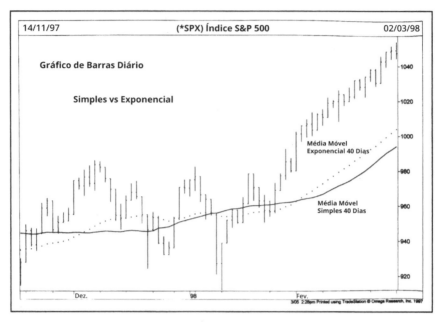

Figura 9.2 *A média móvel exponencial de 40 dias (linha pontilhada) é mais sensível que a média móvel aritmética simples de 40 dias (linha reta).*

O computador facilita muito essa tarefa. Você só precisa escolher o número de dias que quer na média móvel — 10, 20, 40 etc. Em seguida, escolha o tipo de média que deseja — simples, ponderada ou exponencialmente suavizada. Você também pode escolher quantas médias quiser — uma, duas, três.

O Uso de Uma Média Móvel

A média móvel simples é uma das mais comumente usadas pelos analistas técnicos, e é nela que nos concentraremos. Alguns traders usam apenas uma média móvel para gerar sinais de tendência. A média móvel é plotada no gráfico de barras em seu dia de trade apropriado com o price action desse dia. Um sinal de compra é gerado quando o preço de fechamento se move acima da média móvel. Um sinal de venda é dado quando o preço se move abaixo da média móvel. Para confirmação adicional, alguns analistas técnicos também gostam de ver a linha da média móvel se virar na direção do cruzamento de preços. (Veja a Figura 9.3.)

Médias Móveis

Quando é empregada uma média de prazo muito curto (de cinco ou dez dias), a média rastreia preços de perto e ocorrem vários cruzamentos. Essa ação pode ser boa ou ruim. O uso de uma média muito sensível produz mais trades (com custos de comissão mais altos) e resulta em muitos sinais falsos (whipsaws). Se a média for muito sensível, parte do movimento de preço aleatório de curto prazo (ou ruído) ativa sinais de tendência desfavorável.

Figura 9.3 *Os preços caíram abaixo da média de 50 dias em outubro (veja o círculo esquerdo). O sinal de venda é mais forte quando a média móvel também diminui (veja a seta esquerda). O sinal de compra em janeiro foi confirmado quando a média aumentou.*

Embora a média menor gere mais sinais falsos, ela tem a vantagem de oferecer sinais de tendência antecipadamente no movimento. A conclusão lógica é que, quanto mais sensível for a média, mais cedo os sinais surgirão. Assim, aqui ocorre uma troca. O segredo está em encontrar uma média sensível o suficiente para gerar sinais precoces, mas insensível o bastante para evitar a maioria dos "ruídos" aleatórios. (Veja a Figura 9.4.)

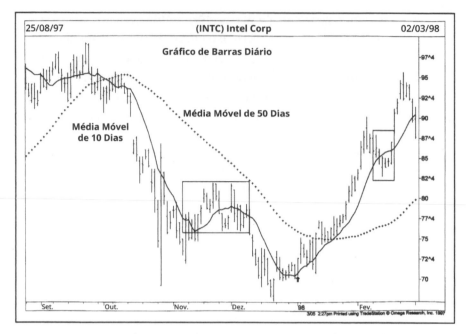

Figura 9.4 *Uma média menor dá sinais precoces. A média mais longa é mais lenta, mas mais confiável. A de dez dias aumentou primeiro no fundo. Mas ela também deu um sinal de compra prematuro em novembro e um sinal de venda inoportuno em fevereiro (veja boxes).*

Vamos levar essa comparação um passo adiante. Embora a média mais longa tenha melhor desempenho enquanto a tendência está em movimento, ela "devolve" muito mais quando a tendência se reverte. A insensibilidade da média mais longa (o fato de ela ter rastreado a tendência de uma distância maior), o que evitou que se emaranhasse em correções de curto prazo durante a tendência, trabalha contra o trader quando a tendência realmente se reverte. Consequentemente, citaremos outro resultado: as médias mais longas funcionam melhor enquanto a tendência permanece ativa, mas uma média mais curta é melhor quando a tendência está em processo de reversão.

Assim, fica mais claro que o uso de apenas uma média móvel apresenta várias desvantagens. Geralmente, é mais vantajoso empregar duas médias móveis.

Médias Móveis

Como Usar Duas Médias para Gerar Sinais

Esta técnica é chamada de *método do cruzamento duplo*. Isso significa que um sinal de compra é produzido quando a média mais curta cruza acima da média mais longa. Por exemplo, duas combinações populares são as médias de 5 e 20 dias e as médias de 10 e 50 dias. Na primeira, o sinal de compra ocorre quando a média de 5 dias cruza acima daquela de 20, e o sinal de venda, quando a média de 5 dias se move abaixo da média de 20. No segundo exemplo, o cruzamento de 10 dias acima de 50 sinaliza uma tendência de alta, e uma tendência de baixa ocorre com o 10 passando abaixo do 50. Esta técnica de usar duas médias em conjunto apresenta uma defasagem em relação ao mercado um pouco maior do que o uso de uma média única, mas produz menos whipsaws. (Veja as Figuras 9.5 e 9.6.)

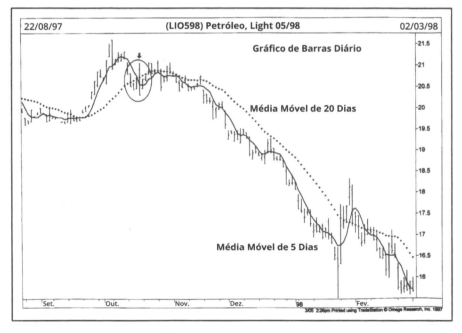

Figura 9.5 *O método do cruzamento duplo usa duas médias móveis. A combinação de 5 e 20 dias é popular com traders de futuros. O dia 5 caiu abaixo do dia 20 em outubro (veja o círculo) e apanhou toda a tendência de baixa nos preços do petróleo.*

O Uso de Três Médias ou o Método de Cruzamento Triplo

Isso nos traz ao *método de cruzamento triplo*. O sistema de cruzamento triplo mais usado é a popular *combinação de médias móveis de 4-9-18 dias*. O método de 4-9-18 é usado principalmente na negociação de futuros. Esse conceito foi primeiramente mencionado por R.C. Allen em seu livro de 1972, *How to Build a Fortune in Commodities* [Como Construir uma Fortuna em Commodities, em tradução livre] e novamente mais tarde em um trabalho de 1974 do mesmo autor, *How to Use the 4-Day, 9-Day and 18-Day Moving Averages to Earn Larger Profits from Commodities* [Como Usar as Médias Móveis de 4-9-18 Dias para Obter Lucros Maiores com Commodities, em tradução livre]. O sistema de 4-9-18 dias é uma variação dos números da média móvel de 5, 10 e 20 dias, que são amplamente usados nos círculos de commodities. Muitos serviços gráficos comerciais publicam as médias móveis de 4-9-18 dias. (Muitos pacotes de software gráficos usam a combinação como seus valores-padrão ao plotar três médias.)

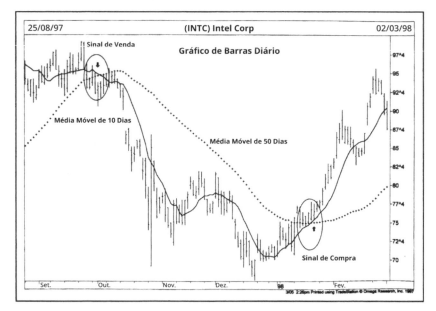

Figura 9.6 *Traders de ações usam médias móveis de 10 e 50 dias. A de 10 dias caiu abaixo da de 50 dias em outubro (círculo esquerdo), dando um sinal de venda oportuno. O cruzamento de alta em outra direção ocorreu em janeiro (círculo inferior).*

Como Usar o Sistema de Média Móvel de 4-9-18 Dias

Já explicamos que, quanto mais curta a média móvel, mais de perto ela acompanha a tendência de preço. É lógico, então, que a mais curta das três médias — de 4 dias — acompanhe a tendência mais de perto, seguida pela de 9, e depois pela de 18 dias. Assim, em uma tendência de alta, o alinhamento adequado seria que a média de 4 dias ficasse acima daquela de 9 dias, que está acima da média de 18 dias. Em uma tendência de baixa, a ordem se inverte, e o alinhamento é exatamente o oposto. Isto é, a média de 4 dias seria a mais baixa, seguida pela de 9 dias, e então pela média de 18 dias. (Veja as Figuras 9.7a–b.)

Um alerta de compra ocorre em uma tendência de baixa quando o dia 4 cruza acima do 9 e do 18. A confirmação do sinal de compra ocorre quando o dia 9 cruza acima do 18. Esse fato coloca o dia 4 acima do dia 9, que está acima do dia 18. Pode ocorrer alguma sobreposição durante as correções ou consolidações, mas a tendência de alta geral continua intacta. Alguns traders podem obter lucros durante o processo de sobreposição e outros talvez o usem como oportunidade de compra. Obviamente, aqui há muito espaço para flexibilidade ao se aplicar as regras, dependendo da agressividade com que se quer negociar.

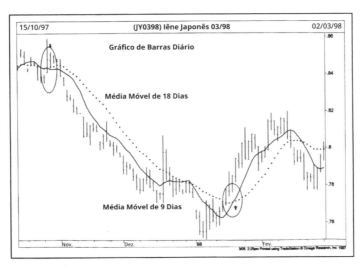

Figura 9.7a *Traders de futuros gostam da combinação de médias móveis de 9 e 18 dias. Um sinal de venda foi dado no final de outubro (primeiro círculo) quando o dia 9 caiu abaixo do dia 18. Um sinal de compra foi dado no início de 1998 quando o dia 9 voltou a cruzar acima do dia 18.*

Quando uma tendência de alta se reverte, a primeira coisa que deve ocorrer é a média mais curta (e mais sensível), o dia 4, cair abaixo do dia 9 e do dia 18. Este é apenas um alerta de venda. Alguns traders, porém, podem usar esse cruzamento inicial para justificar o início de uma liquidação de posições compradas. Então, se a próxima média mais longa — dia 9 — cair abaixo do dia 18, é dada a confirmação de um sinal de venda a descoberto.

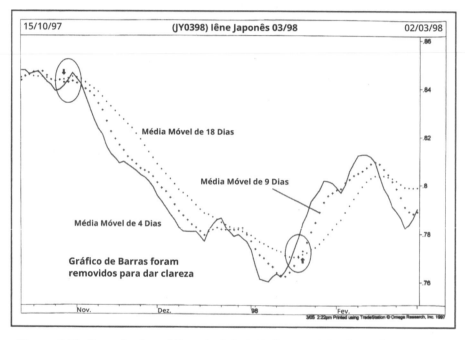

Figura 9.7b *O combo da média móvel de 4-18 dias também é popular entre traders de futuros. Na parte inferior, o dia 4 (linha reta) surge primeiro e cruza as outras duas linhas. Em seguida, o dia 9 cruza acima do dia 18 (veja o círculo), sinalizando uma baixa.*

ENVELOPES DE MÉDIAS MÓVEIS

A utilidade de uma única média móvel poder se aumentada cercando-a com envelopes. *Envelopes percentuais* podem ser usados para ajudar a determinar quando houve uma variação excessiva dos preços do mercado em qualquer direção. Em outras palavras, eles nos dizem quando os preços se afastaram demais de sua linha de média móvel. Para atingir esse objetivo, os envelopes são colocados em porcentagens fixas acima e abaixo da média. Por exemplo, traders de curto prazo muitas vezes usam envelopes de 3% ao redor de uma média móvel simples de 21 dias. Quando os preços atingem um dos envelopes (3% da média), considera-se que a tendência de curto prazo ultrapassou o limite. Para análises de longo prazo, algumas combinações possíveis incluem envelopes de 5% ao redor de uma média de 10 semanas ou um envelope de 10% ao redor de uma média de 40 semanas. (Veja as Figuras 9.8a–b.)

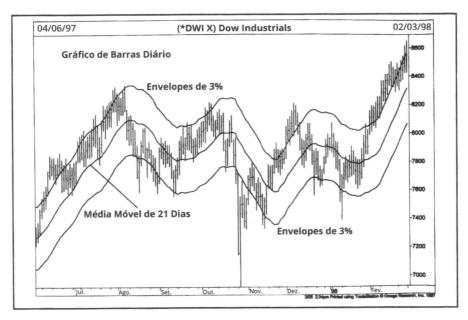

Figura 9.8a *Envelopes de 3% colocados ao redor da média móvel de 21 dias da Dow. Movimentos fora dos envelopes sugerem uma variação excessiva de preços no mercado de ações.*

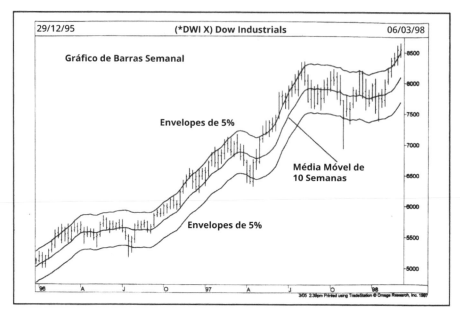

Figura 9.8b *Para análises de prazo mais longo, envelopes de 5% podem ser colocados ao redor da média de 10 semanas. Movimentos fora dos envelopes ajudam a identificar extremos de mercado.*

BANDAS DE BOLLINGER

Esta técnica foi desenvolvida por John Bollinger. Duas bandas de trading são colocadas ao redor de uma média móvel semelhante à da técnica do envelope, com a exceção de que as Bandas de Bollinger são colocadas dois desvios-padrão acima e abaixo da média móvel, que geralmente é de 20 dias. O *desvio-padrão* é um conceito estatístico que descreve como os preços se dispersam em volta de um valor médio. Usar dois desvios-padrão médios garante que 95% dos dados de preço caiam entre as duas bandas de trading. Como regra, considera-se que os preços sofreram variação excessiva na alta (sobrecomprados) quando tocam a banda superior. Considera-se que eles sofreram variação excessiva na baixa (sobrevendidos) quando tocam a banda inferior. (Veja as Figuras 9.9a–b.)

Médias Móveis

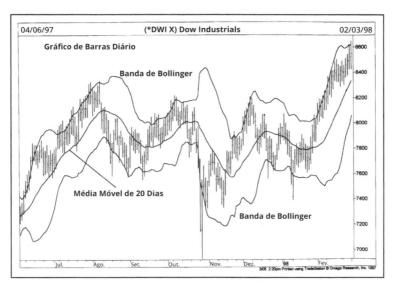

Figura 9.9a *Bandas de Bollinger plotadas ao redor de uma média móvel de 20 dias. Durante o período lateral de agosto a janeiro, os preços continuaram tocando as bandas externas. Quando a tendência de alta foi retomada, os preços foram negociados entre a banda superior e a média de 20 dias.*

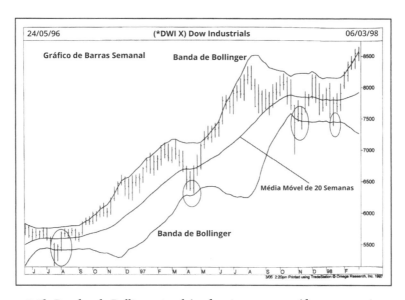

Figura 9.9b *Bandas de Bollinger também funcionam em gráficos semanais, usando uma média de 20 semanas como linha média. Cada toque da banda inferior (veja os círculos) sinalizou um fundo de mercado importante e uma oportunidade de compra.*

USANDO BANDAS DE BOLLINGER COMO ALVOS

O modo mais simples de empregar as Bandas de Bollinger é ter as bandas superior e inferior como alvos de preço. Em outras palavras, se os preços se afastarem da banda inferior e cruzarem acima da média de 20 dias, a banda superior se torna o alvo de preço máximo. Um cruzamento abaixo da média de 20 dias identificaria a banda inferior como alvo de baixa. Em uma tendência forte de alta, os preços geralmente flutuam entre a banda superior e a média de 20 dias. Nesse caso, um cruzamento abaixo da média de 20 dias alerta para uma reversão de tendência para baixo.

A LARGURA DA BANDA MEDE A VOLATILIDADE

Há uma diferença importante entre as Bandas de Bollinger e os envelopes. Enquanto os envelopes mantêm uma largura de porcentagem *constante*, as Bandas de Bollinger se *expandem* e *contraem* com base na volatilidade dos últimos dias. Durante o período de volatilidade de preço crescente, a distância entre as duas bandas aumentará. Por outro lado, durante um período de baixa volatilidade de mercado, a distância entre as duas bandas se contrairá. Há uma tendência de as bandas se alternarem entre expansão e contração. Quando elas estão excepcionalmente separadas, isso muitas vezes é um sinal de que a tendência atual esteja terminando. Quando a distância entre as duas bandas se estreita muito, esse geralmente é um sinal de que o mercado está prestes a iniciar uma nova tendência. As Bandas de Bollinger também podem ser aplicadas a gráficos de preços semanais e mensais usando 20 *semanas* e 20 *meses*, em vez de 20 *dias*. As Bandas de Bollinger funcionam melhor quando combinadas com osciladores sobrecomprados/sobrevendidos que são explicados no próximo capítulo. (Veja mais técnicas de bandas no Apêndice A.)

Centralizando a Média

O modo estatisticamente mais correto de plotar uma média móvel é *centralizá-la*, o que significa colocá-la no meio do período de tempo que abrange. Por exemplo, uma média de 10 dias seria colocada 5 dias atrás. Uma média de 20 dias seria plotada com um recuo de 10 dias no tempo. No entanto, *centralizar* a média apresenta a desvantagem de produzir sinais de mudança de tendência atrasados. Como resultado, as médias móveis geralmente são colocadas no final de um período de tempo analisado, e não no meio. A técnica de centralização é usada quase exclusivamente por analistas cíclicos para isolar ciclos de mercado subjacentes.

MÉDIAS MÓVEIS ATRELADAS A CICLOS

Muitos analistas de mercado acham que *ciclos de tempo* desempenham um papel importante no movimento do mercado. Como esses ciclos são repetitivos e mensuráveis, é possível determinar o momento aproximado em que topos ou fundos de mercado ocorrerão. Muitos ciclos de tempo diferentes existem simultaneamente, de um ciclo de curto prazo de 5 dias para o ciclo de 54 anos de Kondratieff. Falaremos mais desse ramo fascinante da análise técnica no Capítulo 14.

O tema dos ciclos é apresentado aqui apenas para mostrar que parece haver uma relação entre ciclos subjacentes que afetam um determinado mercado e as médias móveis corretas a serem usadas. Em outras palavras, as médias móveis podem ser ajustadas para se adequarem aos ciclos dominantes em cada mercado.

Parece haver uma relação definitiva entre médias móveis e ciclos. Por exemplo, o *ciclo mensal* é um dos ciclos mais conhecidos que operam nos mercados de commodities. O mês tem 20 ou 21 dias de trading. Os ciclos costumam estar relacionados a seus próximos ciclos mais longos ou curtos *harmonicamente*, ou por um fator de dois. Isso significa que o próximo ciclo mais longo tem o dobro de duração de um ciclo, e o próximo ciclo mais curto tem metade dessa duração.

O ciclo mensal, portanto, pode explicar a popularidade das médias móveis de 5, 10, 20 e 40 dias. O ciclo de 20 dias mede o ciclo mensal. A média de 40 dias é o dobro de 20 dias. A média de 10 dias é metade de 20, e a média de 5 dias é, novamente, metade de 10.

Muitas das médias móveis mais comumente usadas (incluindo as médias de 4, 9 e 18 dias, que derivam das de 5, 10 e 20) podem ser explicadas por influências cíclicas e o relacionamento harmônico de ciclos vizinhos. Incidentalmente, o ciclo de 4 semanas também pode ajudar a explicar o sucesso da *regra de 4 semanas*, de que falaremos mais adiante neste capítulo, e seu equivalente mais curto — a *regra de 2 semanas*.

NÚMEROS DE FIBONACCI USADOS COMO MÉDIAS MÓVEIS

Falaremos sobre a série de números de Fibonacci no capítulo sobre a Teoria das Ondas de Elliott. Entretanto, gostaria de mencionar que essa série de números misteriosos — como 13, 21, 34, 55, e assim por diante — parece se prestar muito bem à análise de médias móveis. Isso se aplica não só a gráficos diários, mas também a gráficos semanais. A *média móvel de 21 dias* é um número de Fibonacci. Em gráficos semanais, a média de 13 semanas se mostrou valiosa em ações e commodities. Adiaremos um pouco uma discussão mais profunda desses números até o Capítulo 13.

MÉDIAS MÓVEIS APLICADAS A GRÁFICOS DE LONGO PRAZO

O leitor não deve menosprezar o uso desta técnica em análises de tendências de longo prazo. Médias móveis de longa duração, como 10 ou 13 semanas, junto de médias de 30 ou 40 semanas, têm sido usadas há muito tempo nos mercados de futuros. As médias móveis de 10 e 40 semanas podem ser usadas para ajudar a rastrear a tendência principal em gráficos semanais de futuros e ações. (Veja a Figura 9.10.)

Médias Móveis

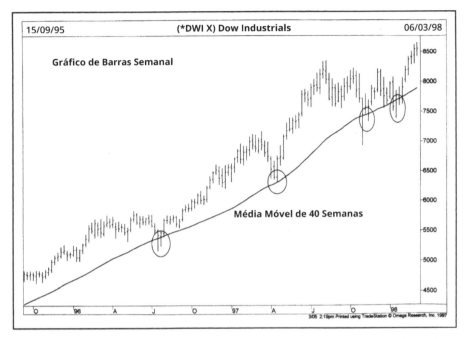

Figura 9.10 *Médias móveis são valiosas em gráficos semanais. A média móvel de 40 semanas deve fornecer suporte durante correções em mercados de alta, como ocorreu aqui.*

Alguns Prós e Contras da Média Móvel

Uma das grandes vantagens de se usar médias móveis e um dos motivos pelos quais são tão populares como sistemas seguidores de tendências, é que elas incorporam algumas das mais antigas máximas de trading bem-sucedido. Elas negociam na direção da tendência e permitem que os lucros ocorram e diminuem os prejuízos. O sistema de média móvel obriga o usuário a obedecer a essas regras oferecendo sinais específicos de compra e venda com base nesses princípios.

Porém, devido à sua natureza de seguidoras de tendências, elas funcionam melhor quando os mercados estão em um período em que acompanham tendências. Seu desempenho deixa muito a desejar quando os mercados estão instáveis e negociam lateralmente por um período. E isso pode ocorrer de 1/3 à metade do tempo.

Todavia, o fato de elas não funcionarem tão bem durante períodos de tempo significativos é uma das principais razões pelas quais é perigoso depender demais da técnica de médias móveis. Em certas tendências de mercado, a média móvel não pode ser vencida. Simplesmente coloque o programa no automático. Em outros momentos, um método nontrending (sem tendências), como o oscilador sobrecomprado-sobrevendido, é mais adequado. (No Capítulo 15, mostraremos um indicador chamado ADX, que informa quando o mercado está seguindo ou não uma tendência, e se o clima do mercado favorece uma técnica de média móvel seguidora de tendências ou uma abordagem oscilante.)

Médias Móveis como Osciladores

Um modo de construir um oscilador é comparar a diferença entre duas médias móveis. O uso de duas médias móveis no método de cruzamento duplo assume maior importância e se torna uma técnica ainda mais útil. Veremos como isso é feito no Capítulo 10. Um método compara duas médias exponencialmente suavizadas. Esse método se chama Convergência/Divergência de Médias Móveis (MACD) e é usado parcialmente como oscilador. Consequentemente, adiaremos nossa explicação dessa técnica para quando tratarmos do tema de osciladores como um todo no Capítulo 10.

A Média Móvel Aplicada a Outros Dados Técnicos

A média móvel pode ser aplicada a praticamente quaisquer dados ou indicadores técnicos. Ela pode ser usada em números de interesse aberto e volume, incluindo volume balanceado. A média móvel também pode ser usada em vários indicadores e coeficientes e pode ser aplica a osciladores.

A REGRA SEMANAL

Existem outras alternativas para a média móvel como dispositivo de seguimento de tendências. Uma das mais conhecidas e mais bem-sucedidas dessas técnicas chama-se *canal de preços semanais* ou, simplesmente, *a regra semanal*. Essa técnica apresenta muitos dos benefícios da média móvel, mas consome menos tempo e é mais simples.

Com as melhorias na tecnologia da computação durante a última década, muitas pesquisas foram realizadas sobre o desenvolvimento de sistemas de trade técnico. Esses sistemas têm natureza mecânica, o que significa que as emoções e o julgamento humanos são eliminados. Esses sistemas têm se tornado cada vez mais sofisticados. Primeiro, foram utilizadas médias móveis simples. Em seguida, foram adicionados cruzamentos duplos e triplos. As médias então foram linearmente ponderadas e exponencialmente suavizadas. Esses sistemas são basicamente seguidores de tendências, o que significa que seu objetivo é identificar e então operar na direção da tendência existente.

Contudo, com o aumento do fascínio por sistemas e indicadores mais sofisticados e complexos, tem havido a tendência de ignorar algumas técnicas mais simples que continuam a funcionar muito bem e resistiram ao teste do tempo. Discutiremos uma das técnicas mais simples — a regra semanal.

E 1970, um livreto chamado *Trader's Notebook* [*Apostila do Trader*, em tradução livre] foi publicado pela Dunn & Hargitt's Financial Services, em Lafayette, Indiana. Os sistemas de trading de commodities mais conhecidos do dia eram testados em computador e comparados. A conclusão final de toda a pesquisa mostrou que o mais bem-sucedido entre os sistemas testados foi o da *regra de 4 semanas*, desenvolvido por Richard Donchian. O Sr. Donchian foi reconhecido como pioneiro no campo de seguir tendências no trade de commodities usando sistemas mecânicos. (Em 1983, a *Managed Account Reports* escolheu Donchian como o primeiro a receber o Most Valuable Performer Award [Prêmio de Mais Valoroso Realizador] e entregou o The Donchian Award a outros indivíduos qualificados.)

Trabalhos mais recentes feitos por Louis Lukac, ex-diretor de pesquisas da Dunn & Hargitt e atual presidente da Wizard Trading (uma consultoria na área de Commodities, em Massachusetts) corroboram as primeiras conclusões de que sistemas de breakout (ou canal) semelhantes à regra semanal continuam a mostrar resultados superiores. (Lukac *et al.*)*

Dos 12 sistemas testados entre 1975 e 1984, apenas 4 geraram lucros significativos. Desses 4, 2 eram sistemas de breakout de canal e um era um sistema de cruzamento de média móvel. Um artigo posterior de Lukac e Brorsen na *Financial Review* (novembro de 1990) publicou os resultados de um estudo mais amplo realizado com dados de 1976 a 1986 que comparou 23 sistemas de trading técnico. Mais uma vez, sistemas de breakout de canal e médias móveis apresentaram os melhores resultados. Finalmente, Lukac concluiu que um sistema de breakout de canal tinha sua preferência como o melhor ponto de partida para o desenvolvimento e testes de sistemas de trading técnico.

A Regra de 4 Semanas

A regra de 4 semanas é usada principalmente para trade de futuros.

O sistema baseado na regra de 4 semanas é muito simples:

1. Cubra posições vendidas e faça compras sempre que o preço exceder a alta das quatro semanas anteriores.
2. Liquide posições de compra e venda a descoberto sempre que o preço cair abaixo do mínimo das quatro semanas anteriores.

O sistema, conforme é apresentado aqui, é contínuo, o que significa que o trader sempre tem uma posição, de compra ou venda. Como regra geral, sistemas contínuos têm um ponto fraco básico. Eles continuam no mercado e recebem "sinais enganosos" (whipsaws) durante períodos em que o mercado está sem tendências. Já enfatizamos que sistemas seguidores de tendências não funcionam bem quando os mercados se encontram nessas fases laterais e sem tendência.

---

* Veja Bibliografia.

A regra de 4 semanas pode ser modificada de modo a torná-la não contínua. Para tanto, pode-se usar um espaço de tempo mais curto — como a regra de 1 ou 2 semanas — para propósitos de liquidação. Em outras palavras, seria necessário um "breakout" de 4 semanas para iniciar uma nova posição, mas um sinal de 1 ou 2 semanas na direção oposta justificaria a liquidação da posição. O trader então ficaria fora do mercado até que um novo breakout de 4 semanas fosse registrado.

A lógica que fundamenta o sistema se baseia em princípios técnicos sólidos. Seus sinais são mecânicos e claros. Como é um seguidor de tendências, ele praticamente garante a participação no lado certo de todas as tendências importantes. Ele também é estruturado para seguir a muito citada máxima do trade bem-sucedido: "Deixe os lucros correrem enquanto reduz as perdas." Outra característica, que não deve ser ignorada é que este método tende a operar com menos frequência, gerando comissões menores. Outro ponto positivo é que o sistema pode ser implementado com ou sem a ajuda do computador.

A principal crítica em relação à regra semanal é a mesma feita para todas as abordagens seguidoras de tendências, ou seja, que ela não detecta topos e fundos. Mas o que esse sistema seguidor de tendências faz? É importante lembrar que a regra de 4 semanas tem desempenho tão bom quanto a maioria de outros sistemas semelhantes e melhor que outros, mas tem o benefício adicional de ser incrivelmente simples.

Ajustes na Regra de 4 Semanas

Embora estejamos tratando da regra de 4 semanas em sua forma original, há muitos ajustes e refinamentos que podem ser empregados. Por um lado, a regra não precisa ser usada com um sistema de trading. Sinais semanais podem ser empregados simplesmente como indicador técnico para identificar breakouts e reversões de tendências. Breakouts semanais podem ser usados como filtros de confirmação para outras técnicas, como cruzamentos de médias móveis. Regras de 1 ou 2 semanas funcionam como excelentes filtros. Um sinal de cruzamento de uma média móvel pode ser confirmado por um breakout de 2 semanas na mesma direção a fim de que a posição de mercado seja tomada.

Encurtar ou Alongar Períodos de Tempo com Fins de Sensibilidade

O período de tempo empregado pode ser ampliado ou reduzido tendo em vista a sensibilidade e o gerenciamento de risco. Por exemplo, o período de tempo pode ser encurtado para tornar o sistema mais sensível. Em um mercado de preços relativamente altos, quando eles estão avançando em uma tendência nitidamente mais elevada, um período de tempo mais curto pode ser escolhido para tornar o sistema mais sensível. Por exemplo, suponha que uma posição comprada seja tomada em um breakout de alta de quatro semanas com um stop protetivo colocado abaixo do mínimo das duas últimas semanas. Se o mercado subiu vigorosamente e o trader quiser acompanhar a posição com um stop protetivo mais próximo, pode-se usar um ponto de stopout de uma semana.

Em uma situação de faixa de trading em que o trader ficaria apenas à espera até que um sinal de tendência importante seja dado, o período de tempo pode ser ampliado para oito semanas. Isso pode evitar tomar posições em prazo mais curto e com sinais de tendência prematuros.

A Regra de 4 Semanas Ligada a Ciclos

No início do capítulo, falamos sobre a importância do ciclo mensal nos mercados de commodities. O ciclo de trade de 4 semanas ou de 20 dias é um ciclo dominante que influencia todos os mercados. Isso pode ajudar a explicar por que o período de 4 semanas provou ser tão bem-sucedido. Lembre-se de que mencionamos as regras de 1, 2 e 8 semanas. O princípio da *harmonia* na análise cíclica defende que cada ciclo está relacionado aos seus ciclos vizinhos (ciclos próximos mais longos e mais curtos) por 2.

Na discussão anterior sobre médias móveis, ressaltamos como o ciclo mensal e a harmonia explicam a popularidade de médias móveis de 5, 10, 20 e 40 dias. Os mesmos períodos de tempo se aplicam ao âmbito das regras semanais. Esses números diários se traduzem em períodos de tempo semanais de 1, 2, 4 e 8 semanas. Consequentemente, ajustes à regra de 4 semanas parecem funcionar melhor quando o número inicial (4) é dividido ou multiplicado por 2. Para reduzir o espaço de tempo, vá de 4 a 2 semanas. Se um período de tempo ainda menor for desejado, vá de 2 para 1. Para alongar, vá de 4 a 8. Como esse método combina preço e tempo, não há motivo para que o princípio cíclico da harmonia não desempenhe um papel importante. A tática de dividir um parâmetro semanal por 2 a fim de encurtá-lo ou dobrá-lo para alongá-lo é fundamentada pela lógica do ciclo.

A regra de 4 semanas é um sistema simples de breakout. O sistema original pode ser modificado usando-se um período de tempo mais curto — a regra de 1 ou 2 semanas — para propósitos de liquidação. Se o usuário desejar um sistema mais sensível, pode-se empregar um período de 2 semanas para sinais de entrada. Devido à simplicidade dessa regra, ela é mais bem utilizada nesse nível. A regra de 4 semanas é simples, mas funciona. (Pacotes gráficos lhe permitem plotar *canais de preço* acima e abaixo dos preços atuais para identificar breakouts de canal. Canais de preço podem ser usados em gráficos diários, semanais e mensais. (Veja as Figuras 9.11 e 9.12.)

Figura 9.11 *Um canal de preços de 20 dias (4 semanas) aplicado a preços de futuros de Títulos do Tesouro Norte-Americano. Um sinal de compra foi dado quando os preços fecharam acima do canal superior (veja o círculo). Os preços devem fechar abaixo do canal inferior para reverter o sinal.*

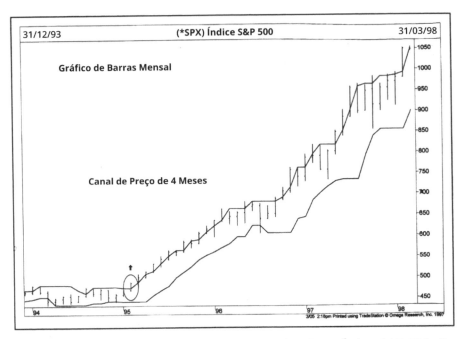

Figura 9.12 *Um canal de preços de 4 meses aplicado ao Índice S&P 500. Os preços cruzaram o canal superior no início de 1995 (veja o círculo) para dar um sinal de compra que permanece ativo 3 anos depois. É necessário haver um fechamento abaixo da linha inferior para dar o sinal de venda.*

OTIMIZAR OU NÃO

A primeira edição deste livro incluiu os resultados de amplas pesquisas produzidas pelo Merrill Lynch, que publicou uma série de estudos sobre técnicas de trading informatizadas aplicadas a mercados de futuros de 1978 a 1982. Foram realizados testes exaustivos de várias médias móveis e parâmetros de breakout de canal para encontrar as melhores combinações possíveis em cada mercado de futuros. Os pesquisadores do Merrill Lynch criaram um conjunto diferente de valores de indicadores otimizados para cada mercado.

Médias Móveis

A maioria dos pacotes gráficos permite que você otimize sistemas e indicadores. Por exemplo, em vez de usar a mesma média móvel em todos os mercados, você pode pedir ao computador para encontrar a média móvel, ou combinações de médias móveis, que funcionou melhor no passado para esse mercado. Isso também pode ser feito para sistemas de breakout diários e semanais e praticamente todos os indicadores incluídos neste livro. A otimização permite que parâmetros técnicos sejam adaptados a condições de mercado em mudança.

Algumas pessoas argumentam que a otimização ajuda seus resultados de trading, e outras, que não. A essência do debate foca como os dados são otimizados. Pesquisadores enfatizam que o procedimento correto é usar apenas parte dos dados de preço para escolher os melhores parâmetros, e a outra porção, para realmente testar os resultados. Testar parâmetros otimizados em dados de preço "out of sample" ajuda a garantir que os resultados finais fiquem mais perto do que se poderia experimentar em uma operação real.

A decisão de otimizar ou não é pessoal. Contudo, a maioria dos indícios sugere que a otimização não é o Santo Graal que alguns acreditam ser. Geralmente, aconselho os traders a seguir apenas uns poucos mercados para testar a otimização. Por que Títulos do Tesouro Norte-Americano ou o marco alemão têm exatamente as mesmas médias móveis que o milho ou o algodão? Traders do mercado de ações são uma questão diferente. Se você se especializar em um grupo limitado de mercados, tente otimizar. Se você for um generalista que acompanha um grande número de mercados, use os mesmos parâmetros técnicos para todos.

RESUMO

Apresentamos diversas variações da abordagem das médias móveis. Tentaremos simplificar um pouco as coisas. A maioria dos técnicos usa uma combinação de duas médias móveis. Essas duas médias geralmente são médias simples. Embora médias exponenciais tenham se tornado populares, não há evidência real que prove que elas funcionem melhor do que a média simples. As combinações de médias móveis diárias mais comumente usadas em futuros são as de 4 e 9, 9 e 18, 5 e 20, e 10 e 40. Traders de ações contam extensamente com as médias móveis de 50 dias (ou 10 semanas). Para análise de mercado de ações de prazo mais longo, médias móveis semanais populares são as de 30 e 40 semanas (ou 200 dias). Bandas de Bollinger usam médias móveis de 20 dias e 20 semanas. A média de 20 semanas pode ser convertida em gráficos diários com a utilização da média de 100 dias, que é outra média móvel útil. Sistemas de breakout de canais funcionam muito bem em mercados seguidores de tendência e podem ser usados em gráficos diários, semanais e mensais.

A MÉDIA MÓVEL ADAPTÁVEL

Um dos problemas encontrados nas médias móveis é escolher entre uma média rápida ou lenta. Enquanto uma funciona melhor em um mercado de faixa de trading, a outra pode ser preferível em um mercado de tendências. A resposta ao problema de escolher entre as duas pode estar em uma abordagem inovadora chamada "média móvel adaptável".

Perry Kaufman apresenta esta técnica em seu livro *Smarter Trading* [*Trading Mais Inteligente*, em tradução livre]. A velocidade da "Média Móvel Adaptável (MMA)" de Kaufman automaticamente ajusta o nível de ruído (ou volatilidade) em um mercado. A MMA se move mais devagar quando os mercados estão operando lateralmente, mas mais rapidamente quando o mercado segue tendências. Isso evita o problema de usar uma média móvel mais rápida (e receber sinais enganosos com mais frequência) durante uma faixa de trading, e usar uma média mais lenta que fique muito atrás do mercado quando estiver seguindo uma tendência.

Kaufman faz isso construindo um Coeficiente de Eficiência que compara a direção do preço com o nível de volatilidade. Quando o Coeficiente de Eficiência é alto, há mais direção que volatilidade (favorecendo uma média mais rápida). Quando o coeficiente é baixo, há mais volatilidade que direção (favorecendo uma média mais lenta). Ao incorporar o Coeficiente de Eficiência, a MMA se ajusta automaticamente à velocidade mais adequada para ao mercado atual.

ALTERNATIVAS À MÉDIA MÓVEL

Médias móveis não funcionam o tempo todo. Elas funcionam melhor quando o mercado está em uma fase de tendência e não são muito úteis durante períodos sem tendências, quando os preços negociam lateralmente. Felizmente, há outra classe de indicador que tem desempenho muito melhor do que a média móvel durante essas faixas de trading frustrantes. Eles se chamam *osciladores,* e os explicaremos no próximo capítulo.

10
Osciladores e Opinião Contrária

INTRODUÇÃO

Neste capítulo, falaremos sobre uma alternativa a abordagens seguidoras de tendências: o *oscilador*. O oscilador é extremamente útil em mercados sem tendências, em que os preços flutuam em uma banda de preço ou faixa de trading horizontal, criando uma situação de mercado em que os maiores sistemas seguidores de tendência simplesmente não funcionam tão bem. O oscilador fornece a ferramenta que permite ao trader técnico lucrar nesses cenários com mercados sem tendência e de movimentos laterais periódicos.

O valor do oscilador, porém, não se limita às faixas de trading horizontal. Usado em conjunto com gráficos de preço durante fases de tendências, o oscilador se torna um aliado extremamente valioso ao alertar o trader para extremos de mercado de curto prazo, comumente chamados de condições *sobrecompradas* ou *sobrevendidas*. O oscilador também pode sinalizar que uma tendência está perdendo força antes que a situação se torne evidente no price action em si, e pode sinalizar que a tendência está chegando ao fim mostrando determinadas divergências.

233

Começaremos por explicar o que é um oscilador e a base para sua construção e interpretação. Em seguida, discutiremos o significado da força (momentum) e suas implicações nas previsões de mercado. Apresentaremos algumas das técnicas de osciladores mais comuns, das muito simples às mais complicadas, trataremos da importante questão da divergência, falaremos do valor de coordenar a análise dos osciladores com ciclos de mercado subjacentes, e, finalmente, discutiremos como os osciladores devem ser usados como parte da análise técnica geral do mercado.

OSCILADORES USADOS EM COMBINAÇÃO COM TENDÊNCIAS

O oscilador é apenas um indicador secundário, pois deve estar subordinado à análise da tendência básica. À medida que avaliarmos os vários tipos de osciladores usados pelos analistas técnicos, enfatizaremos constantemente a importância da direção da tendência de mercado principal. O leitor também deve ficar atento ao fato de que os osciladores são mais úteis em certos momentos que em outros. Por exemplo, perto do início de movimentos importantes, a análise do oscilador não é tão útil e pode até ser enganosa. Porém, perto do final de movimentos de mercado, os osciladores se tornam extremamente valiosos. Trataremos desses pontos à medida que avançamos. Finalmente, nenhum estudo de extremos de mercado seria completo sem a discussão da opinião contrária. Falaremos sobre o papel da filosofia do contrário e como ela pode ser incorporada à análise e negociação no mercado.

Interpretação de Osciladores

Embora existam muitos meios diferentes de construir osciladores fortes, a verdadeira interpretação difere muito pouco de uma técnica a outra. A maioria dos osciladores é muito parecida. Eles são plotados ao longo do fundo do gráfico de preços e lembram uma banda horizontal plana. A banda horizontal é basicamente plana, ainda que os preços estejam sendo operados com alta, baixa ou lateralmente. Entretanto, os picos e vales no oscilador coincidem com os picos e vales no gráfico de preços. Alguns osciladores têm um valor de ponto médio que divide a faixa horizontal em duas partes, uma superior e uma inferior. Dependendo da fórmula usada, essa linha de ponto médio geralmente é uma *linha zero*. Alguns osciladores também têm limites superiores ou inferiores que vão de 0 a 100.

Regras Gerais para Interpretação

Como regra geral, quando o oscilador atinge um valor extremo no limite superior ou inferior da banda, esse fato sugere que o movimento atual de preço pode ter ido longe demais muito depressa e deve ser submetido a algum tipo de correção ou consolidação. Como outra regra geral, o trader deve comprar quando a linha do oscilador estiver na parte inferior da banda e vender na parte superior. Muitas vezes, o cruzamento da linha de ponto médio é usado para gerar sinais de compra e venda. Analisaremos como essas regras gerais são aplicadas à medida que lidarmos com os vários tipos de osciladores.

Os Três Usos Mais Importantes do Oscilador

Há três situações em que o oscilador é muito útil. Você verá que elas são comuns à maioria dos tipos de osciladores usados:

1. O oscilador é muito útil quando seu valor atinge uma leitura extrema perto de seu limite superior ou inferior. Diz-se que o mercado é *sobrecomprado* quando está perto do extremo superior, e *sobrevendido* quando está perto do extremo inferior. Esse é um aviso de que os preços dessa tendência estão com variação excessiva e vulneráveis.
2. Uma divergência entre o oscilador e o price action quando o oscilador está na posição extrema geralmente é um aviso importante.
3. O cruzamento da linha zero (ou ponto médio) pode fornecer sinais de negociação importantes na direção da tendência de preço.

236   *Capítulo 10*

Figura 10.1a *A linha de momentum de dez dias flutua ao redor da linha zero. Leituras muito acima da linha zero são sobrecompradas, enquanto valores muito abaixo da linha são sobrevendidas. O momentum deve ser usado em conjunto com a tendência do mercado.*

MEDINDO O MOMENTUM

O conceito de *momentum* é a aplicação mais básica da análise do oscilador. O momentum mede a velocidade das mudanças de preço em comparação aos níveis reais de preço. O momentum do mercado é medido ao se tomar as diferenças de preço continuamente durante um intervalo de tempo fixo. Para construir uma linha de momentum de dez dias, simplesmente subtraia o preço de fechamento de dez dias antes do último preço de fechamento. O valor positivo ou negativo então é plotado ao redor da linha zero. A fórmula do momentum é:

$$M = V - V^x$$

em que V é o último preço de fechamento, e V^x é o preço de fechamento de dez dias antes.

Osciladores e Opinião Contrária

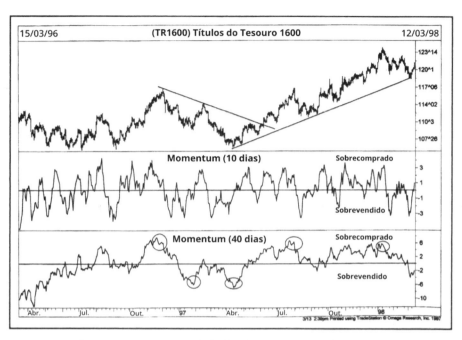

Figura 10.1b *Uma comparação de linha de momentum de 10 e 40 dias. A versão mais longa é mais útil para detectar uma reviravolta importante no mercado (veja os círculos).*

Se o último preço de fechamento for maior que o de dez dias antes (em outras palavras, os preços subiram), então um valor positivo deve ser plotado acima da linha zero. Se o último fechamento estiver abaixo do fechamento de dez dias antes (os preços caíram), então um valor negativo é plotado abaixo da linha zero.

Embora o momentum de 10 dias seja um período de tempo comumente usado por motivos que discutiremos depois, qualquer período de tempo pode ser empregado. (Veja a Figura 10.1a.) Um período de tempo mais curto (como 5 dias) produz uma linha mais sensível com mais oscilações pronunciadas. Um número maior de dias (como 40 dias) resulta em uma linha mais suave na qual as oscilações são menos voláteis. (Veja a Figura 10.1b.)

Taxas de Mensuração de Momentum Ascendentes e Descendentes

Falaremos um pouco sobre o que esse indicador de momentum mede. Ao plotar as diferenças de preço em um determinado período de tempo, o grafista estuda as taxas ascendentes ou decrescentes. Se os preços estiverem subindo e a linha de momentum estiver acima da linha zero e aumentando, isso significa que a tendência de alta está acelerando. Se a linha de momentum ascendente começa a se nivelar, isso significa que os novos ganhos obtidos pelos últimos fechamentos são os mesmos que os ganhos de dez dias antes. Embora os preços ainda possam estar avançando, a taxa ascendente (ou a velocidade) se estabilizou. Quando a linha de momentum começar a cair na direção da linha zero, a alta dos preços ainda estará em ação, mas a um ritmo menor. A tendência de alta está perdendo força.

Quando a linha de momentum cai abaixo da linha zero, o fechamento dos últimos dez dias agora está abaixo do fechamento de dez dias antes, e uma tendência de queda no curto prazo está em vigor. (E, incidentalmente, a média móvel de dez dias também começou a cair.) À medida que o momentum continua a cair ainda mais abaixo da linha zero, a tendência de queda ganha força. Somente quando a linha voltar a avançar o analista saberá que a tendência de baixa está desacelerando.

É importante lembrar que o momentum mede as diferenças entre preços em dois intervalos de tempo. Para que a linha avance, é preciso que os ganhos de preço do fechamento do último dia sejam maiores que os ganhos de dez dias antes. Se os preços avançarem somente na mesma proporção de dez dias antes, a linha de momentum será plana. Se o último ganho de preço for inferior ao de dez dias antes, a linha de momentum começará a cair mesmo que os preços ainda estejam aumentando. É desse modo que a linha de momentum mede a aceleração ou desaceleração no avanço ou declínio da tendência de preço atual.

A Linha de Momentum Precede o Price Action

Por causa do modo como é construída, a linha de momentum está sempre um passo à frente do movimento de preço. Ela precede o avanço ou declínio dos preços, depois se equilibra enquanto a tendência de preço ainda está em vigor. Ela então começa a se mover na direção oposta à medida que os preços começam a se nivelar.

O Cruzamento da Linha Zero como Sinal de Trading

O gráfico de momentum tem uma *linha zero*. Muitos analistas técnicos usam o cruzamento da linha zero para gerar sinais de compra e venda. O cruzamento acima da linha zero seria um sinal de compra, e o cruzamento abaixo da linha zero, um sinal de venda. Contudo, devemos lembrar que a análise de tendência básica ainda é a consideração principal. A análise do oscilador não deve ser usada como desculpa para operar contra a tendência de mercado prevalecente. Posições compradas só devem ser assumidas em cruzamentos acima da linha zero se a tendência de mercado estiver em alta. Posições vendidas devem ser assumidas no cruzamento abaixo da linha zero se a tendência de preço for de baixa. (Veja as Figuras 10.2a e b.)

Figura 10.2a *As linhas de tendência no gráfico de momentum são rompidas antes que as do gráfico de preço. A utilidade do indicador de momentum está no fato de que ele vira antes que o mercado em si, tornando-o um indicador importante.*

Figura 10.2b *Alguns traders consideram o cruzamento acima da linha zero como um sinal de compra e o cruzamento abaixo da linha como um sinal de venda (veja os círculos). A média móvel é útil para confirmar mudanças em tendências. A linha de momentum mostrou um pico antes do preço (veja setas).*

A Necessidade de um Limite Superior e Inferior

Um problema com a linha de momentum, como é descrito aqui, é a ausência de um limite fixo superior e inferior. Afirmamos antes que uma das principais utilidades da análise de osciladores é ser capaz de determinar quando os mercados se encontram em áreas extremas. Mas o que é alto demais ou baixo demais em uma linha de momentum? O modo mais simples de resolver esse problema é pela inspeção visual. Verifique o histórico anterior da linha de momentum no gráfico e trace linhas horizontais ao longo de seus limites superior e inferior. Essas linhas deverão ser ajustadas periodicamente, principalmente depois de mudanças de tendência importantes. Mas é o meio mais simples e, provavelmente, o mais eficiente de identificar as extremidades externas. (Veja as Figuras 10.3 e 10.4.)

Osciladores e Opinião Contrária   *241*

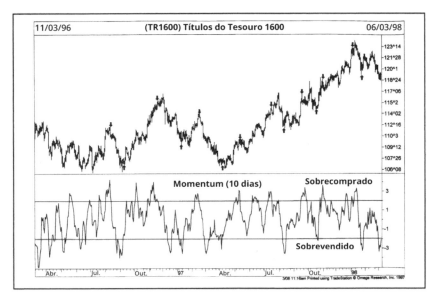

Figura 10.3 *Por inspeção visual, o analista pode encontrar os limites de momentum superior e inferior adequados a cada mercado (veja as linhas horizontais).*

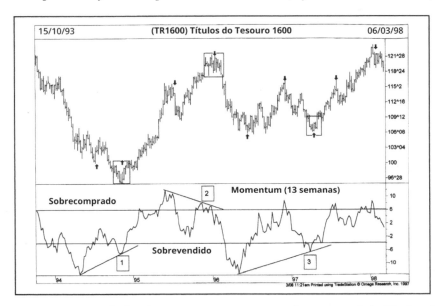

Figura 10.4 *Uma linha de momentum em um gráfico semanal de Títulos do Tesouro Norte-Americano. As setas marcam os momentos de virada nos extremos do momentum. A linha de momentum mudou de direção antes do preço em cada virada importante (pontos 1, 2 e 3).*

TAXA DE VARIAÇÃO (ROC)

Para medir a *taxa de variação*, constrói-se um coeficiente do preço de fechamento mais recente até o preço de um determinado número de dias no passado. Para construir um oscilador com taxa de variação de dez dias, o último preço de fechamento é dividido pelo fechamento de dez dias antes. A fórmula é a seguinte:

$$\text{Taxa de variação} = 100 \ (V/Vx)$$

em que V é o último fechamento, e Vx é o preço de fechamento x dias antes.

Neste caso, a linha 100 se torna a linha do ponto médio. Se o último preço for mais alto do que o preço de 10 dias antes (preços estão aumentando), o valor da taxa de variação resultante estará acima de 100. Se o último fechamento estiver abaixo daquele de 10 dias antes, o coeficiente ficará abaixo de 100. (Softwares gráficos às vezes usam variações das fórmulas anteriores para momentum e taxa de variação. Embora as técnicas de construção possam variar, a interpretação permanece a mesma.)

CONSTRUINDO UM OSCILADOR USANDO DUAS MÉDIAS MÓVEIS

No Capítulo 9 discutimos o uso de duas médias móveis para gerar sinais de compra e venda. O cruzamento da média mais curta acima ou abaixo da média mais longa registrou sinais de compra e venda, respectivamente. Mencionamos, então, que essas combinações de duas médias móveis também poderiam ser usadas para construir gráficos de osciladores. Isso pode ser feito plotando-se a diferença entre as duas médias na forma de histograma. As barras desse histograma aparecem como um valor positivo ou negativo ao redor de uma linha zero centralizada. Esse tipo de oscilador tem três finalidades:

1. Ajudar a detectar divergências.
2. Ajudar a identificar variações de curto prazo em uma tendência de longo prazo, quando a média mais curta se afasta demais acima ou abaixo da média mais longa.
3. Apontar os cruzamentos das duas médias móveis, que ocorrem quando o oscilador cruza a linha zero.

Osciladores e Opinião Contrária

A média mais curta é dividida pela mais longa. Em ambos os casos, porém, a média mais curta oscila ao redor da média mais longa, que está ativa na linha zero. Se a média mais curta estiver acima da mais longa, o oscilador será positivo. Haveria uma leitura negativa se a média mais curta estivesse abaixo da mais longa. (Veja as Figuras 10.5, 10.6 e 10.7.)

Quando as linhas das duas médias móveis se afastam demais, cria-se um extremo de mercado que exige uma pausa na tendência. (Veja a Figura 10.6.) Com frequência, a tendência permanece estagnada até que a linha da média mais curta volte até a mais longa. Quando a linha mais curta se aproxima da mais longa, atinge-se um ponto crítico. Em uma tendência de alta, por exemplo, a linha mais curta volta a cair até a média mais longa, mas deve se afastar dela. Isso geralmente representa uma área de compra ideal. É uma situação muito parecida com o teste de uma linha de tendência. Contudo, se a média mais curta cruzar abaixo da média mais longa, ocorre um sinal de reversão de tendência.

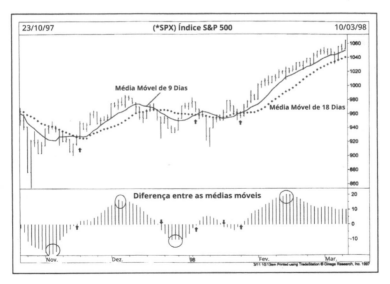

Figura 10.5 *As linhas do histograma medem a diferença entre duas médias móveis. O cruzamento acima e abaixo da linha zero dá sinais de compra e venda (veja as setas). Note que o histograma vira muito antes dos sinais reais (veja os círculos).*

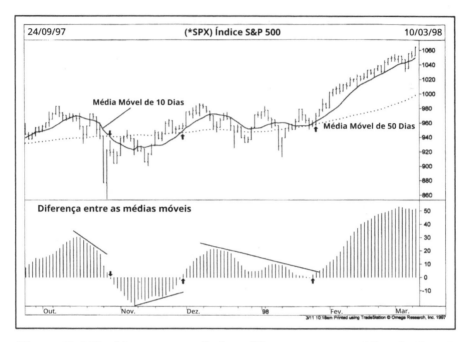

Figura 10.6 *Um histograma medindo a diferença entre as médias de 10 e 50 dias. O histograma sempre vira muito antes do cruzamento da linha zero. Em uma tendência de alta, o histograma encontra suporte na linha zero e vira para cima novamente (terceira seta).*

Em uma tendência de baixa, a penetração da média mais curta para a mais longa geralmente representa uma área de venda ideal, a menos que a linha mais longa seja cruzada, caso em que um sinal de reversão de tendência seria registrado. Assim, os relacionamentos entre as duas médias podem ser usados não só como um excelente sistema de seguidor de tendências, mas também para ajudar a identificar condições de sobrecompra e sobrevenda de curto prazo.

Osciladores e Opinião Contrária

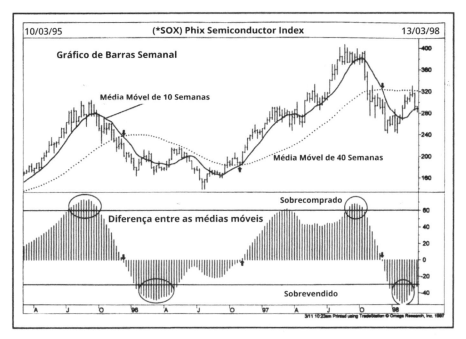

Figura 10.7 *Um histograma que plota as diferenças entre duas médias semanais. O histograma virou na direção da nova tendência de preço antes dos cruzamentos da linha zero reais no histograma. Note como é fácil notar os níveis de sobrecompra e sobrevenda.*

ÍNDICE DE CANAL DE COMMODITIES

É possível normalizar um oscilador dividindo os valores por um divisor constante. Na construção de seu Commodity Channel Index (Índice de Canal de Commodities) (CCI), Donald R. Lambert compara o preço atual com a média móvel de um período de tempo selecionado — geralmente 20 dias. Ele então normaliza os valores do oscilador usando um divisor baseado em um desvio médio. Como resultado, o CCI flutua em uma faixa constante de +100 na alta a -100 na baixa. Lambert recomendou posições compradas nesses mercados com valores acima de +100. Mercados com valores CCI inferiores a -100 foram candidatos para vendas a descoberto.

Porém, parece que a maioria dos grafistas usa o CCI simplesmente como um oscilador de sobrecompra/sobrevenda. Usado dessa forma, leituras de +100 são consideradas como sobrecompra, e abaixo de -100, como sobrevenda. Embora o Índice de Canal de Commodities tenha sido desenvolvido originalmente para commodities, ele também é usado para índices que representam resultados de tradings em mercados futuros e de opções, como o S&P 100 (OEX). Apesar de 20 dias ser o valor padrão comum para o CCI, o usuário pode variar o número para ajustar sua sensibilidade. (Veja as Figuras 10.8 e 10.9.)

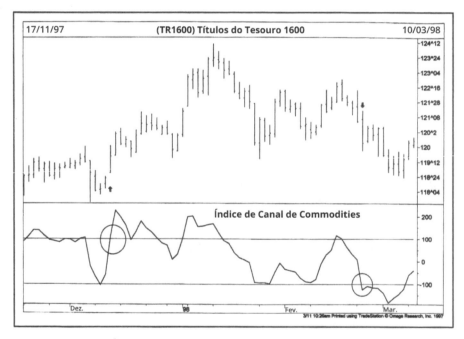

Figura 10.8 *Um Índice de Canal de Commodities de 20 dias. O objetivo original desse indicador era comprar movimentos acima de +100 e vender movimentos abaixo de -100, como mostrado aqui.*

Osciladores e Opinião Contrária

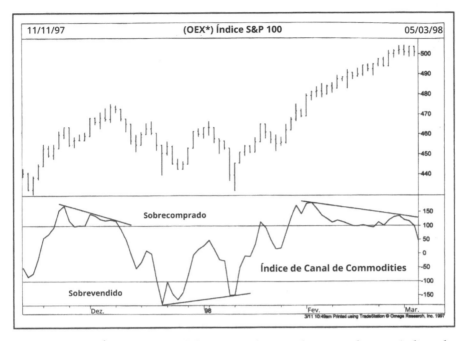

Figura 10.9 *O Índice de Canal de Commodities pode ser usado para índices de ações como este e também como qualquer outro oscilador para medir extremos de mercado. Note que o CCI vira antes dos preços em cada topo e fundo. A duração padrão é de 20 dias.*

O ÍNDICE DE FORÇA RELATIVA (IFR)

O IFR foi desenvolvido por J. Welles Wilder, Jr. e apresentado em seu livro de 1978, *New Concepts in Technical Trading Systems* [*Novos Conceitos em Sistemas de Trading Técnicos*, em tradução livre]. Aqui trataremos só dos pontos principais, mas recomendamos uma leitura mais profunda do trabalho original de Wilder. Como esse oscilador em especial é tão popular entre os traders, nós o usaremos para demonstrar a maioria dos princípios da análise de osciladores.

Conforme Wilder ressalta, um dos dois principais problemas na construção de uma linha de momentum (usando diferenças de preço) é o movimento errático muitas vezes causado por mudanças bruscas nos valores apresentados. Um avanço ou declínio acentuado dez dias antes (no caso de uma linha de momentum de dez dias) pode causar mudanças repentinas na linha de momentum mesmo se os preços atuais não apresentarem muita mudança. Assim, é necessária alguma suavização para minimizar essas distorções. O segundo problema é que existe a necessidade de uma faixa constante para fins de comparação. A fórmula do IFR não só oferece a suavização necessária, mas também resolve este último problema com a criação de uma faixa vertical constante de 0 a 100.

O termo "força relativa", incidentalmente, é incorreto e, muitas vezes, causa confusão entre os mais familiarizados com o termo como é usado na análise do mercado de ações. *Força relativa* geralmente significa uma linha de coeficiente comparando duas entidades diferentes. O coeficiente de uma ação ou grupo da indústria em relação ao índice S&P 500 é uma forma de avaliar a *força relativa* de diferentes ações ou grupos da indústria em comparação a um parâmetro objetivo. Mais adiante no livro, mostraremos o quanto a análise da *força relativa* ou do *coeficiente* pode ser útil. O *Índice de Força Relativa* de Wilder não mede realmente a força relativa entre diferentes entidades, e, nesse sentido, o nome é um tanto inexato. Porém, esse índice resolve o problema do movimento errático e a necessidade de um limite superior e inferior constante. A fórmula é calculada da seguinte forma:

$$FRI = 100 - \frac{100}{1 + FR}$$

$$FR = \frac{\text{Média Movel de } x \text{ dias de fechamento em alta}}{\text{Média Movel de } x \text{ dias de fechamento em baixa}}$$

São usados 14 dias no cálculo e 14 semanas em gráficos semanais. Para encontrar o valor médio máximo, some os pontos ganhos em dias de alta durante 14 dias e divida o total por 14. Para encontrar o valor médio mínimo, some os pontos perdidos nos dias de baixa e divida o total por 14. A força relativa (FR) é então determinada pela divisão da média *máxima* pela média *mínima*. Esse valor FR é então inserido na fórmula do IFR. O número de dias pode ser variado simplesmente mudando-se o valor de x.

Originalmente, Wilder empregou um período de 14 dias. *Quanto mais curto o período de tempo, mais sensível o oscilador se torna e maior é sua amplitude.* O IFR funciona melhor quando suas flutuações atingem os extremos superior e inferior. Assim, se o usuário estiver operando na base do curto prazo e quiser que os swings do oscilador sejam mais pronunciados, o período de tempo pode ser encurtado. O período de tempo é aumentado para suavizar o oscilador e reduzir sua amplitude. A amplitude no oscilador de 9 dias é, portanto, maior do que nos 14 dias originais. Embora períodos de 9 e 14 dias sejam os valores mais comuns usados, analistas técnicos testam outros períodos. Alguns usam períodos de tempo mais curtos, como 5 ou 7 dias, para aumentar a volatilidade da linha de IFR. Outros usam 21 ou 28 dias para suavizar os sinais de IFR. (Veja as Figuras 10.10 e 10.11.)

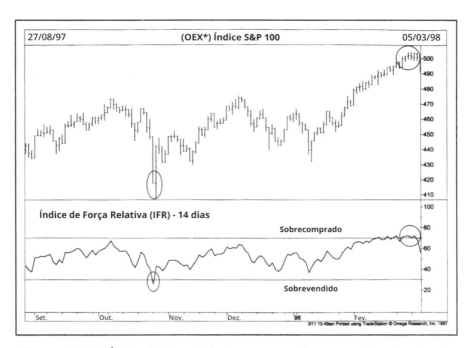

Figura 10.10 *O Índice de Força Relativa se torna sobrecomprado acima de 70 e sobrevendido abaixo de 30. Este gráfico mostra o S&P 100 sendo sobrevendido em outubro e sobrecomprado em fevereiro.*

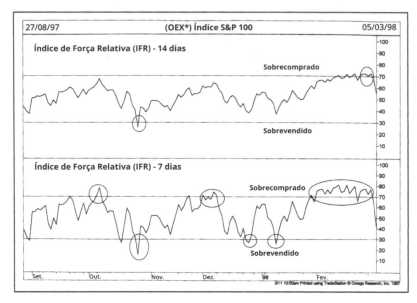

Figura 10.11 *A amplitude da linha de IFR pode ser ampliada encurtando-se o período de tempo. Note que o IFR de 7 dias atinge os extremos externos com mais frequência que o IFR de 14 dias. Isso torna o IFR de 7 dias mais útil para traders de curto prazo.*

Interpretando o IFR

O IFR é plotado em uma escala vertical de 0 a 100. Movimentos acima de 70 são considerados sobrecomprados, enquanto uma condição de sobrevenda ocorreria em um movimento abaixo de 30. Como esse deslocamento ocorre em mercados altistas e baixistas, o nível 80 geralmente se torna o nível de sobrecompra em mercados de alta, e o nível 20, o nível de sobrevenda em mercados de baixa.

"Falhas de swings," como Wilder as chama, ocorrem quando o IFR fica acima de 70 ou abaixo de 30. Uma *falha de swing de alta* ocorre quando um pico de IFR (acima de 70) não consegue exceder um pico anterior em uma tendência de alta, seguido de uma quebra no vale anterior. Uma *falha de swing de baixa* ocorre quando o IFR se encontra em uma tendência de baixa (abaixo de 30), e não consegue estabelecer uma nova baixa e então avança e excede um pico anterior. (Veja as Figuras 10.12a–b.)

Osciladores e Opinião Contrária   251

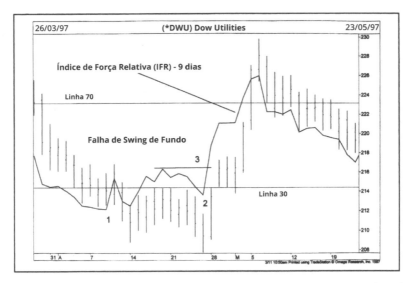

Figura 10.12a *Uma falha de swing de fundo na linha de IFR. O segundo vale de IFR (ponto 2) é mais alto que o primeiro (ponto 1) enquanto está abaixo de 30 e os preços ainda estão caindo. A penetração do pico de IFR (ponto 3) sinaliza um fundo.*

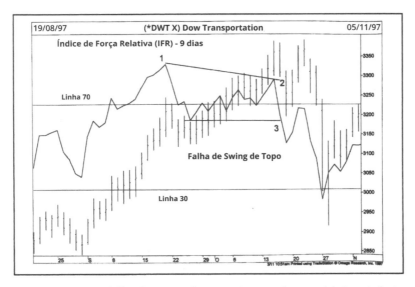

Figura 10.12b *Uma falha de swing de topo. O segundo pico (2) é mais baixo do que o primeiro (1) enquanto a linha de IFR está acima de 70 e os preços ainda estão subindo. O rompimento na linha IFR abaixo no vale do meio (ponto 3) sinaliza o topo.*

Uma divergência entre as linhas de IFR e de preço, quando o IFR está acima de 70 ou abaixo de 30, é um aviso importante que deve ser considerado. O próprio Wilder considera a divergência "a única característica mais reveladora do Índice de Força Relativa" [Wilder, p. 70].

A análise de linha de tendência pode ser empregada para detectar mudanças na tendência do IFR. Médias móveis também podem ser usadas com o mesmo propósito. (Veja a Figura 10.13.)

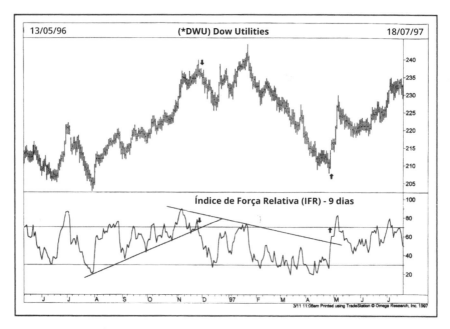

Figura 10.13 *Linhas de tendência são muito eficientes na linha de IFR. O rompimento das duas linhas de tendência de IFR forneceram sinais oportunos de compra e venda neste gráfico (veja as setas).*

Segundo minha experiência com o oscilador IFR, sua maior utilidade está nas falhas de swing ou divergências que ocorrem quando o IFR está acima de 70 ou abaixo de 30. Vamos esclarecer outro ponto importante sobre o uso dos osciladores. Qualquer tendência forte, de alta ou de baixa, geralmente não demora a produzir uma leitura extrema no oscilador. Nesse caso,

Osciladores e Opinião Contrária

alegações de que um mercado está sobrecomprado ou sobrevendido geralmente são prematuras e podem levar à saída prematura de uma tendência lucrativa. Em fortes tendências de alta, mercados sobrecomprados podem continuar sobrecomprados por algum tempo. Só o fato de o oscilador ter se movido para a região superior não é motivo suficiente para liquidar uma posição comprada (ou, pior, vendida em uma forte tendência de alta).

O primeiro movimento para a região de sobrecompra ou sobrevenda geralmente é só uma advertência. O sinal ao qual se deve estar atento é o segundo movimento do oscilador para a *zona de perigo*. Se o segundo movimento não confirmar o movimento de preço para novas altas ou baixas (formando um topo ou fundo duplo no oscilador), existe uma possível divergência. Nesse ponto, pode-se tomar uma medida defensiva para proteger posições existentes. Se o oscilador se mover na direção oposta, romper uma alta ou baixa anterior, então a divergência ou falha de swing se confirma.

O nível 50 é o valor médio do IFR e, com frequência, agirá como suporte durante pullbacks e resistência durante bounces. Alguns traders tratam os cruzamentos de IFR acima e abaixo do nível de 50 como sinais de compra e venda, respectivamente.

USANDO AS LINHAS 70 E 30 PARA GERAR SINAIS

Linhas horizontais aparecem no gráfico do oscilador nos valores de 70 e 30. Muitas vezes, os traders usam essas linhas para gerar sinais de compra e venda. Nós já sabemos que um movimento abaixo de 30 avisa sobre uma condição de sobrevenda. Suponha que o trader ache que o mercado está prestes a cair e está procurando uma oportunidade de compra. Ele vê o oscilador cair abaixo de 30. Algum tipo de divergência ou fundo duplo pode se desenvolver no oscilador nessa região de sobrevenda. Um cruzamento para acima da linha de 30 nesse ponto é considerado por muitos traders como uma confirmação de que essa tendência no oscilador se reverteu. Então, em um mercado sobrecomprado, muitas vezes um cruzamento para abaixo da linha de 70 pode ser usado como um sinal de venda. (Veja a Figura 10.14.)

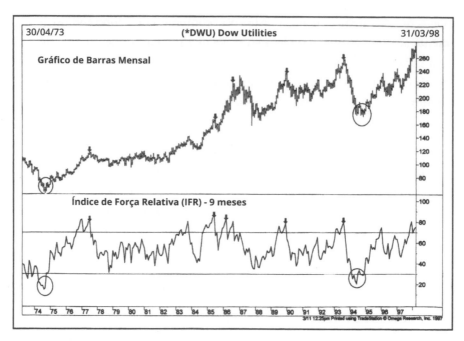

Figura 10.14 *O oscilador IFR pode ser usado em gráficos mensais. Note os dois sinais de compra importantes sobrecomprados em 1974 e 1994. Os picos sobrecomprados na linha de IFR fizeram um ótimo trabalho em apontar topos importantes nos serviços de utilidades públicas.*

ESTOCÁSTICOS (K%D)

O oscilador *estocástico* foi popularizado por George Lane (presidente da Investment Educators Inc., Watseka, IL). Ele se baseia na observação de que, à medida que os preços aumentam, os preços de fechamentos tendem a ficar mais perto da extremidade superior da faixa de preço. Por outro lado, em tendências de baixa, o preço de fechamento tende a ficar perto da extremidade inferior da faixa. Duas linhas são usadas no Processo Estocástico — a linha %K e a linha %D. A linha %D é a mais importante e a que fornece os melhores sinais.

O propósito é determinar onde o preço de fechamento mais recente está em relação à faixa de preços de um período de tempo selecionado.

Quatorze é o período mais comumente usado para esse oscilador. Para determinar a linha K, que é a mais sensível das duas, a fórmula é:

$$\%K = 100 \ [(C - L14) / (H14 - L14)]$$

em que C é o último fechamento, L14 é a menor mínima pelos últimos 14 períodos, e H14 é a maior máxima nos mesmos 14 períodos (14 períodos podem se referir a dias, semanas ou meses).

A fórmula simplesmente mede, em uma base percentual de 0 a 100, onde o preço de fechamento está em relação à faixa de preço total em um período de tempo selecionado. Uma leitura muito alta (acima de 80) colocaria o preço de fechamento mais próximo ao topo da faixa, enquanto uma leitura baixa (abaixo de 20) a colocaria perto do fundo da faixa.

A segunda linha (%D) é uma média móvel de três períodos da linha %K. Essa fórmula produz uma versão chamada estocástico *rápido*. Ao tomar outra média de três períodos de %D, uma versão mais suave, chamada estocástico *lento*, é computada. A maioria dos traders usa o estocástico *lento* por apresentar sinais mais confiáveis.*

Essas fórmulas produzem duas linhas que oscilam entre uma escala vertical de 0 a 100. A linha K é a mais rápida, enquanto que a D é a mais lenta. O sinal importante que deve ser observado é uma divergência entre a linha D e o preço do mercado subjacente quando a linha D está em uma área sobrecomprada ou sobrevendida. Os valores de 80 e 20 representam os extremos superior e inferior. (Veja a Figura 10.15.)

Uma divergência de baixa ocorre quando a linha D está acima de 80 e forma dois picos em declínio enquanto os preços continuam a subir. Uma divergência de alta ocorre quando a linha D está abaixo de 20 e forma dois pontos de baixa crescente enquanto os preços continuam a cair. Supondo que todos esses fatores estão bem posicionados, o sinal de compra ou venda real é ativado quando a linha K mais rápida cruza a linha D mais lenta.

Há outros aperfeiçoamentos no uso dos estocásticos, mas esta explicação abrange os pontos mais essenciais. Apesar do nível de sofisticação

---

* O segundo suavizador produz três linhas. O estocástico rápido usa as duas primeiras. O estocástico lento usa as duas últimas.

mais alto, a interpretação básica do oscilador permanece a mesma. Um alerta ou setup está presente quando a linha %D está em uma área extrema divergindo da ação de preço. O sinal real ocorre quando a linha D é cruzada pela linha K, mais rápida.

O oscilador estocástico pode ser usado em gráficos semanais e mensais para perspectivas de longo prazo. Ele também pode ser usado com eficiência em gráficos intraday para operações de curto prazo. (Veja a Figura 10.16.)

Uma forma de combinar estocásticos diários e semanais é usar sinais semanais para determinar a direção do mercado e sinais diários para escolha do momento. Também é uma boa ideia combinar estocásticos com IFR. (Veja a Figura 10.17.)

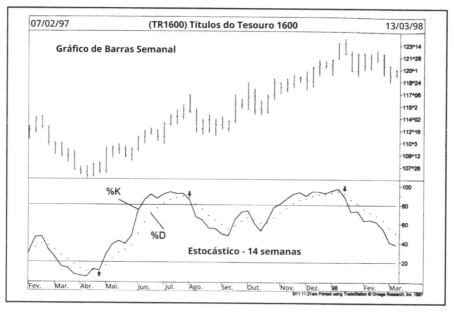

Figura 10.15 *As setas voltadas para baixo mostram dois sinais de venda que ocorrem quando a linha mais rápida %K cruza abaixo da linha %D mais lenta vinda do nível 80 acima. A linha %K cruzando acima da linha %D abaixo de 20 é um sinal de compra (seta para cima).*

Osciladores e Opinião Contrária **257**

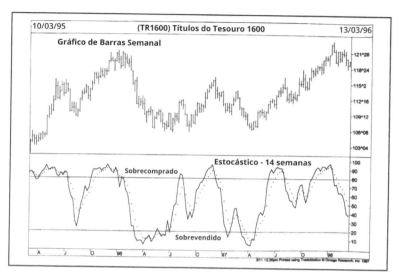

Figura 10.16 *Viradas no estocástico de 14 semanas acima de 80 e abaixo de 20 previram viradas importantes no mercado de Títulos do Tesouro Norte-Americano. Gráficos estocásticos podem ser construídos para 14 dias, 14 semanas ou 14 meses.*

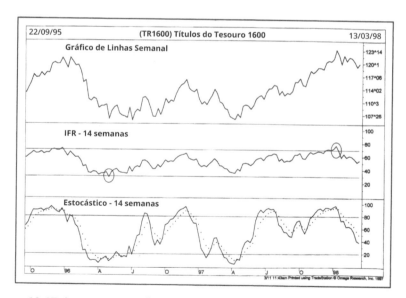

Figura 10.17 *A comparação de um IFR e um estocástico de 14 semanas. A linha IFR é menos volátil e atinge extremos com menor frequência do que o estocástico. Os melhores sinais ocorrem quando os dois osciladores estão em território de sobrecompra ou sobrevenda.*

LARRY WILLIAMS %R

O indicador Larry Williams %R se baseia em um conceito semelhante ao de medir o último fechamento em relação à sua faixa de preço durante um determinado número de dias. O fechamento de hoje é subtraído do preço máximo da faixa durante um determinado número de dias, e a diferença é dividida pela faixa total do mesmo período. Os conceitos já discutidos sobre a interpretação de osciladores também são aplicados ao %R, sendo que os fatores principais são as divergências em áreas de sobrecompra e sobrevenda. (Veja a Figura 10.18.) Como o %R é subtraído do valor máximo, ele se parece com um estocástico virado para baixo. Para corrigir essa situação, pacotes gráficos plotam uma versão invertida do %R.

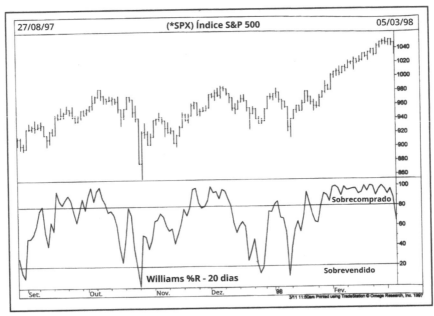

Figura 10.18 *O oscilador Larry Williams %R é usado da mesma forma que outros osciladores. As leituras acima de 80 ou abaixo de 20 identificam extremos de mercado.*

Escolha de Período de Tempo Ligado a Ciclos

A extensão dos osciladores pode ser ligada a ciclos subjacentes do mercado. Usa-se um período de tempo com metade da duração do ciclo. Inputs de tempo populares são 5, 10 e 20 dias com base em períodos de 14, 28 e 56 dias. O IFR de Wilder usa 14 dias, que é metade de 28. No capítulo anterior, discutimos algumas razões pelas quais os números 5, 10 e 20 sempre aparecem nas formulações de médias móveis e osciladores, portanto, não os repetiremos aqui. É suficiente mencionar que o calendário de 28 dias (20 dias de trading) representa um ciclo de trading mensal dominante importante e que os outros números são relacionados harmonicamente a esse ciclo mensal. A popularidade do momentum de 10 dias e da extensão do IFR de 14 dias é baseada principalmente no ciclo de trading de 28 dias, e ambos medem metade do valor desse ciclo de trading dominante. Voltaremos à importância dos ciclos no Capítulo 14.

A IMPORTÂNCIA DA TENDÊNCIA

Neste capítulo, discutimos o uso do oscilador na análise de mercado para ajudar a determinar condições de sobrecompra ou sobrevenda de curto prazo e alertar os traders sobre possíveis divergências. Começamos com a linha de momentum. Discutimos outro meio de medir as taxas de variação (ROC) usando coeficientes de preço, em vez de diferenças. Em seguida, mostramos como duas médias móveis podem ser comparadas para identificar extremos e cruzamentos de curto prazo. Finalmente, analisamos o IFR e estocásticos e consideramos como osciladores devem ser sincronizados com ciclos.

A análise de divergências nos fornece a maior utilidade dos osciladores. Entretanto, advertimos o leitor a não dar importância excessiva à análise de divergências a ponto de ignorar ou menosprezar a análise de tendência básica. A maioria dos sinais de compra de osciladores funciona melhor em tendências de alta e sinais de venda de osciladores são mais lucrativos em tendências de baixa. A análise de mercado deve começar sempre determinando a tendência geral do mercado. Se a tendência for de alta, então ela exige uma estratégia de compra. Osciladores podem então ser usados para escolher o momento de entrada no mercado. Comprar quando o mercado está sobrevendido em uma tendência de alta. Vender a descoberto quando o mercado estiver sobrecomprado em uma tendência de baixa. Ou compre quando o oscilador de momentum cruzar de volta acima da linha zero quando a tendência principal for de alta e venda um cruzamento abaixo da linha zero em um mercado de baixa.

Nunca é demais ressaltar a importância de operar na direção da tendência principal. O perigo de dar importância excessiva aos osciladores é a tentação de usar a divergência como justificativa para iniciar operações contrárias à tendência geral. Essa ação geralmente mostra ser um exercício custoso e penoso. O oscilador, por mais útil que seja, é só uma ferramenta entre muitas outras e sempre deve ser usada como um apoio, não um substituto, na análise de tendência básica.

QUANDO OS OSCILADORES SÃO MAIS ÚTEIS

Há momentos em que os osciladores são mais úteis do que em outros. Durante períodos de mercado instáveis, quando os preços se movem lateralmente durante várias semanas ou meses, os osciladores rastreiam o movimento de preço de perto. Os picos e vales no gráfico de preços coincidem quase exatamente com os picos e vales do oscilador. Por se moverem lateralmente, preços e osciladores são muito parecidos. No entanto, em determinado ponto, ocorre um breakout de preço, e uma nova tendência de alta ou de baixa se inicia. Por sua própria natureza, o oscilador já se encontra em uma posição extrema assim que o breakout ocorre. Uma leitura de sobrecompra geralmente acompanha um breakout de queda. O trader se vê diante de um dilema. Ele deve comprar o breakout de alta diante de uma leitura de sobrecompra do oscilador? O breakout de baixa deve ser vendido em um mercado sobrevendido?

Nesses casos, é melhor ignorar o oscilador no momento e realizar a operação. O motivo para isso é que nos primeiros estágios de uma nova tendência depois de um breakout importante, muitas vezes os osciladores atingem extremos muito depressa e ficam ali por algum tempo. A análise de tendência básica deve ser a principal consideração nesses momentos, conferindo um papel menos importante aos osciladores. Mais tarde, quando a tendência amadurecer, pode-se dar maior peso ao oscilador. (Veremos no Capítulo 13 que, muitas vezes, a quinta e última onda na análise das Ondas de Elliott é confirmada em divergências de oscilador de baixa.) Muitos movimentos de alta dinâmicos não foram detectados por traders que viram um sinal de tendência importante, mas decidiram esperar que seus osciladores se movessem para uma condição sobrevendida antes de comprar. Em resumo, dê menos atenção ao oscilador nos primeiros estágios de um movimento importante, mas preste muita atenção aos seus sinais à medida que ele amadurece.

CONVERGÊNCIA/ DIVERGÊNCIA DE MÉDIA MÓVEL (MACD)

Mencionamos no capítulo anterior uma técnica de oscilador que usa duas médias móveis exponenciais, e aqui está ela. O indicador de Convergência/ Divergência de Média Móvel, ou simplesmente MACD, foi desenvolvido por Gerald Appel. Ele é muito útil por combinar alguns dos princípios dos osciladores que já explicamos com uma abordagem de cruzamento de duas médias móveis. Você verá só duas linhas na tela do computador, embora sejam realmente usadas três linhas em seu cálculo. A linha mais rápida (chamada linha MACD) é a diferença entre duas médias móveis exponencialmente suavizadas de preços de fechamento (geralmente os últimos 12 e 26 dias ou semanas). A linha mais lenta (chamada linha de sinal) geralmente é uma média exponencialmente suavizada de 9 períodos da linha MACD. Originalmente, Appel recomendou um conjunto de números para sinais de compra e outro para sinais de venda. Contudo, a maioria dos traders utiliza valores padrão de 12, 26 e 9 em todos os casos. Isso inclui valores diários e semanais. (Veja a Figura 10.19a.)

Os verdadeiros sinais de compra e venda são dados quando as duas linhas se cruzam. Um cruzamento da linha mais rápida MACD acima da linha de sinal mais lenta é um sinal de compra. O cruzamento da linha mais rápida abaixo da linha mais lenta é um sinal de venda. Nesse sentido, a MACD se parece com o método de cruzamento de duas médias móveis. Entretanto, os valores MACD também flutuam acima e abaixo da linha zero. É nesse ponto em que ela começa a se parecer com um oscilador. Uma condição sobrecomprada está presente quando as linhas estão muito acima da linha zero. Uma condição sobrevendida está presente quando as linhas estão muito abaixo da linha zero Os melhores sinais de compra são dados quando os preços estão bem abaixo da linha zero (sobrevendidos). Cruzamentos acima e abaixo da linha zero são outra forma de gerar sinais de compra e venda, respectivamente, de modo semelhante à técnica de momentum que discutimos anteriormente.

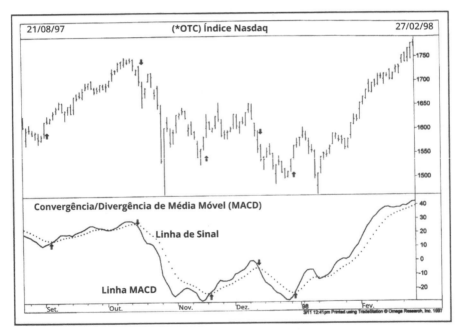

Figura 10.19a *O sistema de Convergência/Divergência de Média Móvel mostra duas linhas. Um sinal é dado quando a linha mais rápida MACD cruza a linha de sinal mais lenta. As setas mostram cinco sinais de trading neste gráfico do Índice Nasdaq.*

Divergências surgem entre a tendência das linhas de MACD e a linha de preço. Existe uma divergência negativa, ou de baixa, quando as linhas MACD estão bem acima da linha zero (sobrecomprado) e começam a enfraquecer quando os preços continuam a mostrar tendência de alta. Muitas vezes, isso é um aviso de um topo de mercado. Existe uma divergência positiva, ou de alta, quando as linhas MACD estão muito abaixo da linha zero (sobrevendido) e começam a subir para além da linha de preço. Muitas vezes, esse é um sinal precoce de um fundo de mercado. Linhas de tendências simples podem ser traçadas nas linhas MACD para ajudar a identificar mudanças importantes na tendência. (Veja a Figura 10.19b.)

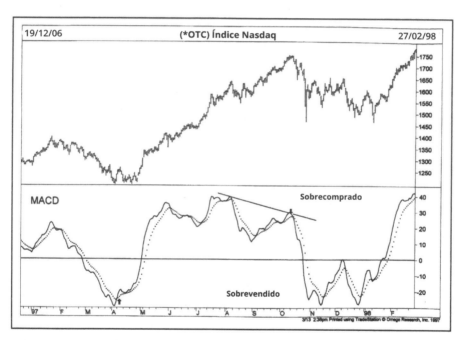

Figura 10.19b *As linhas MACD flutuam ao redor da linha zero, conferindo-lhe a característica de oscilador. Os melhores sinais de compra ocorrem abaixo da linha zero. Os melhores sinais de venda vêm de cima. Note a divergência negativa dada em outubro (veja seta para baixo).*

HISTOGRAMA MACD

Mostramos no início do capítulo como podemos construir um histograma que plote a diferença entre duas linhas de médias móveis. Usando a mesma técnica, as duas linhas MACD podem ser transformadas em um histograma MACD. O histograma consiste em barras verticais que mostram a diferença entre as duas linhas MACD. O histograma tem uma linha zero própria. Quando as linhas MACD estão em alinhamento positivo (linha mais rápida acima da mais lenta), o histograma fica acima de sua linha zero. Cruzamentos do histograma acima e abaixo de sua linha zero coincidem com o cruzamento MACD dos sinais de compra e venda.

O maior benefício do histograma é identificar quando o espaço entre as duas linhas está se ampliando ou estreitando. Quando o histograma está acima de sua linha zero (positivo), mas começa a cair em direção da linha zero, a tendência de alta está enfraquecendo. Por outro lado, quando o histograma está abaixo de sua linha zero (negativo) e começa a se mover para cima na direção da linha zero, a tendência de baixa está perdendo força. Apesar de nenhum sinal de compra ou venda ser dado até que o histograma cruze sua linha zero, as mudanças no histograma mostram sinais precoces de que a tendência atual está perdendo força. Recuos no histograma em direção à linha zero sempre precedem os sinais reais de cruzamento. Viradas no histograma têm mais utilidade para detectar os primeiros sinais de saída de posições existentes. É muito mais perigoso usar mudanças do histograma como justificativa para iniciar novas posições contrárias à tendência prevalecente. (Veja a Figura 10.20a.)

Osciladores e Opinião Contrária

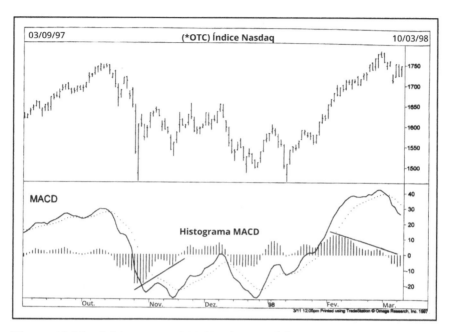

Figura 10.20a *O histograma MACD plota as diferenças entre as duas linhas MACD. São dados sinais nos cruzamentos da linha zero. Note que o histograma muda antes de os sinais de cruzamento serem dados, avisando o trader com alguma antecedência.*

COMBINE SEMANAIS E DIÁRIOS

Como ocorre com todos os indicadores técnicos, os sinais em gráficos semanais sempre são mais importantes do que aqueles em gráficos diários. A melhor forma de combiná-los é usar os sinais semanais para determinar a direção do mercado e os diários para ajustar pontos de entrada e saída. Um sinal diário é seguido somente quando está de acordo com o sinal semanal. Usados dessa forma, os sinais semanais tornam-se filtros para sinais diários. Isso evita que sejam usados sinais diários para operar contra a tendência prevalecente. Os sistemas de cruzamento em que esse princípio é realmente verdadeiro são o MACD e os estocásticos. (Veja a Figura 10.20b.)

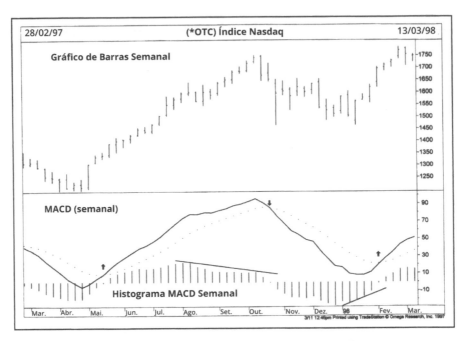

Figura 10.20b *O histograma MACD funciona bem em gráficos semanais. No meio do pico, o histograma teve uma queda dez semanas antes do sinal de venda (seta para baixo). Nas duas retomadas, o histograma mudou duas e quatro semanas antes dos sinais de compra (setas para cima).*

O PRINCÍPIO DA OPINIÃO CONTRÁRIA EM FUTUROS

A análise de osciladores é o estudo dos extremos de mercado. Uma das teorias mais intensamente seguidas na mensuração desses extremos é o princípio da Opinião Contrária. No início do livro, foram identificadas duas filosofias da análise de mercado dominantes — a fundamentalista e a técnica. A Opinião Contrária, embora seja geralmente colocada na categoria da análise técnica, é mais bem explicada como uma forma de análise psicológica. A Opinião Contrária acrescenta uma terceira dimensão importante à análise de mercado — a psicológica —, determinando o grau de otimismo ou pessimismo entre os participantes dos vários mercados financeiros.

Osciladores e Opinião Contrária

O princípio da *Opinião Contrária* defende que, quando uma ampla maioria de pessoas concorda com algo, elas geralmente estão erradas. Um verdadeiro antagonista, portanto, primeiro tentará determinar o que a maioria está fazendo e então se moverá na direção oposta.

Humphrey B. Neill, considerado decano do pensamento contrário, descreveu suas teorias no livro de 1954, *The Art of Contrary Thinking* [*A Arte do Pensamento Contrário*, em tradução livre]. Dez anos depois, em 1964, James H. Sibbet começou a aplicar os princípios de Neill à operação de futuros de commodities ao criar o serviço de consultoria Market Vane, que inclui os dados do Bullish Consensus (Market Vane, P.O. Box 90490, Pasadena, CA 91109). Todas as semanas, é feita uma pesquisa em boletins informativos para determinar o grau de otimismo ou pessimismo entre os profissionais de commodities. O objetivo da pesquisa é quantificar a tendência do mercado em um conjunto de números que podem ser analisados e usados no processo de previsão de mercado. A lógica que baseia essa abordagem é a de que a maioria dos traders é fortemente influenciada pelos serviços de consultoria de mercado. Portanto, ao monitorar as opiniões dos boletins informativos especializados, pode-se obter uma avaliação bastante precisa das atitudes do público investidor.

Outro serviço que fornece informações sobre a disposição do mercado é o "Índice de Consenso da Opinião do Mercado Otimista", publicado pelo *Consensus National Commodity Futures Weekly* (Consensus, Inc., 1735 McGee Street, Kansas City, MO 64108). Esses números são publicados todas as sextas-feiras e usam 75% como indicador de mercado sobrecomprado e 25% como indicador de mercado sobrevendido.

Interpretando Números de Consenso de Alta

A maioria dos traders parece empregar um método relativamente simples para analisar esses dados semanais. Se os números estiverem acima de 75%, o mercado é considerado sobrecomprado e significa que um topo pode estar próximo. Uma leitura abaixo de 25% é interpretada como um aviso de uma condição sobrevendida, e o aumento da probabilidade de que um fundo de mercado está próximo.

A Opinião Contrária Mede o Poder de Compra ou Venda Restante

Pense no caso de um especulador individual. Suponha que ele leia seu boletim informativo preferido e se convença de que o mercado está prestes a entrar em uma alta significativa. Quanto mais otimista a previsão, maior a agressividade com que o trader abordará o mercado. Todavia, quando os fundos do especulador individual estiverem totalmente comprometidos com esse mercado em especial, ele estará sobrecomprado — o que significa que não há mais fundos para aportar no mercado.

Expandindo essa situação a fim de incluir todos os participantes do mercado, se de 80% a 90% dos traders do mercado estiverem bullish, supõe-se que eles já tomaram suas posições no mercado. Quem resta para comprar e empurrar o mercado para cima? Então, este é um dos segredos para entender a Opinião Contrária. Se uma grande parte dos traders estiver em um lado do mercado, simplesmente não resta pressão de compra ou venda suficiente para continuar a tendência presente.

A Opinião Contrária Mede Strong Hands Versus Weak Hands

Uma segunda característica dessa filosofia é sua capacidade de comparar strong (posições fortes, boas cartadas) versus weak hands (posições fracas, cartadas ruins). O trade de futuros é um jogo de soma zero. Para cada posição comprada, há uma posição vendida. Se 80% dos traders estiverem no lado comprado, então os restantes 20% (que estão com posições vendidas) precisam estar bem financiados para absorver as posições compradas mantidas pelos demais 80%. Essas posições vendidas, portanto, precisam manter posições muito maiores do que as compradas (neste caso, 4 para 1).

Isso significa também que as posições vendidas precisam estar bem capitalizadas e são consideradas "strong hands". Os 80% que adotaram posições muito menores por trader são considerados "weaker hands", e serão obrigadas a liquidá-las em qualquer virada repentina nos preços.

Osciladores e Opinião Contrária

Algumas Características Adicionais dos Números de Consenso de Alta

Analisemos alguns pontos adicionais que devem ser lembrados ao se usar esses números. A norma ou ponto de equilíbrio está em 55%. Isso permite construir uma tendência de alta por parte do público em geral. O extremo superior é considerado de 90%, e o extremo inferior, de 20%. Aqui, novamente, os números são levemente deslocados para cima, a fim de permitir a tendência de alta.

Normalmente, pode-se considerar uma posição contrária quando os números de consenso de alta estiverem acima de 90% ou abaixo de 20%. Leituras acima de 75% ou abaixo de 25% também são consideradas zonas de alerta e sugerem que uma reviravolta pode estar próxima. Entretanto, geralmente é aconselhável esperar uma mudança na tendência dos números antes de agir contra ela. Uma mudança na direção dos números de Consenso de Alta, principalmente se ocorrer de uma das zonas de perigo, deve ser observada com atenção.

A Importância do Interesse Aberto (Futuros)

O interesse aberto também tem um papel importante no uso dos números do Consenso de Alta. Em geral, quanto maiores os números do interesse aberto, melhor é a chance de que uma posição contrária se mostre lucrativa. Porém, uma posição contrária não deve ser adotada enquanto o interesse aberto ainda está aumentando. Um crescimento contínuo no interesse aberto aumenta as probabilidades de que a tendência atual continue. Espere que os números do interesse aberto comecem a se nivelar ou cair antes de agir.

Analise o Relatório de Compromissos dos Traders para garantir que os hedgers mantenham menos que 50% do interesse aberto. A Opinião Contrária funciona melhor quando a maioria do interesse aberto está nas mãos de especuladores, que são considerados "weaker hands". Não é aconselhável operar contra grandes interesses de hedging.

Observe a Reação do Mercado a Informações Fundamentalistas

Observe a reação do mercado a informações fundamentalistas com muita atenção. O fato de os preços reagirem a notícias de alta em uma área sobrecomprada é um claro aviso de uma virada próxima. A primeira notícia negativa geralmente é suficiente para empurrar os preços rapidamente em outra direção. Da mesma forma, a falha dos preços em uma área sobrevendida (abaixo de 25%) em reagir a notícias de baixa pode ser encarada como um aviso de que todas as más notícias foram totalmente consideradas no atual preço baixo. Quaisquer notícias de alta elevarão os preços.

Combine a Opinião Contrária com Outras Ferramentas Técnicas

Como regra geral, opere na mesma direção da tendência dos números de consenso até atingir um extremo, momento em que os números deverão ser monitorados por um sinal de mudança na tendência. Não é necessário dizer que ferramentas de análise técnica padrão também podem e devem ser empregadas para ajudar a identificar viradas no mercado nesses momentos críticos. O rompimento de níveis de suporte ou resistência, linhas de tendência ou médias móveis podem ser usados para ajudar a confirmar que a tendência está, de fato, mudando. Divergências em gráficos de osciladores são especialmente úteis quando os números de Consenso de Alta são sobrecomprados ou sobrevendidos.

LEITURA DA DISPOSIÇÃO DO INVESTIDOR

Todo final de semana, a *Barron's* inclui em sua seção de Laboratório de Mercado um conjunto de números com o título "Leituras de Disposição do Investidor", Nesse espaço, quatro diferentes pesquisas com investidores são incluídas para avaliar o grau de otimismo ou pessimismo no mercado de ações. Os números são dados para a última semana e o período anterior de duas e três semanas, para fins de comparação. Veja um exemplo aleatório de como podem ser os números da semana anterior. Lembre-se de que esses números são indicadores contrários. Muito otimismo é ruim. Muito pessimismo é bom.

Investor's Intelligence	
Alta	48%
Baixa	27
Correção	24
Índice de Consenso da Opinião Otimista	77%
AAII Index *(American Association of Individual Investors* *625 N. Michigan Ave. Chicago, IL 60611)*	
Alta	53%
Baixa	13
Neutro	34
Market Vane	
Consenso de Alta	66%

NÚMEROS DA INVESTORS INTELLIGENCE

A Investors Intelligence (30 Church Street, New Rochelle, NY 10801) faz uma pesquisa semanal com consultores de investimentos e produz três números — a porcentagem de consultores de investimentos que são otimistas, a de que são pessimistas e a dos que estão esperando uma correção no mercado. Leituras de alta acima de 55% advertem sobre otimismo excessivo e são potencialmente negativas para o mercado. Leituras de alta abaixo de 35% refletem muito pessimismo e são consideradas positivas para o mercado. O número de correção representa os consultores que são otimistas, mas esperam uma fraqueza de curto prazo.

A Investors Intelligence também publica todas as semanas dados que medem a quantidade de ações que estão acima de suas médias móveis de 10 e 30 semanas. Esses números também podem ser usados de modo contrário. Leituras acima de 70% sugerem um mercado de ações sobrecomprado. Leituras abaixo de 30% sugerem um mercado sobrevendido. As leituras de 10 semanas são úteis para medir viradas de mercado de prazo curto a intermediário. Os números referentes a 30 semanas são mais úteis para medir viradas de mercado significativas. O sinal real de uma mudança em potencial na tendência ocorre quando os números voltam a subir acima de 30 ou recuam abaixo de 70.

11

Gráficos de Ponto e Figura

INTRODUÇÃO

A primeira técnica gráfica usada pelos traders do mercado de ações antes da virada do século foi o gráfico de ponto e figura. O verdadeiro nome, "ponto e figura", foi atribuído a Victor deVilliers em seu clássico de 1933, *The Point and Figure Method of Anticipating Stock Price Movements* [*O Método de Ponto e Figura de Previsão de Movimentos de Preço de Ações*, em tradução livre]. A técnica teve vários nomes ao longo dos anos. Nos anos de 1880 e 1890, era conhecido como o "método do livro". Esse foi o nome que Charles Dow lhe deu em um editorial de 20 de julho de 1901 no *Wall Street Journal*.

Dow mencionou que o método do livro tinha sido usado por cerca de 15 anos, dando-lhe a data de início de 1886. O nome "gráfico de figuras" foi usado dos anos de 1920 até 1933, quando "ponto e figura" passou a ser o nome aceito para essa técnica de rastrear o movimento do mercado. R.D. Wyckoff também publicou vários trabalhos lidando com o método de ponto e figura no início dos anos de 1930.

O *Wall Street Journal* começou a publicar preços máximos, mínimos e de fechamento de ações em 1896, que é a primeira referência ao gráfico de barras mais conhecido. Portanto, parece que o método de ponto e figura precede os gráficos de barras em, pelo menos, dez anos.

Abordaremos o gráfico de ponto e figura em duas etapas. Analisaremos o método original que se baseia em movimentos de preços intraday. Depois, mostraremos uma versão mais simples de gráfico de ponto e figura que pode ser construído usando-se apenas os preços máximo e mínimo em qualquer mercado.

GRÁFICO DE PONTO E FIGURA VERSUS GRÁFICO DE BARRAS

Começaremos com as diferenças básicas entre os gráficos de ponto e figura e o de barras e analisaremos alguns exemplos.

O gráfico de ponto e figura é o estudo do puro movimento de preço. Isso significa que ele não leva o tempo em consideração enquanto plota o price action. Por outro lado, um gráfico de barras combina preço e tempo. Devido ao modo como o gráfico é construído, o eixo vertical representa a escala de preço, e o horizontal, a escala de tempo. Em um gráfico diário, por exemplo, cada price action diário sucessivo move um espaço ou barra para a direita. Isso ocorre mesmo quando os preços sofreram pouca ou nenhuma mudança no dia. Algo sempre deve ser colocado no próximo espaço. No gráfico de ponto e figura, apenas as mudanças de preço são registradas. Se não houver mudança de preço, o gráfico permanece inalterado. Durante períodos de mercado ativos, pode ser necessária uma grande quantidade de plotagem. Em condições de mercado calmo, pouca ou nenhuma plotagem será necessária.

Uma diferença importante é o tratamento do volume. Gráficos de barras registram barras de volume abaixo do price action do dia. Gráficos de ponto e figura ignoram números de volume como uma entidade separada. Esta última frase, "como uma entidade separada", é importante. Embora os números de volume não sejam registrados no gráfico de ponto e figura, isso não significa necessariamente que o volume ou a atividade de trading

Gráficos de Ponto e Figura

seja totalmente perdida. Pelo contrário, como os gráficos de ponto e figura intraday registram toda atividade de mudança de preço, o volume mais alto ou mais baixo se reflete na quantidade de mudanças de preço registradas no gráfico. Como o volume é um dos ingredientes mais importantes para determinar a potência dos níveis de suporte e resistência, gráficos de ponto e figura tornam-se especialmente úteis para determinar em que níveis de preço a maior parte da atividade de trading ocorreu e, assim, onde estão os números importantes de suporte e resistência.

A Figura 11.1 compara um gráfico de barras e um gráfico de ponto e figura que abrangem o mesmo período de tempo. Por um lado, os gráficos são semelhantes, mas por outro, são bastante diferentes. O cenário geral de preço e tendência é captado nos dois gráficos, mas o método de registrar os preços é diferente. Note na Figura 11.2 as colunas alternadas de x e o. As *colunas de x* representam preços em alta, enquanto que as *colunas de o* mostram preços em queda. Sempre que uma coluna de x passa a um box acima de uma coluna anterior de x, ocorre um breakout de alta. (Veja setas na Figura 11.2.)

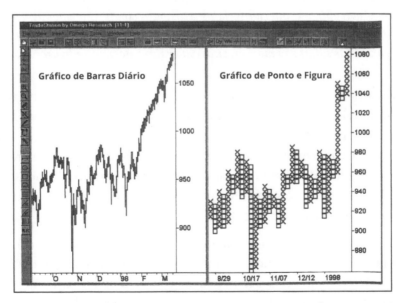

Figura 11.1 *A comparação de um gráfico de barras diário do Índice S&P 500 (esquerda) e um gráfico de ponto e figura (direita) para o mesmo período. O gráfico de ponto e figura usa colunas x para preços em alta e colunas o para preços em queda.*

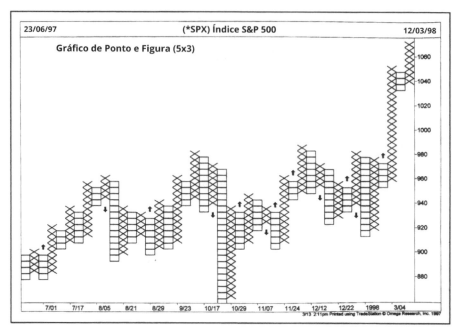

Figura 11.2 *Um sinal de compra é dado quando uma coluna x sobe acima do topo de uma coluna x anterior (veja as setas para cima). Um sinal de venda é dado quando uma coluna de o cai abaixo da coluna anterior de o (veja setas para baixo). Os sinais são mais precisos em gráficos de ponto e figura.*

Da mesma maneira, quando uma coluna de o cai um box abaixo da coluna anterior de o, ocorre um breakout de queda. Note como esses breakouts são mais precisos do que os do gráfico de barras. Naturalmente, esses breakouts podem ser usados como sinais de compra e venda. Falaremos mais sobre sinais de compra e venda adiante, mas os gráficos demonstram uma das vantagens do gráfico de ponto e figura, especialmente a maior precisão e facilidade para reconhecer sinais de tendências.

As Figuras 11.3 e 11.4 revelam outra vantagem importante do gráfico de ponto e figura: flexibilidade. Embora os três gráficos de ponto e figura exibam o mesmo price action, podemos fazer com que pareçam muito diferentes para atingir diferentes propósitos. Uma forma de mudar o grá-

Gráficos de Ponto e Figura

fico de ponto e figura é variar o *critério de reversão* (por exemplo, de uma reversão do box 3 para a reversão do box 5). Quanto maior o número de boxes necessários para uma reversão, menos sensível o gráfico se torna. A segunda forma de variar o gráfico é mudar o *tamanho do box*. A Figura 11.2 usa um box de 5 pontos. A Figura 11.3 muda o tamanho do box de 5 para 10 pontos. O número de colunas foi reduzido de 44 no gráfico 5×3 da Figura 11.2 para somente 16 colunas na Figura 11.3. Ao usar um tamanho de box maior na Figura 11.3, menos sinais são dados. Isso permite ao investidor se concentrar na tendência mais importante do mercado, evitando todos os sinais de venda de curto prazo que são eliminados do gráfico menos sensível.

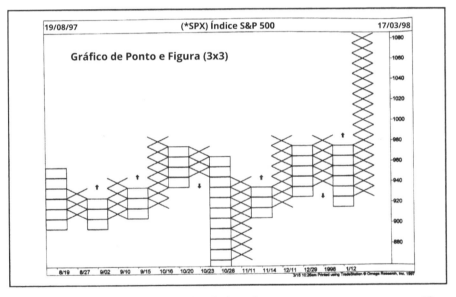

Figura 11.3 *Aumentar o tamanho do box de 5 para 10 pontos torna o gráfico de ponto e figura menos sensível, e menos sinais são dados. Ele é mais indicado para investidores de longo prazo.*

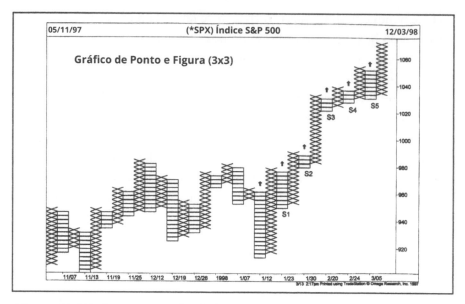

Figura 11.4 *Reduzir o tamanho do box para 3 pontos produz mais sinais. Isso é melhor para operações de curto prazo. O último rali de 920 a 1060 produziu 6 sinais diferentes de compra. Stops de venda protetivos podem ser colocados abaixo da coluna mais alta de o (veja S1–S5).*

A Figura 11.4 reduz o tamanho do box de 5 para 3. Isso aumenta a sensibilidade do gráfico. Por que alguém quereria fazer isso? Porque é melhor para trading de curto prazo. Compare o último rali de 920 a 1060 nos três gráficos. O gráfico 10×3 (Figura 11.3) mostra a última coluna como uma série de x sem colunas o. O gráfico 5x3 (Figura 11.2) quebra a última posição de alta em 5 colunas — 3 colunas x e 2 colunas o. O gráfico 3x3 (Figura 11.4) quebra a última posição de alta em 11 colunas — 6 colunas x e 5 colunas o. Aumentando o número de correções durante a tendência de alta (aumentando o número de colunas o), mais sinais de compra repetidos são dados para entradas tardias ou para acrescentar posições vencedoras. Ela também permite que o trader eleve stops protetivos de venda abaixo das últimas colunas de o. Como resultado, você pode alterar a aparência do gráfico de ponto e figura de modo a ajustar sua sensibilidade para adequá-lo às suas necessidades.

CONSTRUÇÃO DO GRÁFICO INTRADAY DE PONTO E FIGURA

Já dissemos que o gráfico intraday era o tipo original usado pelos grafistas de ponto e figura. A técnica foi originalmente usada para rastrear o movimento do mercado de ações. O intuito era capturar e registrar em papel cada ponto de movimento das ações em análise. Concluiu-se que a acumulação (compra) e a distribuição (venda) poderiam ser mais bem detectadas dessa forma. Somente números inteiros eram empregados. Cada box recebia o valor de um ponto, e cada movimento de ponto em qualquer direção era registrado. Frações eram ignoradas. Mais tarde, quando a técnica foi adotada pelos mercados de commodities, o valor do box teve de ser ajustado para se adequar a cada mercado de commodities diferente. Construiremos um gráfico intraday usando alguns dados de preços reais.

Os números a seguir descrevem nove dias reais de trade em um contrato de futuros em francos suíços. O tamanho do box é de 5 pontos. Assim, cada movimento de 5 pontos em qualquer direção é plotado. Começaremos com um gráfico com uma reversão.

4/29 4875 4880 4860 4865 4850 4860 4855
5/2 4870 4860 4865 4855 4860 4855 4860 4855 4860 4855 4865 4855
5/3 4870 4865 4870 4860 4865 4860 4870 4865
5/4 4885 4880 4890 4885 4890 4875
5/5 4905 4900 4905 4900 4905
5/6 4885 4900 4890 4930 4920 4930 4925 4930 4925
5/9 4950 4925 4930 4925 4930 4925 4935 4925 4930 4925 4935 4930 4940 4935
5/10 4940 4915 4920 4905 4925 4920 4930 4925 4935 4930 4940 4935 4940
5/11 4935 4950 4945 4950 4935 4940 4935 4945 4940 4965 4960 4965
    4955 4960 4955 4965 4960 4970

A Figura 11.5a mostra como os números apareceriam anteriormente no gráfico. Começaremos pelo lado esquerdo do gráfico. Primeiro, o gráfico é dimensionado para refletir um incremento de cinco pontos para cada box.

Coluna 1: Coloque um ponto em 4875. Como o próximo número — 4880 — é mais alto, preencha o próximo box até 4880.

Coluna 2: O próximo número é 4860. Mova uma coluna para a direita, desça um box e preencha todos os "o" até 4860.

Coluna 3: O próximo número é 4865. Mova uma coluna para a direita, suba um box e coloque um x em 4865. Pare aqui. Até agora você só marcou um x na coluna 3 porque os preços só subiram um box. Em um gráfico de reversão de box, sempre deve haver, pelo menos, dois boxes preenchidos em cada coluna. Note que o próximo número é 4850, pedindo o preenchimento dos "os" até esse número. Você vai até a próxima coluna para registrar a coluna de "os" em queda? A resposta é não, porque isso deixaria só uma marca, o x, na coluna 3. Portanto, na coluna com o único x (coluna 3), preencha os "os" até 4850.

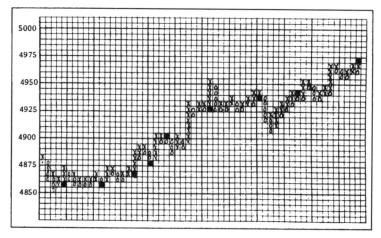

Figura 11.5a *Um gráfico de ponto e figura 5x1 de um contrato de marco alemão é mostrado no gráfico superior. Os boxes escurecidos mostram o fim de cada dia de trade. A Figura 11.5b mostra os mesmos dados de preço com três reversões. Note a compressão. A Figura 11.5c mostra cinco reversões.*

Coluna 4: O próximo número é 4860. Vá até a próxima coluna, suba um box e plote os x até 4860.

Coluna 5: O próximo número é 4855. Como este é um movimento para baixo, vá até a próxima coluna, desça um box e preencha o "o" em 4860. Note na tabela que esse é o último preço do dia. Faremos mais um.

Coluna 6: O primeiro número em 5/2 é 4870. Até agora, você só tem um o na coluna 5. Você precisa ter, pelo menos, duas marcas em cada coluna. Assim, preencha os x (porque os preços estão aumentando) até 4870. Note, porém, que o último preço do dia anterior está escurecido. Isso ajuda a acompanhar o tempo. Escurecer o último preço de cada dia facilita a tarefa de acompanhar a operação em dias separados.

Fique à vontade para continuar pelo restante do gráfico para melhorar sua compreensão do processo de plotagem. Note que esse gráfico tem várias colunas nas quais há x e o. Essa situação só ocorre no gráfico de reversão de ponto 1 e é causada pela necessidade de ter, pelo menos, dois boxes preenchidos em cada coluna. Alguns puristas podem discutir a combinação de x e o. Porém, a experiência mostra que esse método de plotar os preços facilita muito a tarefa de acompanhar a ordem das transações.

A Figura 11.5b toma os mesmos dados da Figura 11.5a e os transforma em um gráfico de três reversões. Note que o gráfico é condensado e muitos dados se perderam. A Figura 11.5c mostra cinco reversões. Esses são os três critérios de reversão que têm sido tradicionalmente usados — 1, 3 e 5 reversões. O modelo com 1 reversão geralmente é usado para atividades de prazo muito curto, e o de 3 reversões é usado para o estudo de tendências intermediárias. O modelo de 5 reversões, devido à intensa condensação, geralmente é usado para o estudo de tendências de longo prazo. A ordem correta a ser usada é a mostrada aqui, ou seja, começar com o gráfico de reversão de 1 ponto. O gráfico com três e cinco reversões podem então ser construídos a partir do primeiro gráfico. Por motivos óbvios, é impossível construir o gráfico com uma reversão a partir de 3 ou 5 reversões.

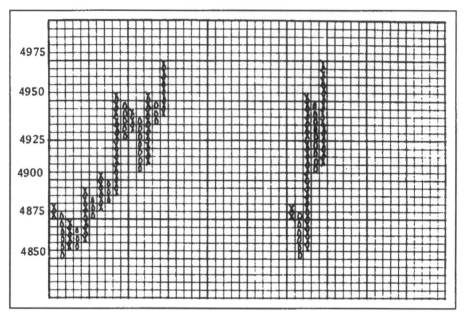

Figura 11.5b   Figura 11.5c

A CONTAGEM HORIZONTAL

Uma das principais vantagens do gráfico intraday com uma reversão é a habilidade de obter objetivos de preço por meio do uso da *contagem horizontal*. Se você se lembrar de nossa abordagem de gráficos de barras e padrões de preço, verá que discutimos a questão de objetivos de preço. Entretanto, praticamente todos os métodos de obtenção de objetivos de preço a partir de gráficos de barras foram baseados no que chamamos de *mensurações verticais*. Isso significava medir a altura do padrão (a volatilidade) e projetar o resultado para cima ou para baixo. Por exemplo, o padrão cabeça e ombros mede a distância da cabeça ao pescoço e se move em curva a partir da quebra da linha do pescoço.

Gráficos de Ponto e Figura Permitem Mensuração Horizontal

O princípio da contagem horizontal se baseia na premissa de que há uma relação direta entre a largura de uma área de congestão e o movimento subsequente quando ocorre um breakout. Se a *área de congestão* representar um padrão de base, pode-se fazer uma estimativa sobre o potencial de alta quando a base é completada. Quando a tendência de alta se inicia, áreas de congestão subsequentes podem ser usadas para obter contagens adicionais que podem ser usadas para confirmar as contagens originais da base. (Veja a Figura 11.6.)

O objetivo é medir a largura do padrão. Lembre-se de que estamos falando de gráficos com uma reversão. A técnica requer algumas modificações para outros tipos de gráficos de que voltaremos a falar mais tarde. Quando uma área de topo ou de base for identificada, simplesmente conte o número de colunas nesse topo ou base. Se, por exemplo, houver 20 colunas, o alvo de alta ou de baixa seria de 20 boxes a partir do ponto de mensuração. É essencial determinar a partir de que linha medir. Às vezes, isso é fácil, e em outras mais difícil.

Geralmente, a linha horizontal a ser contada está perto da área de congestão. Para maior precisão, use a linha que tem o menor número de boxes vazios. Ou, em outras palavras, a linha com o maior número de x e o preenchidos. Quando você encontrar a linha correta para contar, é importante incluir todas as colunas em sua contagem, mesmo as que estão vazias. Conte o número de colunas na área de congestão e então projete esse número para cima ou para baixo da linha que foi usada para a contagem.

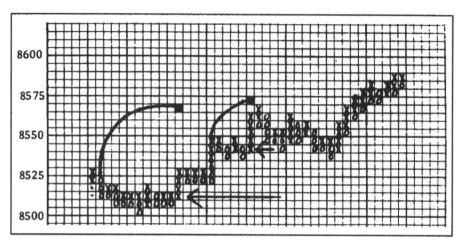

Figura 11.6 *Ao contar o número de colunas na área de congestão horizontal, pode-se determinar objetivos de preços. Quanto mais larga a área de congestão, maior o objetivo.*

PADRÕES DE PREÇO

Também é possível identificar padrões em gráficos de ponto e figura. A Figura 11.7 mostra os tipos mais comuns.

Como você pode ver, eles não são muito diferentes dos que já discutimos ao falar sobre gráficos de barras. A maioria dos padrões é uma variação dos topos duplos e triplos, cabeça e ombros, Vs e Vs invertidos e pires. O termo "fulcro" aparece muito na literatura sobre ponto e linha. Essencialmente, o *fulcro* é uma área de congestão bem definida que ocorre depois de um avanço ou declínio significativo e que forma uma base de acumulação ou um topo de distribuição. Por exemplo, em uma base, o fundo da área está sujeita a testes repetidos, interrompidos por tentativas de ralis intermitentes. Com muita frequência, o fulcro assume a aparência de um topo duplo ou triplo. O padrão de base é completado quando um breakout (catapulta) ocorre acima do topo de uma área de congestão.

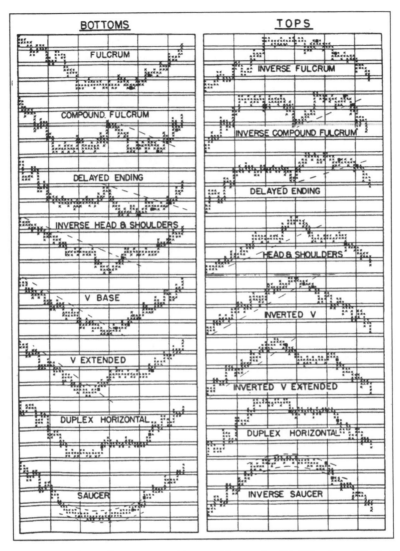

Figura 11.7 *Padrões de reversão. (Fonte: Alexander H. Wheelan, Study Helps in Point and Figure Technique [Nova York, NY: Morgan, Rogers e Roberts, Inc., 1954] p. 25.) Reimpresso em 1990 pela Traders Press, P.O. Box 6206, Greenville, SC 29606. (Não traduzido para fins de ilustração dos termos em inglês, ver termos em português no texto principal.)*

Esses padrões de reversão com faixas horizontais mais pronunciadas obviamente se prestam bem à mensuração de contagens. A base V, por outro lado, devido à ausência de uma área de preço horizontal significativa, não seria passível de uma contagem horizontal. Os boxes destacados nos exemplos de gráficos na Figura 11.7 representam sugestões de pontos de compra e venda. Note que esses pontos de entrada geralmente coincidem com o reteste das áreas de suporte em uma base ou área de resistência em um topo, pontos de breakout e o rompimento de linhas de tendência.

Análise de Tendências e Linhas de Tendência

Os padrões de preço na Figura 11.7 mostram linhas de tendência traçadas como parte desses padrões. A análise de linhas de tendência em gráficos intraday é a mesma aplicada aos gráficos de barras. Linhas de tendência de alta são traçadas abaixo de sucessivas baixas, e linhas de tendência de baixa são traçadas acima de picos sucessivos. Isso não se aplica ao gráfico de ponto e figura simplificado, que analisaremos em seguida. Ele utiliza linhas de 45° e as plota de modo diferente.

GRÁFICOS DE PONTO E FIGURA COM TRÊS REVERSÕES

Em 1947, A.W. Cohen escreveu um livro sobre ponto e figura, *Stock Market Timing* [*Timing no Mercado de Ações*, em tradução livre]. No ano seguinte, quando foi lançado o *Chartcraft Weekly Service*, o nome do livro foi trocado para *The Chartcraft Method of Point & Figure Trading* [*O Método Chartcraft de Trading de Ponto e Figura*, em tradução livre]. Várias edições revisadas foram publicadas desde então para incluir commodities e opções. Em 1990, Michael Burke escreveu *The All New Guide to the Three-Point Reversal Method of Point & Figure Construction and Formations* [*O Novo Guia Para o Método de Reversão em Três Pontos da Construção e Formação do Ponto e Figura*, em tradução livre] (Chartcraft, New Rochelle, NY).

O método original de reversão de um box para plotar mercados exigia preços intraday. O de reversão de três boxes foi uma condensação do métodode de um box e era destinado à análise de tendências intermediárias. Segundo Cohen, devido ao fato de ocorrerem muito poucas reversões de três boxes em ações durante o dia, não era necessário usar preços intraday para construir o gráfico de reversão de três boxes. Daí a decisão de usar apenas os preços máximos e mínimos que estavam facilmente disponíveis na maioria dos jornais financeiros. Essa técnica modificada, que é a base do serviço *Chartcraft*, simplificou bastante o gráfico de ponto e figura e o tornou acessível ao trader comum.

CONSTRUINDO O GRÁFICO REVERSÃO DE TRÊS PONTOS

A construção do gráfico é relativamente simples. Primeiro, ele precisa ser representado na mesma escala que um gráfico intraday. O valor deve ser aplicado em cada box. Essas tarefas são realizadas para assinantes do serviço *Chartcraft* porque os gráficos já foram construídos, e os valores do box, aplicados. O gráfico mostra uma série de colunas alternadas nas quais x representa os preços em alta e "o" mostra os preços em queda. (Veja a Figura 11.8.)

A plotagem efetiva dos x e o exige apenas os preços máximos e mínimos do dia. Se a última coluna for x (mostrando preços em alta), então veja o preço máximo do dia. Se a alta do dia permitir o preenchimento de um ou mais x, então preencha esses boxes e pare. Isso é tudo que você fará nesse dia. Lembre-se de que o valor inteiro do box precisa ser preenchido. Frações ou preenchimento parcial do box não contam. Repita o mesmo processo no dia seguinte, atento apenas ao preço máximo. Enquanto os preços continuarem a aumentar, permitindo a plotagem de, pelo menos, um x, continue a preencher os boxes com x, ignorando os preços baixos.

Finalmente chegará o dia em que o preço alto do dia não será alto o suficiente para preencher o próximo box x. Nesse ponto, verifique o preço mínimo para determinar se uma reversão de três boxes ocorreu em outra direção. Nesse caso, mova uma coluna para a direita, desça um box e preencha os próximos três boxes com "o" para indicar uma nova coluna de baixa. Pelo fato de estar agora em uma coluna de baixa, no dia seguinte consulte o preço mínimo para ver se é possível continuar a coluna de o. Se um ou mais o puder ser preenchido, então faça isso. Somente quando o preço mínimo diário não permitir o preenchimento de qualquer outro o você checará o preço máximo do dia, para ver se ocorreu uma reversão ascendente de três boxes. Em caso positivo, mova uma coluna para a direita e comece uma nova coluna de x.

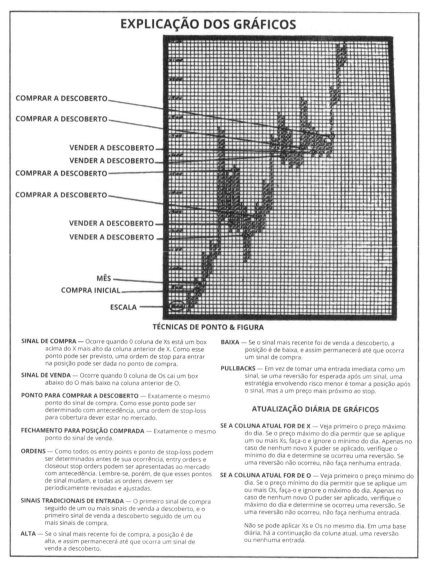

Figura 11.8 *Fonte: Cortesia de Chartcraft, Inc., New Rochelle, NY.*

Padrões Gráficos

A Figura 11.9 mostra 16 padrões de preço mais comuns nesse tipo de gráfico de ponto e figura — 8 sinais de compra e 8 sinais de venda.

Daremos uma olhada nesses padrões. Como a coluna 2, que mostra sinais S-1 até S-8, é apenas uma imagem espelhada da coluna 1, nos concentraremos no lado da compra. Os primeiros dois sinais, B-1 e B-2, são formações simples. Tudo o que é necessário para o *sinal de compra de alta simples* são três colunas, com a segunda coluna de x se movendo um box acima da coluna anterior de x. B-2 é semelhante a B-1, com uma pequena diferença: agora há quatro colunas, com o fundo da segunda coluna de o mais alta que a primeira. B-1 mostra um simples breakout pela resistência. B-2 mostra o mesmo breakout de alta, mas com a característica de alta adicional de baixas crescentes. Por esse motivo, B-2 é um padrão ligeiramente mais forte que B-1.

O terceiro padrão (B-3), *breakout de um topo triplo*, inicia as formações complexas. Note que um simples sinal de compra de alta faz parte de cada formação complexa. Além disso, à medida que avançamos pela página, essas formações tornam-se cada vez mais fortes. O breakout de topo triplo é mais forte porque há cinco colunas envolvidas e três colunas de x foram penetradas. Lembre-se de que, quanto mais larga a base, maior é o potencial de alta. O próximo padrão (B-4), *topo triplo ascendente*, é mais forte que B-3 porque os topos e fundos são ascendentes. O *topo triplo spread* (B-5) é ainda mais forte, porque há sete colunas envolvidas e três colunas de x foram ultrapassadas.

O *breakout acima de um triângulo de alta* (B-6) combina dois sinais. Primeiro, é preciso que um sinal simples de compra esteja presente. Depois, a linha de tendência superior precisa ser liberada. (Falaremos da criação de linhas de tendência nesses gráficos na próxima seção.) O sinal B-7, *breakout ascendente acima de uma linha de resistência de alta*, é autoexplicativo. Outra vez, dois fatores devem estar presentes. Um sinal de compra já deve ter sido dado, e a linha do canal superior deve ser totalmente liberada. O padrão final, *o breakout ascendente acima de uma linha de resistência de baixa* (B-8), também exige dois elementos. Um sinal simples de compra precisa ser combinado com a liberação da linha de tendência inferior. Naturalmente, tudo o que dissemos sobre os padrões B-1 a B-8 se aplica igualmente aos padrões S-1 a S9, exceto que, neste caso, os preços avançam para baixo, e não para cima.

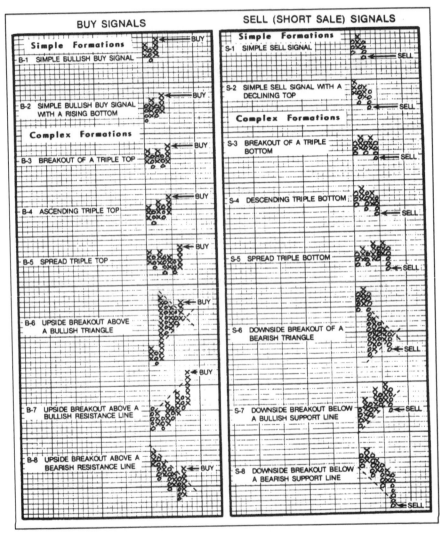

Figura 11.9 *Fonte: K.C. Zieg Jr. e P.J. Kaufman, Point and Figure Commodity Trading Techniques (New Rochelle, NY: Investors Intelligence), p. 73. (Não traduzido para fins de ilustração dos termos em inglês, ver termos em português no texto principal.)*

Há uma diferença entre como esses padrões são aplicados a mercados de commodities em comparação a ações ordinárias. Em geral, os 16 sinais podem ser usados em operações do mercado de ações. Contudo, devido ao rápido movimento característico dos mercados de futuros, os padrões *complexos* não são tão comuns nos mercados de commodities. Assim, é dada uma ênfase maior aos sinais *simples*. Muitos traders de futuros usam apenas os sinais simples. Se o trader decidir esperar sinais mais complexos e fortes, perderá muitas oportunidades de trades lucrativos.

TRAÇANDO LINHAS DE TENDÊNCIA

Na discussão de gráficos intraday, ressaltamos que as linhas de tendência eram traçadas de modo convencional. Isso não se aplica a esses três gráficos de reversão de pontos. As linhas de tendência nesses gráficos são traçadas em ângulos de 45°. Além disso, elas não precisam necessariamente ter de se conectar com topos ou fundos anteriores.

As Linhas Básicas de Suporte de Alta e de Resistência de Baixa

Essas são suas linhas de tendência básicas de alta e baixa. Devido à acentuada condensação nesses gráficos, não seria prático tentar conectar picos de alta ou reações de baixa. Assim, usa-se a linha de 45°. Em uma tendência de alta, traçamos *uma linha de suporte de alta* a um *ângulo de 45°* ascendente na direção da direita a partir da coluna mais baixa de "o". Enquanto os preços permanecerem acima dessa linha, a principal tendência é considerada de alta. Em uma tendência de baixa, a linha de resistência de baixa é traçada a um ângulo de 45° para baixo à direita do topo da coluna mais alta de x. Enquanto os preços permanecerem abaixo dessa linha de tendência descendente, a tendência é de baixa. (Veja as Figuras 11.10 a 11.12.)

Às vezes, essas linhas precisarão ser ajustadas. Por exemplo, às vezes, a correção em uma tendência de alta rompe abaixo da linha de suporte ascendente, depois do que a tendência de alta é retomada. Nesses casos, é preciso traçar uma nova linha de suporte em um ângulo de 45° a partir do fundo dessa reação de baixa. Às vezes, uma tendência é tão forte que a linha de tendência original simplesmente fica distante demais do price action. Nesse caso, deve-se traçar uma linha de tendência mais restrita na tentativa de atingir uma linha de suporte "mais adequada".

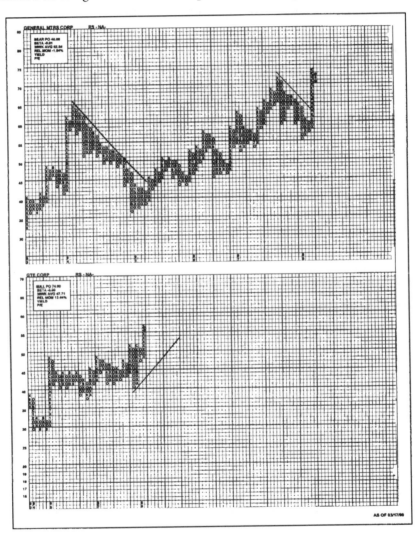

Figura 11.10 *Exemplos de gráficos de reversão de três pontos Chartcraft para ações. Note que as linhas de tendência são traçadas a ângulos de 45°. (Fonte: Cortesia de Chartcraft, New Rochelle, NY.)*

Gráficos de Ponto e Figura

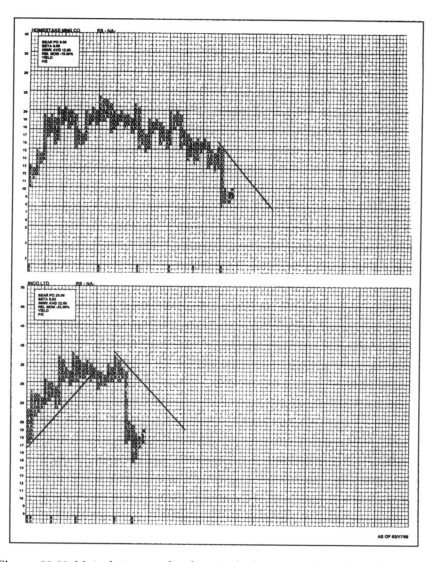

Figura 11.11 *Mais dois exemplos do método de criação de gráficos de ponto e figura de reversão de três pontos da Chartcraft. As linhas de tendência nesses gráficos são traçadas em ângulos de 45°. (Fonte: Cortesia de Chartcraft, New Rochelle, NY.)*

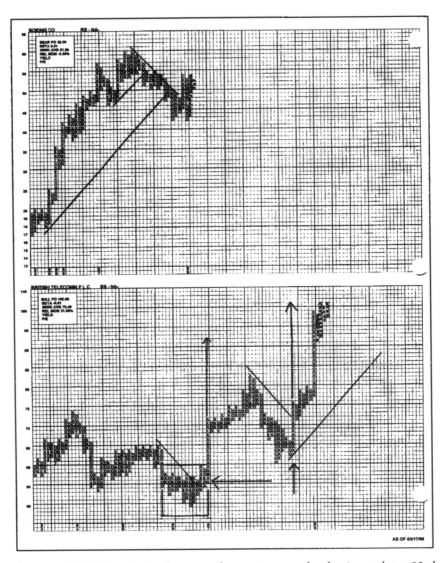

Figura 11.12 *O box do fundo esquerdo mostra um alvo horizontal em 92 da British Telecomm PLC atingido por uma base tripla e somado a 50. À direita, um alvo vertical em 102 é atingido ao se triplicar a coluna X e somando-a a 63. (Fonte: Cortesia de Chartcraft, New Rochelle, NY.)*

TÉCNICAS DE MENSURAÇÃO

Gráficos de reversão de três pontos possibilitam o uso de duas técnicas de mensuração diferentes — a *horizontal* e a *vertical*. Na horizontal, conte o número de colunas nos padrões de fundo ou topo. Esse número de colunas deve então ser multiplicado pelo valor de reversão ou o número de boxes necessário para uma reversão. Por exemplo, atribuiremos um valor de US\$1,00 ao box em um gráfico com três reversões. Contamos o número de boxes na base e chegamos ao número 10. Como estamos usando uma reversão de três boxes, o valor dessa reversão é US\$3,00 (3 x US\$1,00). Multiplique as 10 colunas da base por US\$3,00 para um total de US\$30. Esse número então é somado ao fundo do padrão de base ou subtraído do topo de um padrão de topo para atingir o objetivo de preço.

A contagem *vertical* é mais simples. Meça o número de boxes na primeira coluna da nova tendência. Em uma tendência de alta, meça a primeira coluna de subida de x. Em uma tendência de baixa, meça a primeira coluna de baixa de "o". Multiplique esse valor por três e some o total ao fundo ou subtraia-o do topo da coluna. Na verdade, você está tomando um gráfico de reversão de três boxes e triplicando o tamanho da primeira linha. Se um topo ou fundo duplo ocorrer no gráfico, use a segunda coluna de o ou x para a contagem vertical. (Veja a Figura 11.12.)

TÁTICAS DE TRADING

Analisemos as várias formas de usar esses gráficos de ponto e figura para determinar pontos específicos de entrada e saída.

1. Um sinal de compra simples pode ser usado para cobrir antigas posições vendidas e/ou iniciar novas compradas.
2. Um sinal de venda simples pode ser usado para a liquidação de antigas posições compradas e/ou início de novas vendidas.
3. Um sinal simples pode ser usado para propósitos de liquidação com a necessidade de uma formação complexa para um novo compromisso.

4. A linha de tendência pode ser usada como um filtro. Posições compradas são iniciadas acima da linha de tendência, e posições vendidas, abaixo da linha de tendência.

5. Para proteção de stop, sempre arrisque abaixo da última coluna de "o" em uma tendência de alta e acima da última coluna de x em uma tendência de baixa.

6. O ponto efetivo de entrada pode variar da seguinte forma:

   a. Comprar o breakout real em uma tendência de alta.

   b. Comprar uma reversão de três boxes após a ocorrência de breakout para obter um ponto de entrada mais baixo.

   c. Comprar uma reversão de três boxes na direção do breakout original após a correção. Isso não só requer a confirmação adicional de uma reversão positiva na direção certa, mas um ponto de stop mais próximo pode ser usado abaixo da coluna mais recente de o.

   d. Comprar um segundo breakout na mesma direção do sinal original de breakout.

Como você pode ver facilmente a partir da lista, há muitas formas diferentes para se usar o gráfico de ponto e figura. Quando a técnica básica é entendida, há uma flexibilidade quase ilimitada quanto ao melhor modo de entrar ou sair do mercado usando essa abordagem.

Stops de Ajuste

Os verdadeiros sinais de compra ou venda ocorrem no primeiro sinal. Entretanto, à medida que o movimento continua, aparecem vários outros sinais no gráfico. Esses sinais repetidos de compra ou venda podem ser usados para posições adicionais. Quer isso seja feito ou não, o ponto de stop protetivo pode ser elevado para imediatamente abaixo da última coluna "o" em uma tendência de alta, e abaixado para imediatamente acima da última coluna x em uma tendência de baixa. Esse uso de um *stop de rastreamento* permite ao trader manter a posição e proteger lucros acumulados ao mesmo tempo.

O que Fazer Após um Movimento Prolongado

Correções intermitentes contra a tendência permitem ao trader ajustar stops quando a tendência é retomada. Contudo, como isso é conseguido quando não ocorre nenhuma reversão de três boxes durante a tendência? Então, o trader se vê diante de uma longa coluna de x em uma tendência de alta ou "o" em uma tendência de baixa. Esse tipo de situação de mercado cria o que se chama de *poste*, ou seja, uma longa coluna de x e o sem correção. O trader quer permanecer na tendência, mas também quer uma técnica para proteger os lucros. Há, pelo menos, uma forma de conseguir isso. Depois de um movimento sem interrupção de 10 ou mais boxes, coloque um stop de proteção no ponto em que ocorreria uma reversão de 3 boxes. Se isso não funcionar, outro stop poderá ser colocado quando determinadas figuras se formarem dentro do gráfico. Neste caso, uma vantagem adicional é a colocação de um novo stop abaixo da coluna mais recente de "o" na tendência de alta ou acima da última coluna de x na tendência de baixa.

VANTAGENS DOS GRÁFICOS DE PONTO E FIGURA

Resumiremos algumas das vantagens dos gráficos de ponto e figura.

1. Ao variar o tamanho do box e da reversão, os gráficos podem ser adaptados a quase qualquer necessidade. Há muitas formas diferentes de usar esses gráficos para pontos de entrada e saída.
2. Sinais de trade são mais precisos em gráficos de ponto e figura do que nos de barras.
3. Ao acompanhar esses sinais específicos de ponto e figura, pode-se atingir uma disciplina de trade melhor. (Veja as Figuras 11.13 a 11.18.)

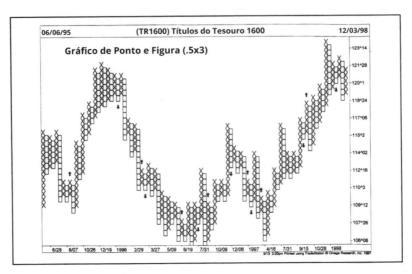

Figura 11.13 *Este gráfico de preços de futuros de Títulos do Tesouro Norte-Americano cobre mais de dois anos. As setas marcam os sinais de compra e venda. A maioria dos sinais captou muito bem a tendência do mercado. Mesmo quando um mau sinal é dado, o gráfico se corrige rapidamente.*

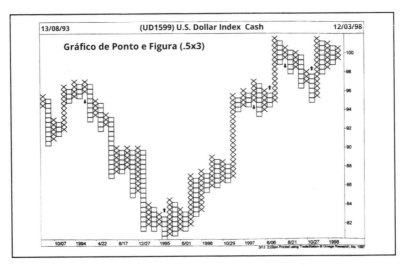

Figura 11.14 *O sinal de venda do início de 1994 (primeira seta para baixo) durou o ano todo. O sinal de compra no início de 1995 (primeira seta para cima) durou dois anos, até 1997. Um sinal de venda em meados de 1997 se transformou em sinal de compra no início de 1998.*

Gráficos de Ponto e Figura

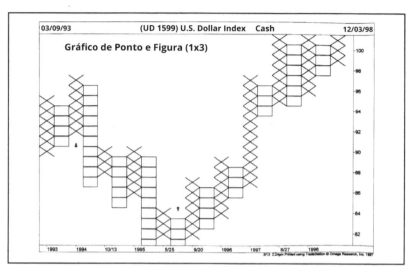

Figura 11.15 *Este gráfico condensa o gráfico de dólar anterior dobrando o tamanho do box. Apenas dois sinais são dados nesta versão menos sensível. O último sinal foi de compra (veja a seta para cima) em meados de 1995, perto de 85, que durou quase três anos.*

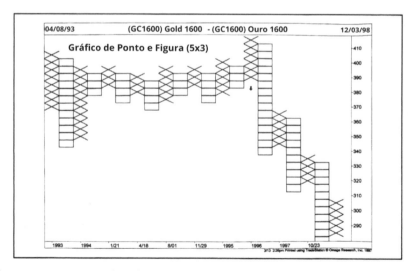

Figura 11.16 *Este gráfico de ponto e figura de ouro deu um sinal de venda (veja a seta para baixo) perto de US$380 durante 1996. Os preços do ouro caíram mais US$100 nos dois anos seguintes.*

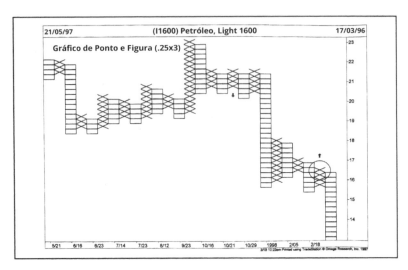

Figura 11.17 *O gráfico de ponto e figura para petróleo deu um sinal de venda (veja a seta para baixo) perto de US$20 em outubro de 1997 e pegou a queda subsequente de US$6. Os preços do petróleo teriam de subir acima da última coluna X em 16.50 para reverter a tendência de baixa.*

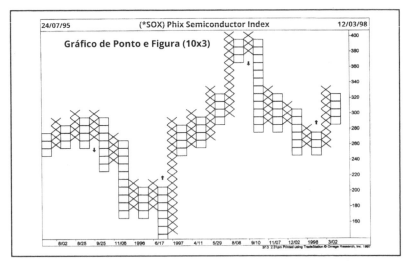

Figura 11.18 *Este gráfico de ponto e figura do Semiconductor Index deu quatro sinais no período de dois anos e meio. A seta para baixo marca dois sinais de venda oportunos em 1995 e 1997. O sinal de compra em 1996 (primeira seta para cima) apanhou a maior parte do rali subsequente.*

INDICADORES TÉCNICOS DE P&F

Em seu livro de 1995, *Point & Figure Charting* [*Gráficos de Ponto e Figura*, em tradução livre] (John Wiley & Sons), Thomas J. Dorsey defende o método Chartcraft de gráficos de reversão de três pontos para ações. Ele também discute a aplicação do ponto e figura à operação de commodities e opções. Além de explicar como construir e interpretar os gráficos, Dorsey também mostra como a técnica de ponto e figura pode ser aplicada à análise da força relativa, à análise de setor e à construção de um NYSE Bullish Percent Index, e mostra como os gráficos de ponto e figura podem ser construídos para a linha de aumento/queda do NYSE, o NYSE High-Low Index e a porcentagem de ações acima de suas médias de 10 e 30 semanas. Dorsey credita a Michael Burke, editor da Chartcraft, (Chartcraft, Inc., Investors Intelligence, 30 Church Street, New Rochelle, N.Y. 10801), o verdadeiro desenvolvimento desses indicadores inovadores de ponto e figura que estão disponíveis naquele serviço gráfico.

GRÁFICOS DE PONTO E FIGURA POR COMPUTADOR

Os computadores facilitaram o trabalho na representação de gráficos de ponto e figura. Os dias de laboriosamente construir colunas de x e o se foram. A maioria dos pacotes de software gráfico faz a representação para você. Além disso, você pode variar o tamanho dos boxes e da reversão com um toque no teclado para ajustar o gráfico para análises de prazos mais curtos ou longos. Você pode construir gráficos de ponto e figura a partir de dados em tempo real (intraday) e do final do dia, e pode aplicá-los ao mercado que desejar. Mas é possível fazer muito mais com um computador.

Kenneth Tower (CMT), analista técnico da UST Securities Corporation (5 Vaughn Drive, CN5209, Princeton, N.J. 08543), usa o método logarítmico do gráfico de ponto e figura. Um processo de seleção que mede a volatilidade de uma ação durante os últimos três anos determina a porcentagem certa para cada tamanho de box para cada ação. As Figuras 11.19 e 11.20 mostram exemplos de gráficos de ponto e figura logarítmico de Tower aplicados à America Online e à Intel. O tamanho do box para a AOL na Figura 11.19 é de 3,6%. Assim, a reversão de um box exigiria uma retração de 3,6%. Como esse é um gráfico de reversão de dois boxes, os preços teriam de sofrer uma retração de 7,2% para começar uma nova coluna. O tamanho de cada box para o gráfico da Intel mostrado na Figura 11.20 vale 3,2%.

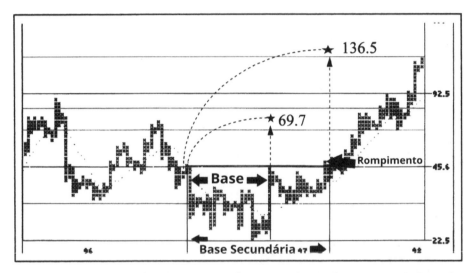

Figura 11.19 *Um gráfico logarítmico de ponto e figura da America Online. O critério de reversão é baseado em porcentagens. Cada box vale 3,6%. Como este é um gráfico de reversão de dois boxes, a reversão vale 7,2%. Note as contagens ascendentes para 69,7 e 136,5 (veja os arcos). (Cortesia da UST Securities Corp.)*

Gráficos de Ponto e Figura

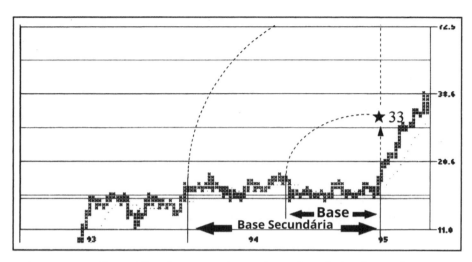

Figura 11.20 *Um gráfico de ponto e figura de um box da Intel usando porcentagens. É necessária uma reversão de 3,2% para passar à próxima coluna. Medindo horizontalmente da direita para a esquerda ao longo da base, a contagem ascendente pode chegar a 33 e então a 87,6 (veja os arcos). (Cortesia da UST Securities Corp.)*

Os arcos vistos nos dois gráficos são exemplos do uso da contagem de preço horizontal em uma base de preço para chegar a objetivos de preço de curto e longo prazo. O gráfico da Intel, por exemplo, mostra um objetivo de curto prazo em 33, atingido ao se medir a meio caminho da base de preço (arco mais baixo). O arco maior, que mede 87,6, é atingido medindo-se ao longo de toda a base de preço e projetando-se essa distância para cima. Se você olhar com atenção as Figuras 11.19 e 11.20, verá também pontos de preço acompanhando o price action. Esses pontos são as médias móveis.

MÉDIAS MÓVEIS DE PONTO E FIGURA

Médias móveis geralmente são aplicadas a gráficos de barras, mas aqui elas estão em gráficos de ponto e figura, cortesia de Ken Tower e UST Securities. Tower usa duas médias móveis em seus gráficos, uma de 10 colunas e uma de 20 colunas. Os pontos vistos nas Figuras 11.19 e 11.20 são médias de 10 colunas. Essas médias móveis são construídas primeiro encontrando-se o preço médio de cada coluna. Isso é feito simplesmente somando-se os preços de cada coluna e dividindo o total pelo número de x ou "o" nessa coluna. Então, calcula-se a média dos números resultantes em 10 e 20 colunas. As médias móveis são usadas da mesma forma que nos gráficos de barras.

A Figura 11.21 mostra dois gráficos de ponto e figura da mesma ação com médias de 10 colunas (pontos) e 20 colunas (traços). O gráfico inferior é um gráfico logarítmico de reversão de 2,7% da Royal Dutch Petroleum que remonta a 1992. Note que a média móvel mais rápida ficou acima da média móvel mais lenta de 1993 a 1997, durante a tendência de alta de quatro anos. Você pode ver duas médias móveis se juntando durante a segunda metade de 1997, que acabou sendo um ano de consolidação para aquela ação. Na extrema direita, você pode ver que a Royal Dutch pode estar prestes a retomar sua tendência de alta principal. Um olhar mais atento no breakout ascendente potencial é visto no gráfico de cima na Figura 11.21.

O gráfico de cima é um gráfico linear de reversão de um ponto da mesma ação. O espaço de tempo utilizado no gráfico linear é muito menor do que no gráfico longo. Mas veja a ação de preço no final de 1997 e o no início de 1998 e o breakout de alta de curto prazo no começo desse ano. A ação ainda precisa fechar perto de 60 para confirmar um breakout de alta significativo. As médias móveis não foram de muita utilidade durante a faixa de trading (elas nunca são), mas devem começar a subir novamente se o breakout de alta se materializar. Ao adicionar médias móveis a gráficos de ponto e figura, Ken Tower apresenta outro indicador técnico valioso aos gráficos de ponto e figura. O uso de gráficos logarítmicos também acrescenta um toque de modernidade a esse antigo método de representação gráfica.

Gráficos de Ponto e Figura

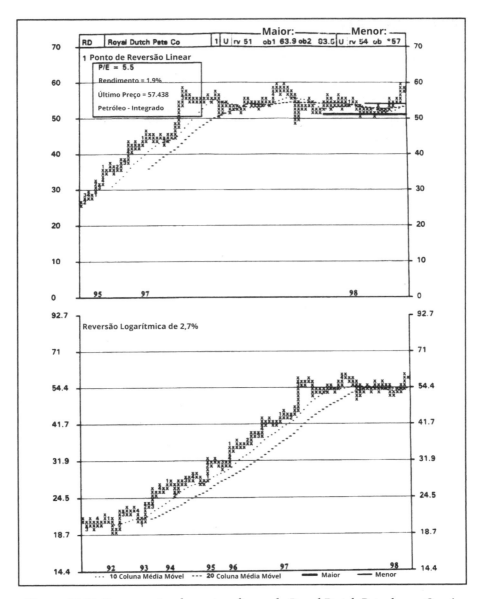

Figura 11.21 *Duas versões de ponto e figura da Royal Dutch Petroleum. O gráfico inferior é um gráfico log cobrindo vários anos. O gráfico superior é um gráfico linear de um ano. Os pontos e traços representam médias móveis de 10 e 20 colunas, respectivamente. (Preparado por UST Securities Corp. Atualizado até 26 de março de 1998.)*

CONCLUSÃO

O gráfico de ponto e figura não é a técnica mais antiga do mundo. Esse crédito pertence ao gráfico candlestick japonês, usado naquele país há séculos. No próximo capítulo, Greg Morris, autor de dois livros sobre candlesticks, apresentará essa técnica antiga que ganhou nova popularidade em anos recentes entre os analistas técnicos do ocidente.

12
Candlesticks Japoneses*

INTRODUÇÃO

Embora os japoneses usem esse tipo de representação gráfica e análise técnica há séculos, só recentemente ele se tornou popular no ocidente. O termo, candlesticks, na verdade se refere a dois temas diferentes, mas relacionados. O primeiro, e possivelmente mais popular, é o método de apresentar dados de ações e futuros para análise gráfica. O segundo é a arte de identificar certas composições de candlesticks em combinações definidas e comprovadas. Felizmente, ambas as técnicas podem ser usadas de forma independente ou em combinação.

GRÁFICOS DE CANDLESTICK

A representação gráfica de dados de mercado na forma de candlesticks usa os mesmos dados disponíveis para gráficos de barras padrão — preços de abertura, máximos, mínimos e de fechamento. Apesar de usar exatamente os mesmos dados, os gráficos de candlestick oferecem um gráfico visual-

---

* Este capítulo é uma contribuição de Gregory L. Morris.

mente muito mais atraente. As informações parecem saltar da página (tela do computador) e são mais facilmente interpretadas e analisadas. A seguir temos a representação de um único dia de preços mostrando a diferença entre barras (esquerda) e candlestick(s). (Veja a Figura 12.1.)

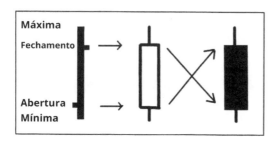

Figura 12.1

Você pode ver como surgiu o nome "candlestick" (castiçal). A figura se parece um pouco com uma vela e um pavio. O retângulo representa a diferença entre o preço de abertura e fechamento do dia, e é chamado *corpo*. Note que o corpo pode ser preto ou branco. Um *corpo branco* significa que o preço de fechamento foi maior (mais alto) do que o preço de abertura. Na verdade, o corpo não é branco, mas aberto (não preenchido), o que faz com que funcione melhor no computador. Dessa forma, a impressão do gráfico sairá correta. Essa é uma das adaptações que ocorreram no ocidente; os japoneses usam vermelho para o corpo aberto. O *corpo preto* significa que o preço de fechamento foi menor do que o de abertura. Os preços de abertura e fechamento têm grande importância nos candlesticks japoneses. As pequenas linhas acima e abaixo do corpo são chamados de *pavios, cabelos* ou *sombras*. Muitos nomes diferentes para essas linhas aparecem na literatura de referência japonesa, o que é estranho, já que elas representam os preços máximo e mínimo do dia e normalmente não são consideradas essenciais na análise pelos japoneses. (Veja a Figura 12.2)

A Figura 12.2 mostra os mesmos dados tanto no popular gráfico de barras quanto no formato de candlestick japonês. Pode-se ver logo que as informações não facilmente disponíveis no gráfico de barras parecem saltar da página (tela) no gráfico de candlestick. No início, pode ser um pouco difícil se acostumar, mas, depois de algum tempo, talvez você o prefira.

Candlesticks Japoneses **309**

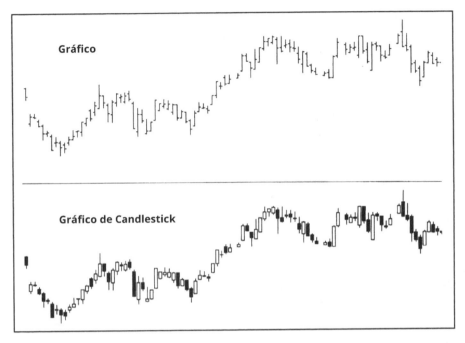

Figura 12.2

As diferentes formas de candlesticks têm significados diferentes. Os japoneses definiram alguns candlesticks principais com base na relação de preços de abertura, máximos, mínimos e de fechamento. Entender esses candlesticks básicos marca o início da análise de candlesticks.

CANDLESTICKS BÁSICOS

Diferentes combinações de corpo/sombra têm significados diversos. Os dias em que a diferença entre o preço de abertura e fechamento é grande são chamados de *Dias Longos*. Da mesma forma, os dias em que a diferença entre o preço de abertura e fechamento é pequeno são chamados de *Dias Curtos*. Lembre-se, só estamos falando sobre o tamanho do corpo, sem nenhuma referência a preços máximos e/ou mínimos. (Veja a Figura 12.3.)

Spinning Tops são dias em que os candlesticks têm corpo pequeno com sombras superiores e inferiores mais compridas que o corpo. A cor do corpo não tem muita importância nos candlesticks spinning top. Esses candlesticks são considerados como dias de indecisão. (Veja a Figura 12.4.)

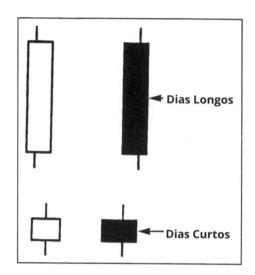
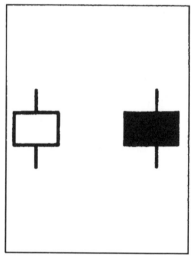

Figura 12.3   **Figura 12.4** *Spinning Top.*

Quando o preço de abertura e o de fechamento são iguais, nós os chamamos de linhas Doji. *Candlesticks Doji* podem ter sombras de vários comprimentos. Quando falamos de candlesticks Doji, há alguma controvérsia sobre se o preço de abertura e o de fechamento devem ser exatamente iguais. Esse é um momento em que os preços podem ser quase iguais, principalmente ao lidar com grandes movimentos de preço.

Há diferentes candlesticks Doji importantes. O Doji Pernalta tem as sombras superior e inferior compridas e reflete uma considerável indecisão por parte dos que atuam no mercado. O Doji Lápide tem apenas uma sombra superior longa e nenhuma sombra inferior. Quanto mais longa a sombra superior, mais pessimista é a interpretação.

Candlesticks Japoneses

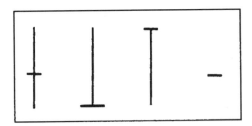

Figura 12.5 *Candlesticks Doji.*

O Doji Libélula é o oposto do lápide; a sombra inferior é longa, e não há sombra superior. Geralmente, ele é considerado de alta. (Veja a Figura 12.5.)

As linhas individuais do candlestick são essenciais à análise dos candlesticks japoneses. Você descobrirá que todos os padrões de candles são formados por combinações desses candlesticks básicos.

ANÁLISE DE PADRÕES DE CANDLE

O padrão do candle japonês é uma representação psicológica da atitude mental do trader na época. Ele mostra nitidamente as ações dos traders à medida que o tempo passa no mercado. O simples fato de que os humanos reagem consistentemente em situações semelhantes faz a análise do padrão de candles funcionar.

O padrão japonês de candles pode consistir em uma única linha ou na combinação de várias linhas, normalmente nunca mais que cinco. Embora a maioria dos padrões de candles seja usada para determinar pontos de reversão no mercado, alguns são usados para determinar a continuação da tendência. Eles são chamados de padrões de reversão e continuação. Sempre que um padrão de reversão tem implicações de alta, um padrão inversamente relacionado tem significado de baixa. Da mesma forma, sempre que um padrão de continuação tem implicações de alta, um padrão oposto dá significado de baixa. Quando há um par de padrões que atua em situações de alta e de baixa, eles geralmente têm o mesmo nome. Em alguns casos, o padrão de alta e seu equivalente de baixa têm nomes completamente diferentes.

Padrões de Reversão

O *padrão de reversão de candle* é uma combinação de candlesticks japoneses que normalmente indica uma reversão na tendência. Um fator importante a ser considerado para ajudar a identificar padrões como sendo de alta ou de baixa é a tendência do mercado anterior ao padrão. Não se pode ter um padrão de reversão bullish em uma tendência ascendente. É possível ter uma série de candlesticks parecidos com um padrão de alta, mas se a tendência está em alta, ele não é um padrão de candle japonês de alta. Do mesmo modo, não se pode ter um padrão de candle de reversão bearish em uma tendência de baixa.

Este é um antigo problema da análise de mercados: qual é a tendência? É preciso determinar a tendência antes de poder utilizar padrões de candle japonês com eficiência. Embora muitos livros tenham sido escritos sobre o tema da determinação de tendências, o uso de uma média móvel funcionará muito bem com padrões de candle japoneses. Quando uma tendência de curto prazo (cerca de 10 períodos) for determinada, os padrões de candle japoneses serão muito úteis para ajudar a identificar a reversão dessa tendência.

A literatura japonesa costuma se referir a cerca de quarenta padrões de reversão de candle. Eles variam de linhas de candlesticks individuais a padrões mais complexos de até cinco linhas. Há referências muito boas sobre candlesticks, mas apenas os padrões mais populares serão discutidos aqui.

Candlesticks Japoneses

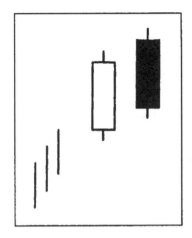

Figura 12.6 *Nuvem Negra -.*

Nuvem Negra. Este é um padrão de reversão de dois dias que tem implicações apenas de baixa. (Veja a Figura 12.6.) Este também é um dos momentos em que o padrão tem um equivalente, mas com um nome diferente (veja Piercing Line). O primeiro dia do padrão é um candlestick branco longo. Ele reflete a tendência atual do mercado e ajuda a confirmar a tendência de alta para os traders. O dia seguinte abre acima do preço máximo do dia anterior, novamente aumentando a tendência de alta. Contudo, a negociação no resto do dia é menor com um preço de fechamento, pelo menos, abaixo do ponto médio do corpo do primeiro dia. Este é um golpe significativo no caráter de alta e obrigará muitos a saírem do mercado. Como o preço de fechamento está abaixo do preço de abertura no segundo dia, o corpo é preto. Esta é a nuvem negra a que o nome se refere.

Piercing Line (Linha de Perfuração). O oposto da Nuvem Negra, a Piercing line tem implicações altistas. (Veja a Figura 12.7.) O cenário é muito parecido, mas oposto. Existe uma tendência de baixa, o primeiro candlestick é um dia longo preto que consolida a confiança do trader na tendência de baixa. No dia seguinte, os preços abrem em nova baixa e então sobem o dia todo e fecham acima do ponto médio do corpo do primeiro candlestick. Isso oferece uma mudança significativa no caráter da tendência de baixa, e muitos reverterão ou sairão de suas posições.

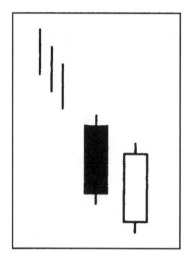

Figura 12.7 *Piercing Line +.*

Estrela da Noite e Estrela da Manhã. A Estrela da Noite e sua prima, a Estrela da Manhã, são dois padrões de reversão de candle potentes. Eles são padrões de três dias que funcionam muito bem. O cenário para compreender a mudança na psicologia do trader em relação ao Estrela da Noite será discutido a fundo aqui, visto que se pode dizer o oposto em relação à Estrela da Manhã. (Veja as Figuras 12.8 e 12.9.)

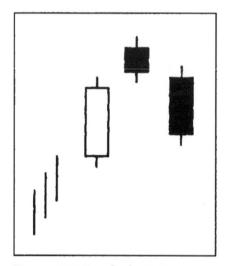 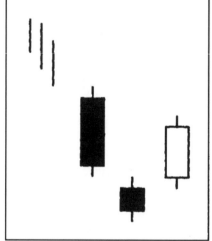

Figura 12.8 *Estrela da Noite -.*   Figura 12.9 *Estrela da Manhã +.*

A Estrela da Noite é um padrão de reversão de candle, como o nome sugere. O primeiro dia desse padrão é um candlestick branco longo que reforça totalmente a tendência de alta. Na abertura do segundo dia, os preços abrem acima do corpo do primeiro dia. O trade nesse segundo dia é um tanto limitado, e o preço de fechamento está perto do preço de abertura, embora continue acima do corpo do primeiro dia. O corpo do segundo dia é pequeno. Esse tipo de dia em seguida a um dia longo é chamado de padrão de Estrela. Uma Estrela é um dia de corpo pequeno que se afasta do dia de corpo longo. O terceiro e último dia desse padrão se abre com um gap abaixo do corpo da Estrela e fecha em baixa com o preço de fechamento abaixo do ponto médio do primeiro dia.

A explicação anterior é relativa a um cenário perfeito. Muitas referências aceitarão como válida uma Estrela da Noite que não atende cada detalhe com exatidão. Por exemplo, o terceiro dia pode não ter um gap descendente ou o fechamento do terceiro dia pode não estar muito abaixo do ponto médio do corpo do primeiro dia. Esses detalhes são subjetivos quando se observa um gráfico de candlestick, mas não quando se usa um programa de computador para identificar padrões automaticamente. Isso ocorre porque programas de computador exigem instruções explícitas para ler o gráfico de candle e não permitem interpretações subjetivas.

Padrões de Continuação

Decisões precisam ser tomadas a cada dia, seja para sair, entrar ou permanecer em um trade. Um padrão de candle que ajuda a identificar se a tendência atual continuará é mais valioso do que pode parecer no início. Ele ajuda a resolver se você deve ou não continuar em um trade. A literatura japonesa se refere a dezesseis padrões de continuação de candle. Um padrão de continuação e seu primo oposto são especialmente úteis na identificação de continuação de tendências.

Três Métodos de Alta e Queda. O padrão de continuação de candle de Três Métodos de Alta é a contrapartida a esse duo e será o tema da construção desse cenário. Um padrão de continuação de alta só pode ocorrer em uma tendência de alta, e um padrão de continuação de baixa só pode ocorrer em uma tendência de baixa. Isso reafirma a relação obrigatória com a tendência tão necessária na análise de padrões de candle. (Veja as Figuras 12.10 e 12.11.)

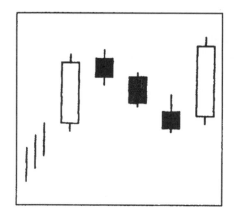 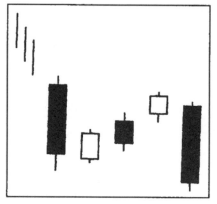

Figura 12.10 *Três Métodos de Alta +.*   **Figura 12.11** *Três Métodos de Baixa -.*

O primeiro dia do padrão dos Três Métodos de Alta é um candle longo branco que oferece suporte total à tendência de alta do mercado. Contudo, no decorrer dos próximos três dias de trading, ocorrem dias de corpo pequeno que, em grupo, tendem a cair. Todos permanecem dentro da faixa do corpo branco longo do primeiro dia, e, pelo menos, dois desses dias de corpos pequenos têm o corpo preto. Esse período de tempo em que o mercado parece não ter ido a lugar algum é considerado pelos japoneses como um "período de repouso". No quinto dia deste padrão, desenvolve-se outro dia longo branco que fecha em uma nova alta. Os preços finalmente romperam a curta faixa de trading, e a tendência de alta continuará.

Um padrão de cinco dias como os Métodos de Três Dias de Alta requer muitos detalhes em sua definição. O cenário anterior é um exemplo perfeito do padrão dos Três Métodos de Alta. Pode-se usar de flexibilidade com êxito, e isso só ocorre com a experiência. Por exemplo, os três dias de pequena reação poderiam permanecer no âmbito de alta-baixa do primeiro dia, e não no âmbito do corpo. Os dias de pequena reação nem sempre precisam ser predominantemente pretos. E, finalmente, o conceito de "período de repouso" poderia ser expandido a fim de incluir mais do que três dias de reação. Não ignore o padrão dos Três Métodos de Alta e Queda; ele pode lhe dar uma sensação de conforto quando se preocupar em proteger os lucros em um trade.

Usando Computadores para a Identificação de Padrões de Candle

Um computador pessoal com um software projetado para reconhecer padrões de candle é uma forma excelente de remover a emoção, principalmente durante um trade. Entretanto, há alguns fatos dos quais devemos nos lembrar ao ver candlesticks na tela do computador. A tela de computador é formada por pequenos elementos de luz chamados pixels. Há um número limitado de pixels na tela do computador, cuja quantidade se baseia na combinação da resolução de seu cartão de vídeo/monitor. Se você estiver vendo dados de preço dentro de uma larga faixa de preços em um curto período de tempo, talvez você julgue estar vendo muitos dias Doji (preços de abertura e fechamento são iguais), quando, na verdade, não está. Com uma ampla faixa de preços na tela, cada pixel terá uma faixa de preço própria. Um software que identifique padrões com base em uma relação matemática solucionará essa anomalia. Felizmente, essa explicação evitará que você ache que seu software não está funcionando.

PADRÕES DE CANDLE FILTRADOS

Um conceito revolucionário desenvolvido por Greg Morris em 1991, chamado filtragem de padrões de candle, oferece um método simples para melhorar a confiabilidade dos padrões de candle. Embora a tendência de curto prazo do mercado deva ser identificada antes que um padrão de candle possa existir, determinar mercados sobrecomprados ou sobrevendidos usando análise técnica tradicional melhorará a capacidade preditiva do padrão de candle. Ao mesmo tempo, essa técnica ajuda a eliminar padrões de candle insatisfatórios ou prematuros.

Em primeiro lugar, é preciso entender como um indicador técnico tradicional responde a dados de preço. Neste exemplo, usaremos o estocástico %D. O indicador estocástico oscila entre 0 e 100, sendo que 20 representa ativos sobrevendidos, e 80, sobrecomprados. A principal interpretação desse indicador é a geração de um sinal de venda quando %D sobe acima de 80 e então cai abaixo desse valor. Da mesma forma, quando ele cai abaixo de 20 e depois sobe acima de 20, é dado um sinal de venda. (Veja mais detalhes sobre estocásticos no Capítulo 10.)

Eis o que sabemos sobre o estocástico %D: quando ele entra na área acima de 80 ou abaixo de 20, ele acabará gerando um sinal. Em outras palavras, é só uma questão de tempo até que um sinal seja dado. A área acima de 80 e abaixo de 20 é chamada de área de pré-sinal e representa a área em que o %D precisa chegar antes de poder dar um sinal de trading próprio. (Veja a Figura 12.12.)

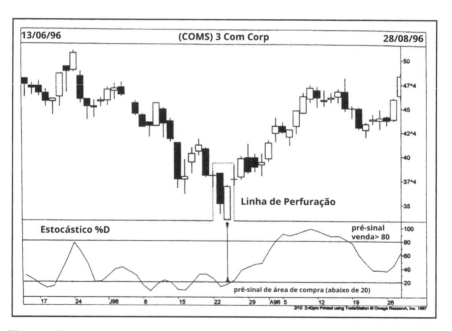

Figura 12.12

Candlesticks Japoneses

O conceito do padrão de candle filtrado usa essa área de pré-sinal. Padrões de candle são considerados *apenas* quando %D está na área de pré-sinal. Se um padrão de candle ocorrer quando o estocástico %D estiver em, digamos 65, o padrão é ignorado. Além disso, somente padrões de candle de reversão são considerados usando-se este conceito.

A filtragem do padrão de candle não está limitada ao uso do estocástico %D. Qualquer oscilador técnico empregado normalmente para análise pode ser usado para filtrar padrões de candle. O IFR de Wilder, o CCI de Lambert e o %R de Williams são alguns que funcionarão igualmente bem. (Esses osciladores são explicados no Capítulo 10.)

CONCLUSÃO

A representação gráfica dos candlesticks japoneses e a análise dos padrões de candle são ferramentas essenciais para se tomar decisões de timing de mercado. Os padrões de candle japonês devem ser usados como qualquer outra ferramenta ou técnica, isto é, para estudar a psicologia dos participantes do mercado. Quando você se acostuma a ver seus gráficos de preços usando candlesticks, talvez não queira voltar a usar gráficos de barras. Os padrões de candle japoneses, usados em conjunto com outros indicadores técnicos no conceito de filtragem, quase sempre oferecerão um sinal de trading antes de usar outros indicadores baseados em preço.

PADRÕES DE CANDLE

Os padrões de candle listados a seguir abrangem os termos usados na identificação de candlestick. Os números entre parênteses no final de cada nome representam o número de candles usados para definir esse padrão em especial. Os padrões de alta e de baixa são divididos em dois grupos, significando padrões de reversão ou continuação.

Reversões da Alta	Reversões de Baixa
Corpo Branco Longo (1)	Corpo Preto Longo (1)
Martelo (1)	Enforcado (1)
Martelo Invertido (1)	Estrela Cadente (1)
Cinto Apertado (1)	Cinto Apertado (1)
Engolfo (2)	Engolfo (2)
Harami (2)	Harami (2)
Harami Cross (2)	Harami Cross (2)
Piercing Line (2)	Nuvem Negra (2)
Doji Estrela (2)	Doji Estrela (2)
Linhas de Encontro (2)	Linhas de Encontro (2)
Três Soldados Brancos (3)	Três Corvos Negros (3)
Estrela da Manhã (3)	Estrela da Noite (3)
Doji Estrela da Manhã (3)	Doji Estrela da Noite (3)
Bebê Abandonado (3)	Bebê Abandonado (3)
Estrela Tripla (3)	Estrela Tripla (3)
Breakaway (5)	Breakaway (5)
Três Por Dentro de Alta (3)	Três Por Dentro de Baixa (3)
Três Por Fora (3)	Três Por Fora (3)
Chute (2)	Chute (2)

Unique Three Rivers Bottom (3)	Escada de Alta (5)
Três Estrelas ao Sul (3)	Matching High (2)
Bebê Engolido (4)	Dois Corvos com Gap de Alta (3)
Stick Sandwich (3)	Três Corvos Idênticos (3)
Ave Migratória (2)	Deliberação (3)
Escada de Alta (5)	Bloco de Avanço (3)
Matching Low (2)	Dois Corvos (3)
Continuação de Alta	**Continuação de Baixa**
Linha Separatória (2)	Linha Separatória (2)
Três Métodos de Alta (5)	Três Métodos de Baixa(5)
Gap de Alta Tasuki (3)	Gap de Baixa Tasuki (3)
Linhas Brancas Lado a Lado (3)	Linhas Brancas Lado a Lado (3)
Strike de Alta (4)	Strike de Baixa (4)
Gap de Alta Três Métodos (3)	Gap de Baixa Três Métodos (3)
Pescoço de Alta (2)	Pescoço de Baixa (2)
In Neck Line (2)	In Neck Line (2)

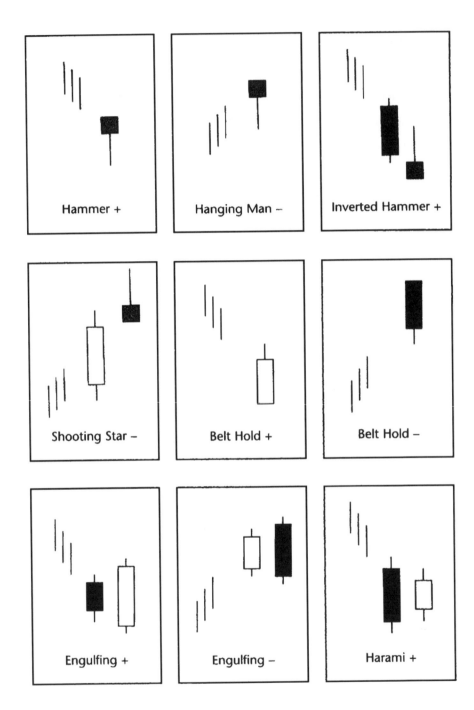

Candlesticks Japoneses

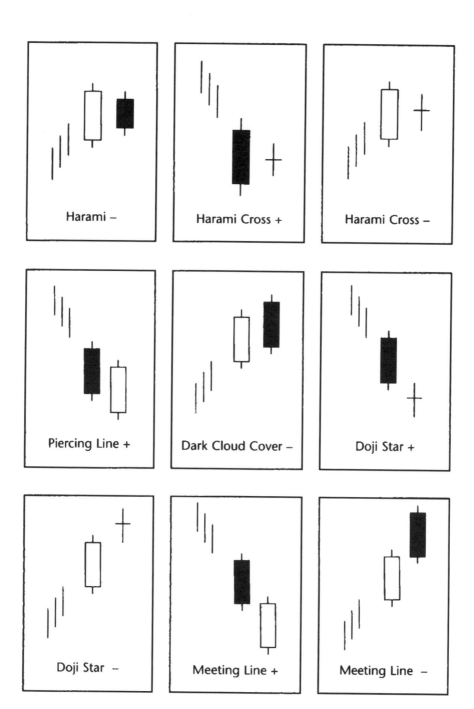

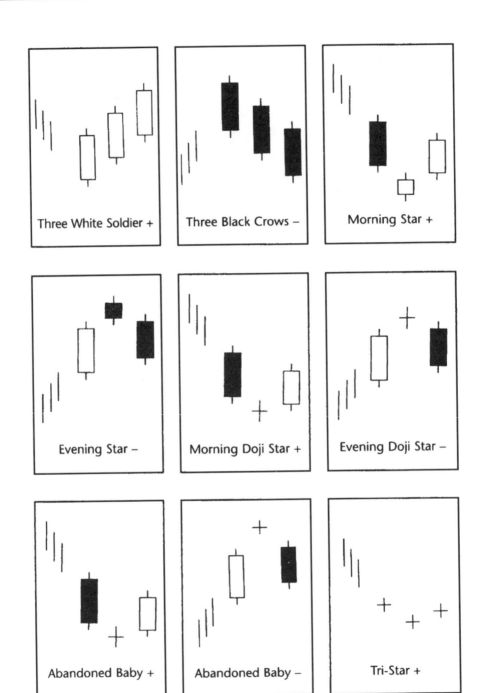

Candlesticks Japoneses

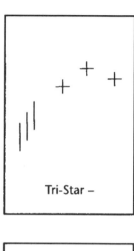

Tri-Star –

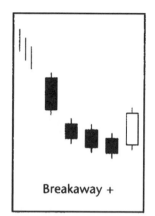

Breakaway +

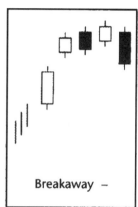

Breakaway –

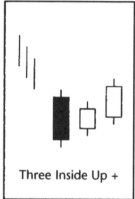

Three Inside Up +

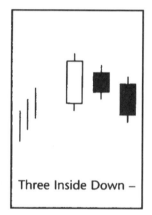

Three Inside Down –

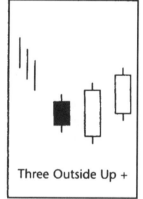

Three Outside Up +

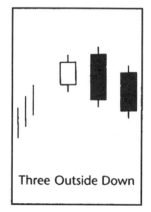

Three Outside Down

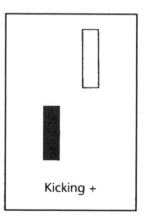

Kicking +

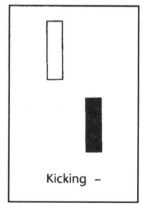

Kicking –

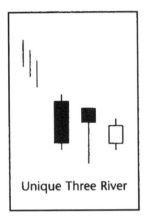
Unique Three River

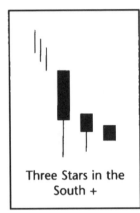
Three Stars in the South +

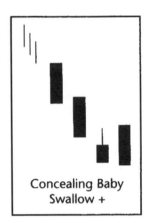
Concealing Baby Swallow +

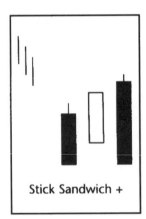
Stick Sandwich +

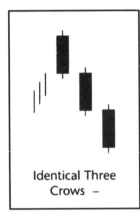
Identical Three Crows −

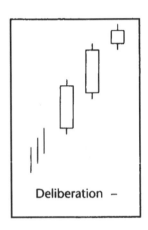
Deliberation −

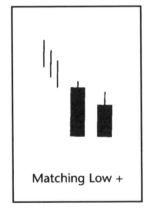
Matching Low +

Matching High −

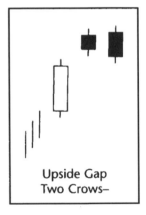
Upside Gap Two Crows−

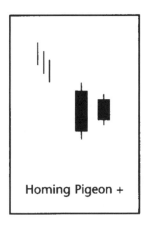
Homing Pigeon +

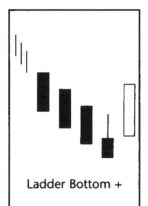
Ladder Bottom +

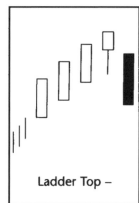
Ladder Top −

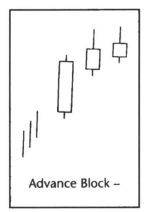
Advance Block −

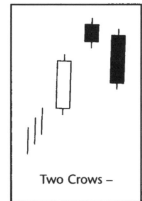
Two Crows −

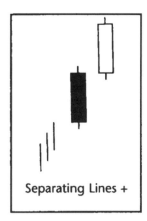
Separating Lines +

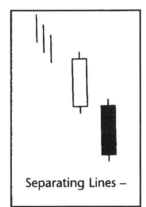
Separating Lines −

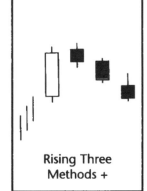
Rising Three Methods +

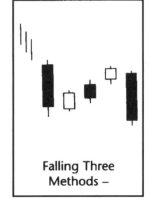
Falling Three Methods −

328 Capítulo 12

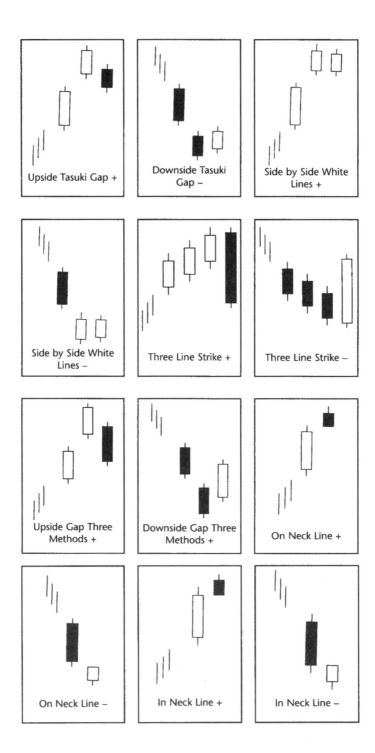

13

A Teoria das Ondas de Elliott

ANTECEDENTES HISTÓRICOS

Em 1938, uma monografia intitulada *The Wave Principle* [*O Princípio das Ondas*, em tradução livre] foi a primeira referência publicada sobre o que passou a ser conhecido como o *Princípio das Ondas de Elliott*. A monografia foi publicada por Charles J. Collins e se baseou na obra original apresentada a ele pelo criador do Princípio das Ondas, Ralph Nelson (R.N.) Elliott.

Elliott sofreu grande influência da Teoria de Dow, que tem muito em comum com o Princípio das Ondas. Em uma carta de 1934 para Collins, Elliott mencionou que tinha sido assinante do serviço do mercado de ações de Robert Rhea e conhecia o livro de Rhea sobre a Teoria de Dow. Elliott prossegue dizendo que o Princípio das Ondas era um "complemento muito necessário à Teoria de Dow".

Em 1946, apenas dois anos antes de sua morte, Elliott escreveu sua obra definitiva sobre o Princípio das Ondas, *Nature's Law — The Secret of the Universe* [*A Lei da Natureza — O Segredo do Universo*, em tradução livre].

As ideias de Elliott poderiam ter se apagado da memória se, em 1953, A. Hamilton Bolton não tivesse decidido publicar o *Elliott Wave Supplement* [*Suplemento para as Ondas de Elliott*, em tradução livre] para o *Bank Credit Analyst*, o que ele fez todos os anos por 14 anos, até sua morte, em 1967. A.J. Frost assumiu os Suplementos de Elliott e colaborou com Robert Prechter, em 1978, no *Princípio das Ondas de Elliott*. A maioria dos diagramas neste capítulo foi retirada do livro de Frost e Prechter. Prechter deu um passo a mais e, em 1980, publicou *The Major Works of R.N. Elliott* [*As Principais Obras de R.N. Elliott*, em tradução livre], disponibilizando os escritos originais de Elliott que há muito não eram publicados.

OS FUNDAMENTOS DO PRINCÍPIO DAS ONDAS DE ELLIOTT

Há três aspectos importantes na teoria das ondas: *padrão, razão (ratio)* e *tempo* — nessa ordem de importância. O *padrão* se refere aos padrões ou formações de ondas que abrangem o elemento mais importante da teoria. A *análise da razão (ratio)* é útil para determinar os pontos de retração e objetivos de preço ao medir as relações entre diferentes ondas. Finalmente, relações de *tempo* também existem e podem ser usadas para confirmar padrões de ondas e razões, mas são consideradas pelos adeptos de Elliott como menos confiáveis na previsão do mercado.

A Teoria das Ondas de Elliott foi originalmente aplicada às principais médias do mercado de ações, especialmente à Dow Jones Industrial Average. Em sua forma mais básica, a teoria afirma que o mercado de ações segue um ritmo repetitivo de avanço de cinco ondas seguido por um declínio de três ondas. A Figura 13.1 mostra um ciclo completo. Se você contar as ondas, constatará que um ciclo completo tem oito ondas — cinco ascendentes e três descendentes. Na porção de avanço do ciclo, note que cada uma das cinco ondas são numeradas. As ondas 1, 3 e 5 — chamadas ondas de *impulso* — são ondas crescentes, enquanto as ondas 2 e 4 se movem contra a tendência de alta. As ondas 2 e 4 são chamadas de ondas *corretivas*, porque corrigem as ondas 1 e 3. Depois que o avanço numerado da onda cinco foi completado, começa uma correção de três ondas. As três ondas corretivas são identificadas pelas letras a, b e c.

Junto da forma constante das várias ondas, deve-se fazer uma importante consideração referente ao grau. Há diferentes graus de tendências. Elliott, na verdade, categorizou nove graus diferentes de tendências (ou magnitude) variando de um *Grande SuperCiclo*, com duração de dois séculos, a um grau *subdiminuto*, que abrange apenas algumas horas. Devemos lembrar que o ciclo básico de oito ondas permanece constante, independentemente do grau de tendência que estiver sendo estudado.

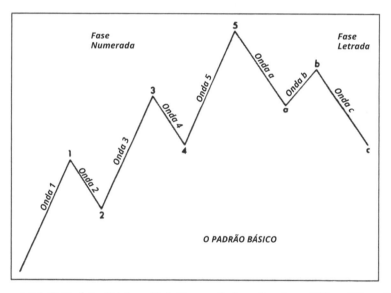

Figura 13.1 *O Padrão Básico. (A.J. Frost e Robert Prechter, Elliott Wave Principle [Gainesville, GA: New Classics Library, 1978], p. 20. Copyright© 1978 de Frost e Prechter.)*

Cada onda é subdividida em ondas de menor grau, que, por sua vez, também podem ser subdivididas em ondas de grau ainda menor. Ocorre então que cada onda é parte da onda do próximo grau mais alto. A Figura 13.2 demonstra esses relacionamentos. As duas ondas maiores — 1 e 2 — podem ser subdivididas em oito ondas menores, que, por sua vez, podem ser subdivididas em 34 ondas ainda menores. As duas ondas maiores — 1 e 2 — são apenas as duas primeiras ondas em um avanço de cinco ondas ainda maiores. A onda 3 desse próximo grau mais alto está prestes a começar. As 34 ondas na Figura 13.2 são ainda subdivididas para o próximo grau menor na Figura 13.3, resultando em 144 ondas.

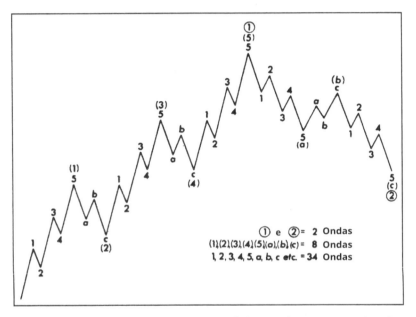

Figura 13.2 *(Frost e Prechter, p. 21. Copyright© 1978 de Frost e Prechter.)*

Os números mostrados até agora — 1, 2, 3, 5, 8, 13, 21, 34, 55, 89, 144 — não são apenas números aleatórios. Eles são parte da *sequência de números de Fibonacci*, que forma a base matemática da Teoria das Ondas de Elliott. Voltaremos a eles depois. Por ora, veja as Figuras 13.1 a 13.3 e note uma característica muito significativa das ondas. A divisão de determinada onda em cinco ou três ondas é determinada pela direção da próxima onda maior. Por exemplo, na Figura 13.2, as ondas (1), (3) e (5) se subdividem em cinco ondas, porque a próxima onda maior da qual fazem parte — a onda 1 — é uma onda de avanço. Como as ondas (2) e (4) estão se movendo contra a tendência, elas se subdividem em apenas três ondas. Olhe com atenção para as ondas corretivas (a), (b) e (c) que formam a onda corretiva maior, 2. Note que as duas ondas descendentes — (a) e (c) — se dividem em cinco ondas. Isso ocorre porque estão se movendo na mesma direção da próxima onda maior 2. Em comparação, a onda (b) tem apenas três ondas, porque está se movendo contra a próxima onda maior 2.

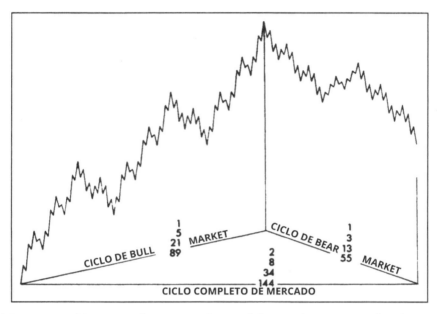

Figura 13.3 *(Frost e Prechter, p. 22. Copyright© 1978 de Frost e Prechter.)*

Poder decidir entre três e cinco obviamente é de enorme importância na aplicação dessa abordagem. Essa informação diz ao analista o que esperar em seguida. Um movimento completo de cinco ondas, por exemplo, geralmente significa que só parte de uma onda maior foi completada e que o processo continuará (a menos que seja 1/5 de 1/5). *Uma das regras mais importantes a ser lembrada é que a correção nunca pode ocorrer com cinco ondas.* Por exemplo, em um mercado de alta, se é visto um declínio de cinco ondas, isso significa que provavelmente é apenas a primeira onda de um declínio de três ondas (a–b–c) e que a baixa deverá continuar. Em um mercado de baixa, um avanço de três ondas deve ser seguido pela retomada da tendência de queda. Um movimento de recuperação de cinco ondas seria um aviso de um movimento mais substancial para o alto e pode até ser a primeira onda de uma nova tendência de alta.

A LIGAÇÃO ENTRE AS ONDAS DE ELLIOTT E A TEORIA DE DOW

Vamos dedicar algum tempo para mostrar a ligação óbvia entre o conceito de cinco ondas de Elliott e as três fases de avanço de Dow em um mercado de alta. Parece estar claro que o conceito de Elliott de três ondas de alta com duas correções intermediárias combina bem com a Teoria de Dow. Embora não haja dúvidas de que Elliott foi influenciado pela análise de Dow, também parece claro que Elliott acreditava que ele tinha ido muito além da teoria de Dow e, de fato, a tinha melhorado. Também é interessante observar a influência do mar na formulação das teorias desses dois homens. Dow comparou as tendências primária, secundária e terciária no mercado com as marés, ondas e ondulações no oceano. Elliott falou de "fluxos e refluxos" em seus escritos e deu à sua teoria o nome de princípio da "onda".

ONDAS DE CORREÇÃO

Até agora, falamos principalmente sobre as ondas de impulso na direção da tendência principal. Voltemos nossa atenção às ondas de correção. Em geral, ondas de correção são definidas com menos clareza e, como resultado, são mais difíceis de identificar e prever. Entretanto, um ponto que está claramente definido é que ondas de correção nunca podem ocorrer em número de cinco. Ondas de correção ocorrem em três, nunca em cinco (com exceção de triângulos). Analisaremos três classificações de ondas de correção — zigue-zague, plana e triângulo.

Zigue-zague

O zigue-zague é um padrão de correção de três ondas contrárias à tendência principal, que se divide em uma sequência 5-3-5. As Figuras 13.4 e 13.5 mostram uma correção de mercado altista em zigue-zague, enquanto um rali de mercado em baixa é mostrado nas Figuras 13.6 e 13.7. Observe que a onda central B não chega ao início da onda A, e que a onda C vai bem além do final da onda A.

A Teoria das Ondas de Elliott

Uma variação menos comum desse padrão é o zigue-zague duplo mostrado na Figura 13.8. Às vezes, essa variação ocorre em padrões de correção maiores. Ele é, na verdade, dois padrões 5-3-5 diferentes conectados por um padrão intermediário a-b-c.

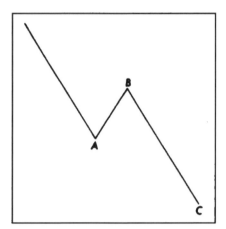

Figura 13.4 *Zigue-zague de Mercado em Alta (5-3-5). (Frost e Prechter, p. 36. Copyright© 1978 de Frost e Prechter.)*

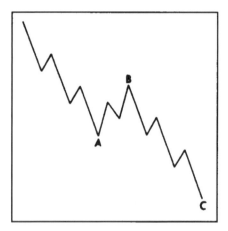

Figura 13.5 *Zigue-zague de Mercado em Alta (5-3-5). (Frost e Prechter, p. 36. Copyright© 1978 de Frost e Prechter.)*

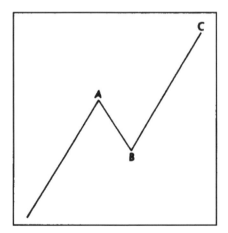

Figura 13.6 *Zigue-zague de Mercado em Baixa (5-3-5). (Frost e Prechter, p. 36. Copyright© 1978 de Frost e Prechter.)*

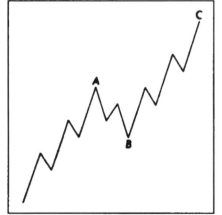

Figura 13.7 *Zigue-zague de Mercado em Baixa (5-3-5). (Frost e Prechter, p. 36 Copyright© 1978 de Frost e Prechter.)*

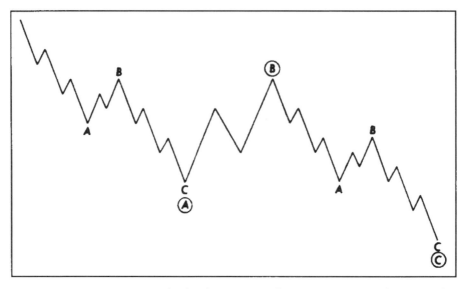

Figura 13.8 *Zigue-zague duplo. (Frost e Prechter, p. 37. Copyright© 1978 de Frost e Prechter.)*

Plano

O que distingue a correção plana da correção em zigue-zague é que a primeira segue um padrão 3-3-5. Observe nas Figuras 13.10 e 13.12 que a onda A é um 3, e não um 5. Em geral, o plano é mais uma consolidação do que uma correção, e é considerado um sinal de força em um mercado em alta. As Figuras 13.9 a 13.12 mostram exemplos de planos normais. Por exemplo, em um mercado em alta, a onda B sobe até o topo da onda A, mostrando maior força de mercado. A onda final C termina no fundo da onda A ou logo abaixo dele, em comparação ao zigue-zague, que chega bem abaixo desse ponto.

Há duas variações "irregulares" da correção normal *plana*. As Figuras 13.13 a 13.16 mostram o primeiro tipo de variação. Note que, no exemplo do mercado em alta (Figuras 13.13 e 13.14), o topo da onda B excede o topo de A e que a onda C ultrapassa o fundo de A.

A Teoria das Ondas de Elliott

Outra variação ocorre quando a onda B atinge o topo de A, mas a onda C não atinge o fundo de A. Naturalmente, este último padrão indica maior força em um mercado em alta. Essa variação é mostrada nas Figuras 13.17 a 13.20 em mercados em alta e em baixa.

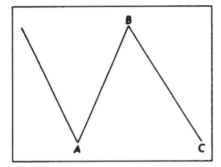

Figura 13.9 *Plano em Mercado em Alta (3-3-5), Correção Normal. (Frost e Prechter, p. 38. Copyright© 1978 de Frost e Prechter.)*

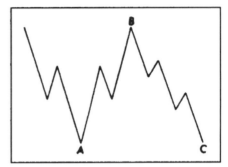

Figura 13.10 *Plano em Mercado em Alta (3-3-5), Correção Normal. (Frost e Prechter, p. 38. Copyright© 1978 de Frost e Prechter.)*

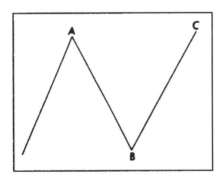

Figura 13.11 *Plano em Mercado em Baixa (3-3-5), Correção Normal. (Frost e Prechter, p. 38. Copyright© 1978 de Frost e Prechter.)*

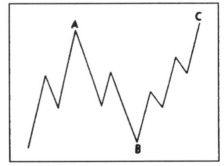

Figura 13.12 *Plano em Mercado em Baixa (3-3-5), Correção Normal. (Frost e Prechter, p. 38. Copyright© 1978 de Frost e Prechter.)*

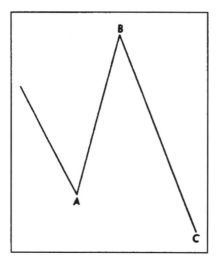 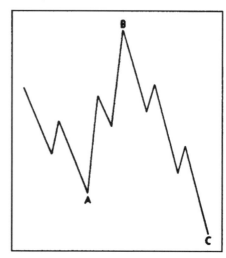

Figura 13.13 *Plano em Mercado em Alta (3-3-5), Correção Irregular. (Frost e Prechter, p. 39. Copyright© 1978 de Frost e Prechter.)*

Figura 13.14 *Plano em Mercado em Alta (3-3-5), Correção Irregular. (Frost e Prechter, p. 39. Copyright© 1918 de Frost e Prechter.)*

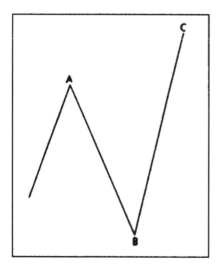 

Figura 13.15 *Plano em Mercado em Baixa (3-3-5), Correção Irregular. (Frost e Prechter, p. 39. Copyright© 1978 de Frost e Prechter.)*

Figura 13.16 *Plano de Mercado em Baixa (3-3-5), Correção Irregular. (Frost e Prechter, p. 39. Copyright© 1978 de Frost e Prechter.)*

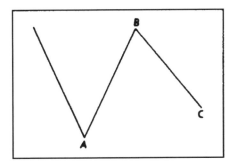

Figura 13.17 *Plano em Mercado em Alta (3-3-5), Correção Irregular Invertida. (Frost e Prechter, p. 40. Copyright© 1978 de Frost e Prechter.)*

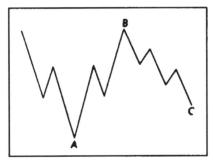

Figura 13.18 *Plano em Mercado em Alta (3-3-5), Correção Irregular Invertida. (Frost e Prechter, p. 40. Copyright© 1978 de Frost e Prechter.)*

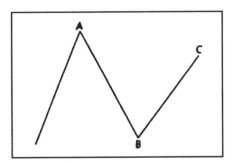

Figura 13.19 *Plano em Mercado em Baixa (3-3-5), Correção Irregular Invertida (Frost e Prechter, p. 40. Copyright© 1978 de Frost e Prechter.)*

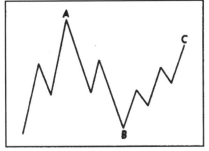

Figura 13.20 *Plano em Mercado em Baixa (3-3-5), Correção Irregular Invertida. (Frost e Prechter, p. 40. Copyright© 1978 de Frost e Prechter.)*

Triângulos

Triângulos geralmente ocorrem na quarta onda e precedem o movimento final em direção de uma tendência importante. (Eles também podem aparecer na onda b de uma correção a-b-c.) Consequentemente, pode-se dizer que, em uma tendência de alta, os triângulos são de alta e de baixa. Eles são de alta no sentido de que indicam retomada de uma tendência de alta. Eles são de baixa porque também indicam que, depois de mais uma onda ascendente, os preços provavelmente atingirão um pico. (Veja a Figura 13.21.)

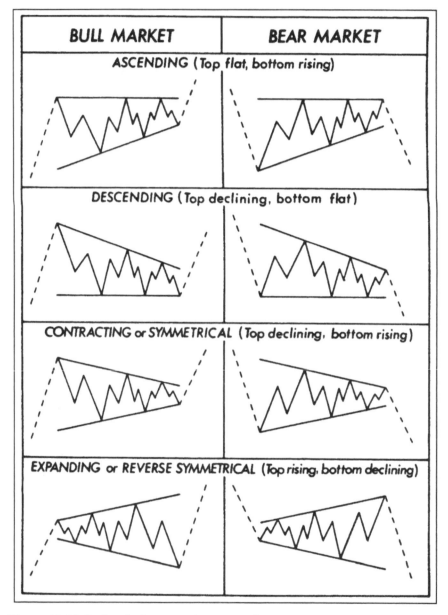

Figura 13.21 *Ondas de Correção (Horizontal) em Triângulos. (Frost e Prechter, p. 43. Copyright© 1978 de Frost e Prechter.) (Não traduzido para fins de ilustração dos termos em inglês, ver termos em português no texto principal.)*

A interpretação de Elliott do triângulo corresponde ao uso clássico do padrão, mas com o acréscimo de sua habitual precisão. Você deve se lembrar do Capítulo 6, em que afirmamos que o triângulo geralmente é um padrão de continuação, que é exatamente o que Elliott disse. O triângulo de Elliott é um padrão de consolidação lateral que se divide em cinco ondas, cada uma delas tendo três ondas próprias. Elliott também classifica quatro tipos deferentes de triângulos — *ascendentes*, *descendentes*, *simétricos* e *extensíveis* —, todos vistos no Capítulo 6. A Figura 13.21 mostra as quatro variedades em tendências de alta e de baixa.

Como padrões gráficos em contratos futuros de commodities não se formam tão completamente quando no mercado de ações, não é incomum triângulos em mercados de futuros terem apenas três ondas, em vez de cinco. (Lembre-se, porém, de que a exigência mínima para um triângulo ainda é ter quatro pontos — dois superiores e dois inferiores —, para permitir que se tracem duas linhas de tendência convergentes.) A Teoria das Ondas de Elliott também alega que a quinta e última onda em um triângulo às vezes rompe sua linha de tendência, dando um sinal falso, antes de começar seu "impulso" na direção original.

A mensuração de Elliott para a quinta e última onda após a finalização do triângulo é essencialmente a mesma aplicada nos gráficos clássicos — isto é, espera-se que o mercado se mova na distância correspondente à parte mais ampla do triângulo (sua altura). Há outro ponto digno de nota referente ao timing do topo ou fundo final. Segundo Prechter, o vértice do triângulo (o ponto em que as duas linhas de tendência se encontram), muitas vezes marca o timing para a finalização da quinta onda final.

A REGRA DA ALTERNÂNCIA

Em sua aplicação mais generalizada, esta regra ou princípio defende que o mercado normalmente não age da mesma forma duas vezes seguidas. Se um certo tipo de fundo ou topo ocorreu na última vez, provavelmente não se repetirá desta vez. A regra da alternância não nos diz exatamente o que acontecerá, mas o que provavelmente não acontecerá. Em sua aplicação mais específica, ele geralmente é usado para nos informar que tipo de padrão de correção esperar. Padrões de correção tendem a se alternar. Em outras palavras, se a onda de correção 2 foi um simples padrão a-b-c, a onda 4 provavelmente será um padrão complexo, como um triângulo. Por outro lado, se a onda 2 for complexa, a onda 4 provavelmente será simples. A Figura 13.22 nos dá alguns exemplos.

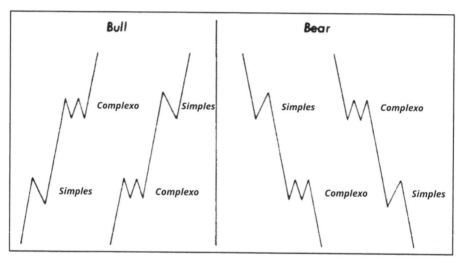

Figura 13.22 *A Regra de Alternância. (Frost e Prechter, p. 50. Copyright© 1978 de Frost e Prechter.)*

CANAIS

Outro aspecto importante da teoria das ondas é o uso de *canais de preço*. Você se lembra de que tratamos de canais de tendência no Capítulo 4. Elliott usou canais de preço como método para alcançar objetivos de preço e também para ajudar a confirmar a finalização da contagem de ondas. Quando uma tendência de alta for estabelecida, um canal de tendência inicial é construído traçando-se uma linha de tendência básica ascendente ao longo do fundo das ondas 1 e 2. Uma linha de canal paralela então é traçada acima do topo da onda 1, como mostra a Figura 13.23. Com frequência, toda a tendência de alta ficará dentro desses dois limites.

Se a onda 3 começar a acelerar até o ponto em que exceder a linha de canal superior, as linhas devem ser redefinidas ao longo do topo da onda 1 e do fundo da onda 2, como mostra a Figura 13.23. O canal final é traçado abaixo das duas ondas de correção — 2 e 4 — e geralmente acima do topo da onda 3, como mostra a Figura 13.24. Se a onda 3 for excepcionalmente forte ou uma onda ampliada, a linha superior pode ter de ser traçada acima do topo da onda 1. A quinta onda deve se aproximar da linha de canal superior antes de terminar. Para traçar linhas de canal sobre tendências de longo prazo, recomenda-se que gráficos semilog sejam empregados junto com gráficos aritméticos.

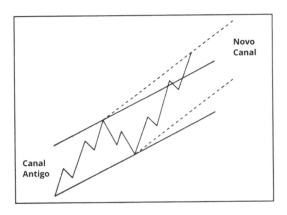

Figura 13.23 *Canais Antigos e Novos. (Frost e Prechter, p. 62. Copyright© 1978 de Frost e Prechter.)*

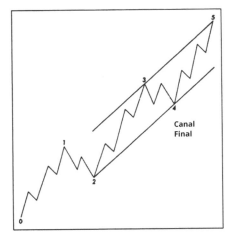

Figura 13.24 *Canal Final. (Frost e Prechter, p. 63. Copyright© 1978 de Frost e Prechter.)*

A ONDA 4 COMO ÁREA DE SUPORTE

Para concluir nossa discussão sobre formações e diretrizes de ondas, falta mencionar um ponto importante, e esse é o significado da onda 4 como área de suporte em mercados em baixa subsequentes. Quando as cinco ondas ascendentes tiverem sido completadas e uma tendência de baixa tiver começado, esse mercado em baixa geralmente não se moverá abaixo da quarta onda anterior do grau menor; isto é, a última quarta onda que foi formada durante o avanço de alta anterior. Essa regra tem exceções, mas geralmente o fundo da quarta onda inclui o mercado em baixa. Essa informação pode se mostrar muito útil para atingir o objetivo de preço máximo de queda.

NÚMEROS DE FIBONACCI COMO BASE DO PRINCÍPIO DAS ONDAS

Elliott declarou em *Nature's Law* que a base matemática para seu Princípio das Ondas foi uma sequência numérica descoberta por Leonardo Fibonacci no século XIII. Essa sequência numérica passou a ser identificada com seu descobridor e é comumente chamada de *números de Fibonacci*. A sequência numérica é 1, 1, 2, 3, 5, 8, 13, 21, 34, 55, 89, 144, e assim por diante, até o infinito.

A sequência tem várias propriedades interessantes, sobretudo uma relação quase constante entre os números.

1. A soma de quaisquer dois números consecutivos é igual ao próximo número mais alto. Por exemplo, 3 + 5 é igual a 8, e 5 + 8 é igual a 13, e assim por diante.

2. A razão (ratio) de qualquer número em relação ao seu próximo número mais alto se aproxima de 0,618 depois dos primeiros quatro números. Por exemplo, 1/1 é 1,00; 1/2 é 0,50; 2/3 é 0,67; 3/5 é 0,60; 5/8 é 0,625; 8/13 é 0,615; 13/21 é 0,619, e assim por diante. Note como esses primeiros valores de coeficientes flutuam acima e abaixo de 0,618, reduzindo sua amplitude. Além disso, note os valores de 1,00, 0,50, 0,67. Falaremos mais sobre esses valores quando tratarmos da análise de coeficientes e retração de porcentagens.

A Teoria das Ondas de Elliott **345**

3. A razão de qualquer número em relação ao seu próximo número mais baixo é de cerca de 1,618, ou o inverso de 0,618. Por exemplo, 13/8 é 1,625; 21/13 é 1,615; 34/21 é 1,619. Quanto mais alto o número, mais perto ele chega dos valores de 0,618 e 1,618.

4. A razão de números alternados se aproximam de 2,618 ou seu inverso, 0,382. Por exemplo, 13/34 é 0,382, 34/13 é 2,615.

RAZÕES E RETRAÇÕES DE FIBONACCI

Já dissemos que a teoria das ondas consiste em três aspectos: forma da onda, razão e tempo. Já discutimos a forma das ondas, que é o mais importante dos três. Agora falaremos sobre a aplicação das *razões e retrações de Fibonacci*. Esses relacionamentos podem ser aplicados a preço e tempo, embora o primeiro seja considerado o mais confiável. Voltaremos ao aspecto tempo mais tarde.

Primeiro, uma olhada nas Figuras 13.1 e 13.3 mostra que a forma básica da onda sempre se decompõe em números de Fibonacci. Um ciclo completo consiste em oito ondas: cinco ascendentes e três descendentes — todas números de Fibonacci. Duas outras subdivisões produzirão 34 e 144 ondas — também números de Fibonacci. Todavia, a base matemática da teoria das ondas com a sequência de Fibonacci vai além da simples contagem de ondas. Há também a questão de relacionamentos proporcionais entre as diferentes ondas. As razões de Fibonacci a seguir estão entre as mais comumente usadas:

1. Às vezes, uma das três ondas de impulso se estende. As outras duas são iguais no tempo e na magnitude. Se a onda 5 se estender, as ondas 1 e 3 devem ser praticamente iguais. Se a onda 3 se estender, as ondas 1 e 5 tendem a ser iguais.

2. Um alvo mínimo para o topo da onda 3 pode ser obtido multiplicando-se o comprimento da onda por 1,618 e somando-se o total ao fundo de 2.

3. O topo da onda 5 pode ser aproximada multiplicando-se a onda 1 por 3,236 (2 × 1,618) e somando-se esse valor ao topo ou fundo da onda 1 para alvos máximos ou mínimos.

4. Onde as ondas 1 e 3 são praticamente iguais, e se espera que a onda 5 se estenda, um objetivo de preço pode ser obtido medindo-se a distância do fundo da onda 1 até o topo da onda 3, multiplicando-a por 1,618 e somando o resultado ao fundo de 4.

5. Para ondas de correção, em uma correção de zigue-zague normal 5-3-5, a onda c muitas vezes corresponde aproximadamente ao comprimento da onda a.

6. Outra forma de medir o possível comprimento da onda c é multiplicar 0,618 pelo comprimento da onda e subtrair o resultado do fundo da onda a.

7. No caso de uma correção plana 3-3-5, em que a onda b atinge ou excede o topo da onda a, a onda c será cerca de 1,618 do comprimento de a.

8. Em um triângulo simétrico, cada onda sucessiva está relacionada a sua onda anterior por cerca de 0,618.

Retrações de Porcentagens de Fibonacci

As razões anteriores ajudam a determinar objetivos de preço em ondas de impulso e de correção. Outra forma de determinar objetivos de preço é pelo uso de *retrações de porcentagem*. Os números mais comumente usados na análise de retração são 61,8% (geralmente arredondado para 62%), 38% e 50%. Lembre-se de que no Capítulo 4 dissemos que os mercados geralmente retraçam movimentos anteriores em certas porcentagens previsíveis — sendo que as mais conhecidas são 33%, 50% e 67%. A sequência de Fibonacci refina esses números um pouco mais. Em uma tendência forte, uma retração mínima geralmente fica em torno de 38%. Em uma tendência mais fraca, a retração de porcentagem máxima geralmente é de 62%. (Veja as Figuras 13.25 e 13.26.)

A Teoria das Ondas de Elliott

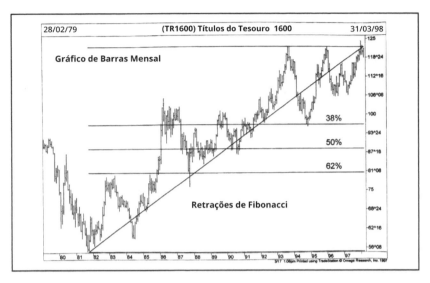

Figura 13.25 *As três linhas horizontais mostram níveis de retração de Fibonacci de 38%, 50% e 62% medidos do nível mínimo de 1981 ao pico em 1993 em Títulos do Tesouro Norte-Americano. A correção nos preços dos títulos em 1994 parou exatamente na linha de retração de 38%.*

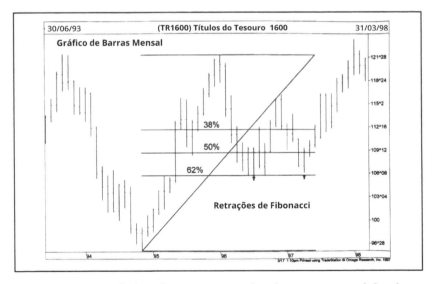

Figura 13.26 *As três linhas de porcentagem de Fibonacci são medidas dos preços mínimos de títulos de 1994 ao máximo no início de 1996. Os preços dos títulos foram corrigidos na linha de 62%.*

Ressaltamos anteriormente que os coeficientes de Fibonacci se aproximam de 0,618 apenas depois dos primeiros quatro números. Os primeiros três coeficientes são 1/1 (100%), 1/2 (50%) e 2/3 (66%). Muitos alunos de Elliott talvez não saibam que a famosa retração de 50% é, de fato, um coeficiente de Fibonacci, como a retração de 2/3. Uma retração completa (100%) de um mercado em alta ou baixa anterior também deve marcar uma importante área de suporte ou resistência.

ALVOS DE TEMPO DE FIBONACCI

Não falamos muito sobre o aspecto do tempo na análise das ondas. Os relacionamentos de tempo de Fibonacci existem. Contudo, eles são mais difíceis de prever e são considerados por alguns adeptos das teorias de Elliott como os menos importantes dos três aspectos da teoria. Os alvos de tempo de Fibonacci são encontrados contando-se para a frente a partir de topos e fundos significativos. Em um gráfico diário, a análise conta para a frente o número de dias de trading a partir de um ponto de virada importante com a expectativa de que futuros topos ou fundos ocorram em dias de Fibonacci — isto é, no 13º, 21º, 34º, 55º ou 89º dia de trading no futuro. A mesma técnica pode ser usada em gráficos semanais, mensais ou até anuais. No gráfico semanal, o analista escolhe um topo ou fundo significativo e procura alvos de tempo semanais que correspondam a números de Fibonacci. (Veja as Figuras 13.27 e 13.28.)

COMBINANDO OS TRÊS ASPECTOS DA TEORIA DAS ONDAS

A situação ideal ocorre quando a forma da onda, a análise de razões e os alvos de tempo se juntam. Suponha que um estudo de ondas revele que a quinta onda foi completada, que a onda 5 percorre 1,618 vezes a distância do fundo da onda 1 para o topo da onda 3, e que o tempo do início da tendência foi de 13 semanas a partir da baixa anterior e 34 semanas a partir do topo anterior. Suponha, ainda, que a quinta onda durou 21 dias. Há boas probabilidades de que um topo importante estaria próximo.

A Teoria das Ondas de Elliott

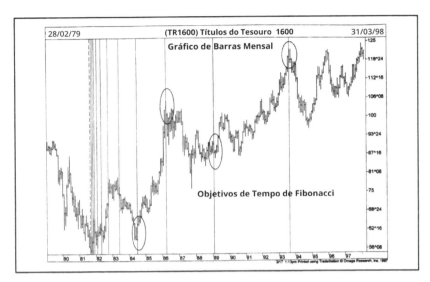

Figura 13.27 *Objetivos de tempo de Fibonacci medidos em meses a partir do fundo de 1981 em Títulos do Tesouro Norte-Americano. Pode ser coincidência, mas os últimos quatro alvos de preço de Fibonacci (barras verticais) coincidiram com importantes viradas nos preços dos títulos.*

Figura 13.28 *Objetivos de tempo de Fibonacci em meses a partir do fundo de 1982 no Dow. As três últimas barras verticais coincidem com anos de mercado em baixa em ações — 1987, 1990 e 1994. O pico de 1987 ocorreu 13 anos contados a partir da baixa de 1982 — um número de Fibonacci.*

Um estudo de gráficos de preço em mercados de ações e futuros revela vários relacionamentos de tempo de Fibonacci. Parte do problema, porém, é a variedade de possíveis relacionamentos. Objetivos de tempo de Fibonacci podem ser tomados de um topo a outro, do topo ao fundo, de um fundo a outro, e do fundo ao topo. Esses relacionamentos sempre podem ser encontrados após o fato. Nem sempre fica claro quais possíveis relacionamentos são relevantes para a tendência atual.

AS ONDAS DE ELLIOTT APLICADAS A AÇÕES VERSUS COMMODITIES

Há algumas diferenças na aplicação da teoria das ondas a ações e commodities. Por exemplo, a onda 3 tende a se estender em ações, e a onda 5, em commodities. A regra inquebrável de que a onda 4 nunca pode se sobrepor à onda 1 em ações não é tão rígida em commodities. (Penetrações intraday podem ocorrer em gráficos de futuros.) Às vezes, gráficos no mercado monetário em commodities fornecem um padrão de Elliott mais claro do que o mercado de futuros. O uso de gráficos de continuação em mercados futuros de commodities também produz distorções que podem afetar padrões de Elliott de longo prazo.

Possivelmente, a diferença mais significativa entre as duas áreas é que mercados importantes de alta em commodities podem ser "contidos", o que significa que altas de mercados em alta nem sempre excedem as altas de mercados em alta anteriores. É possível em mercados de commodities que uma onda 5 completada não consiga atingir uma alta de um mercado em alta anterior. Os principais topos formados em muitos mercados de commodities no período de 1980 a 1981 não excederam topos importantes formados sete ou oito anos antes. Como uma comparação final entre as duas áreas, parece que os melhores padrões de Elliott em mercados de commodities surgem de breakouts de bases estendidas de longo prazo.

É importante lembrar que a teoria das ondas foi originalmente concebida para ser aplicada às médias do mercado de ações. Ela não funciona tão bem em ações comuns individuais. É bem possível que não funcione tão bem em alguns dos mercados de futuros mais operados porque a psicologia de massa é uma das fundações importantes na qual a teoria se baseia.

Ouro, como ilustração, é um excelente veículo para a análise das ondas por causa de sua ampla cobertura.

RESUMO E CONCLUSÃO

Resumiremos os elementos mais importantes da teoria das ondas e então tentaremos colocá-la na perspectiva adequada.

1. O ciclo completo de um mercado em alta é formado por oito ondas: cinco ascendentes e três descendentes.
2. Uma tendência se divide em cinco ondas na direção da tendência mais longa.
3. Correções sempre ocorrem em três ondas.
4. Os dois tipos de correções simples são zigue-zagues (5-3-5) e planos (3-3-5).
5. Geralmente os triângulos são as quartas ondas e sempre precedem a onda final. Triângulos também podem ser ondas de correção B.
6. As ondas podem ser expandidas em ondas mais longas e subdivididas em ondas mais curtas.
7. Às vezes, uma das ondas de impulso se estende. As outras duas podem então ser iguais em tempo e magnitude.
8. A sequência de Fibonacci é a base matemática da Teoria das Ondas de Elliott.
9. O número de ondas segue a sequência de Fibonacci.
10. Razões e retrações de Fibonacci são usadas para determinar objetivos de preço. As retrações mais comuns são 62%, 50% e 38%.
11. A regra de alternância adverte a não esperar a mesma coisa duas vezes seguidas.
12. Mercados em baixa não devem cair abaixo do fundo da quarta onda anterior.
13. A onda 4 não deve se sobrepor à onda 1 (não tão rígido em futuros).
14. A Teoria das Ondas de Elliott consiste em formas de ondas, razão e tempo, nessa ordem de importância.

15. A teoria foi originalmente aplicada às médias do mercado de ações e não funciona tão bem com ações individuais.
16. A teoria funciona melhor nos mercados de commodities com maior público, como o do ouro.
17. A principal diferença em commodities é a existência de mercados em alta contidos.

O Princípio das Ondas de Elliott se baseia em abordagens mais clássicas, como a Teoria de Dow e padrões de gráficos tradicionais. A maioria desses padrões de preço pode ser explicada como parte da estrutura das Ondas de Elliott. Ela se baseia no conceito de "objetivos de swing" usando projeções de razões porcentagens de retrações de Fibonacci. O Princípio das Ondas de Elliott leva todos esses fatores em consideração, mas vai além deles, dando-lhes mais ordem e maior previsibilidade.

A Teoria das Ondas Deve Ser Usada em Conjunto com outras Ferramentas Técnicas

Há momentos em que cenários de Elliott são claros, e outros em que não são. Tentar forçar uma ação de mercado indefinida em um formato de Elliott e ignorar outras ferramentas técnicas no processo é um mau uso da teoria. O segredo está em encarar a Teoria das Ondas de Elliott como uma resposta parcial ao enigma da previsão de mercado. Usá-la com todas as outras teorias técnicas deste livro aumentará seu valor e melhorará suas chances de sucesso.

MATERIAL DE REFERÊNCIA

Duas das melhores fontes de informação sobre a Teoria das Ondas de Elliott e os números de Fibonacci são *The Major Works of R.N. Elliott*, (Prechter, Jr.) e *Elliott Wave Principle* (Frost e Prechter). Originalmente, todos os diagramas usados nas Figuras 13.1 a 13.24 são do *Elliott Wave Principle* e são reproduzidos neste capítulo por cortesia da New Classics Library.

Um manual sobre os números de Fibonacci, *Understanding Fibonacci Numbers*, de Edward D. Dobson, está disponível em Traders Press (P.O. Box 6206, Greenville, S.C. 29606 (800-927-8222).

14
Ciclos de Tempo

INTRODUÇÃO

Nosso foco principal até agora foi o movimento de preços, e não falamos muito sobre a importância do *tempo* ao resolver o enigma da previsão. A questão do tempo está implicitamente presente em toda a nossa discussão da análise técnica, mas, em geral, tem sido relegada a uma posição secundária. Neste capítulo, analisaremos o problema da previsão através dos olhos de analistas cíclicos que acham que *ciclos de tempo* são fundamentais para compreender por que os mercados se movem para cima e para baixo. Nesse processo, acrescentaremos a importante dimensão do tempo à nossa crescente lista de ferramentas analíticas. Em vez de apenas perguntar *em que direção* e *qual distância* o mercado percorrerá, começaremos a perguntar *quando* ele chegará lá ou mesmo *quando* o movimento começará.

Pense no gráfico de barras diário padrão. O eixo vertical mostra a escala de preços. Contudo, eles são apenas metade dos dados relevantes. A escala horizontal nos dá o horizonte de tempo. Assim, o gráfico de barras realmente é um gráfico de tempo e preço. Ainda assim, muitos traders se concentram somente em dados de preço, excluindo considerações sobre o tempo. Quando estudamos padrões gráficos, vimos que há uma relação entre o tempo necessário para que esses padrões se formem e o potencial para movimentos de mercado subsequentes. Quanto mais tempo uma linha de tendência ou um nível de suporte ou resistência permanece em vigor, mais válidos eles se tornam. Médias móveis requerem informações sobre o período adequado de tempo a ser usado. Até mesmo osciladores requerem que se decida quantos dias medir. No capítulo anterior, consideramos a utilidade dos alvos de tempo de Fibonacci.

Portanto, parece claro que todas as fases da análise técnica dependem, até certo ponto, de considerações de tempo. No entanto, essas considerações não são realmente aplicadas de modo consistente e confiável. É aí que os ciclos de tempo entram em ação. Em vez de desempenhar um papel secundário ou de suporte no movimento do mercado, analistas cíclicos defendem que os ciclos de tempo são fator determinante em mercados em alta e em baixa. Não só o tempo é um fator dominante, mas todas as outras ferramentas técnicas podem ser melhoradas com a incorporação de ciclos. As médias móveis e os osciladores, por exemplo, podem ser otimizados associando-os a ciclos dominantes. A análise de linhas de tendência pode ser mais precisa com a análise cíclica ao determinar quais são linhas de tendência válidas e quais não o são, e a análise do padrão de preços pode ser melhorada se combinada com picos e vales cíclicos. Com o uso de "janelas de tempo", o movimento de preço pode ser filtrado de tal forma que ações estranhas possam ser ignoradas e uma ênfase significativa possa ser dada somente a tempos em que importantes topos e fundos de ciclo estiverem para ocorrer.

CICLOS

O livro mais interessante que li sobre o tema de ciclos foi escrito por Edward R. Dewey, um dos pioneiros da análise cíclica, com Og Mandino, *Ciclos: As Forças Misteriosas que Guiam os Fatos*. Milhares de ciclos aparentemente não relacionados foram isolados, abrangendo centenas e, em alguns casos, milhares de anos. Tudo, desde o ciclo de 9,6 anos de abundância de salmão no Atlântico ao ciclo de 22,20 anos de batalhas internacionais de 1415 a 1930, foi rastreado. Constatou-se que o ciclo médio de atividade de manchas solares é de 11,11 anos. Vários ciclos econômicos, incluindo o ciclo de

Ciclos de Tempo

18,33 anos na atividade imobiliária e um ciclo de 9,2 anos no mercado de ações, foram apresentados. (Veja as Figuras 14.1 e 14.2.)

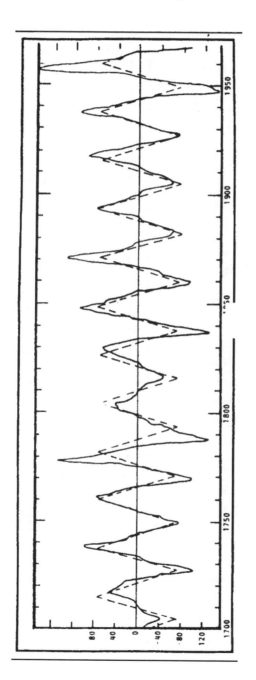

Figura 14.1 *O ciclo de 22,2 anos e a incidência de manchas solares. A seca geralmente segue dois anos depois do mínimo da mancha solar, que ocorreu no início dos anos de 1970, e novamente em meados dos anos de 1990. No gráfico, a linha pontilhada é o ciclo "ideal", e a linha contínua se refere aos dados reais não ligados a tendências. (Cortesia da Foundation for the Study of Cycles, Wayne, PA.)*

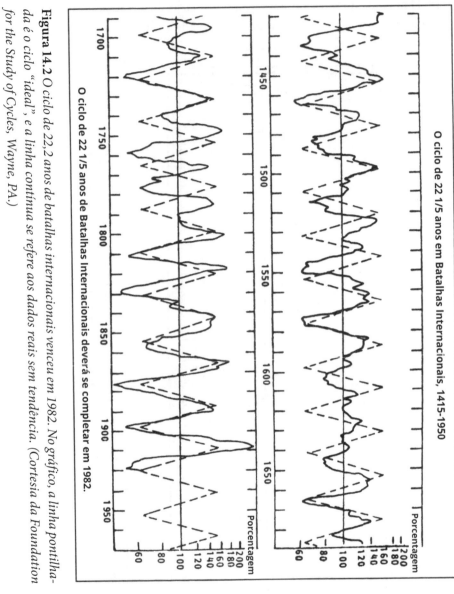

Figura 14.2 *O ciclo de 22,2 anos de batalhas internacionais venceu em 1982. No gráfico, a linha pontilhada é o ciclo "ideal", e a linha contínua se refere aos dados reais sem tendência. (Cortesia da Foundation for the Study of Cycles, Wayne, PA.)*

Duas conclusões surpreendentes são discutidas por Dewey. Primeiro, a quantidade de ciclos de fenômenos aparentemente não relacionados ao redor de períodos semelhantes. Na página 188 de seu livro, Dewey enumerou 37 exemplos diferentes do ciclo de 9,6 anos, incluindo a abundância de

Ciclos de Tempo 357

lagartas em Nova Jersey e de coiotes no Canadá, aumento da área de cultivo de trigo nos EUA e dos preços do algodão nos EUA. Por que tais atividades não relacionadas apresentam os mesmos ciclos?

A segunda descoberta foi a de que esses ciclos semelhantes agiram em sincronia, ou seja, eles viraram ao mesmo tempo. A Figura 14.3 mostra 12 exemplos diferentes de um ciclo de 18,2 anos, incluindo casamentos, imigração e preços de ações nos EUA. A surpreendente conclusão de Dewey foi a de que deve haver "algo" no universo que está causando esses ciclos; que parece haver um tipo de *impulso* no universo responsável pela presença generalizada desses ciclos em tantas áreas da existência humana.

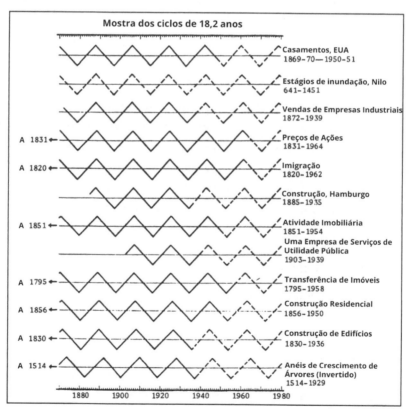

Figura 14.3 *Mostra dos ciclos de 18,2 anos em exibição. (Fonte: Dewey, Edward R., Cycles: The Mysterious Forces That Trigger Events; Nova York: Manor Books, 1973.)*

Em 1941, Dewey organizou a Fundação para o Estudo dos Ciclos (900 W. Valley Rd., Suite 502, Wayne, PA 19087). É a organização mais antiga envolvida em pesquisa de ciclos e reconhecida líder no setor. A Fundação publica a revista *Cycles*, que apresenta pesquisas em diferentes áreas, incluindo economia e negócios. Ela também publica um relatório mensal, *Cycle Projections*, que aplica a análise cíclica a ações, commodities, imóveis e economia.

Conceitos Cíclicos Básicos

In 1970, J.M. Hurst escreveu *The Profit Magic of Stock Transaction Timing* [*A Mágica do Lucro no Timing da Negociação de Ações*, em tradução livre]. Embora ele trate principalmente de ciclos no mercado de ações, este livro apresenta uma das melhores explicações impressas disponíveis sobre a teoria dos ciclos e é uma leitura altamente recomendada. Os diagramas a seguir originaram-se da obra original de Hurst.

Primeiro veremos o que são esses ciclos e discutiremos suas três características principais. A Figura 14.4 apresenta duas repetições de um ciclo de preços. Os fundos dos ciclos chamam-se *vales*, e os topos, *cristas*. Note que as duas ondas mostradas aqui são medidas de um vale a outro. *O analista cíclico prefere medir os comprimentos dos ciclos de um ponto baixo a outro.* A mensuração pode ser feita entre cristas, mas elas não são consideradas tão estáveis ou confiáveis como as feitas entre os vales. Assim, a prática comum ainda é medir o começo e o fim de uma onda cíclica em um ponto baixo, como mostra esse exemplo.

As três características do ciclo são *amplitude, período* e *fase*. A amplitude mede a altura da onda como mostra a Figura 14.5 e é expressa em dólares, centavos ou pontos. O período de uma onda, como mostra a Figura 14.6, é o tempo entre os vales. Neste exemplo, o período é de 20 dias. A fase é a medida da localização do tempo do vale de uma onda. Na Figura 14.7, é mostrada a diferença de fase entre duas ondas. Como há vários ciclos ocorrendo ao mesmo tempo, as *fases* permitem ao analista cíclico estudar o relacionamento entre diferentes durações de ciclos. As fases também são usadas para identificar a data do último ponto baixo do ciclo. Se, por exemplo, um ciclo de 20 dias atingiu um ponto baixo 10 dias antes, pode-se determinar a data da baixa do próximo ciclo. Quando a amplitude, o período e a fase de um ciclo são conhecidos, teoricamente o ciclo pode ser extrapolado para o futuro. Supondo que o ciclo permaneça relativamente constante, ele pode então ser usado para calcular futuros picos e vales. Essa é a base da abordagem cíclica em sua forma mais simples.

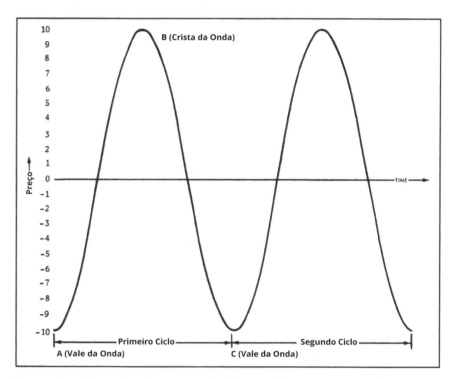

Figura 14.4 *Dois ciclos de uma onda de preço. Uma única onda de preço simples do tipo que se combina para formar o price action de ações e commodities. Somente dois ciclos dessa onda são mostrados, mas a onda em si se estende infinitamente para a esquerda e para a direita. Essa ondas se repetem ciclo após ciclo. Como resultado, quando a onda é identificada, seu valor pode ser determinado em qualquer momento passado ou futuro. É essa característica de ondas que propicia um grau de previsibilidade para o preço das ações.*

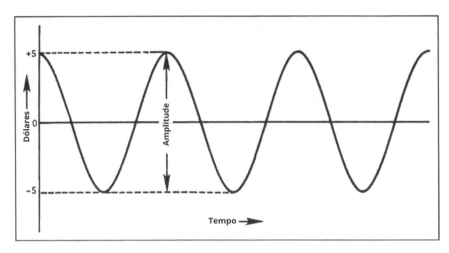

Figura 14.5 *A amplitude de uma onda. Nesta figura, a onda tem uma amplitude de 10 dólares (de 5 dólares negativos para 5 dólares positivos). A amplitude sempre é medida do vale à crista da onda.*

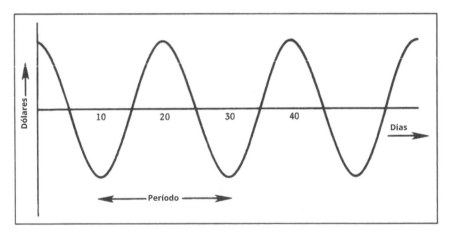

Figura 14.6 *O período de uma onda. Nesta figura, a onda tem um período de 20 dias, que é medido entre dois vales de onda consecutivos. O período também poderia simplesmente ter sido medido entre cristas de onda. Mas no caso de ondas de preço, os vales da onda geralmente são mais claramente definidos do que as cristas por motivos que discutiremos depois. Consequentemente, períodos de ondas de preço são frequentemente medidos de vale a vale.*

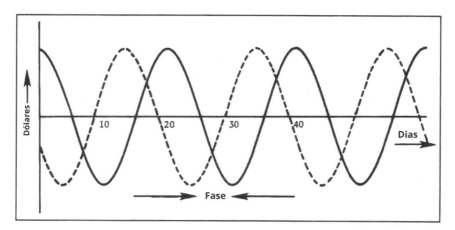

Figura 14.7 *A diferença de fase entre duas ondas. A diferença de fase entre as duas ondas mostradas é de seis dias. Essa diferença de fase é medida entre vales de duas ondas porque, novamente, vales de ondas são os pontos mais convenientes para identificar diferenças em ondas de preço.*

Princípios Cíclicos

Analisaremos agora alguns princípios que baseiam a filosofia cíclica. Os quatro mais importantes são os Princípios da Somatória, Harmonia, Sincronia e Proporção.

O Princípio da Somatória defende que todos os movimentos de preço consistem na simples adição de todos os ciclos ativos. A Figura 14.8 demonstra como o padrão de preço no topo é formado com a simples soma dos dois ciclos diferentes no fundo do gráfico. Note, em especial, a aparência do topo duplo na onda composta C. A teoria dos ciclos defende que todos os padrões de preço são formados pela interação de dois ou mais ciclos diferentes. Voltaremos a esse ponto depois. O Princípio da Somatória nos dá um importante insight sobre a fundamentação da previsão cíclica. Suponhamos que todo o price action seja apenas a soma de diferentes durações de ciclos. Imagine também que cada um desses ciclos continuará a flutuar em direção ao futuro. Então, ao simplesmente continuar cada ciclo para o futuro e somando-os outra vez, o resultado deve ser a futura tendência de preço. Pelo menos, é o que diz a teoria.

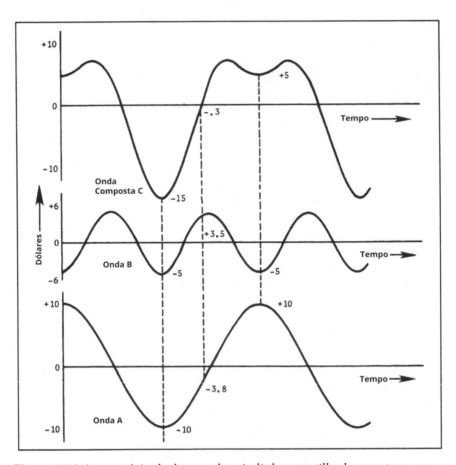

Figura 14.8 *A somatória de duas ondas. As linhas pontilhadas mostram como, em cada ponto do tempo, o valor da onda A é somado ao valor da onda B a fim de produzir o valor da onda composta C.*

O Princípio da Harmonia significa simplesmente que as ondas vizinhas geralmente estão ligadas por um número inteiro baixo. Esse número normalmente é 2. Por exemplo, se existe um ciclo de 20 dias, normalmente o próximo ciclo mais curto terá metade de sua duração, ou 10 dias. O próximo ciclo mais longo seria então de 40 dias. Se você voltar à discussão sobre a *regra de quatro semanas* (Capítulo 9), lembrará que se recorreu ao Princípio da Harmonia para explicar a validade de usar uma regra mais curta de duas semanas e uma mais longa de oito semanas.

Ciclos de Tempo

O Princípio da Sincronia se refere à forte tendência de as ondas de diferentes durações sofrerem uma queda mais ou menos ao mesmo tempo. A Figura 14.9 tem a intenção de mostrar harmonia e sincronia. A onda B na parte inferior do gráfico é metade da onda A. A onda A inclui duas repetições da onda menor B, mostrando harmonia entre as duas ondas. Note também que, quando a onda A cai, a onda B tende a fazer o mesmo, demonstrando sincronia entre ambas. A sincronia também significa que ciclos de duração semelhantes de diferentes mercados tendem a virar juntos.

O Princípio da Proporção descreve a relação entre período de ciclo e amplitude. Ciclos com períodos (durações) mais longos devem ter amplitudes proporcionalmente maiores. A amplitude, ou altura, de um ciclo de 40 dias, por exemplo, deve ser aproximadamente o dobro daquela de um ciclo de 20 dias.

Os Princípios da Variação e Nominalidade

Há dois outros princípios cíclicos que descrevem o comportamento de um modo mais geral — *O Princípio da Variação e o Princípio da Nominalidade.*

O Princípio da Variação, como o nome sugere, é o reconhecimento do fato de que todos os outros princípios cíclicos já mencionados — somatória, harmonia, sincronia e proporção — são apenas tendências fortes, e não regras rígidas. Alguma "variação" pode e geralmente ocorre no mundo real.

O Princípio da Nominalidade se baseia na premissa de que, apesar das diferenças que existem nos vários mercados e que permitem alguma variação na implementação dos princípios cíclicos, parece haver um conjunto nominal de ciclos harmonicamente relacionados que afetam todos os mercados. E esse modelo nominal de durações de ciclos pode ser usado como um ponto de partida na análise de qualquer mercado. A Figura 14.10 mostra uma versão simplificada desse modelo nominal. O modelo começa com um ciclo de 18 anos e prossegue a cada ciclo sucessivamente mais baixo com *metade de sua* duração. A única exceção é a relação entre 54 e 18 meses, que é de *um terço*, em vez de *metade*.

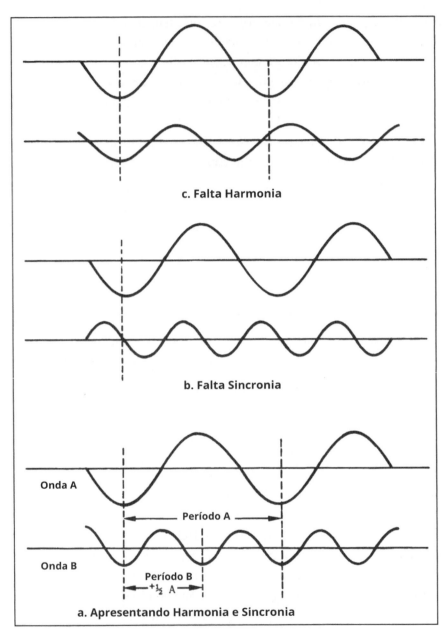

Figura 14.9 *Harmonia e Sincronia.*

Anos	Meses	Semanas	Dias
18			
9			
	54		
	18		
		40	
		20	
			80
			40
			20
			10
			5

Figura 14.10 *O modelo nominal simplificado.*

Quando discutirmos as várias durações de ciclos em mercados individuais, veremos que este modelo nominal representa a maior parte da atividade cíclica. Por ora, observe a coluna "Dias". Note 40, 20, 10 e 5 dias. Você reconhecerá imediatamente que esses números são responsáveis pela maior parte dos comprimentos de médias móveis populares. Mesmo a conhecida técnica das médias móveis de 4, 9 e 18 dias é uma variação dos números de 5, 10 e 20 dias, a mesma usada por muitos osciladores. Breakouts de regras semanais usam os mesmos números traduzidos em 2, 4 e 8 semanas.

COMO CONCEITOS CÍCLICOS AJUDAM A EXPLICAR TÉCNICAS DE REPRESENTAÇÃO GRÁFICA

O Capítulo 3 do livro de Hurst explica em detalhes como as técnicas de representação gráfica padronizadas — linhas de tendência e canais, padrões de gráficos e médias móveis — podem ser mais bem compreendidas e usadas de modo mais vantajoso quando coordenadas com princípios cíclicos. A Figura 14.11 ajuda a explicar a existência de linhas de tendência e canais. A onda de ciclo plana ao longo da parte inferior se torna um canal de preço ascendente quando é somada à linha ascendente que representa a tendência de alta de longo prazo. Note como o ciclo horizontal ao longo da parte inferior do gráfico se parece com um oscilador.

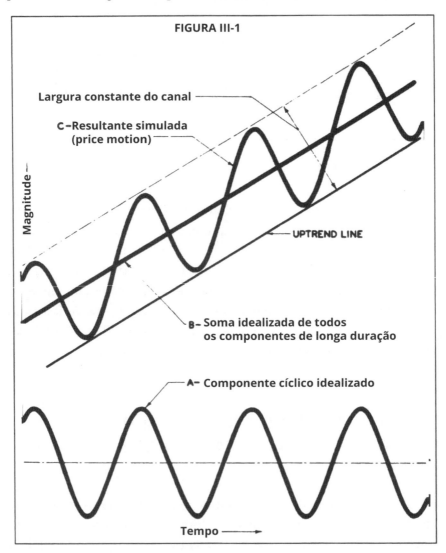

Figura 14.11 *Formação de canal. (Fonte: Hurst, J.M.,* The Profit Magic of Stock Transaction Timing; *Englewood Cliffs, N.J.: Prentice-Hall, Inc., 1970.)*

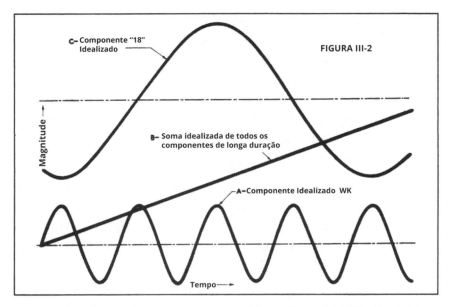

Figura 14.12a *Somando outro componente. (Fonte: Hurst, J.M., The Profit Magic of Stock Transaction Timing; Englewood Cliffs, N.J.: Prentice-Hall, Inc., 1970.)*

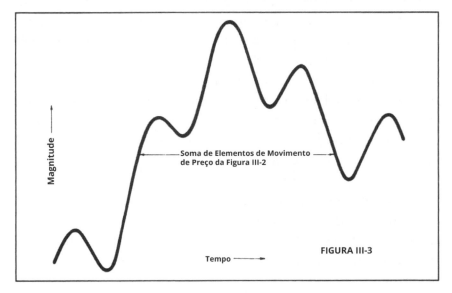

Figura 14.12b *O Princípio da Somatória aplicado. (Fonte: Hurst, J.M., The Profit Magic of Stock Transaction Timing; Englewood Cliffs, N.J.: Prentice-Hall. Inc., 1970.)*

A Figura 14.12 do mesmo capítulo mostra como um padrão de topo de *cabeça e ombros* é formado pela combinação da duração de dois ciclos e uma linha que representa a soma de todos os componentes de maior duração. Hurst também explica topos duplos, triângulos, bandeiras e flâmulas em toda a aplicação de ciclos. O topo ou fundo em "V", por exemplo, ocorre quando um ciclo intermediário vira exatamente ao mesmo tempo que seus próximos ciclos de duração mais longa e mais curta.

Hurst também fala como médias móveis podem se tornar mais úteis se seus comprimentos forem sincronizados com durações de ciclo dominantes. Estudiosos de técnicas grafistas tradicionais deveriam obter mais informações sobre como se formam essas imagens gráficas populares, e talvez até por que elas funcionam, lendo o capítulo de Hurst, "Verify Your Chart Patterns" [Verifique Seus Padrões Gráficos, em tradução livre].

CICLOS DOMINANTES

Há muitos ciclos diferentes que afetam os mercados financeiros. Os únicos que têm valor para propósitos de previsão são os *ciclos dominantes*. Ciclos dominantes são aqueles que afetam os preços de modo consistente e podem ser identificados com clareza. A maioria dos mercados de futuros tem, pelo menos, cinco ciclos dominantes. Em um capítulo anterior sobre o uso de gráficos de longo prazo, enfatizamos que todas as análises técnicas devem começar com o quadro de longo prazo e avançar gradativamente em direção ao curto prazo. Esse princípio se aplica ao estudo dos ciclos. O procedimento adequado é começar a análise com o estudo de ciclos dominantes de longo prazo, que podem abranger vários anos, e, então, trabalhar na direção dos ciclos intermediários, que podem durar de várias semanas a vários meses; finalmente, os ciclos de prazo muito curto, de várias horas a vários dias, podem ser usados para escolher os pontos de entrada e saída e para ajudar a confirmar pontos de virada de ciclos mais longos.

Ciclos de Tempo

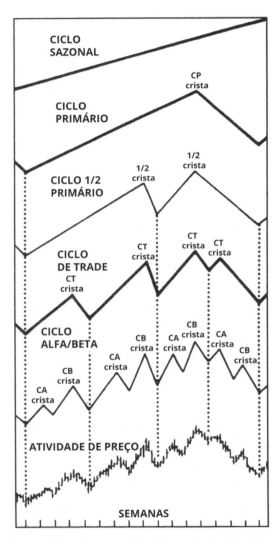

Figura 14.13 *(Fonte: The Power of Oscillator/Cycle Combinations, de Walt Bressert.)*

Classificação dos Ciclos

As categorias gerais são: *ciclos de longo prazo* (2 anos ou mais de duração), *ciclo sazonal* (1 ano), *ciclo primário ou intermediário* (9 a 26 semanas) e *ciclo de trading* (4 semanas). O ciclo de trading se divide em dois ciclos mais curtos, *alfa* e *beta*, com média de duas semanas cada. (Os rótulos Primário, Trading, Alfa e Beta são usados por Walt Bressert para descrever as várias durações dos ciclos.) (Veja a Figura 14.13.)

A Onda de Kondratieff

Existem ciclos de duração ainda maior em operação. Talvez o mais conhecido seja o ciclo de aproximadamente 54 anos de Kondratieff. Esse controverso longo ciclo de atividade econômica, descoberto nos anos 1920 por um economista russo chamado Nikolai D. Kondratieff, parece exercer uma influência significativa em praticamente todos os preços de ações e commodities. Em especial, foi identificado um ciclo de 54 anos nas taxas de juros, nos preços de cobre, algodão, trigo, ações e commodities no atacado. Kondratieff rastreou sua "longa onda" a partir de 1789 usando fatores como preços de commodities, produção de ferro gusa e salários de trabalhadores rurais na Inglaterra. (Veja a Figura 14.14.) O ciclo Kondratieff tornou-se um tema de discussão popular nos últimos anos, principalmente devido ao fato de que sua última alta ocorreu nos anos de 1920 e sua próxima alta é esperada há muito. Kondratieff pagou caro por sua visão cíclica das economias capitalistas. Acredita-se que ele morreu em um campo de trabalho na Sibéria. Para mais informações, veja *The Long Wave Cycle* [*O Ciclo de Onda Longa*, em tradução livre] (Kondratieff), traduzido do russo para o inglês por Guy Daniels. (Dois outros livros sobre o tema são *The K Wave* [*A Onda K*, em tradução livre], de David Knox Barker, e *The Great Cycle* [*O Grande Ciclo*, em tradução livre], de Dick Stoken.)

Ciclos de Tempo

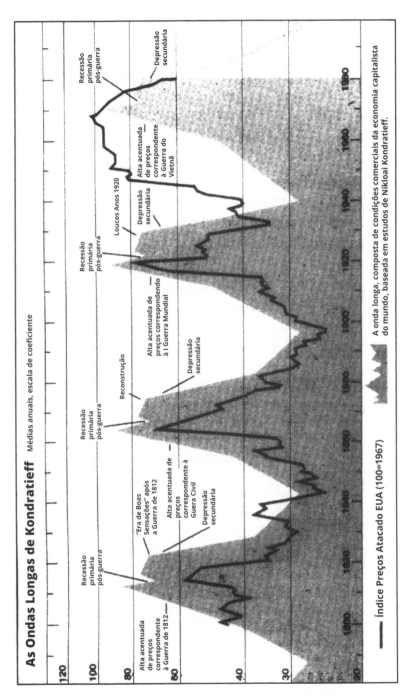

Figura 14.14 *As ondas longas de Kondratieff. Para mais informações, veja* The Long Wave Cycle *de Nikolai Kondratieff, traduzido por Guy Daniels (Nova York: Richardson and Snyder, 1984). Essa é a primeira tradução do texto original russo. (Copyright©1984 de New York Times Company. Reimpresso com permissão [27 de Maio, 1984, p. F11].)*

COMBINANDO DURAÇÃO DE CICLOS

Como regra geral, ciclos de longo prazo e sazonais determinam a tendência principal do mercado. Obviamente, se um ciclo de dois anos sofre queda, pode-se esperar que ele avance por, pelo menos, um ano, medido a partir de sua queda à crista. Assim, o ciclo de longo prazo exerce maior influência no rumo do mercado. Os mercados também apresentam padrões anuais sazonais, isto é, eles tendem a atingir um pico ou uma queda em certos momentos do ano. O mercado de grãos, por exemplo, geralmente atinge o ponto mínimo perto da época da colheita e se recupera a partir dali. Movimentos sazonais geralmente duram vários meses.

Para fins de trade, *o ciclo primário semanal é o mais útil*. O ciclo primário de três a seis meses é o equivalente à tendência intermediária e, geralmente, determina em qual lado do mercado operar. O próximo ciclo mais curto, o ciclo de trading de quatro semanas, é usado para estabelecer pontos de entrada e saída na direção da tendência principal. Se a tendência principal for de alta, vales no ciclo de negociação são usados para compras. Se a tendência principal for de baixa, cristas nos ciclos de trading são usados para vendas a descoberto. Os ciclos de 10 dias *alfa* e *beta* podem ser usados para ajuste adicional. (Veja a Figura 14.13.)

A IMPORTÂNCIA DA TENDÊNCIA

O conceito de operar na direção da tendência é enfatizado em todo o corpo da análise técnica. Em um capítulo anterior, sugerimos que dips de curto prazo deveriam ser usados para compras se a tendência intermediária fosse de alta, e que aumentos de curto prazo devem ser vendidos em tendências de baixa. No capítulo sobre a Teoria das Ondas de Elliott, ressaltamos que movimentos de cinco ondas só ocorrem na direção de uma tendência maior. Assim, quando se usa qualquer tipo de tendência de curto prazo para fins de timing, é necessário primeiro determinar a direção da próxima tendência mais longa e então operar em sua direção. Esse conceito se aplica aos ciclos. *A tendência de cada ciclo é determinada pela direção e pelo seu próximo ciclo mais longo.* Ou, em outras palavras, quando é estabelecida a tendência de um ciclo mais longo, conhece-se o próximo ciclo mais curto.

O Ciclo de 28 Dias em Commodities

Existe um ciclo de curto prazo importante que tende a influenciar a maioria dos mercados de commodities — *o ciclo de trading de 28 dias*. Em outras palavras, a maioria dos mercados tende a formar um ciclo de trading baixo a cada 4 semanas. Uma possível explicação para essa forte tendência cíclica em todos os mercados de commodities é o *ciclo lunar*. Burton Pugh estudou o ciclo de 28 dias no mercado de trigo nos anos de 1930 *(Science and Secrets of Wheat Trading*, Lambert-Gann, Pomeroy, WA, 1978, orig., 1933) e concluiu que a Lua exercia certa influência nos pontos de virada do mercado. Ele defendia que o trigo deveria ser comprado durante a lua cheia e vendido na lua nova. Pugh reconheceu, porém, que os efeitos da Lua eram leves e poderiam ser superados pelos efeitos de ciclos mais longos ou por novos acontecimentos importantes.

Quer a Lua tenha ou não algo a ver com a situação, o ciclo médio de 28 dias existe e explica muitos números usados no desenvolvimento de indicadores e sistemas de trading de curto prazo. Primeiro, o ciclo de 28 dias é baseado nos dias do calendário. Transposto para dias reais de trade, teremos 20 dias. Já comentamos como muitas médias móveis, osciladores e regras semanais populares são baseados no número 20 e em seus ciclos mais curtos harmonicamente relacionados de 10 e 5. As médias móveis de 5, 10 e 20 dias são amplamente usadas com seus derivativos, 4, 9 e 18. Muitos traders usam médias móveis de 10 e 40 dias, sendo o número 40 o próximo ciclo mais longo harmonicamente relacionado com duas vezes a duração de 20.

No Capítulo 9, discutimos a lucratividade da regra de quatro semanas desenvolvida por Richard Donchian. Sinais de compra foram gerados quando o mercado definiu novas altas de quatro semanas e sinais de venda quando foi estabelecida uma baixa de quatro semanas. Saber da existência de um ciclo de trading de quatro semanas oferece um melhor insight sobre a importância desse número e nos ajuda a compreender por que a regra de quatro semanas tem funcionado tão bem ao longo dos anos. Quando um mercado excede a alta das quatro semanas anteriores, a lógica dos ciclos nos diz que, no mínimo, o próximo ciclo mais longo (o ciclo de oito semanas) teve uma baixa e se recuperou.

A TRANSPOSIÇÃO (TRANSLATION) PARA A ESQUERDA E A DIREITA

O conceito da transposição (translation) pode muito bem ser considerado o aspecto mais útil da análise dos ciclos. A transposição para a esquerda e direita refere-se à mudança dos picos dos ciclos para a esquerda ou para a direita do ponto médio do ciclo ideal. Por exemplo, um ciclo de trading de 20 dias é medido do mínimo ao mínimo. O pico ideal deveria ocorrer 10 dias durante o ciclo, ou no ponto médio. Isso permite um avanço de 10 dias, seguido por uma queda de 10 dias. Contudo, os picos ideais de ciclos raramente ocorrem. A maioria das variações nos ciclos ocorre no picos (ou cristas), e não nos vales. É por esse motivo que os vales são considerados mais confiáveis e são usados para medir a duração dos ciclos.

Dependendo da tendência do próximo ciclo mais longo, as cristas do ciclo agem de modo diferente. Se a tendência é de alta, a crista do ciclo passa para a direita do ponto médio ideal, causando uma transposição para a direita. Se a tendência mais longa for de baixa, a crista do ciclo passa para a esquerda do ponto médio, causando a transposição à esquerda. Assim, a transposição à direita é de alta, e a transposição à esquerda é de baixa. Pare para pensar a respeito. Estamos dizendo aqui que, em uma tendência de alta, os preços passam mais tempo subindo do que descendo. Em uma tendência de baixa, os preços passam mais tempo caindo do que subindo. Essa não é a definição básica de uma tendência? Só que, neste caso, estamos falando de tempo, e não de preço. (Veja a Figura 14.15.)

COMO ISOLAR CICLOS

Para estudar os vários ciclos que afetam qualquer mercado, primeiro é necessário isolar os ciclos dominantes. Há várias formas de realizar essa tarefa, e a mais simples é pela inspeção visual. Por exemplo, ao estudar gráficos de barras diários, é possível identificar topos e fundos óbvios em um mercado. Ao tomar os períodos médios de tempo entre esses topos e fundos cíclicos, poderemos encontrar certas durações médias.

Existem ferramentas para facilitar essa tarefa. Uma delas é o *Ehrlich Cycle Finder* [Localizador de Ciclos Ehrlich, em tradução livre], que tem o nome de seu inventor, Stan Ehrlich (ECF, 112 Vida Court, Novato, CA 94947 [415] 892-1183). O Localizador de Ciclos é um dispositivo semelhante a um acordeão e que pode ser colocado no gráfico de preços para uma inspeção visual. A distância entre os pontos é sempre equidistante e pode ser expandida ou contraída para se ajustar a qualquer duração de ciclos. Ao plotar a distância entre quaisquer duas baixas evidentes de ciclo, ele pode determinar rapidamente se existem outras quedas no ciclo de mesma duração. Uma versão eletrônica desse dispositivo, chamado *Ehrlich Cycle Forecaster* [Previsor de Ciclos Ehrlich, em tradução livre], hoje está disponível como uma técnica de análise na Omega Research's Trade Station e Super Charts (#Omega Research, 8700 West Flagler Street, Suite 250, Miami, FL 33174, [305] 551-9991, www.omegaresearch.com). (Veja a Figuras 14.16 a 14.18.)

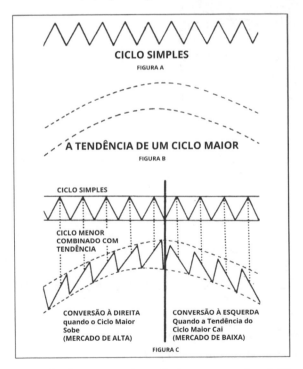

Figura 14.15 *Exemplo de transposição direita e esquerda. A Figura A mostra um ciclo simples. A Figura B mostra a tendência do ciclo maior. A Figura C mostra o efeito combinado. Quando a tendência mais longa está em alta, o pico*

médio passa para a direita. Quando a tendência mais longa é de baixa, o pico médio passa para a esquerda. A transposição à direita é de alta, e à esquerda é de baixa. (Fonte: The Power of Oscillator/Cycle Combination, de Walt Bressert.)

Computadores podem ajudá-lo a encontrar ciclos por inspeção visual. Primeiro, o usuário coloca o gráfico de preço na tela. Em seguida, deve escolher um fundo proeminente no gráfico como ponto de partida. Feito isso, linhas verticais (ou arcos) aparecem a cada 10 dias (o valor padrão). Os períodos dos ciclos podem ser aumentados, diminuídos ou movidos para a esquerda ou direita para encontrar o ajuste perfeito para o ciclo no gráfico. (Veja as Figuras 14.19 e 14.20.)

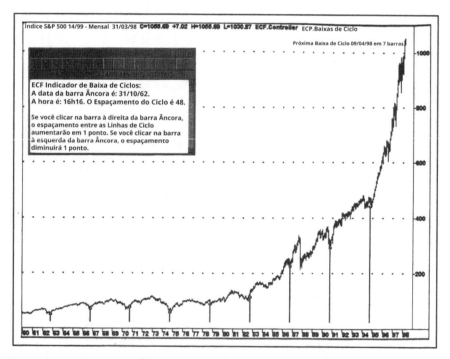

Figura 14.16 *O ciclo presidencial de quatro anos é claramente identificado com o Ehrlich Cycle Forecaster (veja as linhas verticais). Se o ciclo ainda estiver funcionando, a próxima baixa importante deverá ocorrer em 1998.*

Ciclos de Tempo 377

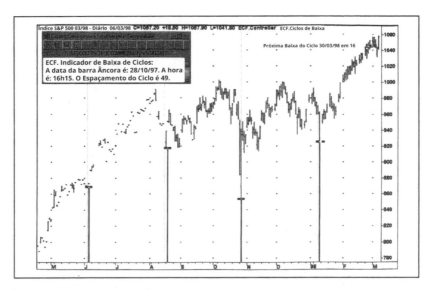

Figura 14.17 *O Ehrlich Cycle Forecaster identificou um ciclo de trading de 49 dias em preços de futuros da S&P 500 (veja as linhas verticais). O ECF calcula que o próximo ciclo de baixa será formado em 49 dias a partir do último ciclo de baixa, que seria em 30 de março de 1998.*

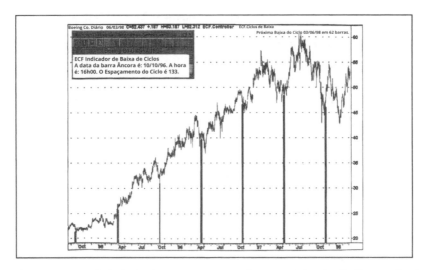

Figura 14.18 *O Ehrlich Cycle Forecaster revelou um ciclo de 13 dias na Boeing (veja as linhas verticais). Como a última baixa do ciclo ocorreu em novembro de 1997, o Ehrlich Cycle Forecaster calcula que a próxima baixa do ciclo deverá ocorrer 133 dias depois, em 3 de junho de 1998.*

Figura 14.19a *Os fundos dos arcos de ciclo coincidem com importantes reações de baixa em Dow quando apresentam um espaço de 40 semanas. Isso sugere um ciclo de 40 semanas em Dow. Os dois últimos vales do ciclo ocorreram na primavera de 1997 e no início de 1998. (Veja as setas).*

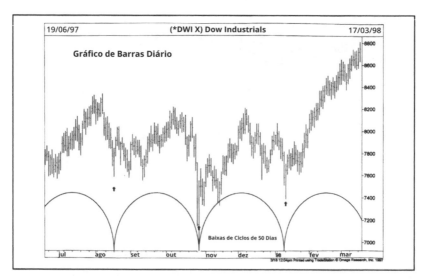

Figura 14.19b *Os arcos de ciclo diários revelam a presença de baixas de ciclo de 50 dias em Dow durante a segunda metade de 1997 e o início de 1998. A ideia é mudar os arcos até que seus mínimos coincidam com a quantidade de reações de baixa no gráfico de preços.*

Ciclos de Tempo

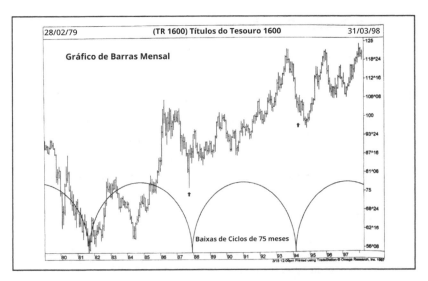

Figura 14.20a *Iniciando com uma queda importante em 1981, os arcos do localizador de ciclos revelam que os títulos mostraram uma tendência de sofrer baixas importantes a cada 75 meses (6,25 anos). Esses números podem mudar com o tempo, mas ainda fornecem informações de trade.*

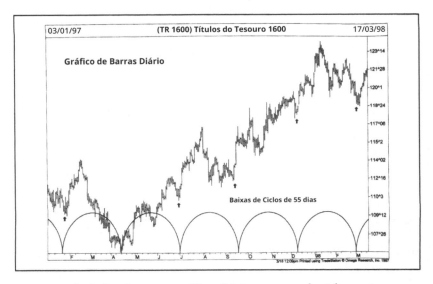

Figura 14.20b *Aplicados a este gráfico diário, os arcos de ciclo mostraram uma tendência de queda nos preços dos títulos a cada 55 dias de trading durante esse espaço de tempo (vejas as setas).*

CICLOS SAZONAIS

Até certo ponto, todos os mercados são afetados por um ciclo anual sazonal. O ciclo sazonal se refere à tendência de os mercados se moverem em determinada direção em certas épocas do ano. Os sazonais mais evidentes envolvem mercados de grãos, em que baixas sazonais geralmente ocorrem por volta da época da colheita, quando a oferta é mais abundante. Na soja, por exemplo, as altas sazonais ocorrem entre abril e junho, e as baixas sazonais entre agosto e outubro. (Veja a Figura 14.21.) Um padrão sazonal muito conhecido é a "pausa de fevereiro", quando os preços de grãos e de soja geralmente sofrem uma queda do final de dezembro ou início de janeiro até fevereiro.

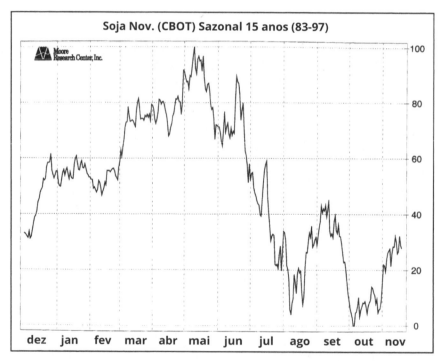

Figura 14.21 *A soja geralmente atinge o pico em maio e sofre queda em outubro.*

Ciclos de Tempo

Embora as razões para altas e baixas sazonais sejam mais evidentes nos mercados agrícolas, praticamente todos experimentam padrões sazonais. O cobre, por exemplo, mostra uma forte tendência de alta no período de janeiro/fevereiro, com uma tendência de atingir um pico em março ou abril. (Veja a Figura 14.22.) A prata sofre uma baixa em janeiro e atinge preços mais altos em março. O ouro mostra uma tendência de queda em agosto. Derivados de petróleo tendem a atingir um pico durante outubro e, geralmente, só caem no final do inverno. (Veja a Figura 14.23.) Mercados financeiros também apresentam padrões sazonais.

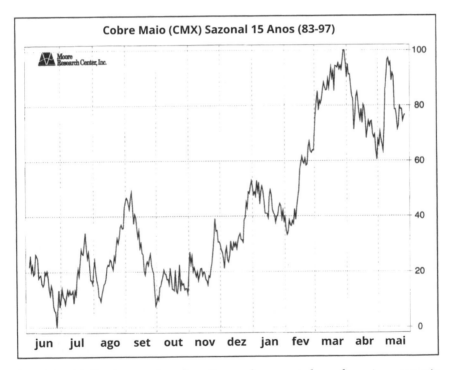

Figura 14.22 *O cobre geralmente sofre queda em outubro e fevereiro, mas atinge o pico durante o período de abril a maio.*

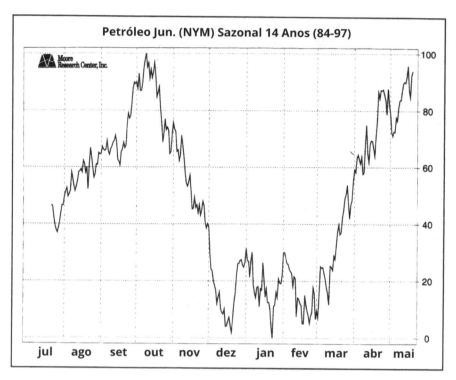

Figura 14.23 *Os preços do petróleo atingem o pico em outubro e viram em março.*

O dólar americano tende a cair em janeiro. (Veja a Figura 14.24.) Preços de Títulos do Tesouro Norte-Americano geralmente atingem altas importantes em janeiro. Ao longo do ano, os preços de títulos geralmente são mais baixos na primeira metade do ano e mais altos na segunda metade. (Veja a Figura 14.25.) Os exemplos de gráficos sazonais foram oferecidos pelo Moore Research Center (321 West 13th Avenue, Eugene, OR 97401, (800) 927-7259), especializado em análise sazonal de mercados de futuros.

Ciclos de Tempo

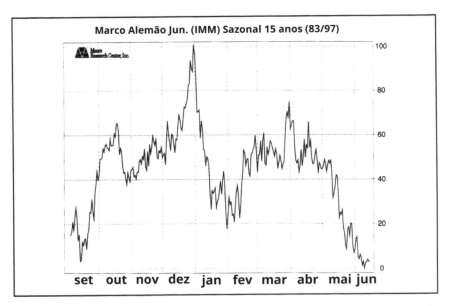

Figura 14.24 *O pico do marco alemão em janeiro coincide com a baixa do dólar americano, que geralmente ocorre no início do ano novo.*

Figura 14.25 *Os preços de títulos do tesouro geralmente atingem um pico por volta do ano-novo, e então permanecem fracos por quase toda a primeira metade do ano. A segunda metade é melhor para a alta de títulos.*

CICLOS NO MERCADO DE AÇÕES

Você sabia que o período de três meses mais forte no mercado de ações é de novembro a janeiro? Fevereiro, então, é mais fraco, mas é seguido por um março e abril fortes. Depois de um mês de junho tranquilo, o mercado se fortalece em julho (o início do tradicional rali de verão). O mês mais fraco do ano é setembro, e o mais forte, dezembro (terminando com a conhecida recuperação de Papai Noel imediatamente após o Natal). Essas informações e muito mais sobre ciclos do mercado de ações podem ser obtidas no *Stock Trader's Almanac*, publicação anual de Yale Hirsch (The Hirsch Organization, 184 Central Avenue, Old Tappen, NJ 07675).

O BARÔMETRO DE JANEIRO

Segundo Hirsch: "Os resultados de janeiro servem de exemplo para o resto do ano." Segundo o conhecido Barômetro de Janeiro, o que o S&P 500 faz em janeiro determina que tipo de mercado, como um todo, o ano terá. Outra variação desse tema é a crença de que a direção do S&P 500 nos primeiros dias de trading do ano é um sinal do que acontecerá no ano. O Barômetro de Janeiro não deve ser confundido com o Efeito Janeiro, que é a tendência de ações menores mostrarem resultado melhor que ações maiores durante o mês de janeiro.

O CICLO PRESIDENCIAL

Outro ciclo bem conhecido que afeta o comportamento do mercado de ações é o ciclo de quatro anos, também chamado de Ciclo Presidencial, porque coincide com o mandato eletivo dos presidentes norte-americanos. Cada um dos quatro anos tem um retorno historicamente diferente. O ano de eleição (1) normalmente é forte. Os anos pós-eleição e intermediário (2 e 3) normalmente são fracos. O ano pré-eleitoral (4) normalmente é forte. Segundo o *Trader's Almanac*, de Hirsch, desde 1904, os anos de eleição têm testemunhado lucros de 224%; anos pós-eleitorais, lucros de 72%; anos intermediários, lucros de 63%; e anos pré-eleitorais, lucros de 217%. (Veja a Figura 14.16.)

COMBINANDO CICLOS COM OUTRAS FERRAMENTAS TÉCNICAS

Duas das áreas mais promissoras de sobreposição entre ciclos e indicadores técnicos tradicionais estão no uso de médias móveis e osciladores. Acredita-se que a utilidade dos dois indicadores pode ser melhorada se os períodos de tempo usados foram ligados aos ciclos dominantes de cada mercado. Suponhamos que o mercado apresente um ciclo de trading dominante de 20 dias. Normalmente, ao construir um oscilador, é melhor usar a metade da duração do ciclo. Nesse caso, o período oscilador seria de 10 dias. Para operar um ciclo de 40 dias, use um oscilador de 20 dias. Walt Bressert discute em seu livro, *The Power of Oscillator/Cycle Combinations* [*O Poder da Combinações de Osciladores/Ciclos*, em tradução livre] como os ciclos podem ser usados para ajustar períodos de tempo para o Índice do Canal de Commodities, Índice de Força Relativa, Estocásticos e Convergência/Divergência de Médias Móveis (MACD).

As médias móveis também podem ser ligadas a ciclos. Você pode usar diferentes médias móveis para rastrear diferentes durações de ciclos. Para gerar um sistema de cruzamento de médias móveis para um ciclo de 40 dias, pode-se usar uma média móvel de 40 dias em conjunto com uma média de 20 dias (metade do ciclo de 40 dias) ou uma média de 10 dias (1/4 de ciclo de 40 dias). O principal problema com essa abordagem é determinar quais são os ciclos dominantes em um ponto específico no tempo.

ANÁLISE ESPECTRAL DE ENTROPIA MÁXIMA

A procura de ciclos dominantes adequados em qualquer mercado é complicada devido à crença de que a duração dos ciclos não é estática: em outras palavras, eles mudam ao longo do tempo. O que funcionou no mês passado pode não funcionar no próximo mês. Em seu livro *MESA and Trading Market Cycles* [*MESA e Ciclos de Trading do Mercado*, em tradução livre], John Ehlers usa uma abordagem estatística chamada Análise Espectral de Entropia Máxima (MESA). Ehlers explica que uma das principais vantagens da MESA é sua mensuração em alta resolução de ciclos com períodos de tempo relativamente curtos, o que é crucial para operações de curto prazo. Ehlers também explica como os ciclos podem ser usados para otimizar a duração de médias móveis e muitos dos indicadores do tipo oscilador que já mencionamos. Revelar os ciclos permite um ajuste dinâmico de indicadores técnicos para que se adaptem a condições de mercado atuais. Ehlers também trata o problema de distinguir entre um mercado em um modo de *ciclo* versus um que está em um modo de *tendência*. Quando o mercado está em modo de tendência, é necessário um indicador seguidor de tendências como uma média móvel para implementar as operações. O modo de ciclo favoreceria o uso de indicadores do tipo oscilador. A mensuração do ciclo pode ajudar a determinar em que modo o mercado está atuando no momento e que tipo de indicador técnico é mais adequado usar nas estratégias de trading.

LEITURA DE CICLOS E SOFTWARES

A maioria dos livros citados neste capítulo pode ser obtida por empresas de venda por correio como a Trader Press (veja referência no capítulo anterior) ou a Traders' Library (P.O. Box 2466, Ellicott City, MD 21041, [800] 272-2855) [verificar disponibilidade de frete para o Brasil]. Também há muitos softwares para ajudá-lo a realizar uma análise de ciclos com seu computador. O *Ehrlich Cycle Forecaster* e o *CycleTrader*, de Walt Bressert, estão disponíveis como opções adicionais para usar com softwares gráficos fornecidos pela Omega Research. O *CycleTrader*, de Bressert, integra os conceitos que ele descreve em seu livro *The Power of Oscillator/Cycle Combinations*. (Bressert Marketing Group, 100 East Walton, Suite 200, Chicago, IL 60611 (312) 867-8701). Mais informações sobre o programa de computador MESA podem ser obtidas com John Ehlers (Box 1801, Goleta, CA 93116 (805) 969-6478). Para pesquisas e análises atuais sobre ciclos, não esqueça a Foundation for the Study of Cycles.

15
Computadores e Sistemas de Trading

INTRODUÇÃO

O computador tem desempenhado um papel cada vez mais importante no campo da análise técnica. Neste capítulo, veremos como ele pode facilitar muito a tarefa do trader técnico proporcionando acesso fácil e rápido a um arsenal de ferramentas técnicas e estudos que exigiriam uma enorme quantidade de trabalho há apenas alguns anos. Isso pressupõe, é claro, que o trader saiba usar essas ferramentas, o que nos leva a uma das desvantagens do computador.

O trader que não for adequadamente treinado nos conceitos que fundamentam os vários indicadores e que não estiver à vontade com a forma com que cada indicador é interpretado pode se ver sobrecarregado pela enorme variedade de softwares atualmente disponíveis. Pior ainda, a notável quantidade de dados técnicos à disposição das pessoas às vezes cria uma falsa sensação de segurança e competência. Equivocadamente, os traders supõem que são automaticamente melhores pelo simples fato de terem todo esse poder da informática nas mãos.

O tema enfatizado nesta discussão é que o computador é uma ferramenta muito valiosa nas mãos de um trader tecnicamente orientado que já se muniu de informações básicas sobre o assunto. Quando revisarmos as muitas rotinas disponíveis no computador, você verá que um grande número de ferramentas e indicadores é bastante básico e já foi abordado em capítulos anteriores. Naturalmente, há ferramentas mais sofisticadas que exigem um software gráfico mais avançado.

Grande parte do trabalho envolvido na análise técnica pode ser realizada sem o computador. Certas funções são mais facilmente executadas com um gráfico simples e uma régua do que com a impressão de um computador. Alguns tipos de análise de longo prazo não exigem da máquina. Por mais útil que seja, o computador é somente uma ferramenta. Ele pode melhorar uma boa análise técnica, mas não transformará um mau técnico em um bom profissional.

Software Gráfico

Várias rotinas técnicas disponíveis em softwares gráficos foram abordadas em capítulos anteriores. Revisaremos algumas ferramentas e indicadores atualmente disponíveis. Depois trataremos de algumas características adicionais, como a capacidade de automatizar as várias funções escolhidas pelo usuário. Além de nos fornecer vários estudos técnicos, o computador também nos possibilita testar diversos estudos de lucratividade, talvez o recurso mais valioso do programa. Alguns softwares permitem ao usuário com pouco ou nenhum conhecimento anterior de programação construir indicadores e sistemas.

O Sistema de Movimento Direcional e Parabólico de Welles Wilder

Analisaremos de perto alguns dos sistemas mais populares de Welles Wilder, o *Sistema de Movimento Direcional* e o *Sistema Parabólico*. Usaremos os dois sistemas em nossa discussão sobre os méritos relativos de contar com sistemas de trading mecânicos. Demonstraremos que sistemas de seguimento de tendências mecânicos só funcionam bem em certos tipos de ambientes de mercado. Também mostraremos como um sistema mecânico pode ser incorporado à análise de mercado e ser usado simplesmente como um indicador técnico de confirmação.

Coisas Boas em Grande Quantidade

Talvez lhe ocorra que há *indicadores demais* entre os quais escolher. Em vez de simplificar nossa vida, o computador só serve para complicar tudo ao nos oferecer um excesso de material para examinar? Pacotes gráficos oferecem oitenta diferentes estudos que estão disponíveis ao técnico. Como se pode chegar a alguma conclusão (e achar tempo para operar) com tantos dados para decifrar? Daremos alguns conselhos sobre o trabalho feito nesse sentido.

ALGUNS REQUISITOS DOS COMPUTADORES

Softwares gráficos podem ser aplicados a praticamente qualquer mercado financeiro. A maioria dos softwares é user-friendly, o que significa que pode ser implementado com facilidade ao se escolher entre as listas sucessivas de rotinas disponíveis. Comece com um pacote de software que rode no computador que você tem ou pensa em comprar. Lembre-se de que a maioria dos softwares gráficos foi escrita para computadores compatíveis com IBM.

Pacotes gráficos não fornecem dados diários de mercado. O usuário deve obter esses dados em outra fonte. Os dados podem ser coletados automaticamente de um serviço de dados por meio de linha telefônica (exigindo um modem). Pacotes gráficos fornecem os nomes de vários fornecedores de dados entre os quais escolher. Esses fornecedores disponibilizam todos os softwares e as instruções necessários para preparar e coletar os arquivos de dados.

Ao começar, o usuário deve primeiro coletar dados históricos que remontem a vários meses para ter material de trabalho. Depois, os dados devem ser coletados diariamente. É possível analisar dados "online" durante o dia de operação conectando-se com um serviço de cotações. Entretanto, em nosso uso de dados diários, falaremos sobre dados do final do dia, que ficam disponíveis após o fechamento dos mercados. Talvez você também queira providenciar uma impressora para obter uma cópia do que aparecer na tela. É altamente recomendado ter uma boa capacidade de CD-Rom, visto que alguns fornecedores de software oferecem um CD com vários anos de dados históricos para você começar. Há vendedores de dados que também fornecem capacidade gráfica, o que simplifica ainda mais sua tarefa. Esse serviço é o Telescan (5959 Corporate Drive, Suite 2000, Houston, TX 77036, (800) 324-8246, www.telescan.com).

AGRUPANDO AS FERRAMENTAS E INDICADORES

A lista a seguir reúne algumas opções de gráficos e indicadores.

- *Gráficos básicos:* Barras, linha, ponto e figura e candlesticks
- *Escalas gráficas:* Aritméticas e semilogarítmicas
- *Gráficos de barras:* Preço, volume e interesse aberto (para futuros)
- *Volume:* Barras, on balance e Índice de Demanda
- *Ferramentas básicas:* Linhas e canais de tendência, retrações de porcentagens, médias móveis e osciladores
- *Médias móveis:* Envelopes de referência, Bandas de Bollinger
- *Osciladores:* Índice do Canal de Commodities, momentum, taxa de variação, MACD, Estocásticos, Williams %R, IFR
- *Ciclos:* Cycle Finder
- Ferramentas de *Fibonacci:* linhas de leque, arcos, zonas e retrações de tempo
- *Wilder:* IFR, Índice de Seleção de Commodities, Movimento Direcional, Parabólica, Índice Swing, linha ADX

USANDO AS FERRAMENTAS E INDICADORES

Como lidar com tantas opções de escolha? Sugiro que primeiro sejam usadas ferramentas básicas, como preço, volume, linhas de tendência, retrações de porcentagens, médias móveis e osciladores. Note o grande número de osciladores disponíveis. Escolha um ou dois com os quais se sinta mais à vontade e utilize-os. Use elementos como ciclos e ferramentas de Fibonacci como inputs secundários, a menos que tenha interesse especial nessas áreas. Ciclos podem ajudar a ajustar médias móveis e comprimentos de osciladores, mas requerem estudo e prática. Para sistemas de trading mecânico, a Parabólica e o SMD de Wilder são especialmente dignos de nota.

A PARABÓLICA E OS SISTEMAS DE MOVIMENTO DIRECIONAL DE WELLES WILDER

Passaremos mais algum tempo em dois estudos especialmente úteis. Ambos foram desenvolvidos por J. Welles Wilder Jr. e discutidos em seu livro, *New Concepts in Technical Trading Systems* [*Novos Conceitos em Sistemas de Trading Técnico*, em tradução livre]. Três outros estudos de Wilder incluídos no menu do computador — Índice de Seleção de Commodities, Índice de Força Relativa e o Swing Index — também foram incluídos no mesmo livro.

Sistema Parabólico (SAR)

O sistema parabólico de Wilder (SAR) é um sistema de reversão de tempo/ preço que está sempre no mercado. As letras "SAR" significam "stop and reverse," isto é, a posição é revertida quando o stop protetivo é atingido. Esse é um sistema seguidor de tendências, e recebeu esse nome por causa da forma assumida pelos trailing stops, que costumam se curvar como uma parábola. (Veja as Figuras 15.1 a 15.4. Note que, quando os preços mostram tendência de alta, os pontos ascendentes abaixo do price action (os pontos de stop e reversão) costumam começar devagar e então aceleram com a tendência. Ocorre o mesmo em uma tendência de baixa, mas na direção oposta (os pontos estão acima do movimento de preço). Os números SAR são e ficam disponíveis ao usuário para o dia seguinte.

Wilder integrou um fator de aceleração ao sistema. Todos os dias, o stop se move na direção de uma nova tendência. Primeiro, o movimento do stop é relativamente lento para dar tempo para a tendência se estabelecer. À medida que o fator de aceleração aumenta, o SAR começa a se mover mais depressa, por fim alcançando o price action. Se a tendência vacila ou não se materializa, o resultado geralmente é um sinal de stop e reversão. Como mostram os gráficos de acompanhamento, o sistema parabólico funciona muito bem em mercados de tendências. Note que, embora as porções seguidoras tenham sido bem capturadas, o sistema gira constantemente durante períodos laterais e sem tendências.

Figura 15.1 *Os SARs Parabólicos parecem pontos no gráfico. Um sinal de compra foi dado quando o SAR superior foi atingido (primeira seta). Note como os SARs aceleraram para cima durante o rali e alcançaram a maior parte da tendência de alta. Um pequeno whipsaw ocorreu em direção da direita superior, que foi rapidamente corrigido. Esse sistema funciona na presença de uma tendência.*

Computadores e Sistemas de Trading 393

Figura 15.2 *Uma versão de prazo mais longo do gráfico anterior mostra os aspectos positivos e negativos do parabólico e qualquer sistema seguidor de tendências. Eles funcionam durante períodos de tendência (para a esquerda e direita do gráfico), mas são inúteis na faixa de trading que ocorreu de agosto a janeiro.*

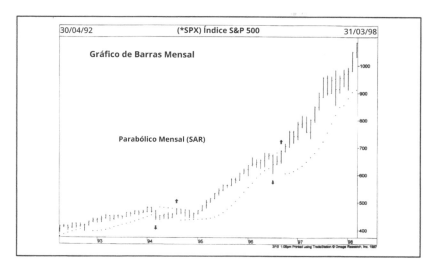

Figura 15.3 *Os Parabólicos podem ser usados em um gráfico mensal para rastrear a tendência principal. Um sinal de compra no início de 1994 foi seguido por um de compra no final do verão. Exceto pelo giro em 1996, este sistema ficou positivo por quase quatro anos.*

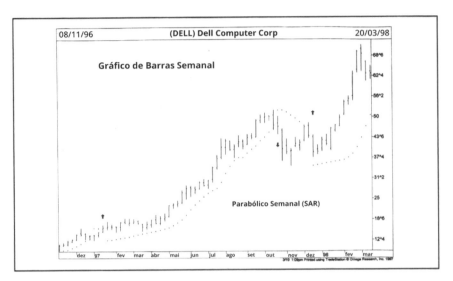

Figura 15.4 *Parabólico aplicado a gráfico semanal de Dell Computer. Depois de ficar positivo durante quase todo o ano de 1997, um sinal de venda foi dado em outubro. Esse sinal de venda foi revertido, e foi dado um sinal de compra no fim de 1997.*

Isso demonstra os pontos positivos e negativos da maioria dos sistemas seguidores de tendência. Eles funcionam bem durante períodos de tendência forte, que o próprio Wilder calcula ocorrerem em apenas 30% do tempo. Se essa estimativa for ainda mais próxima da realidade, então um sistema seguidor de tendência não funcionará em 70% do tempo. Então, como lidar com o problema?

DMI e ADX

Uma possível solução é usar algum tipo de filtro ou um dispositivo que determine se o mercado está em modo de tendência. A linha ADX de Wilder classifica o Movimento Direcional dos vários mercados em uma escala de 0 a 100. Uma linha ADX ascendente significa que o mercado está seguindo uma tendência e é um candidato melhor para um sistema seguidor de tendências. Uma linha ADX descendente indica um cenário sem tendência, o que não seria adequado para uma abordagem seguidora de tendências. (Veja a Figura 15.5.)

Computadores e Sistemas de Trading   **395**

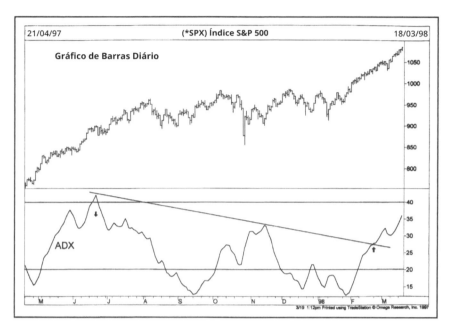

Figura 15.5 *A linha ADX mede o grau de movimento direcional. Um declínio acima de 40 (seta esquerda) sinalizou o início da faixa de trading. Uma alta a partir de abaixo de 20 (seta direita) sinalizou a retomada da fase de tendência.*

Como a linha ADX está em uma escala de 0 a 100, o trader de tendências poderia simplesmente operar os mercados com as classificações de tendência mais alta. Sistemas sem tendência (osciladores, por exemplo) poderiam ser utilizados em mercados com baixo movimento direcional.

O Movimento Direcional pode ser usado como um sistema próprio ou como um filtro no parabólico ou qualquer outro sistema seguidor de tendência. Duas linhas são geradas no estudo DMI, +DI e -DI. A primeira linha mede o movimento positivo (ascendente), e o segundo número mede o movimento negativo (descendente). A Figura 15.6 mostra as duas linhas. A linha mais escura é +DI, e a linha mais clara, -DI. Um sinal de compra é dado quando a linha +DI cruza acima da linha -DI, e um sinal de venda, quando cruza abaixo da linha -DI.

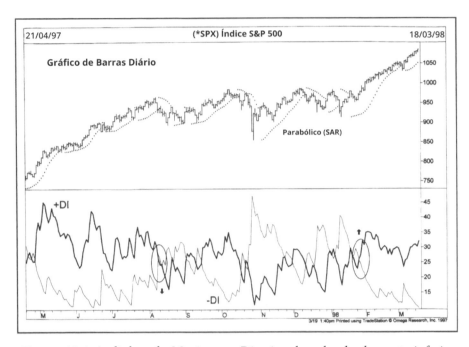

Figura 15.6 *As linhas de Movimento Direcional ao londo da parte inferior do gráfico podem ser usadas como um filtro no parabólico (gráfico superior). Quando a linha +DI está acima da linha -DI (extremidade esquerda e extremidade direita do gráfico), todos os sinais Parabólicos de venda podem ser ignorados. Isso eliminaria vários giros durante fases de rali.*

A Figura 15.6 também mostra os sistemas parabólico e de movimento direcional. Está claro que o parabólico é um sistema mais sensível, o que faz com que sinais de venda sejam dados mais cedo e com mais frequência. Contudo, ao usar o Movimento Direcional como filtro, vários sinais negativos no parabólico poderiam ser evitados ao seguir somente os sinais na mesma direção das linhas do movimento direcional. Parece, então, que os sistemas parabólico e de Movimento Direcional devem ser usados em conjunto, com o Movimento Direcional agindo como um crivo ou filtro para os Parabólicos mais sensíveis.

Computadores e Sistemas de Trading

O melhor momento para usar um sistema de tendência é quando a linha ADX está em alta. (Veja as Figuras 15.7 e 15.8.) Fique atento, porém, porque, quando a linha ADX começar a cair a partir do nível 40, esse é um sinal precoce de que a tendência está enfraquecendo. Uma elevação de volta para acima do nível 20 muitas vezes é um sinal de início de uma nova tendência. (A linha ADX é, essencialmente, uma diferença suavizada entre as linhas +DI e -DI.)

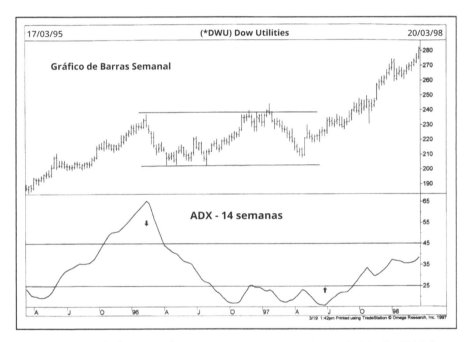

Figura 15.7 *A linha ADX de 14 semanas atingiu o pico no início de 1996, bem acima de 40, e iniciou uma faixa de trading de 18 meses em utilidades. A alta de ADX no verão de 1997 a partir de um nível inferior a 20 sinalizou que as utilidades estavam começando a seguir uma tendência.*

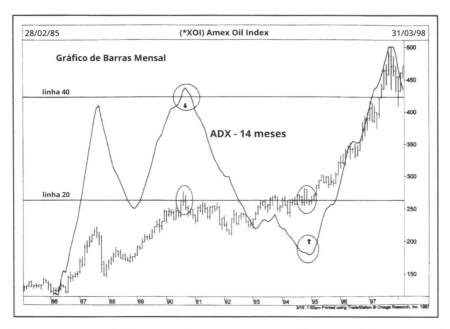

Figura 15.8 *Uma linha ADX sobreposta em um gráfico mensal do AMEX Oil Index (XOI). A ADX atingiu um pico acima de 40 em 1990, finalizando o rali das ações de petróleo. A alta na linha ADX a partir de um ponto inferior a 20 no início de 1995 sinalizou o fim de uma faixa de trading de 4 anos em ações de petróleo e identificou corretamente o início de uma nova alta.*

PRÓS E CONTRAS DOS SISTEMAS DE TRADING

Vantagens dos Sistemas Mecânicos

1. Elimina-se a emoção humana.
2. Atinge-se maior disciplina.
3. É possível maior consistência.
4. As operações são levadas na direção da tendência.
5. A participação está praticamente garantida na direção de todas as tendências importantes.
6. Lucros podem ser executados.
7. Prejuízos são minimizados.

Desvantagens de Sistemas Mecânicos

1. A maioria dos sistemas mecânicos segue tendências.
2. Sistemas seguidores de tendências contam com tendências importantes para ter lucros.
3. Sistemas seguidores de tendências geralmente não são lucrativos em mercados sem tendências.
4. Há longos períodos de tempo em que os mercados ficam sem tendências e, portanto, são inadequados para a abordagem de tendência.

O principal problema é a falha do sistema em reconhecer quando o mercado não está em tendência e sua incapacidade de se desligar. A medida de um bom sistema não é apenas sua habilidade de ganhar dinheiro em mercados com tendências, mas a capacidade de preservar o capital durante períodos sem tendências. A maior fraqueza do sistema é a incapacidade de se monitorar. É nesse momento que um dispositivo de filtragem potente como o sistema de movimento direcional de Welles Wilder ou a linha ADX podem se mostrar muito úteis ao possibilitar que o trader determine que mercados são mais adequados para um sistema de tendências.

Outro inconveniente é que, em geral, não há possibilidade de prever reversões de mercado. Sistemas seguidores de tendências acompanham a tendência até ela virar. Elas não reconhecem quando o mercado atingiu um nível de suporte ou resistência de longo prazo, quando divergências do oscilador estão sendo dadas ou quando um padrão da quinta onda de Elliott está claramente visível. A maioria dos traders fica mais na defensiva nesse ponto e começa a obter alguns lucros. Porém, o sistema ficará com a posição muito após o mercado mudar de direção. Portanto, depende do trader determinar a melhor forma de empregar o sistema. Ou seja, se ele deve ser seguido cegamente ou se deve ser incorporado a um plano de trade com outros fatores técnicos. Isso nos leva à próxima seção, sobre como um sistema mecânico pode ser usado como apenas outro input técnico para o processo de previsão e trading.

Usando Sinais de Sistemas como Dispositivo de Disciplina

Os sinais de sistema podem ser usados simplesmente como uma confirmação mecânica juntamente de outros fatores técnicos. Ainda que o sistema não esteja sendo operado mecanicamente e outros fatores técnicos sejam empregados, os sinais poderiam ser usados como uma forma disciplinada para manter o trader no lado certo da tendência principal. Nenhuma posição comprada seria tomada enquanto a tendência do computador estivesse em alta, e nenhuma posição vendida seria tomada em uma tendência de computador de baixa. (Este seria um modo simples para traders de orientação fundamentalista usarem um dispositivo técnico como filtro ou gatilho de suas próprias ideias de trading.) A direção da tendência pode ser uma questão de julgamento. Os sinais de computador atenuam algumas das incertezas do trader. Eles podem evitar que ele caia na armadilha de "escolher entre a alta e a baixa".

Usando Sinais como Alertas

Sinais de sistemas também podem ser usados como excelentes dispositivos de triagem para alertar o trader sobre mudanças de tendências recentes. O trader pode simplesmente olhar os sinais de tendência e, no mesmo instante, ver inúmeros candidatos a operação. A mesma informação pode ser encontrada ao se estudar todos os gráficos. O computador apenas acelera e facilita a tarefa e a torna mais confiável. A capacidade de o computador automatizar sinais de sistema e então alertar o trader quando os sinais forem disparados é um recurso valioso, principalmente devido ao enorme crescimento do universo dos mercados financeiros.

PRECISA DE AJUDA DE UM ESPECIALISTA?

Um dos produtos oferecidos pela Omega Research, chamado TradeStation, disponibiliza uma variedade de funcionalidades de especialista (Omega Research, Miami, FL 33174, (305) 551-9991). Você pode ligar para o Expert

Commentary, que interpreta indicadores para você com base nas condições atuais de mercado. Os analistas especializados da Omega determinarão que indicadores poderão funcionar melhor no mercado atual e interpretá-los para você. Além disso, ele tem duas ferramentas de especialistas. O Indicador Automático de Linhas de Tendência traça linhas de tendência para você, e o Indicador de Padrões de Candlestick interpreta os padrões gráficos de candlesticks mais comuns.

TESTE SISTEMAS OU CRIE O SEU

A Omega Research também inclui uma biblioteca dos sistemas de trading mais populares usados pelos traders. Você pode testá-los, mudá-los ou criar o seu, se quiser. Todas as ferramentas gráficas, indicadores e sistemas de trading da Omega são escritos em uma linguagem relativamente simples chamada EasyLanguage, que toma as ideias de trading que você descreveu em linguagem comum e as converte em um código de máquina necessário para rodar o programa. Não se pode superestimar o valor de poder desenvolver, testar e otimizar, se desejar, e então automatizar suas próprias ideias de trading — sem ser um programador de computador. O computador poderá mesmo gerar ordens de operação adequadas para você e alertá-lo pelo seu pager alfanumérico dos sinais que foram disparados. (No Apêndice C, usaremos o EasyLanguage e o TradeStation da Omega Research para lhe mostrar como criar um sistema de trading próprio.)

CONCLUSÃO

Este capítulo lhe apresentou mais alguns sistemas de Welles Wilder — Parabólicos e Movimento Direcional (DMI). O Parabólico pode gerar sinais de trading úteis, mas provavelmente não deverá ser usado sozinho. As duas linhas DI podem ser usadas como um filtro no Parabólico ou qualquer outro sistema seguidor de tendência sensível. A linha ADX, que faz parte do sistema DMI, fornece um modo de determinar com que tipo de mercado você está lidando — um mercado de tendências ou operação. Uma linha ADX ascendente sugere uma tendência e favorece médias móveis. Uma linha ADX descendente sugere uma faixa de trading e favorece osciladores. Também usamos os exemplos Parabólicos para mostrar os lados positivos e negativos da maioria dos sistemas seguidores de tendência. Eles funcionam bem na presença de uma tendência e são inúteis em uma faixa de trading. Você tem de saber a diferença. Também abordamos os méritos de sistemas de trading mecânicos. Esses sistemas removem a emoção humana e podem ser muito úteis no cenário de mercado adequado, e também podem ser usados como alertas técnicos e em conjunção com a análise fundamentalista. (Veja o Apêndice C para mais detalhes sobre trade de sistemas.)

Não há dúvidas de que o computador revolucionou a análise e operação do mercado financeiro. Embora nosso principal interesse seja a análise técnica, programas de software também lhe permitem combinar análise fundamentalista com a técnica. Quando a primeira edição deste livro foi publicada, em 1986, custava certa de US$5 mil para adquirir o hardware necessário para desempenhar uma análise técnica séria. O principal pacote de software da época custava perto de US$2 mil. As coisas mudaram muito. Você pode obter computadores incrivelmente potentes por menos de US$2 mil. A maioria dos pacotes de software pode ser adquirida por menos de US$300, e os melhores fornecem até 20 anos de dados de preços históricos em CD-Rom com pequeno ou nenhum custo adicional.

Outro grande benefício é a quantidade de apoio educacional que você pode obter com esses pacotes de software. Os manuais de usuário têm o tamanho de um livro e incluem fórmulas técnicas e todos os tipos de explicações úteis. As capacidades de triagem e alerta dos computadores atuais são especialmente úteis para os que monitoram mercados globais de títulos e ações e milhares de ações comuns individuais, sem mencionar os fundos mútuos. No Capítulo 17, falaremos sobre um uso ainda mais sofisticado da tecnologia de computador para desenvolver redes neurais. Mas o recado para você ficou claro: se você encara investimentos ou operações nos mercados financeiros com seriedade, compre um computador e aprenda a usá-lo. Você não se arrependerá.

16

Gerenciamento de Dinheiro e Táticas de Trading

INTRODUÇÃO

Os capítulos anteriores apresentaram os principais métodos técnicos usados para prever e operar nos mercados financeiros. Neste capítulo, completaremos o processo de trading acrescentando os elementos cruciais das *táticas de trading* (ou timing) e o muitas vezes ignorado aspecto do *gerenciamento de dinheiro* à tarefa de *previsão de mercado*. Nenhum programa de trading pode estar completo sem esses três elementos.

OS TRÊS ELEMENTOS DO TRADING BEM-SUCEDIDO

Qualquer programa de trading bem-sucedido deve levar em conta três fatores importantes: previsão de preço, timing e gerenciamento de dinheiro.

1. *A previsão de preços* indica a tendência esperada a ser tomada pelo mercado. Esse é o primeiro passo essencial na decisão de uma operação. O processo de previsão determina se a tendência é de alta ou de baixa e fornece a resposta à questão básica sobre se ele deve entrar no mercado do lado vendido ou comprado. Se a previsão de preços estiver errada, nada que for feito em seguida funcionará.

2. *Táticas de trading,* ou timing, determinam pontos específicos de entrada e saída. O timing é especialmente importante na operação de futuros. Devido às exigências de uma margem baixa e da resultante alta alavancagem, não há muito espaço para erros. É bem possível estar correto na direção do mercado, mas ainda perder dinheiro em uma operação se o timing estiver errado. O timing tem natureza quase inteiramente técnica. Assim, mesmo que o trader siga uma orientação fundamentalista, as ferramentas técnicas devem ser empregadas nesse ponto para determinar pontos de entrada e saída.

3. *O gerenciamento de dinheiro* trata de alocação de recursos. Ele inclui áreas como formação e diversificação de portfólio, quanto dinheiro investir ou arriscar em qualquer mercado, o uso de stops, coeficientes de recompensa-risco, o que fazer após períodos de sucesso ou adversidade e se o ideal é operar de modo conservador ou agressivo.

O modo mais simples de resumir os três diferentes elementos é informando que a previsão de preço diz ao trader *o que* fazer (comprar ou vender), o timing ajuda a decidir *quando* fazer, e o gerenciamento do dinheiro determina *quanto* aplicar na operação. O tema da previsão de preço foi abordado em capítulos anteriores. Aqui, trataremos dos dois outros aspectos. Discutiremos o gerenciamento de dinheiro primeiro, porque esse tema deve ser levado em consideração ao se decidir sobre as táticas de trading adequadas.

GERENCIAMENTO DE DINHEIRO

Depois de passar vários anos no departamento de pesquisa de uma importante corretora, fiz a inevitável transição para o gerenciamento de dinheiro. Rapidamente descobri a principal diferença entre recomendar estratégias de trading para os outros e eu mesmo implementá-las. O que me surpreendeu foi que a parte mais difícil da transição tinha pouco a ver com estratégias de mercado. A maneira pela qual eu analisava os mercados e determinava pontos de entrada e saída não mudaram muito. O que mudou foi minha percepção da importância do gerenciamento do dinheiro. Fiquei surpreso diante do impacto de aspectos como o tamanho da conta, o mix de portfólio e a quantia de dinheiro comprometida em cada operação poderia exercer nos resultados finais.

É desnecessário dizer que acredito na importância do gerenciamento do dinheiro. A indústria está repleta de consultores e de serviços de consultoria que dizem aos clientes *o que* comprar ou vender e *quando* fazê-lo. Muito pouco se fala sobre *quanto* do capital de alguém deve ser comprometido em cada operação.

Alguns traders acreditam que o gerenciamento do dinheiro é o ingrediente mais importante em um programa de trading, sendo mais crucial do que a abordagem da operação em si. Não tenho certeza se eu iria tão longe, mas não acho que seja possível sobreviver durante muito tempo sem ele. O gerenciamento de dinheiro lida com a questão da sobrevivência. Ele diz ao trader como lidar com seu dinheiro. Qualquer bom trader deve vencer no longo prazo, e o gerenciamento de dinheiro aumenta as chances de que o trader sobreviva para chegar lá.

Algumas Diretrizes Gerais de Gerenciamento de Dinheiro

Admito que a questão de gerenciamento de portfólio pode ficar muito complicada e exigir o uso de mensurações estatísticas avançadas. Nós a abordaremos aqui em um nível relativamente simples. A seguir, apresentamos algumas diretrizes gerais que podem ser úteis para alocar os recursos de um investidor e para determinar o tamanho de seu compromisso de operação. Essas diretrizes se referem principalmente ao trading de futuros.

1. *O total de recursos investidos deve se limitar a 50% do capital total.* O saldo é aplicado em títulos do tesouro. Isso significa que, a qualquer momento, não mais que metade do capital do trader deve ser alocada nos mercados. A outra metade age como uma reserva em períodos de adversidade e necessidade. Se, por exemplo, o tamanho da conta for de US$100 mil, apenas US$50 mil estarão disponíveis para aplicação.

2. *O compromisso total em qualquer mercado deve se limitar a 10%–15% dos recursos totais.* Assim, em uma conta de US$100 mil, apenas US$10 mil ou US$15 mil devem estar disponíveis para depósito de margem em qualquer mercado. Isso evitará que o trader coloque capital demais em apenas uma operação.

3. *A quantia total arriscada em qualquer mercado deve se limitar a 5% do total de recursos.* Esses 5% se referem a quanto o trader está disposto a perder caso a operação não funcione. Essa é uma consideração importante ao decidir quantos contratos operar e a que distância colocar um stop protetivo. Portanto, uma conta de US$100 mil não deve arriscar mais do que US$5 mil em um único trade.

4. *A margem total em qualquer grupo de mercado deve se limitar a 20%–25% do total de recursos.* O propósito desse critério é se proteger contra um envolvimento excessivo com qualquer grupo de mercado. Os mercados dentro dos grupos tendem a se mover em conjunto. Ouro e prata são parte de um grupo de metais preciosos e geralmente seguem uma tendência na mesma direção. Colocar posições plenas em cada mercado do mesmo grupo iria contra o princípio da diversificação. Compromissos no mesmo grupo devem ser controlados.

Essas diretrizes são relativamente padronizadas no setor de futuros, mas podem ser modificadas de acordo com as necessidades do trader. Alguns traders são mais agressivos que outros e assumem posições maiores.

Outros são mais conservadores. O importante a considerar é que se empregue alguma forma de diversificação que possibilite a preservação do capital e alguma medida de proteção durante períodos de perdas. (Embora essas diretrizes estejam relacionadas à operação de futuros, os princípios gerais do gerenciamento de dinheiro e alocação de bens podem ser aplicados a todas as formas de investimento.)

Diversificação Versus Concentração

Embora a diversificação seja uma forma de limitar a exposição ao risco, às vezes é usada com exagero. Se um trader tiver compromissos em muitos mercados ao mesmo tempo, algumas operações lucrativas podem ser diluídas por um grande número de trades com perdas. Existe uma troca, e é preciso encontrar o equilíbrio adequado. Alguns traders bem-sucedidos concentram suas operações em uns poucos mercados. Tudo bem, contanto que esses mercados sejam os que estejam seguindo uma tendência na época. Quanto maior a correlação negativa entre os mercados, maior diversificação é obtida. Manter posições vendidas em quatro mercados de moeda estrangeira ao mesmo tempo não seria um bom exemplo de diversificação, visto que moedas estrangeiras geralmente tendem na mesma direção contra o dólar americano.

Usando Stops Protetivos

Recomendo o uso de stops protetivos. Todavia, colocar stops é uma arte. O trader deve combinar fatores técnicos no gráfico de preços com considerações de gerenciamento de dinheiro. Mostraremos como isso é feito mais adiante no capítulo, na seção sobre táticas. O trader deve considerar a volatilidade do mercado. Quanto mais volátil for o mercado, mais livre é o stop a ser empregado. Novamente, existe uma troca. O trader quer que o stop protetivo esteja próximo o bastante para que haja o menor número possível de operações perdedoras. Contudo, stops protetivos próximos demais podem resultar em liquidações indesejadas em oscilações de mercado de curto prazo (ou "ruído"). Stops protetivos colocados muito distantes podem evitar o fator "ruído", mas causarão perdas maiores. O truque está em encontrar o meio termo ideal.

RELAÇÃO RISCO/RETORNO

Os melhores traders de futuros ganham dinheiro em apenas 40% de suas operações. Verdade. A maioria das operações acaba se mostrando perdedora. Então, como os traders ganham dinheiro se estão errados na maior parte do tempo? Como os contratos de futuros requerem margens pequenas, mesmo um movimento leve na direção errada resulta em uma liquidação forçada. Portanto, pode ser necessário que o trader sonde o mercado várias vezes antes de encontrar o movimento que está procurando.

Isso nos leva à questão da relação risco/retorno. Como quase todos os trades são perdedores, a única forma de sair na frente é garantir que a quantia de dólares nos trades vencedores seja mais alta do que a dos perdedores. Para atingir esse objetivo, a maioria dos traders usa uma relação risco/retorno. Para cada trade em potencial, é determinado um objetivo de lucro, que é, então, comparado com a perda em potencial caso a operação não dê certo (o risco). Um parâmetro normalmente usado é a relação risco/retorno de 3 para 1. Ao se considerar uma operação, o potencial de lucro deve ser, pelo menos, 3 vezes maior que a possível perda.

"Deixe os lucros correrem livres e corte os prejuízos rápido" é uma das máximas mais antigas no mundo do trading. Altos lucros em operações são atingidos acompanhando-se tendências persistentes. Como apenas um número relativamente pequeno de trades durante o ano gerarão altos lucros, é necessário maximizar esses poucos grandes vencedores. Deixar os lucros livres para subir é o caminho a seguir. Por outro lado, deve-se manter os trades perdedores em baixos valores. Você ficará surpreso com quantos traders fazem exatamente o contrário.

OPERANDO POSIÇÕES MÚLTIPLAS: UNIDADES DE TENDÊNCIA VERSUS UNIDADES DE TRADING

Deixar os lucros correrem livres não é tão fácil quanto parece. Imagine uma situação em que o mercado começa a seguir uma tendência, produzindo grandes lucros em um período de tempo relativamente curto. De repente, a tendência fica estagnada, os osciladores mostram uma situação de sobrecompra e há uma resistência visível no gráfico. O que fazer? Você acredita que o mercado tem um alto potencial, mas está preocupado em perder seus ganhos não realizados se o mercado falhar. Você obtém os lucros ou aguarda uma possível correção?

Uma forma de resolver esse problema é sempre operar em múltiplas unidades. Essas unidades podem ser divididas em posições *trading e trending*. A porção trending da posição é mantida para o long pull. Stops protetivos longos são empregados, e o mercado recebe espaço suficiente para se consolidar ou corrigir. Essas são as posições que produzem os lucros maiores no longo prazo.

A porção trading do portfólio está destinada para a operação in-and-out de curto prazo. Se o mercado atingir um primeiro objetivo, estiver próximo da resistência e sobrecomprado, alguns lucros podem ser obtidos ou um stop protetivo limitado utilizado. O propósito é bloquear ou proteger os lucros. Se a tendência então for retomada, quaisquer posições liquidadas podem ser restabelecidas. É melhor evitar operar somente uma unidade por vez. A maior flexibilidade atingida com o trade de unidades múltiplas faz uma grande diferença nos resultados de trading como um todo.

O QUE FAZER DEPOIS DE PERÍODOS DE SUCESSO E ADVERSIDADE

O que o trader faz após uma série de perdas e sucessos? Suponha que seus recursos tenham diminuído 50%. Você deve mudar seu estilo de operação? Se você já perdeu metade de seu dinheiro, agora precisa dobrar o que resta só para voltar ao ponto inicial. Você passa a ser mais exigente na escolha de trades ou continua fazendo a mesma coisa de antes? Se você se tornar mais conservador, será mais difícil recuperar suas perdas.

Um dilema mais agradável ocorre após uma série de vitórias. O que fazer com seus ganhos? Suponha que você tenha dobrado seu dinheiro.

Uma alternativa é aproveitá-lo ao máximo dobrando o tamanho de suas posições. Nesse caso, contudo, o que acontecerá durante o período inevitável de perda que certamente se seguirá? Em vez de devolver 50% de seus ganhos, você acabará devolvendo tudo. Assim, as respostas a essas duas perguntas não são tão simples ou óbvias quanto podem parecer a princípio.

O histórico de cada trader é formado por uma série de picos e vales, muito parecido com um gráfico de preços. A tendência do gráfico de recursos deve apontar para cima se o trader estiver ganhando dinheiro, na média. O pior momento de aumentar os compromissos é após uma série de ganhos. Isso se parece muito com comprar em um mercado sobrecomprado em uma tendência de alta. A atitude mais sensata a se tomar (que contraria a natureza humana básica) é começar a aumentar o número de compromissos depois de uma queda de (equity)recursos. Isso aumenta as chances de que os compromissos sejam feitos perto de queda de recursos, e não nos picos.

TÁTICAS DE TRADING

Ao terminar a análise do mercado, o trader deve saber se quer comprar ou vender o mercado. Nesse momento, considerações de gerenciamento de dinheiro devem ter ditado o grau de envolvimento. O passo final é a efetiva compra ou venda. Essa pode ser a parte mais difícil do processo. A decisão final de como ou onde entrar no mercado se baseia em uma combinação de fatores técnicos, parâmetros de gerenciamento de dinheiro e no tipo de ordem de operação a ser empregada. Vamos analisá-las nessa ordem.

Usando a Análise Técnica no Timing

Na verdade, não há nada de novo na aplicação de princípios técnicos discutidos nos capítulos anteriores ao processo de timing. A única diferença real é que o timing abrange o prazo muito curto. O espaço de tempo que nos interessa aqui é medido em dias, horas e minutos, em comparação a semanas e meses. Mas as ferramentas técnicas empregadas continuam as mesmas. Em vez de revermos todos os métodos técnicos, nos limitaremos a discutir alguns conceitos gerais.

1. Táticas em breakouts.
2. O rompimento de linhas de tendência.
3. O uso de suporte e resistência.
4. O uso de retrações de porcentagens.
5. O uso de gaps.

Táticas em Breakouts: Antecipação ou Reação?

O trader sempre enfrenta o dilema de tomar uma posição em antecipação a um breakout, tomar uma posição no próprio breakout, ou esperar o pullback ou reação após o breakout. Há argumentos a favor de cada abordagem ou da combinação das três. Se o trader estiver operando várias unidades, uma delas pode ser tomada em cada caso. Se a posição for tomada em antecipação de um breakout de alta, a recompensa é um preço melhor (mais baixo) se o breakout previsto ocorrer. Todavia, as chances de fazer uma operação insatisfatória são maiores. Esperar pelo breakout efetivo aumenta as chances de sucesso, mas a penalidade é um preço de entrada posterior (mais alto). Esperar o pullback após o breakout é um compromisso sensato, desde que o pullback ocorra. Infelizmente, muitos mercados dinâmicos (geralmente os mais lucrativos) nem sempre dão uma segunda chance ao trader. O risco em esperar o pullback é o aumento da chance de perder o mercado.

Essa situação é um exemplo de como operar múltiplas posições simplifica o dilema. O trader deve tomar uma posição pequena na antecipação de um breakout, comprar mais algumas no breakout e acrescentar outras mais no dip corretivo que segue o breakout.

O Rompimento das Linhas de Tendência

Este é um dos primeiros sinais de entrada ou saída mais úteis. Se o trader estiver tentando entrar em uma nova posição em um sinal técnico de uma mudança de tendência ou procurando um motivo para sair de uma posição antiga, o rompimento de uma linha de tendência apertada muitas vezes é um excelente sinal de ação. Naturalmente, outros fatores técnicos sempre devem ser considerados. Linhas de tendência também podem ser usadas para pontos de entrada quando agem como suporte ou resistência. Comprar contra uma linha de tendência de alta importante ou vender contra uma linha de tendência de baixa pode ser uma estratégia de timing eficiente.

Usando Suporte e Resistência

Suporte e resistência são as ferramentas gráficas mais eficientes a serem usadas para pontos de entrada e saída. O rompimento da resistência pode ser o sinal para uma nova posição comprada. Stops protetivos podem, então, ser colocados abaixo do ponto de suporte mais próximo. Um stop protetivo mais próximo poderia ser colocado imediatamente abaixo do ponto de breakout atual, que deve agora funcionar como suporte. Aumentos para a resistência em uma tendência de baixa ou declínios para suporte em uma tendência de alta podem ser usados para iniciar novas posições ou ser somados a velhas posições lucrativas. Níveis de suporte e resistência são muito valiosos para fins de colocação de stops protetivos.

Usando Retrações de Porcentagens

Em uma tendência de alta, pullbacks que retraçam de 40% a 60% do avanço anterior podem ser utilizados para posições compradas novas ou adicionais. Como estamos falando principalmente de timing, retrações de porcentagens podem ser aplicadas a ações de prazo muito curto. Um pullback de 40% após um breakout de alta, por exemplo, pode oferecer um excelente ponto de compra. Bounces de 40% a 60% geralmente oferecem excelentes oportunidades em tendências de baixa. Retrações de porcentagens podem ser usadas também em gráficos intraday.

Usando Gaps de Preço

Gaps de preço em gráficos de barras podem ser usados com eficiência no timing de compras ou vendas. Depois de um movimento ascendente, por exemplo, gaps subjacentes geralmente funcionam como níveis de suporte. Compre um dip para a extremidade superior do gap ou um dip no próprio gap. Um stop protetivo pode ser colocado abaixo do gap. Em um movimento de baixa, venda um rali na extremidade inferior do gap ou no próprio gap. Um stop protetivo pode ser mantido acima do gap.

Combinando Conceitos Técnicos

Combinar conceitos técnicos é a forma mais eficiente de usá-los. Lembre-se de que, quando discutimos timing, a decisão básica de comprar ou vender já foi tomada. Agora só estamos ajustando o ponto de entrada ou saída. Se foi dado um sinal de compra, o trader quer obter o melhor preço possível. Suponha que os preços tenham uma queda na zona de compra de 40% a 60%, mostrem um nível de suporte proeminente nessa zona e/ou tenham um gap de suporte em potencial. Suponha, ainda, que uma linha de tendência de alta significativa esteja próxima.

Todos esses fatores, usados em conjunto, melhorariam o timing do trade. A ideia é comprar perto do suporte, mas sair depressa se esse suporte for rompido. Ultrapassar uma linha de tendência de baixa apertada traçada acima dos máximos de uma reação de queda também pode ser usado como um sinal de compra. Durante um bounce em uma tendência de baixa, o rompimento de uma linha de tendência de alta apertada pode ser uma oportunidade de venda a descoberto.

COMBINANDO FATORES TÉCNICOS E GERENCIAMENTO DE DINHEIRO

Além de usar pontos de gráficos, as diretrizes de gerenciamento de dinheiro têm um papel importante na definição dos stops protetivos. Supondo uma conta de US$100 mil e o uso do critério de 10% de compromisso máximo, somente US$10 mil estarão disponíveis para a operação. O risco máximo é de 5%, ou US$5 mil. Portanto, stops protetivos na posição total devem ser definidos de modo a que não mais de US$5 mil sejam perdidos se o trade não funcionar.

Um stop protetivo mais curto permitiria a tomada de posições maiores. Um stop mais longo reduziria o tamanho da posição. Alguns traders usam somente fatores de gerenciamento de dinheiro para determinar onde colocar um stop protetivo. Todavia, é extremamente importante que o stop protetivo seja colocado acima de um ponto de resistência *válido* para uma posição vendida ou abaixo de um ponto de suporte *válido* para uma posição comprada. O uso de gráficos intraday pode ser especialmente eficaz para encontrar níveis de suporte ou resistência que tenham alguma validade.

TIPOS DE ORDENS DE TRADING

Escolher o tipo de ordem de trade correto é um ingrediente necessário no processo tático. Trataremos somente de alguns tipos mais comuns de ordens: mercado, limite, stop, stop limitado e administrada (M.I.T.).

1. A *ordem a mercado* simplesmente instrui seu corretor a comprar ou vender ao preço atual de mercado. Isso geralmente é preferível em condições rápidas de mercado ou quando o trader quer garantir que a posição seja tomada e se proteger contra a possível perda de um movimento dinâmico de mercado.

2. A *ordem limitada* especifica o preço que o trader está disposto a pagar ou aceitar. Uma *ordem de compra limitada* é colocada abaixo do preço de mercado atual e indica o preço mais alto que o trader está disposto a pagar para uma compra. Uma *ordem de venda limitada* é colocada acima do preço atual de mercado e é o menor preço que o vendedor está disposto a aceitar. Por exemplo, esse tipo de resting order é usado após um breakout de alta, quando o comprador quer comprar uma reação de baixa mais próxima ao suporte.

3. Um *stop* pode ser usado para definir uma nova posição, limitar a perda em uma posição existente ou proteger o lucro. Um stop especifica um preço ao qual uma ordem deve ser executada. Um *stop de*

compra é colocado acima do mercado, e um *stop de venda*, abaixo do mercado (que é o oposto da ordem limitada). Quando o preço de stop é atingido, a ordem se torna uma ordem a *mercado* e é executada ao melhor preço possível. Em uma posição vendida, o stop de venda é colocado abaixo do mercado para limitar o prejuízo. No caso de alta do mercado, o stop pode ser aumentado para proteger o lucro (um stop móvel). Um stop de compra pode ser colocado acima da resistência a fim de iniciar uma posição vendida em um breakout de alta. Como o stop se torna uma ordem de mercado, o preço real "de mercado" pode estar além do preço de stop, especialmente em um mercado rápido.

4. Um *stop limitado* combina o stop e limite. Esse tipo de ordem especifica um preço de stop quando a operação é ativada e um preço-limite. Quando o stop é definido, a ordem se torna uma ordem limitada. Esse tipo de ordem é útil quando o trader quer comprar ou vender um breakout, mas quer controlar o preço pago ou recebido.

5. A *ordem administrada (M.I.T.)* é semelhante à ordem limitada, exceto pelo fato de que se torna uma ordem a mercado quando o preço limite é tocado. Uma ordem M.I.T. de compra deve ser colocada abaixo do mercado como uma ordem limitada. Quando o preço limite for atingido, a operação é realizada a mercado. Esse tipo de trade tem uma vantagem em relação à ordem limitada. A ordem limitada de compra colocada abaixo do mercado não garante a execução, mesmo que o preço limite seja tocado. Os preços podem se afastar bruscamente do preço limite, deixando a ordem não executada. Uma ordem M.I.T. é mais útil quando o trader quer comprar na queda, mas não quer arriscar perder o mercado após o preço limite ser atingido.

Cada uma dessas ordens é útil conforme o momento. Todas têm pontos positivos e negativos. Ordens a mercado garantem uma posição, mas podem resultar em uma "caça" no mercado. Ordens limitadas fornecem mais controle e preços melhores, mas também arriscam perder o mercado caso os preços ultrapassem o limite estipulado. Recomendam-se preços de stop para limitar perdas e proteger lucros. Entretanto, o uso de um stop de compra ou venda para iniciar novas posições pode resultar em execuções desfavoráveis. A ordem M.I.T. é especialmente útil, mas não é permitida em algumas bolsas. Familiarize-se com os diferentes tipos de ordens e conheça seus pontos positivos e negativos. Cada uma delas tem um lugar em seu plano de trading. Certifique-se de descobrir que tipos de ordens são permitidas nas diversas bolsas financeiras.

DE GRÁFICOS DIÁRIOS A GRÁFICOS DE PREÇOS INTRADAY

Como o timing lida com ações de mercado de prazo muito curto, gráficos de preços intraday são especialmente úteis. Gráficos intraday são indispensáveis para fins de day trades, embora esse não seja nosso foco aqui. Estamos mais interessados em como a atividade intraday pode ser usada para ajudar os traders no timing de compras e vendas quando a decisão básica de entrar ou sair do mercado foi tomada.

Vale repetir que o processo de trade deve começar com uma visão de longo alcance e então gradativamente trabalhar na direção de curto prazo. A análise começa com gráficos mensais e semanais para uma perspectiva de longo prazo. Em seguida, é consultado o gráfico diário, que é a base para a decisão de operação atual. O gráfico intraday é o último visto, até mesmo para se ter uma maior precisão. O gráfico de longo prazo mostra uma visão telescópica do mercado. O gráfico intraday possibilita um estudo mais microscópico. Os princípios técnicos já estão claramente visíveis nesses gráficos sensíveis. (Veja as Figuras 16.1 a 16.3.)

Gerenciamento de Dinheiro e Táticas de Trading **417**

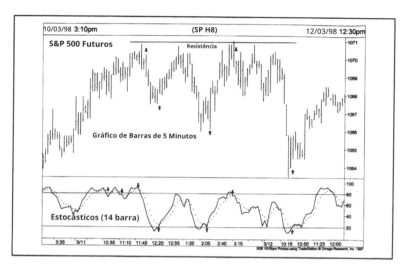

Figura 16.1 *Um gráfico de barras de cinco minutos de um contrato de futuros da S&P 500 que mostra um dia e meio de operação. Os cinco últimos sinais estocásticos (veja as setas) funcionaram muito bem. Gráficos intraday são usados para propósitos de trade de prazo muito curto.*

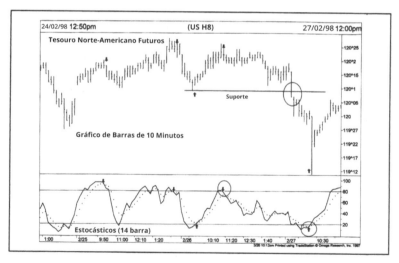

Figura 16.2 *Um gráfico de barras de dez minutos de um contrato de futuros de Títulos do Tesouro Norte-Americano mostrando três dias de operação. Os dois últimos sinais estocásticos mostram uma venda logo após as 10h10 da manhã do dia 26/02, e depois um sinal de compra na manhã seguinte mais ou menos no mesmo horário.*

Figura 16.3 *Um gráfico de barras de uma hora de um contrato de futuros do marco alemão mostrando dez dias de operação. Três sinais estocásticos são mostrados (veja as setas). Um sinal de compra em 17/02 se transformou em venda em 24/02 e depois em outra compra em 26/02.*

O USO DE PONTOS PIVOT INTRADAY

Para conseguir uma entrada antecipada com stops protetivos ainda mais apertados, alguns traders tentam prever onde o mercado fechará com o uso de pontos pivot. Essa técnica combina sete níveis de preços-chave com quatro períodos de tempo. Os sete pontos pivot são o máximo, mínimo e fechamento do dia anterior e a abertura, máximo, mínimo, fechamento do dia atual. Os quatro períodos de tempo são aplicados ao dia de operação atual. Eles são a abertura, 30 minutos após a abertura (cerca de 12h30, horário de Nova York) e 35 minutos antes do fechamento.

Esses são tempos médios e podem ser ajustados a mercados individuais. A ideia é usar os pontos pivot só como um dispositivo de timing quando o trader achar que o mercado está no fim de uma alta ou de uma baixa. Sinais de compra ou venda são dados à medida que os pontos pivot são rompidos durante o dia. Quanto mais no final do dia o sinal é dado, mais forte ele é. Como ilustração de um sinal de compra, se o mercado abre acima do fechamento do dia anterior, mas está abaixo do máximo do dia anterior, um stop de compra é colocado acima do máximo do dia anterior. Se o stop de compra for escolhido, um stop de venda protetivo é colocado abaixo do mínimo do dia atual. Se nenhuma posição foi tomada, 35 minutos antes do fechamento um stop de compra é colocado acima da máxima do dia atual, com um stop protetivo abaixo da abertura do dia. Geralmente, nenhuma ação é realizada nos primeiros 30 minutos de operação. À medida que o dia avança, os pontos pivot são estreitados, assim como os stops protetivos. Como exigência final em um sinal de compra, os preços precisam fechar acima do preço de fechamento do dia anterior e do preço de abertura de hoje.

RESUMO DAS DIRETRIZES DE GERENCIAMENTO DE DINHEIRO E TRADING

A lista a seguir reúne os elementos mais importantes do gerenciamento de dinheiro e trading.

1. Opere na direção da tendência intermediária.
2. Em tendências de alta, compre nas quedas; em tendências de baixa, venda bounces.
3. Deixe os lucros correrem e corte rapidamente os prejuízos.
4. Use stops protetivos para limitar perdas.
5. Não opere por impulso; tenha um plano.
6. Planeje seu trabalho e trabalhe em seu plano.
7. Use os princípios de gerenciamento de dinheiro.
8. Diversifique, mas não exagere.
9. Empregue, pelo menos, um coeficiente de risco/retorno 3 para 1.

10. Ao montar pirâmides (adicionar posições), siga estas diretrizes:
    a. Cada camada sucessiva deve ser melhor que a anterior.
    b. Adicione só a posições vencedoras.
    c. Nunca adicione a uma posição perdedora.
    d. Ajuste stops protetivos ao ponto de equilíbrio.
11. Evite as chamadas de margem; não jogue dinheiro bom depois de dinheiro ruim.
12. Feche posições perdedoras antes das vencedoras.
13. Exceto por trading de prazo muito curto, tome decisões longe do mercado, de preferência quando os mercados estiverem fechados.
14. Trabalhe do longo para o curto prazo.
15. Use gráficos intraday para ajustar entrada e saída.
16. Domine a operação interday antes de tentar a operação intraday.
17. Tente ignorar a sabedoria convencional; não leve muito a sério o que é dito na mídia financeira.
18. Aprenda a ficar à vontade fazendo parte da minoria. Se você estiver certo no mercado, a maioria das pessoas discordará de você.
19. A análise técnica é uma habilidade que melhora com a experiência e o estudo. Estude sempre e continue aprendendo.
20. Simplifique; mais complicado nem sempre é melhor.

APLICAÇÃO A AÇÕES

As táticas de trading que discutimos neste capítulo (e as ferramentas técnicas nos capítulos anteriores) também se aplicam ao mercado de ações, com alguns pequenos ajustes. Enquanto traders de futuros focam tendências curtas a intermediárias, os investidores em ações estão mais preocupados com tendência intermediárias a longas. A operação de ações enfatiza menos o prazo muito curto e usa menos gráficos intraday. Mas permanecem os mesmos princípios gerais para analisar e operar nos mercados — seja no pit de futuros de Chicago ou no pregão da bolsa de Nova York.

ALOCAÇÃO DE RECURSOS

As diretrizes de gerenciamento de dinheiro apresentadas neste capítulo se referem principalmente ao trade de futuros. Entretanto, muitos dos princípios incluídos nessa discussão estão relacionados à necessidade de uma diversificação adequada no portfólio de investimentos e abrangem o tema da alocação de recursos. A alocação de recursos se refere a como o portfólio de uma pessoa é dividido entre ações, títulos e dinheiro (geralmente na forma de fundos do mercado monetário ou Títulos do Tesouro). Ela também pode se referir a quanto do portfólio deve ser alocado a mercados estrangeiros. A alocação de recursos também se refere a como as participações acionárias estão divididas entre os vários setores do mercado e grupos industriais. E, mais recentemente, ela lida com quanto do portfólio deve ser alocado a mercados de commodities tradicionais.

CONTAS GERENCIADAS E FUNDOS MÚTUOS

Contas gerenciadas estão disponíveis em mercados de futuros há vários anos e ofereceram um veículo para as pessoas que querem investir em futuros, mas não têm conhecimento para fazê-lo por conta própria. As contas gerenciadas forneceram uma espécie de abordagem de fundos mútuos aos futuros. Apesar de contas gerenciadas de futuros investirem em todos os mercados de futuros — incluindo moedas estrangeiras, commodities, títulos e futuros de índices de ações —, elas ainda proporcionam alguma medida de diversificação em relação a títulos e ações. Parte da diversificação se deve à prática de operar do lado comprado e vendido. Outra parte vem da porção de commodities em si. Entretanto, a habilidade de destinar parte de seus recursos a commodities foi facilitada em 1997.

A Oppenheimer Real Assets, inaugurada em março de 1997, é o primeiro fundo mútuo dedicado exclusivamente ao investimento em commodities. Ao investir em notas ligadas a commodities, o fundo tem capacidade de formar um portfólio de commodities que acompanha o Goldman Sachs Commodity Index, que inclui 22 mercados de commodities. Como muitas vezes as commodities tendem em direções opostas às de títulos e ações, elas fornecem um excelente veículo de diversificação. Uma diversificação adequada exige que se apliquem os recursos em grupos ou classes de mercado que têm pouca correlação uns com os outros — em outras palavras, eles nem sempre seguem a mesma tendência. Commodities certamente atendem a esses critérios.

Destacamos esses dois aspectos por dois motivos. Um é mostrar que as áreas de gerenciamento de dinheiro e alocação de recursos estão muito interligadas. O outro é mostrar que os mercados em si são muito interligados. Nos próximos dois capítulos, você verá o quanto os mercados de futuros e de ações são realmente conectados e por que é importante que os investidores em ações se mantenham informados do que está ocorrendo nos mercados de futuros. O Capítulo 17 lhe apresentará a análise técnica intermercados.

PERFIL DE MERCADO

Não poderíamos deixar o tema dos gráficos intraday sem apresentar uma das abordagens mais inovadoras à operação intraday, chamada *Perfil de Mercado*. Esta técnica de trading foi desenvolvida por J. Peter Steidlmayer, um ex-operador de pregão da Bolsa de Futuros de Chicago. A abordagem do Sr. Steidlmayer conquistou seguidores entusiasmados ao longo da última década, principalmente nos mercados de futuros. Contudo, o Perfil de Mercado pode ser aplicado também a ações comuns. Não é uma abordagem fácil de compreender, mas os traders que o fizeram a têm em alta conta. Dennis Hynes, especialista em trading de Perfil de Mercado, explica o método no Apêndice B.

17

A Ligação entre Ações e Futuros: Análise Intermercado

Quando a primeira edição deste livro foi publicada, em 1986, a separação entre o mundo dos futuros de commodities e o mais tradicional mundo das ações e títulos estava começando a desaparecer. Há vinte anos, commodities estavam relacionadas a produtos como milho, soja, barriga de porco, ouro e petróleo. Essas eram as commodities tradicionais que poderiam ser cultivadas, mineradas ou refinadas. Mudanças drásticas ocorreram de 1972 a 1982 com a introdução de contratos futuros em moeda estrangeira, Títulos do Tesouro e índice futuro de ações. O termo "commodities" deu lugar a "futuros", visto que títulos e ações estavam longe de ser commodities. Mas eles eram contratos de futuros. Desde então, o mundo de trade de futuros se combinou com o de ações e títulos tradicionais, a ponto de mal poderem ser separados. Como resultado, os métodos de análise técnica usados para analisar os diferentes mercados financeiros passaram a ter aplicação universal.

As cotações ficam facilmente disponíveis para futuros de dólar, futuros de obrigações e índice futuro de ações em qualquer dia — e, muitas vezes, elas se movem em sincronia umas com as outras. A direção tomada por esses três mercados muitas vezes é afetada pelo que acontece nos pits de commodities. *Program trading*, que é usado quando o preço dos contratos futuros S&P 500 está em desacordo em relação ao índice monetário S&P 500, é uma realidade cotidiana. Por esse motivos, parece claro que, quanto mais você souber sobre trade de futuros, mais informações obterá sobre todo o mercado financeiro.

Ficou claro que a ação no mercado de futuros pode exercer importante influência no próprio mercado de ações. Sinais precoces de inflação e tendências de taxas de juros geralmente são identificadas primeiro em pits de futuros, o que muitas vezes determina a direção que os preços das ações tomarão em determinado período. Tendências do dólar nos dizem muito sobre a solidez ou fragilidade da economia norte-americana, o que também exerce um grande impacto nos lucros das empresas e na valorização dos preços das ações. Contudo, a conexão é ainda mais profunda. O mercado de ações é dividido em setores e grupos de indústrias. A rotação entre esses grupos muitas vezes é ditada pela ação em futuros. Com o enorme crescimento dos fundos mútuos e fundos especializados em especial, a capacidade de aproveitar a rotação de setores, entrando nos vencedores e saindo dos perdedores, tornou-se muito mais simples.

Neste capítulo, trataremos do tema mais amplo da análise intermercados à medida que lidaremos com a interação de moedas, commodities, títulos e ações. Nosso recado principal é sobre o quanto os quatro mercados estão conectados, e mostraremos como usar os mercados futuros no processo de rotação de setores e grupos de indústrias dentro do mercado de ações em si.

ANÁLISE INTERMERCADO

Em 1991, escrevi um livro chamado *Intermarket Technical Analysis* [*Análise Técnica Intermercados*, em tradução livre]. Esse livro descreveu as inter-relações dos vários mercados financeiros, universalmente aceitas na atualidade.

O livro ofereceu um guia, ou modelo, para ajudar a explicar a sequência que se desenvolve entre os vários mercados e mostrar o quanto eles são, de fato, interdependentes. A premissa básica da análise intermercados é que todos os mercados financeiros estão ligados de alguma forma. Isso inclui mercados internacionais e domésticos. Essas relações podem mudar ocasionalmente, mas sempre estão presentes de um jeito ou de outro. Como resultado, é impossível compreender totalmente o que está ocorrendo em um mercado — como o de ações — sem alguma compreensão do que está ocorrendo nos outros. Devido à forte interligação dos mercados, o analista técnico dispõe de uma grande vantagem. As ferramentas técnicas descritas neste livro podem ser aplicadas a todos os mercados, o que facilita muito a aplicação da análise intermercado. Você também verá por que a habilidade de acompanhar os gráficos de tantos mercados é uma imensa vantagem no complexo mercado atual.

PROGRAM TRADING: O ELO DEFINITIVO

Em nenhum lugar a ligação entre ações e futuros é mais evidente do que na relação entre o índice monetário S&P 500 e os contratos de futuros S&P 500. Normalmente, os contratos futuros são operados a um prêmio em relação ao índice monetário. O tamanho do prêmio é determinado por elementos como o nível das taxas de juros de curto prazo, o rendimento do índice S&P 500 em si e o número de dias até o vencimento do contrato futuro. O prêmio (ou spread) entre os futuros S&P 500 em relação ao índice monetário diminui à medida que o contrato futuro se aproxima do vencimento. (Veja a Figura 17.1.) Todos os dias, as instituições calculam qual deve ser o prêmio real — chamado *valor justo*. Esse valor justo permanece constante durante o dia de operação, mas muda gradativamente a cada novo dia. Quando o prêmio de futuros se move acima de seu valor justo até o índice monetário em algum valor predeterminado, um trade de arbitragem é automaticamente ativado — chamado *program buying*. Quando os futuros estão muito altos em relação ao índice monetário, program traders vendem contratos futuros e compram uma cesta de ações no S&P 500 para alinhar as duas entidades. O resultado do program buying é positivo para o mercado de ações, pois eleva os índice monetário S&P 500. O program selling é o oposto e ocorre quando o prêmio dos futuros em relação ao dinheiro cai muito abaixo de seu valor justo. Nesse caso, o *program selling* é ativado, resultando na compra de futuros S&P 500 e venda da cesta de ações. O program selling é negativo para o mercado. A maioria dos traders entende essa relação entre os dois mercados. O que eles nem sempre entendem é que os movimentos repentinos nos contratos de futuros S&P 500, que ativam o program trading, muitas vezes são causados por movimentos repentinos em outros mercados futuros — como títulos.

Figura 17.1 *Futuros do S&P 500 normalmente são operados a um prêmio em relação ao índice financeiro, como mostra este gráfico. Note que o prêmio se estreita à medida que o contrato de março se aproxima do vencimento.*

O ELO ENTRE TÍTULOS E AÇÕES

O mercado de ações é influenciado pela direção das taxas de juros. A direção das taxas de juros (ou rendimento) pode ser monitorada minuto a minuto rastreando-se o movimento do contrato de futuros de títulos do tesouro. Os preços dos títulos se movem na direção oposta à das taxas ou rendimentos de juros. Assim, quando os preços dos títulos aumentam, os rendimentos caem. Isso nor-

A Ligação entre Ações e Futuros: Análise Intermercado **427**

malmente é considerado positivo para as ações.* Preços de títulos em queda ou aumento de rendimentos são considerados negativos para as ações. Do ponto de vista do analista técnico, é muito fácil comparar os gráficos de futuros de Títulos do Tesouro com os gráficos do índice financeiro S&P 500 ou seu contrato futuro relacionado. Você verá que eles geralmente seguem tendências na mesma direção. (Veja a Figura 17.2.) No curto prazo, mudanças repentinas na tendência de um contrato futuro de S&P 500 muitas vezes são influenciadas por mudanças repentinas em contratos futuros de Títulos do Tesouro. No longo prazo, mudanças nas tendências de contratos de Títulos do Tesouro muitas vezes são um aviso de viradas semelhantes no próprio índice financeiro S&P 500. Nesse aspecto, futuros de obrigações podem ser encarados como um indicador importante para o mercado de ações. Futuros de títulos, por sua vez, geralmente são influenciados por tendências nos mercados de commodities.

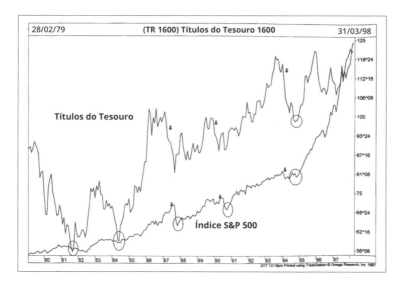

Figura 17.2 *Normalmente, o aumento dos preços dos títulos é bom para os preços de ações. A queda no mercado de títulos em 1981, 1984, 1988, 1991 e 1995 levou a importantes aumentos nas ações. Picos nos títulos em 1987, 1990 e 1994 foram um aviso de anos de preços desfavoráveis no mercado de ações.*

---

* Em um cenário deflacionário, títulos e ações geralmente se separam. Preços de títulos aumentam, enquanto os de ações caem.

O ELO ENTRE TÍTULOS E COMMODITIES

Os preços de títulos do tesouro são influenciados pelas expectativas de inflação, os preços de commodities são considerados os principais indicadores de tendências inflacionárias. Como resultado, preços de commodities geralmente seguem uma tendência na direção oposta à dos preços dos títulos. Se você estudar a trajetória do mercado desde os anos de 1970, verá que recuperações repentinas nos mercados de commodities (sinalizando maior inflação de preços) geralmente estão associadas com a queda correspondente nos preços de títulos do tesouro. O outro lado dessa relação é que altos ganhos com títulos do tesouro normalmente correspondem à queda de preços de commodities. (Veja a Figura 17.3). Os preços de commodities, por sua vez, são impactados pela direção do dólar americano.

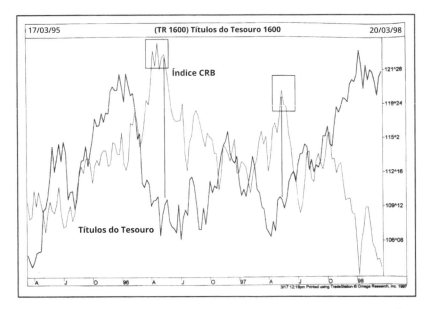

Figura 17.3 *Preços de commodities e de títulos geralmente seguem tendências opostas, como mostramos aqui. As quedas nos títulos na primavera de 1996 e 1997 coincidiram com picos importantes nos preços de commodities (veja boxes).*

O ELO ENTRE COMMODITIES E O DÓLAR

Um aumento no dólar normalmente exerce um efeito negativo na maioria dos preços de commodities. Em outras palavras, um dólar em alta normalmente é considerado não inflacionário. (Veja a Figura 17.4.) Uma das commodities mais afetadas pelo dólar é o mercado de ouro. Se você estudar seu relacionamento ao longo do tempo, verá que os preços do ouro e o dólar americano geralmente seguem tendências opostas. (Veja a Figura 17.5.) O mercado do ouro, por sua vez, age como importante indicador para outros mercados de commodities. Assim, se você estiver analisando o mercado do ouro, é preciso saber o que o dólar está fazendo. Se você estiver estudando a tendência dos preços de commodities em geral (usando um dos mais conhecidos índice de preços de commodities), é necessário saber o que o mercado do ouro está fazendo. A questão é que os quatro mercados estão ligados — o dólar influencia as commodities, que influenciam as obrigações, que influenciam as ações. Para compreender totalmente o que está ocorrendo em qualquer classe de ativos, é necessário saber o que está acontecendo nas outras três. Felizmente, essa é uma tarefa fácil realizada com uma simples análise de seus respectivos gráficos de preços.

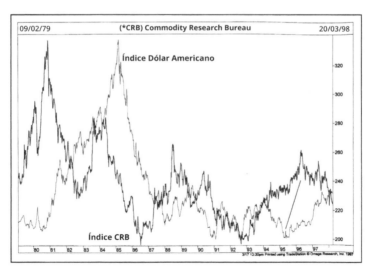

Figura 17.4 *A subida do dólar normalmente exerce um efeito negativo nos mercados de commodities. Em 1980, a baixa do dólar coincidiu com um importante pico no mercado de commodities. A queda do dólar em 1995 contribuiu para uma brusca queda nas commodities um ano depois.*

Figura 17.5 *O dólar americano e os preços do ouro geralmente seguem tendências opostas, como mostra este exemplo. Os preços do ouro, por sua vez, geralmente lideram outras commodities.*

SETORES DE AÇÕES E GRUPOS INDUSTRIAIS

Compreender esses relacionamentos intermercado também esclarece a interação de vários setores do mercado de ações e grupos industriais. O mercado de ações é dividido em setores de mercado que, então, são subdivididos em grupos industriais. Essas categorias de mercado são influenciadas pelo que ocorre no cenário intermercado. Por exemplo, quando títulos estão fortes e commodities estão fracas, grupos de ações sensíveis a taxas de juros — como utilidades, ações financeiras e produtos básicos de consumo — geralmente apresentam resultado satisfatório em relação ao restante do mercado de ações. Ao mesmo tempo, grupos de ações sensíveis à inflação — como ouro, energia e ações cíclicas — geralmente apresentam desempenho insatisfatório. Quando o mercado de commodities está fortemente ligado aos títulos, ocorre o contrário. Ao monitorar o relacionamento entre preços de obrigações do tesouro e de commodities, você pode determinar que setores ou grupos industriais mostrarão melhor resultado em determinado período.

Figura 17.6 *Geralmente há uma ligação muito forte entre preços de títulos e utilidades. Além disso, muitas vezes utilidades viram um pouco antes dos títulos.*

Devido à forte relação entre setores do mercado de ações e os mercados de futuros relacionados, eles podem ser usados em conjunto. Ações de utilidades, por exemplo, estão estreitamente ligadas aos preços de títulos do tesouro. (Veja a Figura 17.6.) As ações de mineração de ouro podem ser usadas como principais indicadores para os preços do ouro. Outro exemplo de influência intermercado é o impacto da tendência dos preços do petróleo nos preços de ações de energia e empresas aéreas. A alta dos preços do petróleo ajudam as ações de energia, mas prejudicam as empresas aéreas. A queda nesses preços exercem o efeito oposto.

O DÓLAR E LARGE CAPS

Outro relacionamento intermercado trata-se de como o dólar afeta ações large e small cap. Ações de grandes multinacionais podem ser negativamente impactadas por um dólar muito forte, o que pode deixar seus produtos muito caros nos mercados estrangeiros. Em comparação, as ações small caps mais voltadas ao mercado doméstico são menos afetadas pelos movimentos do dólar e podem, de fato, sair-se melhor do que ações maiores em um ambiente com o dólar forte. Como resultado, um dólar mais forte pode favorecer ações menores (como as do Russel 2000), enquanto um dólar mais fraco pode beneficiar as grandes multinacionais (como as da Dow Industrial Average).

ANÁLISE INTERMERCADO E FUNDOS MÚTUOS

Deveria ser óbvio que entender um pouco os relacionamentos intermercados pode ser muito útil no investimento de fundos mútuos. Por exemplo, a direção do dólar americano pode influenciar seu compromisso com small cap funds versus large cap funds. Também pode ser útil determinar quanto dinheiro você quer destinar ao ouro ou fundos de recursos naturais. A disponibilidade de muitos fundos mútuos voltados para setores realmente complica a decisão de quais enfatizar em determinado momento. Essa tarefa é muito facilitada pela comparação do desempenho relativo dos mercados futuros e os vários setores do mercado de ações e grupos industriais. Isso é facilmente realizado com uma simples abordagem gráfica chamada análise de *força relativa*.

ANÁLISE DE FORÇA RELATIVA

Esta é uma ferramenta gráfica extremamente simples, mas eficiente. Você só precisa dividir uma entidade de mercado por outra — em outras palavras, plotar o coeficiente dos dois preços de mercado. Quando a linha do coeficiente for ascendente, o preço do numerador é mais forte que o denominador. Quando a linha do coeficiente for descendente, o mercado denominador é mais forte. Observe alguns exemplos do que você pode fazer com esse indicador simples. Divida o índice de uma commodity (como o futuros CRB Futures Price Index) pelos preços de futuros de Títulos do Tesouro Americano. (Veja a Figura 17.7.) Quando a linha do coeficiente for ascendente, os preços das commodities estão superando os dos títulos. Nesse cenário, traders de futuros estariam comprando mercados de commodities e vendendo títulos. Ao mesmo tempo, traders de ações estariam comprando ações sensíveis à inflação e vendendo ações sensíveis às taxas de juros. Quando a linha do coeficiente for descendente, eles estariam fazendo o oposto. Ou seja, eles venderiam commodities e comprariam obrigações. Ao mesmo tempo, traders de ações estariam vendendo os ouros, os petróleos e as cíclicas, enquanto comprariam utilidades, financeiras e produtos básicos de consumo. (Veja a Figura 17.8.)

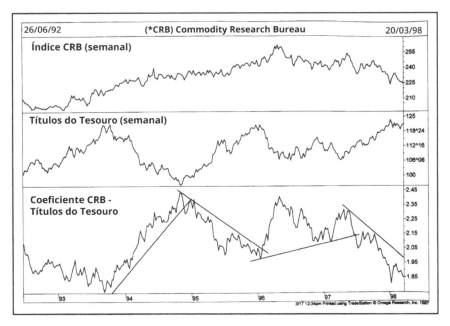

Figura 17.7 *O coeficiente CRB Index/Títulos do Tesouro nos diz que classe de ativos é mais forte. O ano de 1994 favoreceu as commodities, enquanto 1995 favoreceu as obrigações. O coeficiente teve uma queda brusca em meados de 1997 devido à crise asiática e a temores de deflação.*

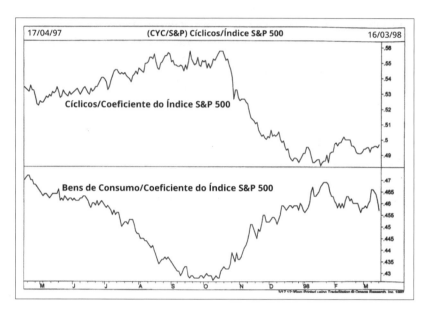

Figura 17.8 *Em outubro de 1997, a crise asiática fez os fundos flutuarem para fora das cíclicas e para produtos de bens de consumo, o que coincidiu com a queda do coeficiente CRB/Título na Figura 17.7.*

FORÇA RELATIVA E SETORES

Muitas bolsas hoje operam índices de opções em vários setores do mercado de ações. A Bolsa de Opções de Chicago tem a maior seleção e inclui grupos, como automotivo, software de computadores, meio ambiente, jogos, imóveis, saúde, varejo e transporte. A Bolsa de Valores Americana e da Filadélfia oferece índices de opções populares em bancos, ouro, petróleo, produtos farmacêuticos, semicondutores, tecnologia e utilidades. Todos esses índices de opções podem ser representados em gráficos e analisados como qualquer outro mercado. A melhor forma de usar a análise de força relativa com eles é dividir seu preço por algum parâmetro da indústria como o S&P 500. Em seguida, determine quais superam o mercado como um todo (uma linha RS ascendente) ou têm desempenho aquém do esperado (uma linha RS descendente). Empregar algumas ferramentas gráficas simples como linhas de tendência e médias móveis nas linhas de força relativa ajudará a identificar mudanças importantes em sua tendência. (Veja a Figura 17.9.) A ideia geral é girar seus fundos para esses setores do mercado cujas linhas de força relativa acabaram de subir e girar para fora dos grupos de mercado cujas linhas de força relativa acabaram de cair. Esses movimentos podem ser implementados com os próprios índices de opções ou por meio de fundos mútuos que correspondam aos vários setores de mercado e grupos industriais.

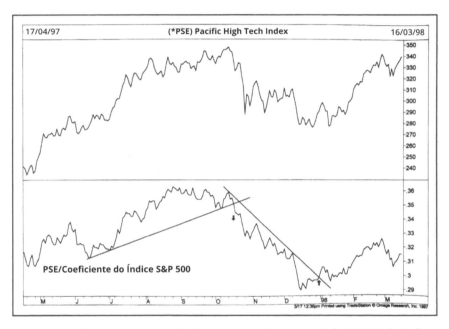

Figura 17.9 *Uma comparação de força relativa (coeficiente) do PSE High Tech Index e o S&P 500. Uma análise de linha de tendência simples ajudou a identificar a queda nas ações de tecnologia em outubro de 1997 e a recuperação no final do ano.*

FORÇA RELATIVA E AÇÕES INDIVIDUAIS

Os investidores têm dois caminhos a seguir nesse ponto. Eles podem simplesmente tirar seus fundos de certo grupo de mercado e entrar em outro e parar ali. Ou, se quiserem, podem continuar e escolher ações individuais dentro desses grupos. A análise de *força relativa* também tem uma função importante aqui. Depois de escolhido o índice desejado, o próximo passo é dividir todas as ações individuais dentro do índice que estão mostrando a maior força relativa. (Veja a Figura 17.10.) Você pode comprar ações que mostram as linhas de coeficiente mais fortes ou comprar uma ação mais barata cuja linha de coeficiente acabou de apresentar uma alta. A ideia, porém, é evitar ações cujas linhas de força relativa (coeficiente) ainda estejam caindo.

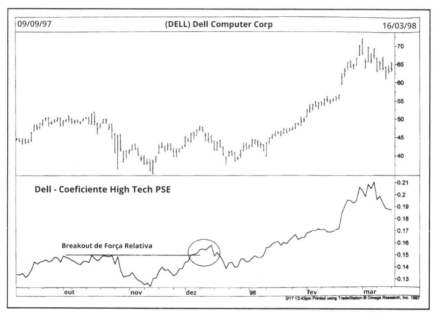

Figura 17.10 *Uma análise de coeficiente da Dell Computer versus Índice High Tech PSE no final de 1997 mostrou que a Dell é uma das melhores ações do setor de tecnologia.*

ABORDAGEM DE MERCADO DE CIMA PARA BAIXO

O que descrevemos aqui é a abordagem de mercado *de cima para baixo*. Começa-se estudando as principais médias do mercado a fim de determinar a tendência do mercado em geral. Depois, seleciona-se os setores ou grupos industriais do mercado que estão exibindo a melhor força relativa. Em seguida, selecionam-se ações individuais dentro desses grupos que também estão mostrando a melhor força relativa. Ao incorporar os princípios intermercado ao seu processo de tomada de decisão, você também pode determinar se o contexto atual do mercado favorece obrigações, commodities ou ações que possam desempenhar um papel positivo na sua decisão de alocação de recursos. Os mesmos princípios também podem ser aplicados a investimentos internacionais pela simples comparação da força relativa de vários mercados de ações globais. E, finalmente, todas essas ferramentas técnicas descritas aqui podem ser aplicadas a gráficos de fundos mútuos como uma última verificação de sua análise. Todo esse trabalho pode ser realizado com facilidade com gráficos de preços e um computador. Imagine tentar aplicar a análise fundamentalista a tantos mercados ao mesmo tempo.

CENÁRIO DE DEFLAÇÃO

Os princípios intermercado descritos aqui são baseados em tendências de mercado desde 1970. Os anos de 1970 testemunharam uma inflação descontrolada que favoreceu ativos de commodities. As décadas de 1980 e 1990 foram caracterizadas por queda nas commodities (desinflação) e fortes mercados em alta em títulos e ações. Na segunda metade de 1997, uma severa crise na moeda asiática e nos mercados de ações foi especialmente prejudicial a mercados como cobre, ouro e petróleo. Pela primeira vez em décadas, alguns observadores do mercado manifestaram a preocupação de que uma desinflação favorável (aumento de preços em nível mais lento) pudesse se transformar em uma deflação prejudicial (queda de preços). Para aumentar as preocupações, os preços de produção sofreram uma queda em uma base anual pela primeira vez em mais de uma década. Como resultado, os mercados de títulos e ações começaram a se dissociar. Pela primeira vez em quatro anos, os investidores abandonaram as ações e aplicaram mais dinheiro em títulos e grupos de ações sensíveis a taxas como utilidades. O motivo para esse ajuste na alocação de recursos é que a deflação muda o cenário intermercado. Commodities caem enquanto os preços de títulos aumentam. A diferença é que o mercado de ações pode reagir negativamente nesse ambiente. Lembramos esse fato porque faz muito tempo desde que os mercados financeiros tiveram de lidar com o problema de deflação de preços. Se e quando a deflação ocorrer, relacionamentos intermercado ainda estarão presentes, mas de um modo diferente. A desinflação é prejudicial para commodities, mas boa para obrigações e ações. A deflação é boa para obrigações e ruim para commodities, mas também pode ser ruim para as ações.

A tendência deflacionária que se iniciou na Ásia em meados de 1997 se espalhou para a Rússia e América Latina em meados de 1998 e começou a prejudicar todos os mercados globais de ações. Uma forte queda nos preços das commodities exerceu um impacto especialmente prejudicial em exportadores de commodities como a Austrália, Canadá, México e Rússia. O impacto deflacionário da queda de preços de commodities e ações exerceram um impacto positivo nos preços das obrigações do tesouro, que atingiram níveis recorde. Acontecimentos no mercado de 1998 foram um exemplo dramático da existência de conexões intermercado globais e demonstraram como títulos e ações podem se dissociar em um mundo deflacionário.

CORRELAÇÃO INTERMERCADO

Dois mercados que normalmente seguem uma tendência na mesma direção, como títulos e ações, estão positivamente correlacionados. Mercados que seguem tendências opostas, como títulos e commodities, estão negativamente correlacionadas. Softwares gráficos possibilitam medir o grau de correlação entre diferentes mercados. Uma leitura positiva alta sugere uma forte correlação positiva. Uma leitura negativa alta sugere uma forte correlação negativa. Uma leitura perto de zero sugere pouca ou nenhuma correlação entre dois mercados. Ao medir o grau de correlação, o trader pode determinar quanta ênfase colocar em uma relação intermercado em especial. Deve-se conferir peso maior para aqueles com correlações mais altas, e menor peso às perto de zero. (Veja a Figura 17.11.)

A Ligação entre Ações e Futuros: Análise Intermercado

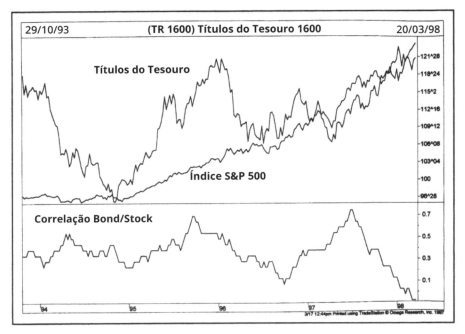

Figura 17.11 *A linha ao longo da parte inferior mostra a correlação positiva entre preços de títulos do tesouro e S&P 500. Na segunda metade de 1997, a crise asiática provocou uma dissociação incomum.*

Em seu livro *Cybernetic Trading Strategies* [Estratégias de Negociação Cibernéticas, em tradução livre], Murray Ruggiero Jr. apresenta um trabalho criativo sobre o tema das correlações intermercado. Ele também mostra como usar filtros intermercado em sistemas de trading. Por exemplo, ele demonstra como um sistema de cruzamento de médias móveis no mercado de títulos pode ser usado como filtro para operação de índices de ações. Ruggiero explora a aplicação de métodos de inteligência artificial de ponta como a teoria do caos, lógica difusa e redes neurais ao desenvolvimento de sistemas de trading técnico. Ele também explora a aplicação de redes neurais ao campo da análise intermercado.

SOFTWARE DE REDES NEURAIS INTERMERCADO

Um problema relevante no estudo dos relacionamentos intermercado é que eles existem em grande quantidade — e todos interagem ao mesmo tempo. É nesse momento que as redes neurais entram em ação. Redes neurais proporcionam uma estrutura mais quantitativa para identificar e rastrear os complexos relacionamentos que existem entre os mercados financeiros. Louis Mendelsohn, presidente da Market Technologies Corporation (25941 Apple Blossom Lane, Wesley Chapel, FL 33544; e-mail: *45141@ ProfitTaker.com;* site: www.ProfitTaker.com/45141), foi a primeira pessoa a desenvolver um software de análise intermercado na indústria financeira nos anos de 1980. Mendelsohn é o pioneiro na aplicação de software e redes neurais à análise intermercado. Seu software VantagePoint, lançado em 1991, usa princípios de intermercado em mercados de trade de taxas de juros, índices de ações, mercados financeiros e futuros de energia. O VantagePoint usa tecnologia de redes neurais para detectar padrões ocultos e correlações que existem entre mercados.

CONCLUSÃO

Este capítulo reúne os principais pontos incluídos em meu livro *Intermarket Technical Analysis* [*Análise Técnica Intermercado*, em tradução livre]. Ele discute o efeito cascata que flui do dólar às commodities e títulos a ações. O trabalho intermercado também reconhece a existência de conexões globais. O que ocorre na Ásia, na Europa e na América Latina exerce um impacto nos mercados norte-americanos, e vice-versa. A análise intermercado esclarece a rotação de setores no mercado de ações, e a análise de força relativa é útil para procurar classes de ativos, setores de mercado ou ações individuais com probabilidade de superar o mercado em geral. Em seu livro *Leading Indicators for the 1990s* [*Principais Indicadores para os Anos de 1990*, em tradução livre], Dr. Geoffrey Moore mostra como a interação de preços de commodities, títulos e ações segue um padrão sequencial que rastreia o ciclo

A Ligação entre Ações e Futuros: Análise Intermercado **441**

de negócios. O Dr. Moore fundamenta a rotação intermercado dentro das três classes de ativos e defende seu uso na previsão econômica. Dessa forma, o Dr. Moore eleva o trabalho intermercado e a análise técnica em geral ao campo da previsão econômica. Finalmente, a análise técnica pode ser aplicada a fundos mútuos como qualquer outro mercado (com algumas pequenas modificações). Dessa forma, todas as técnicas discutidas neste livro podem ser aplicadas diretamente aos gráficos de fundos mútuos. Ainda melhor, o grau de volatilidade menor nos gráficos de fundos mútuos faz deles excelentes veículos para análise gráfica. Meu último livro, *The Visual Investor* [*O Investidor Visual*, em tradução livre], trata mais extensivamente do tema da análise e operação de setores e mostra como os fundos mútuos podem ser representados graficamente e então usados para implementar várias estratégias de trading. (Veja a Figura 17.12.)

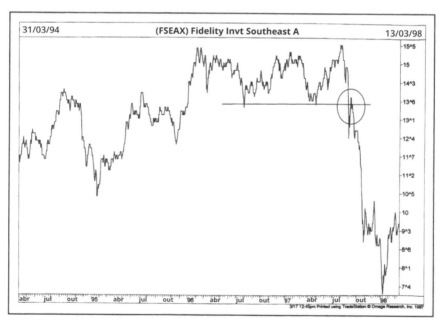

Figura 17.12 *A análise gráfica pode ser realizada em gráficos de fundos mútuos. Você não precisa ser um especialista em gráficos para ver que a Ásia estava fadada a ter problemas ao rastrear este fundo mútuo.*

18
Indicadores do Mercado de Ações

MEDINDO A AMPLITUDE DO MERCADO

No capítulo anterior, descrevemos a abordagem de cima para baixo que é comumente empregada na análise do mercado de ações. Com essa abordagem, a análise começa com um estudo da saúde do mercado em geral. Em seguida, verificam-se os setores e grupos industriais do mercado. O passo final é o estudo das ações individuais. A meta é escolher as melhores ações nos melhores grupos em um cenário em que o mercado de ações seja tecnicamente saudável. O estudo de setores de mercado e ações individuais pode ser realizado com as ferramentas técnicas empregadas neste livro — incluindo padrões gráficos, análise de volume, linhas de tendência, médias móveis, osciladores etc. Os mesmos indicadores também podem ser aplicados às médias mais importantes do mercado. Mas há outra classe de indicadores de mercado amplamente usada na análise de mercados de ações cujo objetivo é determinar sua saúde geral medindo sua amplitude. Os dados usados em sua construção são questões de aumento versus queda, novas altas versus novas baixas e volume ascendente versus volume descendente.

443

DADOS DE AMOSTRA

Se você checar a seção de Banco de Dados do Mercado de Ações do *Wall Street Journal* (Seção C, página 2) todos os dias, encontrará os seguintes dados do dia de operação anterior. Os números mostrados se baseiam em resultados reais de trading do dia.

DIÁRIOS NYSE	SEGUNDA-FEIRA
Emissões/ações negociadas	3.432
Aumentos	1.327
Quedas	1.559
Inalterados	546
Novas altas	78
Novas baixas	43
Aum. vol. (000)	248.215
Qud. vol. (000)	279.557
Total vol. (000)	553.914
Tick fechamento	−135
Closing Arms (trin)	.96

Esses números foram extraídos de dados da New York Stock Exchange (NYSE). Uma divisão semelhante também é mostrada para o NASDAQ e a Bolsa de Valores Americana. Nesta discussão, nos concentraremos na NYSE. Acontece que, nesse dia em especial, a Dow Jones Industrial Average ganhou 12,20 pontos. Assim, o mercado teve uma alta medida pelo Dow. Entretanto, houve mais ações em queda (1.559) do que em alta (1.327), sugerindo que o mercado como um todo não se saiu tão bem quando o Dow. Também houve maior queda do que aumento de volume. Esses dois grupos de números sugerem que a amplitude do mercado foi realmente negativa naquele dia em especial — mesmo com o fechamento do Dow em alta. Os outros números apresentam um quadro misto. A quantidade de ações atingindo novas altas em 52 semanas (78) foi maior do que as atingindo novas baixas (43), o que sugere um ambiente de mercado positivo. Contudo, o tic de fechamento (o número de ações que fecharam a um preço superior ao anterior versus as que fecharam a um preço inferior ao anterior) foi negativo, -135. Isso significa que 135 mais ações fecharam em baixa do que em alta, um fator negativo de curto prazo. O tic de fechamento negativo, porém, é compensado por uma leitura de closing Arms (Trin) de .96, que é levemente positivo. Explicaremos o motivo mais adiante neste capítulo. Todas essas leituras do mercado interno têm um objetivo: nos oferecer uma interpretação mais precisa da saúde do mercado como um todo que nem sempre se reflete no movimento do Dow em si.

COMPARANDO MÉDIAS DE MERCADO

Outra forma de estudar a extensão do mercado é comparar o desempenho das próprias médias das ações. Usando as operações do mesmo dia como exemplo, os dados a seguir mostram o desempenho relativo das principais ações:

Dow Industrials	+12,20 (+0,16%)
S&P 500	−0,64 (−0,07%)
Nasdaq Composite	−14,47 (−0,92%)
Russell 2000	−3,80 (−0,89%)

Queremos deixar claro que a Dow Industrials foi a única média de mercado a ganhar no dia. Em todos os noticiários da TV naquela noite, os investidores ouviram que o mercado (representado pelo Dow) teve alta no dia. No entanto, todas as outras medidas ficaram realmente em baixa. Observe que, quanto mais ampla a média (mais ações incluídas), pior foi o resultado. Compare as mudanças percentuais. As 30 ações Dow tiveram um ganho de 0,16%. O S&P 500 sofreu uma perda de 0,7%. A Nasdaq Composite, que inclui mais de 5 mil ações, teve o pior desempenho do dia e perdeu 0,92%. Quase tão ruim quanto o Nasdaq foi o Russel 2000 (-0,89%), que é uma medida de 2 mil ações de small caps. O recado desta breve comparação é que, mesmo que o Dow tenha ganhado no dia, o mercado perdeu terreno de acordo com o que foi medido pelas médias mais amplas baseadas em ações. Voltaremos à questão da comparação de médias de mercado, mas primeiro mostraremos as diferentes formas pelas quais os analistas técnicos de mercado podem analisar a amplitude dos números do mercado.

A LINHA DE AVANÇO E DECLÍNIO

Este é o indicador de amplitude mais conhecido. A construção da linha de avanço e declínio é extremamente simples. O trade de cada dia na Bolsa de Valores de Nova York gera um determinado número de ações que avançou, um número de ações que caiu e um número de ações que permaneceu inalterado. Esses números são publicados no *Wall Street Journal* e *Investor's Business Daily*, e são usados para construir uma linha de avanço e declínio (LAD). O modo mais comum de calcular a LAD é tomar a diferença entre a quantidade de emissões que aumentou e a quantidade de emissões que caiu. Se houver mais avanços do que quedas, a LAD para esse dia é positiva. Se houver mais quedas que avanços, a LAD para esse dia é negativa. Esse resultado positivo ou negativo é somado à LAD acumulada. A LAD exibe uma tendência própria. A ideia é garantir que a LAD e as médias de mercado estejam se movendo na mesma direção. (Veja a Figura 18.1.)

Indicadores do Mercado de Ações 447

Figura 18.1 *A linha de avanço e declínio NYSE versus Dow Industrials. Em um mercado saudável, as duas linhas deveriam seguir uma tendência de alta juntas, como fazem aqui.*

DIVERGÊNCIA LAD

O que a linha de avanço e declínio mede? Ela nos diz se o universo mais amplo das 3.500 ações da NYSE está avançando alinhado com as médias de ações mais extensivamente acompanhadas, que inclui apenas as 30 Dow Industrials ou as 500 ações do S&P 500. Parafraseando a máxima de Wall Street: a linha de avanço e declínio nos diz que as "tropas" estão acompanhando os "generais". Por exemplo, enquanto a LAD estiver avançando com o Dow Industrials, a amplitude ou a saúde do mercado é boa. O perigo surge quando a LAD começa a divergir da linha de Dow. Em outras palavras, quando você tem uma situação em que o Dow Industrials está atingindo novas altas que o mercado mais amplo (medido pela LAD) não está acompanhando, os analistas técnicos começam a se preocupar com uma "amplitude de mercado ruim" ou uma divergência LAD. Historicamente, a LAD atinge um pico muito antes das médias de mercado, motivo pelo qual elas são observadas com muita atenção.

LADS DIÁRIAS VERSUS SEMANAIS

A LAD diária, descrita aqui, é mais bem usada em comparações de curtas a intermediárias das médias de ações importantes. Ela é menos útil em comparações que remontam a vários anos. Uma linha de avanço e declínio semanal mede a quantidade de ações com aumento versus ações com queda de toda a semana. Esses números são publicado na *Barron's* todos os fins de semana. Uma linha de avanço e declínio semanal é considerada mais útil para comparações de tendências que abrangem vários anos. Embora uma divergência na LAD diária possa advertir sobre problemas de prazo curto a intermediário, é necessário também mostrar uma divergência semelhante na LAD semanal para confirmar que um problema mais grave está se desenvolvendo.

VARIAÇÕES NA LAD

Como a quantidade de ações operadas na NYSE aumentou ao longo dos anos, alguns analistas de mercado acham que o método de subtrair a quantidade de emissões em queda da quantidade das emissões em alta confere maior peso a dados mais recentes. Para combater esse problema, muitos analistas técnicos preferem usar uma relação de avanço e declínio que divida a quantidade de emissões em alta pela quantidade das emissões em queda. Alguns também acham que vale incluir a quantidade de emissões inalteradas no cálculo. Qualquer que seja o modo de calcular a LAD, seu uso é sempre o mesmo — isto é, medir a direção do mercado como um todo e garantir que esteja se movendo na mesma direção que as médias de mercado de construção mais limitadas, mas populares. Linhas de avanço e declínio também podem ser construídas para a Bolsa de Valores Americana e o Mercado Nasdaq. Analistas técnicos do mercado gostam de construir osciladores sobrecomprados/sobrevendidos nas LAD para ajudar a medir extremos de mercado de prazo curto a intermediário nas próprias quantidades de amplitude. Um dos exemplos mais conhecidos é o Oscilador McClellan.

OSCILADOR MCCLELLAN

Desenvolvido por Sherman McClellan, esse oscilador é construído tomando-se a diferença entre duas médias móveis exponenciais dos números diários de avanço e declínio da NYSE. O oscilador McClellan é a diferença entre as médias móveis exponenciais de 19 dias (tendência de 10%) e de 39 dias (tendência de 5%) dos números de avanço e declínio diários líquidos. O oscilador flutua ao redor da linha zero com seus extremos máximo e mínimo variando de +100 a -100. Uma leitura do Oscilador McClellan acima de +100 é sinal de um mercado de ações sobrecomprado. Uma leitura abaixo de -100 é considerada um mercado de ações sobrevendido. Cruzamentos acima e abaixo da linha zero também são interpretadas como sinais de compra e venda de prazo curto a intermediário, respectivamente. (Veja a Figura 18.2.)

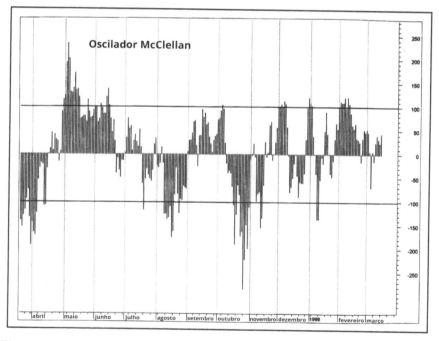

Figura 18.2 *O oscilador McClellan mostrado como histograma. Cruzamentos acima da linha zero são sinais positivos. Leituras acima de +100 são sobrecompradas, enquanto leituras abaixo de -100 são sobrevendidas. Note a leitura extrema sobrevendida em outubro de 1997.*

ÍNDICE SOMATÓRIO MCCLELLAN

O Índice Somatório é simplesmente uma versão de maior alcance do oscilador McClellan. O Índice Somatório McClellan é a soma acumulada das leituras positivas ou negativas de todo dia no oscilador McClellan. Enquanto este é usado para propósitos de trading de prazo curto a intermediário, o Índice Somatório proporciona uma visão de prazo mais longo da amplitude do mercado e é usado para identificar pontos de virada importantes no mercado. (Veja a Figura 18.3.)

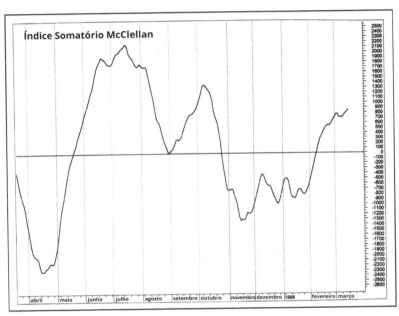

Figura 18.3 *O Índice Somatório McClellan é simplesmente uma versão de alcance mais longo do Oscilador McClellan. O Índice Somatório é usado na análise de tendência importante. Cruzamentos abaixo de zero são negativos. O sinal de fevereiro de 1998 foi positivo.*

NOVAS ALTAS VERSUS NOVAS BAIXAS

Além da quantidade de ações com alta e baixa, a imprensa financeira também publica a quantidade de ações que atingem novas altas ou novas baixas em 52 semanas. Aqui, novamente, esses números estão disponíveis em uma base diária e semanal. Há duas formas de mostrar esses números. Pode-se plotar as duas linhas separadamente. Como, às vezes, os valores diários podem ser inconstantes, as médias móveis (geralmente 10 dias) são plotadas de modo a apresentar um quadro mais uniforme das duas linhas. (Veja a Figura 18.4.) Em um mercado forte, a quantidade de novas altas deve ser muito maior do que a de novas baixas. Quando a quantidade de novas altas começa a cair, ou a quantidade de novas baixas começar a aumentar, é dado um sinal de advertência. Um sinal de mercado negativo é ativado quando a média móvel de novas baixas cruza acima da média móvel de novas altas. Também pode-se mostrar que, sempre que novas altas atingem um extremo, o mercado tem uma tendência ascendente. Do mesmo modo, sempre que novas baixas atingem um extremo, o mercado está perto de um nível mínimo.

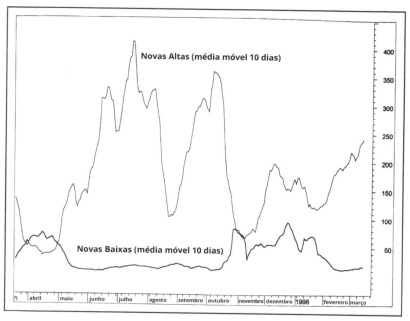

Figura 18.4 *Uma média de novas altas de 10 dias versus uma média de novas baixas de 10 dias. Um mercado saudável deve ver mais ações atingindo novas altas do que novas baixas. Em outubro de 1997, as duas linhas quase se cruzaram antes de reafirmarem seu alinhamento de alta.*

ÍNDICE DE NOVAS ALTAS-NOVAS BAIXAS

A vantagem de um índice de Novas Altas-Novas Baixas é que ele pode ser comparado diretamente a uma das principais médias de mercado. Dessa forma, a linha alta-baixa pode ser usada simplesmente como uma linha de avanço e declínio. (Veja a Figura 18.5.) A tendência da linha alta-baixa pode ser representada graficamente e pode ser usada para identificar divergências no mercado. Uma nova alta no Dow, por exemplo, que não é acompanhada por uma nova alta correspondente na linha alta-baixa pode ser um sinal de fraqueza no mercado como um todo. A análise de tendência e médias móveis pode ser aplicada à linha em si. Mas seu maior valor está em confirmar ou divergir das tendências das principais ações e avisar com antecedência sobre possíveis mudanças na tendência do mercado em geral. O Dr. Alexander Elder, em seu livro *Trading for a Living* (Wiley), descreve o Índice de Nova Alta-Nova Baixa como "provavelmente o melhor indicador do mercado de ações".

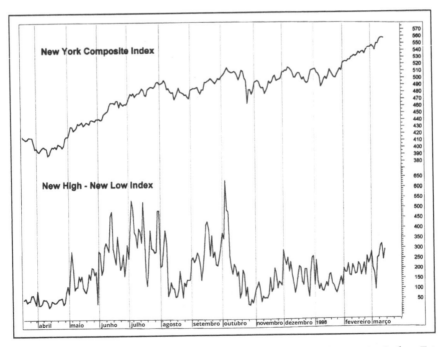

Figura 18.5 *O Índice Nova Alta-Nova Baixa versus o NYSE Composite Index. Esta linha plota a diferença entre a quantidade de ações que atingem novas altas e novas baixas. Uma linha ascendente é positiva. Note a queda acentuada em outubro de 1997.*

Elder sugere plotar o indicador como um histograma em que o ponto de referência horizontal está na linha zero, facilitando a tarefa de identificar divergências. Ele ressalta que o cruzamento acima e abaixo da linha zero também reflete mudanças de alta e de baixa na psicologia de mercado.

VOLUME DE ALTA VERSUS VOLUME DE BAIXA

Este é o terceiro e último dado utilizado para medir a amplitude do mercado. A Bolsa de Valores de Nova York também fornece o nível de volume nas emissões com aumento e queda, e esses dados também estão disponíveis na imprensa financeira do dia seguinte. Assim, é possível comparar os volumes de alta e de baixa a fim de determinar qual é dominante em qualquer momento. (Veja a Figura 18.6.) Se o volume de alta for dominante, o mercado é forte. Quando o volume de baixa é maior, o mercado está fraco. É possível combinar a quantidade de emissões com aumento e com queda com o volume de alta e baixa. Foi isso que Richard Arms fez ao criar o Arms Index.

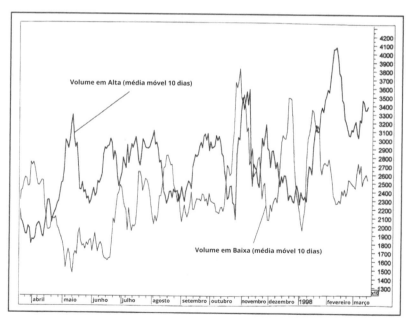

Figura 18.6 *Uma média de 10 dias do volume de alta do mercado de ações (linha escura) versus volume de baixa. Um mercado forte deve ter mais volume de alta do que de baixa.*

O ARMS INDEX

O Arms Index, que tem o nome de seu criador, Richard Arms, é o coeficiente de um coeficiente. O numerador é o coeficiente da quantidade de emissões em alta dividido pela quantidade de emissões em queda. O denominador é o volume de alta dividido pelo volume de queda. O propósito do Arms Index é avaliar se há mais volume de ações em alta ou em queda. Uma leitura abaixo de 1,0 indica mais volume de ações em alta e é positiva. Uma leitura acima de 1,0 reflete mais volume em emissões em queda e é negativa. Em uma base intraday, um Arms Index muito alto é positivo, enquanto uma leitura muito baixa é negativa. O Arms Index, portanto, é um indicador contrário que segue a tendência em direção oposta do mercado. Ele pode ser usado para operações intraday ao rastrear sua direção e identificar sinais de extremos de mercado de curto prazo. (Veja a Figura 18.7.)

TRIN VERSUS TICK

O Arms Index (TRIN) pode ser usado com o indicador TICK em operações intraday. O TICK mede a diferença entre a quantidade de ações operadas em um aumento e o número operado em uma queda. O TICK é uma versão minuto a minuto da linha de avanço e declínio e é usado com o mesmo objetivo. Ao combinar os dois durante o dia, um indicador Tick ascendente e um Arms Index (TRIN) descendente são positivos, enquanto um indicador TICK descendente e um Arms Index (TRIN) ascendente são negativos. Contudo, o Arms Index também pode ser usado em análises de longo prazo.

Indicadores do Mercado de Ações

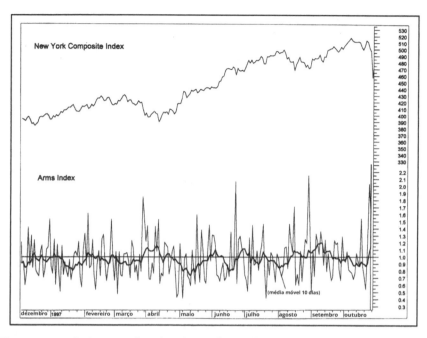

Figura 18.7 *O Arms Index (também chamado TRIN) segue a tendência em direção oposta do mercado. Excepcionalmente, picos de alta geralmente sinalizam baixa de mercado. Uma média móvel de 10 dias do Arms Index é uma forma popular de ver esse indicador contrário.*

SUAVIZANDO O ARMS INDEX

Embora o Arms Index seja cotado durante todo o dia de trade e tenha algum valor para previsões de curto prazo, a maioria dos traders usa uma média móvel de 10 dias de seus números. Segundo o próprio Arms, uma média de 10 dias do Arms Index acima de 1,20 é considerada sobrevendida, enquanto um valor de Arms de 10 dias abaixo de 0,70 é sobrecomprado, embora esses números possam mudar, dependendo da tendência geral do mercado. Arms também manifesta preferência por números de Fibonacci. Ele sugere que se use um Arms Index de 21 dias além da versão de 10 dias, e também utiliza cruzamentos de médias móveis de 21 e 55 dias do Arms Index para gerar boas operações de prazo intermediário. Para mais detalhes, leia *The Arms Index (TRIN)*, de Richard W. Arms Jr.

OPEN ARMS

Ao calcular o Arms Index de 10 dias, cada valor de fechamento é determinado usando-se os quatro inputs, e o valor final é suavizado com a média móvel de 10 dias. Na versão "open" do Arms Index, as médias de cada um dos quatro componentes é calculada separadamente em um período de 10 dias. O Open Arms Index (Índice de Braços Abertos) é então calculado a partir dessas quatro médias diferentes. Muitos analistas preferem a versão Open Arms à original. Médias móveis de diferentes durações, como 21 e 55 dias, também podem ser aplicadas à versão Open Arms.(Veja a Figura 18.8.)

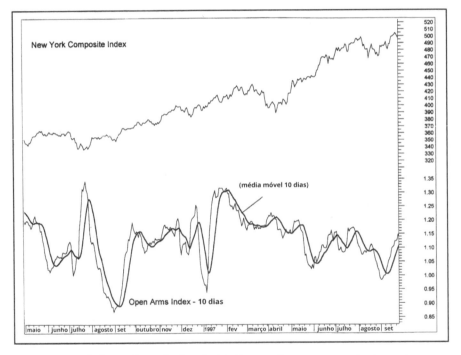

Figura 18.8 *O Open Arms Index de 10 dias confere uma aparência mais suave a esse indicador, mas ele ainda segue uma tendência contrária à do mercado. Um cruzamento de sua média móvel de 10 dias (linha mais escura) muitas vezes sinaliza pontos de virada.*

GRÁFICOS EQUIVOLUME

Embora Arms seja mais conhecido pela criação do Arms Index, ele foi pioneiro em outras formas de combinação de análise de preços e volume. Desse modo, ele criou uma forma totalmente nova de gráfico, chamado Equivolume. No gráfico de barras tradicional, a faixa de trading diária é mostrada na barra de preços com a barra de volume plotada na parte inferior do gráfico. Como os analistas técnicos combinam análise de preços e volume, eles precisam observar as duas partes do gráfico ao mesmo tempo. No gráfico Equivolume, cada barra de preços é mostrada como um retângulo. A altura do retângulo mede a faixa de trading do dia, e a largura é determinada pelo volume daquele dia. Dias de maior volume produzem um retângulo mais largo. Dias de volume menor se refletem em um retângulo mais estreito. (Veja a Figura 18.9.)

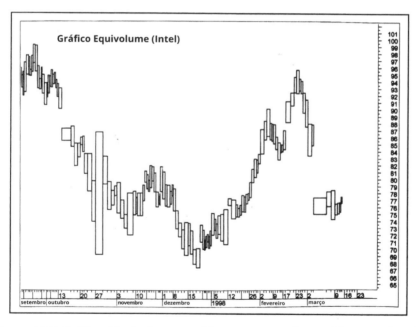

Figura 18.9 *Gráficos Equivolume combinam preço e volume. A largura de cada retângulo (barra diária) é determinada pelo volume. Retângulos mais largos mostram volume mais pesado. Os retângulos começaram a se alargar durante a última liquidação da Intel — um sinal negativo.*

Como regra, um breakout de alta quase sempre deve ser acompanhado por uma explosão de atividade de trading. Portanto, em um gráfico de Equivolume, um breakout de alta deve ser acompanhado por um retângulo notadamente mais largo. Gráficos Equivolume combinam análise de preço e volume em um gráfico e facilitam muito as comparações entre esses dois elementos. Em uma tendência de alta, por exemplo, dias de alta devem gerar retângulos mais largos, enquanto dias de baixa devem gerar retângulos mais estreitos. Gráficos Equivolume podem ser aplicados a médias de mercado assim como a ações individuais e podem ser plotados em gráficos diários e semanais. Para mais informações, consulte *Volume Cycles in the Stock Market* [*Ciclos de Volume no Mercado de Ações*, em tradução livre], de Richard Arms (Dow Jones-Irwin, 1983).

CANDLEPOWER

No Capítulo 12, Greg Morris explicou os gráficos de candlestick. Em um artigo de 1990 publicado na revista *Technical Analysis of Stocks and Commodities* chamado "East Meets West: CandlePower Charting" (O Oriente Encontra o Ocidente: O Poder dos Gráficos de Candle, em tradução livre), Morris propôs combinar gráficos de candlestick com o método gráfico Equivolume de Arms. A versão de Morris mostra o gráfico de candlestick em um formato Equivolume. Em outras palavras, a largura do candlestick é determinada pelo volume. Quanto maior o volume, mais largo o candlestick. Morris chamou a combinação de gráficos de CandlePower (poder dos Candles). Citando o artigo: "...o gráfico CandlePower oferece informações semelhantes, se não melhores, aos dos gráficos Equivolume ou candlestick e é tão atraente visualmente quanto qualquer um deles." A técnica do CandlePower de Morris está disponível no software gráfico Metastock (publicado pela Equis International, 3950 S. 700 East, Suite 100, Salt Lake City, UT 84107 [800] 882-3040, www.equis.com). Seu nome, porém, foi mudado para Candlevolume. (Veja a Figura 18.10.)

Indicadores do Mercado de Ações

Figura 18.10 *Um gráfico CandlePower (também chamado Candlevolume) combina equivolume e candlesticks. A largura de cada candle (barra diária) é determinada pelo volume.*

COMPARANDO MÉDIAS DE MERCADO

No início do capítulo, mencionamos que outra forma de medir a amplitude do mercado é comparar as diferentes médias de mercado. Estamos falando principalmente do Dow Industrials, do S&P 500, do New York Stock Exchange Index, do Nasdaq Composite e do Russel 2000. Cada um mede uma porção ligeiramente diferente do mercado. O Dow e o S&P 500 captam as tendências de um número relativamente pequeno de ações de large caps. O NYSE Composite Index inclui todas as ações operadas na Bolsa de Valores de Nova York e oferece uma perspectiva um pouco mais ampla. Breakouts no Dow Industrial devem, como regra, se quiserem continuar relevantes, ser confirmados por breakouts semelhantes no S&P 500 e no NYSE Composite Index.

As divergências mais importantes envolvem o Nasdaq e o Russel 2000. O Nasdaq Composite possui o maior número de ações (5 mil). Entretanto, como o Nasdaq é um índice ponderado pela capitalização, ele geralmente é dominado pelas cem maiores ações de tecnologia, como Intel e Microsoft. Por causa disso, o Nasdaq costuma ser uma medida mais frequente da direção do setor tecnológico. O Russel 2000 é uma medida mais fiel do universo de small caps. Contudo, se a tendência do mercado for realmente saudável, ambos os índices devem seguir uma tendência ascendente, juntamente com o Dow e o S&P 500.

A análise de força relativa (FR) desempenha um papel útil aqui. A razão do Nasdaq para o S&P 500 nos diz se as ações de tecnologia estão na liderança ou não. Geralmente, é melhor para o mercado se elas estiverem liderando e a linha de razão estiver aumentando. (Veja a Figura 18.11.) Uma comparação entre o Russel 2000 e o S&P 500 revela se as "tropas" estão seguindo os "generais". Quando as ações menos representativas estão mostrando uma força relativa insatisfatória, ou ficando muito para trás em relação às ações mais representativas, isso costuma ser um aviso de que a amplitude do mercado está enfraquecendo. (Veja a Figura 18.12.)

Indicadores do Mercado de Ações **461**

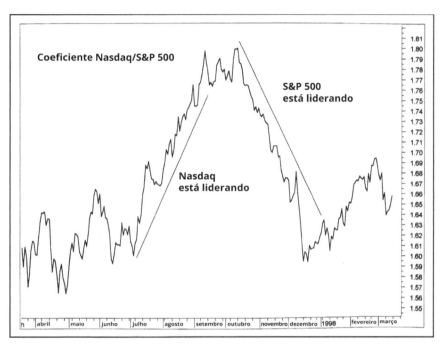

Figura 18.11 *A razão Nasdaq/S&P 500 nos diz se as ações de tecnologia estão liderando ou não no mercado. Geralmente, é melhor para o mercado quando a linha de razão está subindo.*

Figura 18.12 *Uma comparação de sobreposição das pequenas ações Russell 2000 e as grandes Dow. Geralmente é melhor que ambas as linhas estejam subindo juntas.*

CONCLUSÃO

Outro exemplo da comparação de duas médias de mercado para encontrar sinais de confirmação ou divergência envolve a Teoria de Dow. No Capítulo 2, discutimos a importância da relação entre o Dow Industrials e o Dow Transports. Um sinal de compra da Teoria de Dow está presente quando ambas as médias atingem novas altas. Quando uma diverge da outra, é dado um sinal de cautela. Pode-se ver, então, que o estudo da amplitude do mercado e questões relacionadas de confirmação e divergência podem assumir várias formas. A regra geral a seguir é que, quanto maior o número de médias do mercado de ações que estiverem seguindo na mesma direção, maiores as chances de que a tendência continue. Além disso, certifique-se de checar a linha de avanço e declínio, a linha de novas altas-novas baixas e as linhas de volume de alta-baixa, que garantem que elas também estão seguindo a mesma tendência.

19
Juntando Tudo — Uma Checklist

Como este livro demonstrou, a análise técnica é uma combinação de diversas metodologias, e cada uma acrescenta algo ao conhecimento do analista sobre o mercado. A análise técnica lembra muito a montagem de um quebra-cabeças gigante. Cada ferramenta técnica detém uma peça. Em minha abordagem à análise técnica, combino o máximo de técnicas possíveis, e cada uma funciona melhor em determinadas situações de mercado. O segredo está em saber que ferramentas enfatizar na situação atual. Essa é uma habilidade que vem com conhecimento e experiência.

De certo modo, todas as abordagens se sobrepõem e se complementam mutuamente. O dia em que o usuário distinguir essas inter-relações e for capaz de encarar a análise técnica como a soma de suas partes, será o dia em que ele merecerá o título de analista técnico. A checklist a seguir tem o intuito de ajudar o usuário a incluir todos os aspectos importantes, pelo menos, no início. Mais tarde, a checklist se torna uma segunda natureza. A checklist não engloba todas as partes, mas reúne os fatores mais importan-

463

tes a serem lembrados. Uma análise de mercado sólida consiste em fazer o óbvio. O técnico está constantemente procurando indícios de futuros movimentos de mercado. Muitas vezes, o indício final que leva o trader em uma direção é algum fator insignificante que passou despercebido pelos demais. Quanto mais fatores o analista considerar, melhores serão as chances de encontrar o indício correto.

A CHECKLIST TÉCNICA

1. Qual é a direção do mercado como um todo?
2. Qual é a direção dos vários setores do mercado?
3. O que mostram os gráficos *semanais* e *mensais*?
4. As *tendências* principais, intermediárias e secundárias são de alta, baixa ou laterais?
5. Onde estão os níveis de *suporte* e *resistência* importantes?
6. Onde estão as *linhas de tendência* ou *canais* importantes?
7. O *volume* e o *interesse aberto* confirmam o price action?
8. Onde estão as retrações de 33%, 50% e 66%?
9. Há gaps de preço? E de que tipo são?
10. Há quaisquer *padrões de reversão importantes* visíveis?
11. Há quaisquer *padrões de continuação* visíveis?
12. A partir desses padrões, quais são os *objetivos de preço*?
13. Para que lado as *médias móveis* estão apontando?
14. Os *osciladores* estão sobrecomprados ou sobrevendidos?
15. Há quaisquer *divergências* evidentes nos osciladores?
16. Os números de *opinião contrária* estão mostrando algum extremo?
17. O que o padrão das *Ondas de Elliott* está mostrando?
18. Há algum *padrão de 3 ou 5 onda*s evidentes?
19. E as retrações e projeções de *Fibonacci*?
20. Existem quaisquer topos *cycle* tops ou bottoms due?
21. O mercado está mostrando *transposição de direita ou esquerda*?
22. Para que lado a *tendência por computador* está indo: para cima, para baixo ou para o lado?
23. O que mostram os gráficos de *ponto e figura* ou *candlesticks*?

Depois de ter chegado a uma conclusão de alta ou de baixa, pergunte-se o seguinte:

1. Qual será a tendência desse mercado nos próximos meses?
2. Comprarei ou venderei esse mercado?
3. Quantas unidades operarei?
4. Quanto estou preparado para arriscar se eu estiver errado?
5. Qual é meu objetivo de lucro?
6. Onde entrarei no mercado?
7. Que tipo de ordem usarei?
8. Onde colocarei meu stop protetivo?

Percorrer a checklist não garantirá conclusões acertadas. Ela se destina apenas a ajudá-lo a fazer as perguntas corretas, o que é o meio mais seguro de encontrar as respostas certas. As chaves para operações bem-sucedidas são conhecimento, disciplina e paciência. Partindo do pressuposto de que você tem o conhecimento, preparar-se e ter um plano de ação é a melhor forma de alcançar disciplina e paciência. O último passo é fazer o plano de ação funcionar. Mesmo isso não vai garantir o sucesso, mas aumentará muito as probabilidades de vencer nos mercados financeiros.

COMO COORDENAR A ANÁLISE TÉCNICA E FUNDAMENTALISTA

Apesar do fato de que analistas técnicos e fundamentalistas muitas vezes discordam uns dos outros, há formas de trabalharem juntos para benefício mútuo. A análise de mercado pode ser abordada de qualquer direção. Embora eu ache que fatores técnicos estejam à frente dos fundamentos conhecidos, também acho que qualquer movimento de mercado importante deve ser originado por fatores fundamentais subjacentes. Assim, simplesmente faz sentido que o analista técnico tenha algum conhecimento da condição fundamentalista do mercado. O analista técnico deve, ao menos, perguntar ao seu colega fundamentalista o que teria de acontecer fundamentalmente para justificar um movimento de mercado significativo identificado em um gráfico de preços. Além disso, a reação do mercado a fatores fundamentalistas pode ser usada como um excelente indicador técnico.

O analista fundamentalista pode usar fatores técnicos para confirmar uma análise ou como um alerta de que algo importante pode estar ocorrendo. O fundamentalista pode consultar um gráfico de preço ou usar um sistema seguidor de tendências por computador como um filtro para evitar assumir posições opostas à tendência existente. Algumas ações incomuns em um gráfico de preços agem como alerta para o analista fundamentalista e fazem com que ele examine a situação fundamental com mais atenção. Em meus anos no departamento de análise técnica de uma importante corretora, muitas vezes procurei nosso departamento fundamentalista para discutir algum movimento de mercado que pareceu iminente nos gráficos de preço. Com frequência, ouvi respostas como "isso nunca pode acontecer" ou "de jeito nenhum". Muitas vezes, a mesma pessoa estava se esforçando semanas depois para encontrar razões fundamentalistas para explicar um movimento de mercado repentino e "inesperado". Certamente há espaço para mais coordenação e cooperação nessa área.

CHARTERED MARKET TECHNICIAN (CMT)

Muitas pessoas usam a análise técnica e oferecem opiniões sobre a condição técnica de vários mercados. Mas elas são realmente qualificadas para a tarefa? Como saber? Afinal, você não procura um médico que não tenha um diploma na parede, tampouco consulta um advogado que não tenha passado no exame da Ordem dos Advogados. Seu contador certamente está registrado no Conselho Regional de Contabilidade. Se você pedisse a um analista de títulos que avaliasse uma ação comum, certamente se certificaria de que ele é um analista financeiro registrado. Por que não tomar as mesmas precauções com um analista técnico?

A Market Technicians Association (MTA) resolveu essa questão com a criação do Chartered Market Technician (CMT). O programa CMT é um processo de três etapas que qualifica o analista a usar a sigla CMT após seu nome. A maioria dos analistas técnicos profissionais passou pelo programa. Na próxima vez que alguém lhe oferecer uma opinião técnica, peça para ver o CMT.

MARKET TECHNICIANS ASSOCIATION (MTA)

A Market Technicians Association (MTA) é a associação técnica mais antiga e conhecida do mundo. Ela foi fundada em 1972 para estimular o intercâmbio de ideias técnicas, educar o público e a comunidade de investimentos e criar um código de ética e padrões profissionais entre os analistas técnicos. (Em 11 de março de 1998, a MTA comemorou o 25º aniversário de sua fundação. O evento foi marcado por uma apresentação especial na reunião mensal em Nova York de três dos fundadores da organização — Ralph Acampora, John Brooks e John Greeley.) Os associados da MTA incluem analistas técnicos em período integral e outras partes interessadas (chamados afiliados). Reuniões mensais são realizadas em Nova York (Market Technicians Association, Inc., One World Trade Center, Suite 4447, Nova York, NY 10048 (212) 912-0995, e-mail: shelleymta@aol.com), e um seminário anual é realizado nos meses de maio em vários locais do país. Os membros têm acesso à biblioteca da MTA e a um quadro de avisos online. Um boletim informativo mensal e um jornal periódico da MTA são publicados. Até foram criadas algumas filiais regionais. Membros da MTA também se tornaram colaboradores da International Federation os Technical Analysts (IFTA).

O ALCANCE GLOBAL DA ANÁLISE TÉCNICA

No outono de 1985, foi realizada uma reunião no Japão com representantes técnicos de vários países para elaborar uma constituição para a International Federation of Technical Analysts (IFTA, Post Office Box 1347, Nova York, NY 10009 USA). Desde então, a organização cresceu e incluiu organizações de análise técnica de mais de vinte países. Um fator positivo de ser membro da associação são as reuniões anuais realizadas em locais como Austrália, Japão, Paris e Roma, já que uma organização nacional diferente sedia cada seminário. Tenho orgulho em dizer que, em 1992, recebi o primeiro prêmio oferecido em uma conferência da IFTA pela "contribuição de destaque à análise técnica mundial".

A ANÁLISE TÉCNICA COM QUALQUER NOME

Depois de um século de uso nos EUA (e trezentos anos no Japão), a análise técnica é mais popular do que nunca. Naturalmente, ela nem sempre é chamada de análise técnica. Em meu livro *The Visual Investor* [*O Investidor Visual*, em tradução livre], eu a chamei de análise *visual*. Foi apenas uma tentativa de fazer as pessoas irem além do título intimidador de análise técnica e examinarem essa abordagem valiosa com mais atenção. Qualquer que seja sua escolha, a análise técnica é praticada sob muitos nomes. Muitas organizações financeiras empregam analistas cuja função é calcular preços de mercado para encontrar ações ou grupos de ações que são caras (sobrecompradas) ou baratas (sobrevendidas). Eles são chamados analistas quantitativos, mas os números que calculam muitas vezes são os mesmos calculados pelos analistas técnicos. A imprensa financeira escreveu sobre uma nova "classe" de traders chamados estrategistas de "momentum". Esses traders tiram recursos de ações e grupos de ações que estão mostrando baixo impulso e os alocam para as que estão mostrando bom momentum. Eles usam a técnica chamada força relativa. Naturalmente, reconhecemos "momentum" e "força relativa" como termos técnicos.

E existem os upgrades e downgrades "fundamentalistas" das corretoras. Você notou com que frequência mudanças "fundamentalistas" ocorrem no dia seguinte a um breakout ou breakdown "gráfico" significativo? Economistas, que certamente não se consideram analistas técnicos, usam gráficos o tempo todo para medir a direção da inflação, taxas de juros e todos os tipos de indicadores econômicos. E eles falam sobre a "tendência" de todos esses gráficos. Até ferramentas fundamentalistas como relação preço/lucro têm um lado técnico. Sempre que você introduz preço em uma equação, está entrando na esfera da análise técnica. Ou, quando analistas de títulos dizem que o rendimento de dividendos do mercado de ações é muito baixo, eles não estão dizendo que os preços estão altos demais? Isso não é o mesmo que dizer que um mercado está sobrecomprado?

Finalmente, há os acadêmicos que reinventaram a análise técnica com o novo nome de *Finanças Comportamentais*. Durante anos os acadêmicos adotaram a Hipótese do Mercado Eficiente para provar que a análise técnica simplesmente não funciona. O próprio Federal Reserve lançou dúvidas sobre essas ideias.

O FEDERAL RESERVE FINALMENTE APROVA

Em agosto de 1995, o Federal Reserve Bank de Nova York publicou um relatório com o título: "Cabeça e Ombros: Não Só um Padrão Não Confiável". O relatório tinha a intenção de examinar o valor do padrão de cabeça e ombros na operação de moeda estrangeira. (A primeira edição deste livro foi citada como uma das principais fontes de análise técnica.) A frase inicial da introdução diz:

> A análise técnica, a previsão de movimentos de preço baseada em movimentos de preço passados, mostrou gerar lucros estatisticamente significativos apesar de sua incompatibilidade com o conceito de "mercados eficientes" aceito pela maioria dos economistas. (Federal Reserve Bank de Nova York, C.L. Osier e P.H. Kevin Chang, Staff Report N. 4, agosto de 1995.)

Um relatório mais recente, publicado no outono de 1997 pelo Federal Reserve Bank de St. Louis, também aborda o uso da análise técnica e os méritos relativos da Hipótese dos Mercados Eficientes. (*Technical Analysis of the Futures Markets* foi novamente citado como principal fonte de informações sobre análise técnica.) Sob o parágrafo intitulado "Repensando a Hipótese dos Mercados Eficientes", o autor escreve:

"O sucesso das normas de trading técnico mostradas na seção anterior é típico de vários estudos posteriores que mostram que a simples hipótese do mercado eficiente falha de modos importantes em descrever como o mercado de moeda estrangeira realmente funciona. Embora esses resultados não tenham surpreendido os profissionais do mercado, eles ajudaram a convencer os economistas a examinar características do mercado... que podem explicar a lucratividade da análise técnica." (Neely)

CONCLUSÃO

Se a imitação é a forma mais sincera de lisonja, então os analistas técnicos de mercado deveriam se sentir muito lisonjeados. A *análise técnica* é praticada sob vários nomes diferentes e, muitas vezes, por quem não se dá conta de que a está usando. Mas ela *está* sendo praticada. A análise técnica também evoluiu. A introdução da análise *intermercado*, por exemplo, afastou o foco da análise de "mercado único" para uma visão mais interdependente dos mercados financeiros. A noção de que todos os mercados globais estão ligados também não está mais sendo muito questionada. É por esse motivo que a linguagem universal da análise técnica a torna especialmente útil em um mundo em que os mercados financeiros, aqui e no estrangeiro, se tornaram muito interligados. Em um mundo em que a tecnologia da informática e as comunicações extremamente rápidas exigem respostas imediatas, a capacidade de interpretar os sinais do mercado são mais importantes do que nunca. E interpretar sinais de mercado é a função da análise técnica. Charles Dow introduziu a análise técnica no início do século XX. No final do século, o Sr. Dow ficaria orgulhoso do que começou.

APÊNDICES

Apêndice A: Indicadores Técnicos Avançados*

Este apêndice apresenta vários métodos técnicos avançados que podem ser usados sozinhos ou com outros estudos técnicos. Como em qualquer abordagem técnica, sempre se recomenda que os investidores procedam a testes e pesquisas independentes antes de realmente investir.

ÍNDICE DE DEMANDA (ID)

A maioria dos técnicos concordará que a análise de volume é um ingrediente importante para determinar a direção do mercado. O *Índice de Demanda* (ID) é um dos primeiros indicadores de volume desenvolvidos nos anos de 1970 por James Sibbett. A fórmula é bastante complexa (veja no final deste apêndice). O Índice de Demanda é a relação da pressão de compra e da pressão de venda. Quando a pressão de compra for maior do que a pressão de venda, o ID fica acima da linha zero, o que é positivo. Uma pressão de venda maior significa que o ID está abaixo de zero, o que implica em preços mais baixos. A maioria dos traders também procura divergências entre ID e preços.

---

* Este Apêndice foi preparado por Thomas E. Aspray.

A Figura A.1 é um gráfico semanal de futuros de Títulos do Tesouro do início de 1994 até o final de 1997. De abril a novembro de 1994, o ID ficou predominantemente abaixo da linha zero, enquanto os títulos caíram da área de 104 para a de 96. Embora os preços tenham atingido mínimos mais baixos (linha A), o ID formou mínimos mais altos (linha B). Este é um clássico positivo, ou divergência de alta, que sugere que os preços de títulos estavam caindo. A divergência foi confirmada quando o ID se moveu acima da linha zero no ponto 1. O ID atingiu seu nível mais alto para esse rali no final de maio de 1995 no ponto 2, e então caiu nas seis semanas seguintes antes de cruzar abaixo da linha zero no ponto 3. Ele ficou negativo por cinco semanas antes de voltar a ficar positivo. No próximo rali, o ID formou uma alta significativamente mais baixa no final de novembro no ponto 4. Embora o ID estivesse mais baixo (linha D), o contrato do título foi quase seis pontos mais alto (linha C). Essa divergência negativa ou de baixa advertiu sobre um pico de preço.

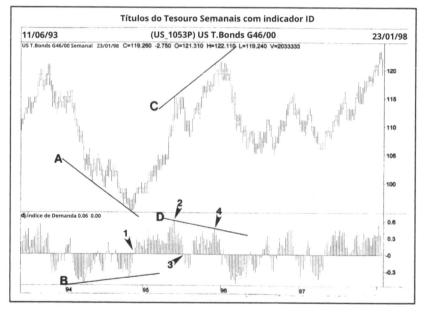

Figura A.1 *O Índice de Demanda (ID), que incorpora preço e volume, é mostrado aqui como um histograma. Valores acima de zero são positivos; abaixo de zero, negativos. Note a divergência de alta no final de 1994 e a divergência de baixa no final de 1995. (Cortesia MetaStock Equis International.)*

Apêndice A: Indicadores Técnicos Avançados

Este indicador também pode ser usado com ações. O gráfico semanal da General Motors (Figura A.2) mostra o ID plotado como uma linha, e não um histograma. Isso permite que linhas de tendência sejam traçadas com mais facilidade no indicador. Pessoalmente, considero a análise de linhas de tendência dos indicadores muito úteis. Linhas de tendência de indicadores muitas vezes são rompidas antes das linhas de tendência de preços. Foi o que ocorreu no final de 1995, quando a tendência de baixa no ID (linha A) foi rompida uma semana antes da tendência de baixa de preço correspondente (linha B). Conforme esse gráfico indica, comprar apenas uma semana antes poderia ter melhorado significativamente o preço de entrada. O ID também sinalizou uma alta de preço em meados de abril de 1996. Embora a GM estivesse atingindo uma nova alta de preço (linha C), o ID tinha formado máximas mais baixas (linha D). Esse sinal de aviso ocorreu muito antes da forte queda de preço em junho e julho.

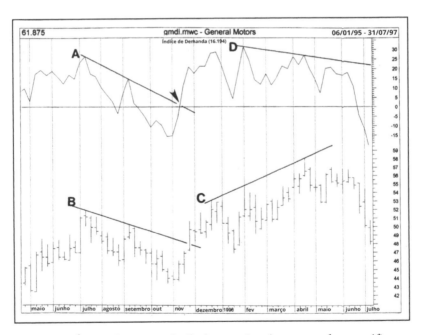

Figura A.2 *O Índice de Demanda (linha contínua) comparado ao gráfico semanal da GM. Rompimento da linha de tendência na linha ID muitas vezes precede rompimentos de linhas de tendência no gráfico de preço. Note a divergência negativa (de baixa) em abril de 1996. (Cortesia de MetaStock, Equis International.)*

ÍNDICE DE RESULTADO DE HERRICK (HPI)

Este indicador foi desenvolvido pelo falecido John Herrick como modo de analisar futuros de commodities por meio de mudanças no interesse aberto. Como discutimos no Capítulo 7, mudanças no interesse aberto podem dar importantes indícios aos traders sobre se uma tendência de mercado tem ou não um bom suporte.

O *Índice de Resultado de Herrick (HPI)* usa preço, volume e interesse aberto para determinar o fluxo de dinheiro para dentro ou fora de uma commodity em especial. Isso ajuda o trader a identificar divergências entre o price action e o interesse aberto. Muitas vezes, isso é muito importante, visto que pânicos de compra ou venda podem ser identificados por meio da análise do interesse aberto pelo Índice de Resultado de Herrick.

A interpretação mais básica do HPI é se ele está acima ou abaixo da linha zero. Um valor positivo significa que o HPI está projetando preços mais altos e que o interesse aberto está subindo com os preços. Por outro lado, leituras negativas sugerem que os fundos estão fluindo para fora da commodity analisada.

Um dos mercados de commodities mais volátil é o de café, apresentado na Figura A.3. Em março e abril de 1997, o HPI cruzou a linha zero três vezes, com o último sinal positivo no início de abril (B) durando até o início de junho. O HPI caiu abaixo de zero em junho, e, mesmo que os preços estivessem bem abaixo dos máximos, o café caiu mais 70 centavos. O HPI ficou positivo novamente no final de julho, muito perto dos mínimos. Nos dois meses seguintes, houve dois sinais de curto prazo, e então outro sinal de venda de longo prazo. Essa é uma característica do HPI quando usado nos dados diários, visto que ele cruzará acima e abaixo da linha zero várias vezes antes que um sinal de compra ou venda de duração mais longa seja dado.

Apêndice A: Indicadores Técnicos Avançados   477

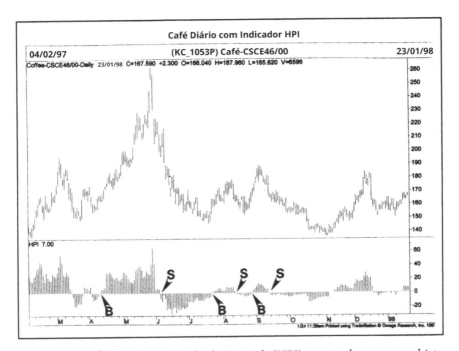

Figura A.3 *O Índice de Resultado de Herrick (HPI) mostrado como um histograma com preços de café. O HPI usa preço, volume e interesse aberto em seus cálculos e é usado nos mercados de derivativo Cruzamentos acima de zero são compras (B); cruzamentos abaixo são vendas (S).*

O HPI, como o Índice de Demanda, é mais eficaz quando usado em dados semanais, visto que menos sinais falsos são evidenciados. A análise de divergência também pode ser usada para avisar ao trader sobre uma mudança de fluxo de dinheiro positivo para negativo. Há vários bons exemplos nos gráficos de futuros de Títulos do Tesouro (Figura A.4) que cobrem aproximadamente seis anos de operações. O HPI permaneceu positivo do final de 1992 até o final de 1993, atingindo um pico no início de 1993, e, quando os títulos subiram quase 10 pontos (linha A), estava formando uma linha mais baixa (linha B). Essa divergência negativa advertiu traders de títulos sobre a queda nos preços que ocorreu em 1994. O HPI ultrapassou a linha zero no final de outubro de 1993, mas então ficou ligeiramente positivo no início de 1994, antes de voltar para baixo da linha zero. O HPI atingiu seu nível mais baixo na primeira metade de 1994 e teve uma baixa bem antes dos preços. Quando os preços atingiam mínimos mais baixos (linha C), o HPI estava formando mínimos mais altos e, consequentemente, uma divergência positiva (linha D). O HPI voltou ao território positivo em dezembro de 1994, quando os títulos estavam muito próximos de seus mínimos. Uma divergência negativa se formou no final de 1996 (linha F), depois de os títulos terem subido mais de 25 pontos a partir dos mínimos do final de 1994. A linha zero foi cruzada várias vezes em 1996 e no início de 1997 antes que o HPI se movesse com firmeza para território positivo. Esses dois exemplos devem ilustrar por que o HPI e sua análise do interesse aberto podem ser úteis na análise da direção do mercado de commodities.

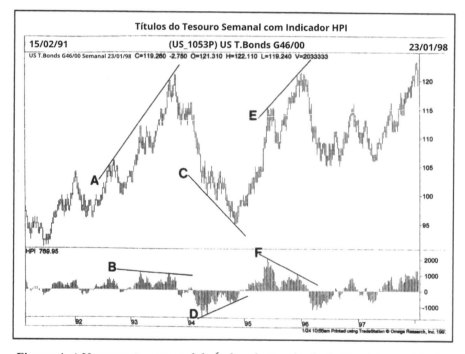

Figura A.4 *Uma versão semanal do Índice de Resultado de Herrick com Títulos do Tesouro Norte-Americano. Note as divergências de baixa em 1993 e 1995, e a divergência de alta em 1994.*

Apêndice A: Indicadores Técnicos Avançados
479

BANDAS STARC E CANAIS DE KELTNER

Como discutido no Capítulo 9, técnicas de bandas têm sido usadas há muitos anos. Dois tipos que prefiro são baseados na *Média de Amplitude de Variação*. Apesar desse fator comum, esses dois tipos de bandas são usados de várias formas diferentes. A Média de Amplitude de Variação é a média de variação de preços reais durante × períodos. A *Amplitude de Variação* é a maior distância do máximo ao mínimo de hoje, do fechamento de ontem ao máximo de hoje, ou do fechamento de ontem do mínimo de hoje. Veja *New Concepts in Technical Trading Systems* [*Novos Conceitos em Sistemas Técnicos de Trading*, em tradução livre], de Welles Wilder.

Manning Stoller, conhecido especialista na área de commodities, desenvolveu o Stoller Average Range Channels (Canais de Variação Média de Stoller) ou as bandas *starc*. Em sua fórmula, a *Média de Amplitude de Variação* de 15 períodos é dobrada e somada ou subtraída de uma média móvel de 6 períodos. A banda superior é starc+; a banda inferior é starc-. O movimento fora dessas bandas é incomum e indica uma situação extrema. Dessa forma, elas podem ser usadas como filtros de trading. Quando os preços estão perto ou acima da banda starc+, o risco de comprar é alto, e o de vender é baixo. Por outro lado, se os preços estiverem na banda starc ou abaixo dela, estão na zona de venda de alto risco e em um ponto mais favorável de compra.

O gráfico de continuação de futuros de ouro (Figura A.5) é plotado com as bandas starc+ e starc-. Em fevereiro de 1997, no ponto 1, os preços do ouro ultrapassaram ligeiramente a banda starc-. Embora o price action tenha sido fraco, as bandas starc indicaram que esse não era um bom momento para vender. Ao esperar, era provável que uma melhor oportunidade de venda ocorresse. Apenas três semanas depois, o ouro subiu US$22 e atingiu a banda starc+ (ponto 2). O ponto 2 era uma oportunidade de venda de baixo risco. Em julho (ponto 3), os preços de ouro caíram bem abaixo da banda starc-, mas, em vez de caírem ainda mais, moveram-se lateralmente nas 12 semanas seguintes. Então, os preços do ouro começaram a cair de novembro a dezembro de 1997 e atingiram a banda starc- três vezes (ponto 4). Em todos os casos, os preços se estabilizaram ou aumentaram durante uma a duas semanas. Essas bandas funcionam bem em todos os períodos de tempo mesmo em gráficos de barras de cinco a dez minutos. Bandas starc podem ajudar o trader a evitar perseguir o mercado, o que quase sempre resulta em um preço de entrada insatisfatório.

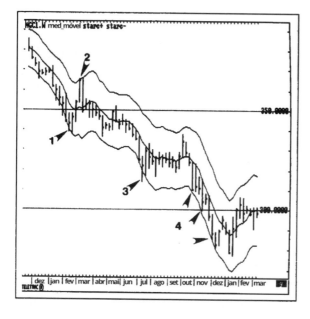

Preço semanal do ouro com bandas starc

Linha superior = starc+

Linha intermediária = média de seis semanas

Linha inferior = starc-

Figura A.5 *Bandas starc plotadas abrangendo uma média móvel de seis semanas de preços de ouro semanais. Os pontos 1 e 3 mostram preços subindo depois de cair abaixo da banda inferior. O ponto 2 mostra a queda dos preços depois de uma subida acima da banda superior.*

Os *canais Keltner* foram originalmente desenvolvidos por Chester Keltner em seu livro de 1960 *How to Make Money in Commodities* [*Como Ganhar Dinheiro com Commodities*, em tradução livre]. Linda Raschke, uma trader de commodities muito bem-sucedida, reapresentou-os aos analistas técnicos. Em sua modificação, as bandas também se baseiam na *Média de Amplitude de Variação* (MAV), mas a MAV é calculada durante dez períodos. Esse valor MAV é então dobrado e somado a uma média móvel exponencial de 20 períodos para a banda positiva e subtraída para a banda negativa.

Apêndice A: Indicadores Técnicos Avançados

O uso recomendado dos canais de Keltner e das bandas starc é muito diferente. Quando os preços fecham acima da banda positiva, um sinal positivo é dado, visto que indica um breakout na volatilidade de alta. Por outro lado, quando os preços fecham abaixo da banda negativa, o sinal é negativo, e os preços cairão. Em muitos aspectos, essa é somente uma representação gráfica do sistema de breakout de canais de quatro semanas discutido no Capítulo 9.

A Figura A-6 é um gráfico diário de futuros de cobre de março de 1998. Os preços fecharam abaixo da banda negativa no final de outubro de 1997 no ponto 1. Isso indicou que os preços deveriam começar uma nova tendência de baixa, e os preços do cobre caíram 16 centavos nos dois meses seguintes.

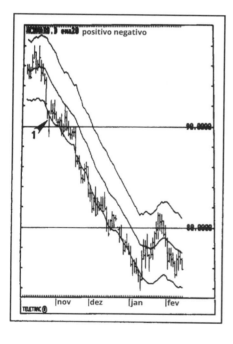

Preços diários do cobre com Canais de Keltner

Linha superior = canal positivo

Linha intermediária = média exponencial de 20 dias

Linha inferior = canal negativo

Figura A.6 *Canais de Keltner plotados ao redor de uma média exponencialmente suavizada de vinte dias para preços diários de cobre. Com este indicador, movimentos abaixo do canal inferior (como o ponto 1) são interpretados como um sinal de fraqueza.*

Houve vários outros fechamentos abaixo da banda negativa durante esse período. Até os preços fecharem acima da banda positiva, o sinal negativo continuará sem efeito. Este segundo gráfico de preços do café em março de 1998 (Figura A.7) mostra um sinal positivo no ponto 1. Depois de dois fechamentos consecutivos acima da banda positiva, os preços então caíram ao nível da média móvel exponencial (MME) de 20 períodos. Em um mercado de alta, a MME de 20 períodos deve agir como suporte. Vários dias depois que a MME foi tocada (ponto 2), os preços do café iniciaram um forte aumento de 30 centavos em apenas algumas semanas.

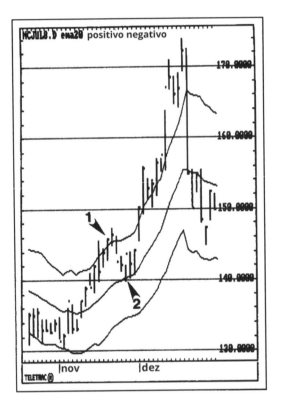

Gráfico diário de café com Bandas de Keltner

Figura A.7 *Canais de Keltner com um gráfico diário de café. O ponto 1 mostra os preços rompendo o canal superior com seu sinal de força. Note que, depois desse sinal de compra, os preços encontraram suporte na média móvel exponencial de dois dias (linha intermediária) no ponto 2.*

Ambas as técnicas oferecem uma abordagem alternativa aos envelopes percentuais ou bandas de desvio-padrão (como as Bandas de Bollinger). Nenhuma delas é apresentada como um sistema de trading isolado, mas devem ser consideradas como mais uma ferramenta útil.

FÓRMULA PARA O ÍNDICE DE DEMANDA

O Índice de Demanda (ID) calcula dois valores, a Pressão de Compra (PC) e a Pressão de Venda (PV), e então calcula coeficiente de ambos. O ID é PC/PV. Há algumas pequenas variações da fórmula. Veja outra versão:

Se os preços aumentam:

PC = V ou Volume

PV = V/P, sendo que P é a % de mudança no preço

Se os preços caem:

PC = V/P, sendo P a % de mudança no preço

PV = V ou Volume

Como P é um decimal (menos que 1), ele é modificado multiplicando-o pela constante K.

P = P(K)

K = (3 &tempo; C)/MV

Sendo C o preço de fechamento e MV (Média de Volatilidade) a média de dez dias de uma variação de preço de dois dias (alta máxima — baixa mínima).

Se PC > PV, então ID = PV/PC

O Índice de Demanda é incluído no menu gráfico da MetaStock.

Apêndice B: Perfil de Mercado[*]

INTRODUÇÃO

O propósito desta seção é mostrar o que é o Perfil de Mercado e definir seus princípios básicos. Antes do início dos anos de 1980, as únicas ferramentas técnicas disponíveis eram o gráfico de barras e o de ponto e figura. Desde então, o Market Profile®[**] foi introduzido para ampliar o arsenal de ferramentas técnicas. O Perfil de Mercado é, essencialmente, uma abordagem estatística para a análise de dados de preços.[***] Para quem não tem conhecimentos de estatística, pode ser útil ver um exemplo conhecido. Pense em um grupo de estudantes fazendo uma prova. Normalmente, alguns terão uma nota muito alta (90 ou mais), e alguns, muito baixas (por exemplo, 60 ou menos), mas a maioria das notas estará reunida em volta de uma nota média (por exemplo, 75). Podemos usar um *histograma* para representar a *frequência de distribuição* das notas dessa prova em um "quadro estatístico" (Figura B.1).

---

[*] Este apêndice foi preparado por Dennis C. Hynes.

[**] O Market Profile® é uma marca registrada do Chicago Board of Trade (CBOT), aqui chamado de Perfil de Mercado ou o *perfil*. O conceito foi desenvolvido por J. Peter Steidlmayer, anteriormente da CBOT. Para mais informações sobre o tema, contate a CBOT ou leia o último livro do Sr. Steidlmayer: *141 WEST JACKSON* (1996).

[***] Originalmente criado para preços de futuros de commodities, o formato pode ser usado para qualquer série de dados de preços em que uma atividade de transações contínua estiver disponível.

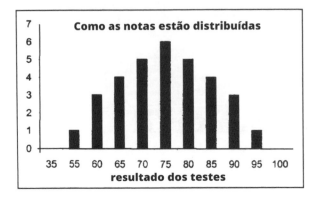

Figura B.1

Como podemos ver, a nota mais frequente, ou a nota *modal*, é 75 (6 estudantes) enquanto a *variação* das notas é definida pelas notas mais altas e mais baixas (55 e 95). Observe como as notas são distribuídas com uniformidade ao redor da nota modal. Para uma distribuição *simétrica* perfeita, a nota modal será igual à *média*. Em seguida, observe que a distribuição tem o "formato de sino", o sinal que indica uma distribuição *normal*. Para uma distribuição perfeita, intervalos de *desvio-padrão* específicos se relacionam a números de observação específicos. Por exemplo, se as notas da prova forem, de fato, normalmente distribuídas com perfeição, então 68,3% dessas notas cairão em um (1) desvio-padrão da média. Embora seja improvável que dados reais formem uma distribuição normal perfeita, muitas vezes eles ficam próximos o bastante para que essas relações possam ser empregadas.

Os preços, como outras mensurações físicas (por exemplo, notas de provas escolares, altura da população etc.), também são *distribuídos* ao redor de uma média de preço. O que é o *gráfico* de Perfil de Mercado? Visualize-o como simplesmente uma distribuição de frequência de preços dispostos como um histograma de preços virado de lado (Veja as Figuras B.2a e B.2b).

Apêndice B: Perfil de Mercado **487**

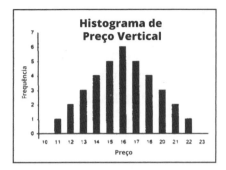 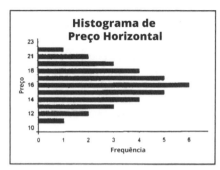

Figura B.2a *Tradicional.*   **Figura B.2b** *Virado de lado.*

O elemento central do gráfico de Perfil de Mercado é a curva *normal* (em forma de sino) usada para mostrar a evolução da distribuição de preços. Quando a suposição da curva normal é reconhecida, pode-se identificar o preço modal ou médio, computar uma dispersão de preço (desvio-padrão) e fazer declarações de probabilidade referentes à distribuição de preço. Por exemplo, praticamente todos os valores caem em três (3) desvios-padrão da média, enquanto cerca de 70% (68,3%, para ser exato) caem em um (1) desvio-padrão da média (Veja a Figura B.3).

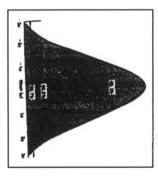

Figura B.3 *O gráfico de perfil revela que a atividade de mercado é regularmente distribuída.*

O Perfil de Mercado fornece um quadro do que está ocorrendo *aqui e agora* no mercado. Em sua busca por promover as operações, o mercado está balanceado (equilibrado) ou desbalanceado (desequilibrado) com o que existe entre compradores e vendedores. Como o mercado é dinâmico, o *gráfico* do perfil retrata o equilíbrio como períodos em que o mercado está balanceado — quando a distribuição de preço é simétrica — e representa desequilíbrio em períodos de desbalanceamento — quando a distribuição de preço está assimétrica ou distorcida.

O Perfil de Mercado não é um sistema de trading, tampouco fornece recomendações de trade. O objetivo do gráfico de perfil é permitir ao usuário assistir à *recorrência* do desenvolvimento de um valor de mercado ao longo do tempo. Dessa forma, o Perfil de Mercado é uma ferramenta de *apoio à decisão* que exige do usuário exercer julgamento pessoal no processo de trading.

O GRÁFICO DE PERFIL DE MERCADO

O formato do Perfil de Mercado organiza preço e tempo em uma representação visual do que ocorre no curso de uma única sessão. Ele fornece uma estrutura lógica para observar o comportamento do mercado no *tempo presente* exibindo distribuições de preço em um determinado período de tempo. A faixa de preço evolui vertical e horizontalmente pela seção. E como o gráfico de perfil é construído?

Pense em um gráfico de barras de quatro períodos (Veja a Figura B.3a). Esse gráfico de barras tradicional pode ser convertido em um gráfico de perfil da seguinte forma: (1) designe uma letra para cada preço em cada faixa de preço do período — letra A para o 1º período, B para o 2º, e assim por diante (Veja a Figura B.3b) — e então (2) reúna cada faixa de preço na primeira coluna ou coluna da esquerda (Veja a Figura B.3c). O gráfico de perfil completo reflete os preços à esquerda e a frequência dos períodos de ocorrência de preço à direita, representados pelas letras de A a D.

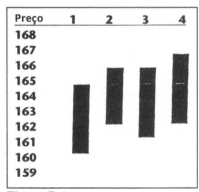

Figura B.3a   Figura B.3b

Cada letra representa uma *Oportunidade de Tempo e Preço* (OTP) para identificar um preço específico usado nas operações do mercado (por exemplo, em B, os preços do período operaram entre 163 e 166). Essas OTPs são unidades básicas de análise para a atividade do dia. Em outras palavras, cada OTP é uma *oportunidade* criada pelo mercado em determinado *tempo* e determinado *preço*. As distribuições do Perfil de Mercado são construídas por OTPs. O Chicago Board of Trade

Preço				
168				
167	D			
166	B	C	D	
165	A	B	C	D
164	A	B	C	D
163	A	B	C	D
162	A	C		
161	A			
160				
159				

Figura B.3c

(CBOT) designa uma letra a cada período de trading de meia hora em uma base de 24 horas; as letras maiúsculas de A a X representam períodos de meia hora a partir da meia-noite ao meio-dia, enquanto letras minúsculas de "a" a "x" representam períodos de meia hora do meio-dia à meia-noite.[****]

ESTRUTURA DE MERCADO

Se você visitar um pregão da bolsa de commodities em um dia movimentado, notará que ele seria mais bem descrito como um "caos organizado". Debaixo dos gritos e gestos dos *locais* e de outros traders, há um processo descritível. Pense no mercado como um lugar em que os participantes com diferentes necessidades de preço e limitações de tempo competem entre si para fechar negócios. As emoções podem ficar intensas enquanto a ansiedade dispara.

O conceito de Perfil de Mercado foi introduzido pelo Sr. Steidlmayer em uma tentativa de ajudar a descrever esse processo. Como um trader do

---

[****] A designação de letras pode variar entre os usuários. Por exemplo, a CQG utiliza letras maiúscula de **A** a **Z** das 8h CST, enquanto letras minúsculas de **a** a **z** a partir das 22h CST..

pregão da CBOT (local) e estudioso do comportamento do mercado, ele observou padrões recorrentes de atividade de mercado e, por fim, criou as bases de sua compreensão do mercado. Como o pregão da CBOT realiza as operações de modo parecido a um leilão, ele definiu os princípios do Perfil de Mercado em termos de leilão. Por exemplo, um trader off-the-floor descreveria um mercado avançado como um que está *subindo* ou *operando para cima*, enquanto o Sr. Steidlmayer diria, em vez disso, algo como "o mercado continua *em leilão, anunciando* os vendedores para *impedir* a compra".

Para explicar por que um processo de leilão no pregão funciona dessa maneira, ele inventou alguns termos novos desconhecidos para traders off-the-floor. Ele começou com uma definição do propósito de mercado, que é *facilitar* uma operação. Em seguida, definiu alguns procedimentos operacionais, a saber, que o mercado opera no modo de *leilão duplo*, enquanto os preços *giram* em volta de uma área de preço justo ou médio (isto é, semelhante à forma como são distribuídas as notas escolares). Por fim, ele definiu as características do comportamento de participantes do mercado, ou seja, que traders que atuam no curto prazo procuram um preço *justo*, enquanto traders com prazo maior procuram preços *vantajosos*.

PRINCÍPIOS DE ORGANIZAÇÃO DO PERFIL DE MERCADO

Cenário de Leilão: O objetivo do mercado é *facilitar* ou promover o trade. Toda a atividade ocorre nesse cenário de leilão. Inicialmente, à medida que os preços sobem, mais compras ocorrem, e à medida que os preços caem, mais vendas ocorrem. O mercado sobe para *interromper* as compras (isto é, leiloar até o último comprador comprar), e baixa para *interromper* as vendas (ou seja, leiloar até o último vendedor vender). O mercado realmente opera por um processo de *leilão duplo*. Quando o preço aumenta e ocorrem mais vendas, o movimento ascendente *anuncia* uma resposta contrária (isto é, de venda) a fim de parar o movimento direcional. O oposto se aplica quando o preço cai.

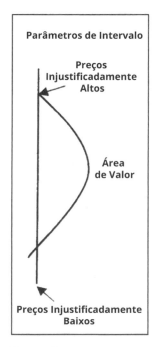

Figura B.4

Negociação Contínua: Quando o mercado se move em uma direção, ele estabelece padrões de preço, uma *alta injusta* e uma *baixa injusta*, e então opera entre eles para definir uma área de *valor justo*. Todos os trades ocorrem por meio desse *processo de negociação* e fica nesses parâmetros até que um lado ou outro seja tirado (isto é, até que uma nova alta ou baixa seja formada). (Veja a Figura B.4.)

Equilíbrio e Desequilíbrio de Mercado: O mercado está equilibrado ou buscando o equilíbrio entre compradores e vendedores. Para facilitar o trade, o mercado se move de um estado de balanceamento (equilíbrio) para um de *desbalanceamento* (desequilíbrio), e volta ao equilíbrio. Esse padrão de comportamento de mercado ocorre em todos os espaços de tempo, da atividade de sessões intraday à atividade de sessões individuais à atividade de sessões agregadas ou consolidadas que formam o leilão de longo prazo.

Time Frames e Comportamento do Trader: O conceito de diferentes time frames foi introduzido para ajudar a explicar os padrões de comportamento dos participantes de mercado. A atividade de mercado é dividida em duas categorias de tempo: o curto prazo e o longo prazo. A atividade de curto prazo é definida como atividade de *time frames diário*, em que os traders são obrigados a operar no dia de hoje (por exemplo, locais, day traders e traders de opções no dia de vencimento se inserem nessa categoria). Com tempo limitado para agir, o trader de curto prazo busca um preço *justo*. Compradores e vendedores de curto prazo *operam* uns com os outros ao mesmo tempo e ao mesmo preço. A atividade de longo prazo é definida por todas as atividades em outros *time frames* (por exemplo, comerciais, swing traders e todos os traders de outras posições se inserem nessa categoria). Sem ser obrigados a operar naquele dia e com o tempo como aliado, esses traders podem buscar um *preço mais vantajoso*. Em busca de seus interesses, compradores de longo prazo procuram preços mais baixos, enquanto vendedores de longo prazo procuram preços mais altos. Como seus objetivos de preços diferem, compradores e vendedores de longo prazo geralmente *não* operam uns com os outros ao mesmo preço e ao mesmo tempo. É a interação comportamental desses dois tipos de atividades em time frames distintos que faz com que o perfil se desenvolva dessa forma.

Os Traders de Curto Prazo e os de Longo Prazo Desempenham Papéis Diferentes: Traders de curto e longo prazo desempenham papéis essenciais, mas diferentes, na facilitação das operações. O *equilíbrio inicial* do mercado (isto é, um local em que uma operação bilateral pode ocorrer) geralmente é estabelecido na primeira hora de trade por compradores e vendedores de curto prazo (atividade durante o dia) em sua busca por um preço justo. A maioria da atividade do dia ocorre na área do preço ou valor justo. Preços acima e abaixo dessa área desenvolvida de valor justo oferecem oportunidades e são vantajosos para traders de longo prazo. Com o tempo ao seu lado, traders de longo prazo podem aceitar ou rejeitar preços distantes do valor justo. Ao entrar no mercado com grande quantidade de volume, compradores e vendedores de longo prazo podem abalar o *equilíbrio inicial*, dessa forma estendendo a faixa de preços para cima ou para baixo. O trader de longo prazo é responsável pela forma pela qual a faixa do dia se desenvolve e pela duração do leilão de longo prazo. Em outras palavras, o papel do trader de longo prazo é dar direção ao mercado.

Preço e Valor: A distinção entre preço e valor define uma oportunidade gerada pelo mercado. Há dois tipos de preços: 1) os que são aceitos — definidos como área de preço em que o mercado opera ao longo do tempo; e 2) os que são rejeitados — definidos como a área de preço em que o mercado passa muito pouco tempo. Um preço rejeitado é considerado excessivo no mercado — definido como uma alta ou baixa injusta. Preço e valor são quase sinônimos para traders de curto prazo, já que normalmente operam em uma área de valor justo. Para traders de longo prazo, porém, o conceito de que o preço corresponde ao valor geralmente é incorreto. O preço é *observável* e *objetivo*, enquanto o

Apêndice B: Perfil de Mercado

valor é *percebido* e *subjetivo*, dependendo das necessidades específicas dos traders de longo prazo. Por exemplo, um preço no alto da faixa do dia, embora excessivo ou injusto para hoje, é *barato* para o trader de longo prazo, que acha que os preços na semana seguinte serão muito mais altos (isto é, o preço de hoje está *abaixo* do valor esperado para a semana seguinte).

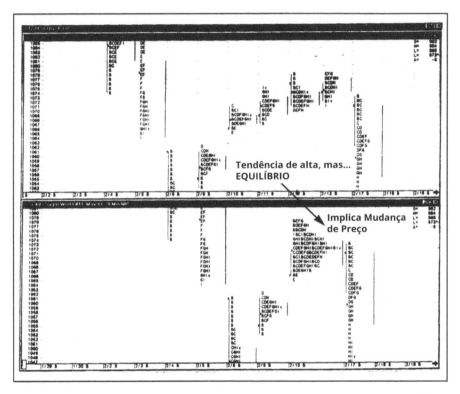

Figura B.5 *Ao combinar gráficos diários consecutivos de perfil (superior) em um gráfico de perfil maior cumulativo (inferior), surge um quadro da evolução do equilíbrio ou desequilíbrio de longo prazo.*

O trader de longo prazo distingue preço e valor ao aceitar ou rejeitar preços atuais que se afastam de sua percepção de valor justo. Lembre-se que preços em alta chamam a atenção de vendedores, enquanto preços em baixa chamam a atenção dos compradores. Quando um trader de longo prazo reage a um preço anunciado, seu comportamento é esperado, e é chamado de *responsivo*. Por outro lado, se o trader de longo prazo fizer o oposto (isto é, comprar depois do aumento de preços e vender depois da queda de preços), então essa atividade inesperada é chamada de *iniciante*. Classificar a atividade de longo prazo como responsiva ou iniciante em relação à área de valor em evolução de ontem ou de hoje fornece muitas evidências sobre a confiança do trader de longo prazo. Quanto mais confiante o trader se torna, maior a probabilidade de tomar uma ação de iniciante.

DESENVOLVIMENTO DE FAIXA E PADRÕES DE PERFIS

Como a atividade de mercado não é arbitrária, não é de surpreender que padrões de preço reconhecíveis se revelem. Um trader habilidoso capaz de prever esse desenvolvimento de padrão em seu estágio inicial pode tirar vantagem dele. O Sr. Steidlmayer identifica os seguintes padrões de *desenvolvimento de faixa* diários:

1. Um *dia normal* ocorre quando o trader de longo prazo está relativamente inativo. A faixa do dia é estabelecida pela *faixa pioneira* (definida como a primeira coluna de preços) durante o período da primeira meia hora de operação. O trader de curto prazo estabelece o equilíbrio inicial, a alta e baixa injusta, e então os preços giram entre esses *parâmetros* para chegar ao equilíbrio do dia (Veja a Figura B.6: *Painel nº1 — Suco de Laranja*).

2. Um *dia de variação normal* ocorre quando o trader de longo prazo é mais ativo e amplia a faixa além do equilíbrio inicial. Nesse caso, os parâmetros do equilíbrio inicial dos traders de curto prazo não se mantêm, e há algum movimento direcional que amplia a faixa e estabelece um novo padrão de alta ou baixa. Como regra, a extensão da faixa além do equilíbrio inicial pode ser qualquer coisa entre um par de tics e o dobro do equilíbrio inicial. Provavelmente, esse tipo de perfil é o mais comum (Veja a Figura B.6: *Painel nº 2 — Dow Jones Industrial Average*).

Apêndice B: Perfil de Mercado

3. Um ***dia de tendência*** ocorre quando o trader de longo prazo amplia ainda mais a faixa sucessivamente. Nesse caso, a faixa é consideravelmente maior que o dobro do equilíbrio inicial, com o trader de longo prazo controlando a direção à medida que o mercado continua sua busca pelo preço justo. Aqui o mercado se move em uma direção e fecha no ou perto do extremo direcional (Veja a Figura B.6: *Painel nº3 — Iene Japonês*).

4. Um ***dia neutro*** ocorre quando um trader de longo prazo amplia a faixa após o equilíbrio inicial em uma direção, depois a reverte e amplia na direção oposta. Dias neutros indicam incerteza do trader e ocorrem quando o mercado sonda ou testa tendências de continuação ou mudança de preço (Veja a Figura B.6: *Painel nº4 — Gado*).

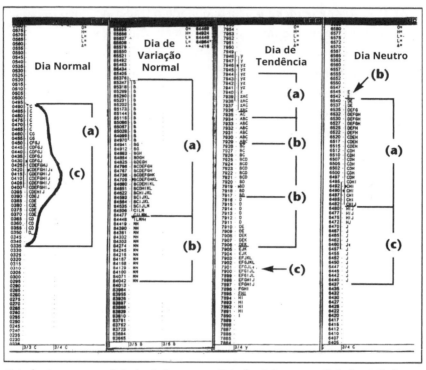

Painel nº1,　　　　Painel nº2, Dow　　Painel nº3, Iene　　Painel nº4, Gado
Suco de Laranja　　Jones Industrials　　Japonês

DIA NORMAL

(a) Equilíbrio Inicial definido para traders de curto prazo nos primeiros dois períodos: C&D

(b) Traders de longo prazo estão inativos

(c) Distribuição de preço simétrica ou equilibrada

DIA DE VARIAÇÃO NORMAL

(a) Equilíbrio Inicial definido por traders de curto prazo em períodos: B&C

(b) Traders de longo prazo ampliaram a faixa para quase o dobro do equilíbrio inicial

DIA DE TENDÊNCIA

(a) Equilíbrio Inicial definido por traders de curto prazo em períodos: y & z

(b) Traders de longo prazo ampliam a faixa sucessivamente adiante

(c) Mercado fecha perto da baixa direcional

DIA NEUTRO

(a) Equilíbrio Inicial definido por traders de curto prazo em períodos: C&D

(b) Traders de longo prazo primeiro ampliam no período E, depois

(c) Traders de longo prazo ampliam no período H

Figura B.6

RASTREANDO ATIVIDADE DE MERCADO DE LONGO PRAZO

Com exceção de vendedores de opções, que lucram quando os preços permanecem estáveis, a estratégia de lucro da maioria dos traders exige movimento de preço direcional. O trader ganha quando acerta a direção e perde quando erra. Como o trader de longo prazo é responsável por determinar o movimento direcional do mercado, monitoramos essa atividade para ajudar a detectar sinais de uma tendência de preço. Depois de identificar e avaliar atividade do trader de longo prazo, pode-se chegar a uma conclusão com base em informações sobre a direção dos preços. Iniciamos o processo identificando a influência do trader de longo prazo na sessão do dia e então analisando como essa influência se estende ao futuro.

- **Influência no desenvolvimento da variação do dia**: O gráfico de perfil ajuda a identificar o comportamento do trader de longo prazo durante o desenvolvimento da variação do dia. Ao monitorar a atividade de longo prazo durante a variação, especialmente em *extremos*, em *extensão da variação* e após o encerramento da *área de valor*, podemos determinar se compradores ou vendedores de longo prazo são mais ativos e, dessa forma, controlam a direção do mercado. A atividade em extremos oferece a indicação mais clara da influência do trader de longo prazo, seguida pela extensão da variação e então a área de valor de compra e venda.

  1. *Extremos* se formam quando o trader de longo prazo compete com o de curto prazo por oportunidades em um nível de preço em especial (que depois se torna o máximo ou mínimo da sessão). Pelo menos, duas impressões são necessárias para estabelecer um extremo. Quanto mais ansioso o trader de longo prazo se mostrar na competição, mais single prints e mais longo é o extremo do single print. Qualquer coisa inferior a duas impressões sugere que o trader de longo prazo não está muito interessado em competir por esse preço. Um topo ou fundo *local* é formado quando apenas um single print define o topo ou fundo da variação. Essa condição

implica que o mercado ofereceu uma oportunidade de preço que realmente ninguém queria (isto é, nenhum indício de competição) (Veja a Figura B.7: *Painel nº1* — Intel Corporation).

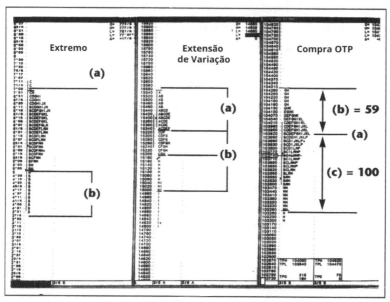

Painel nº1,
Intel Corporation

Painel nº2,
Café

Painel nº3,
Índice S&P 500

Extremo: a formação requer, pelo menos, dois OTPs

(a) Extremo de Venda 77 11/32 a 77 5/32

(b) Extremo de Venda de 73 31/32 a 75 revela competição acirrada entre traders de curto e longo prazo

Extensão de Variação: ocorre quando traders de longo prazo abalam o equilíbrio inicial

(a) Equilíbrio Inicial definido em períodos: A & B.

(b) Queda na extensão de faixa nos períodos C, H e I

Área de Valor/Compra ou Venda OTP: avaliação sobre se compradores ou vendedores de longo prazo controlam a sessão atual na área de valor

(a) Preço Modal ou mais Justo em 1039.20

(b) Contagem de venda OTP igual a 59

(c) Contagem de venda OTP igual a 100

(d) Desequilíbrio para o lado de compra implica que os preços precisam aumentar para equilibrar o mercado.

Figura B.7

Apêndice B: Perfil de Mercado

2. **Extensão de Variação** ocorre quando o trader de longo prazo entra no mercado com volume suficiente para abalar o equilíbrio e estender a faixa para cima ou para baixo. A extensão da faixa para cima indica compra de longo prazo, enquanto extensão da faixa para *baixo* indica venda de longo prazo. Entretanto, há ocasiões em que o comprador e o vendedor de longo prazo são ativos em um extremo de variação, mas não no mesmo preço e ao mesmo tempo (lembre-se de que compradores e vendedores de longo prazo geralmente não operam entre si). Por exemplo, se um extremo é formado após uma extensão de variação para cima, o mercado sofre uma alta primeiro para encerrar a compra, e então cai para encerrar a venda. Esse é um exemplo de compradores e vendedores de longo prazo operando na mesma área de preço, mas em momentos diferentes. Os dois tipos de atividade nos extremos são identificados para avaliar o impacto de compra e venda de longo prazo (Veja a Figura B.7: *Painel nº2 — Café*).

3. A *Área de Valor* é determinada a cada sessão de trading por rotações de preço ao redor do preço modal (isto é, o preço com a contagem OTP mais alta ou o preço mais *justo*). A área de valor é computada pela contagem de 70% de todas as OTPs que cercam o preço mais justo. Em outras palavras, a área de valor é uma estimativa do valor justo que é aproximado por um desvio-padrão do volume de trading da sessão (lembre-se do exemplo anterior do aluno). Quando um trader de longo prazo opera na área de valor, ele está comprando baixo ou vendendo alto em relação a uma visão de longo prazo, não em relação ao valor do dia. Esse comportamento cria um desequilíbrio na área de valor do dia. A atividade do trader de longo prazo é medida com a contagem de OTPs. O procedimento a seguir pode ser usado para determinar que lado contém o desequilíbrio de longo prazo: 1) uma linha é traçada pelo prazo mais justo; e 2) OTPs são contadas em qualquer lado do preço mais justo até que uma single print seja encontrada.

O desequilíbrio é designado para o lado com o menor número de OTPs, porque a atividade de longo prazo representa uma porcentagem menor do trade total na área de valor. Por exemplo, se a contagem de OTP foi 22 acima e 12 abaixo do preço mais justo, isso indicaria uma venda OTP líquida com uma leve inclinação na direção de preços mais baixos (Veja a Figura B.7: *Painel nº3 — Índice S&P 500*). Note que a OTP de compra e venda na área de valor *não se aplica a dias com tendência*, visto que o mercado ainda está em busca da área de valor justo.

Depois de identificar e avaliar corretamente a atividade de longo prazo no gráfico de perfil de hoje, o usuário pode facilmente determinar se os compradores e vendedores de longo prazo estavam no controle da atual sessão de trading.

- **Influência além de hoje**: O gráfico de perfil também ajuda a identificar o comportamento do trader de longo prazo além do desenvolvimento da variação do dia de hoje. Um das principais metas do trader é determinar se o preço atual do mercado continuará ou tem probabilidade de mudar. Uma mudança na direção de mercado é uma *reversão* da tendência de preço atual. A abordagem técnica padrão para a avaliação de tendências, sem o Perfil de Mercado, é traçar uma linha de tendência apropriada e monitorar o price action subsequente contrário. A menos que a linha de tendência seja ultrapassada, espera-se que a tendência atual de preço continue. A análise de linhas de tendência é a mais importante das ferramentas técnicas básicas, principalmente considerando seu uso e aplicabilidade universais em diferentes intervalos de tempo (isto é, horas, dias, semanas, meses etc.).

O Perfil de Mercado, por outro lado, oferece uma abordagem alternativa à análise de tendência tradicional ao avaliar a atividade do mercado em diferentes períodos. Em sua forma mais simples, uma avaliação do gráfico de perfil em dias consecutivos pode ajudar a definir o início ou continuação da tendência de curto prazo. Por exemplo, se a área de valor de hoje for maior do que a de ontem, a tendência de preço de mercado atual está em alta. Além disso, se a área de valor de amanhã for maior do que a de hoje, a tendência de mercado atual continuou. Ao monitorar a atividade de mercado desse modo, o trader pode identificar facilmente a continuação ou mudança na tendência. Da mesma forma, ao combinar gráficos de perfil diários consecutivos a um gráfico de perfil cumulativo maior, surge um quadro evolutivo do equilíbrio ou desequilíbrio do longo prazo. O gráfico de perfil na Figura B.5 (*Açúcar*) ilustra esse ponto. Uma breve revisão das sessões individuais (2/10–2/13) no painel superior sugere uma tendência de alta no mercado sem sinal de reversão. Contudo, quando essas quatro sessões consecutivas são combinadas (painel inferior), surge um quadro de equilíbrio cumulativo. Uma vez equilibrado, o mercado se move para um estado de desequilíbrio que, com frequência, começa após um teste final no preço mais justo.

CONCLUSÃO

O método do Perfil de Mercado pode ser usado para analisar qualquer série de dados de preço para a atividade de transação contínua disponível. Isso inclui bens listados e não listados, ações e títulos do governo norte-americano (preços ou rendimentos), futuros e opções, onde aplicável. O *gráfico de perfil* apresenta o movimento de preços, por unidade de tempo, em duas dimensões — verticalmente (isto é, direcionalmente) e horizontalmente (isto é, frequência de ocorrência). Quando o price action é visto dessa forma, é revelado um quadro de descoberta de preço que não ocorre no gráfico de barras tradicional unidimensional (vertical).

O gráfico de perfil oferece vantagens únicas em relação ao gráfico de barras padrão:

- A qualidade de *simetria* permite ao trader avaliar o estado de *equilíbrio* (ou *desequilíbrio*) do mercado em qualquer espaço de tempo. Quando o mercado é simétrico, existe uma condição de balanço ou equilíbrio entre compradores e vendedores. Um desequilíbrio no mercado implica a continuação da tendência de preço à medida que o mercado caminha para um novo equilíbrio. Todavia, o equilíbrio do mercado é efêmero e implica uma provável *mudança* do mercado ou um movimento direcional (para cima ou para baixo), um sinal para traders considerarem a aplicação de metodologias de seguimento de tendências.
- Cada mudança de tendência ocorre em um único momento no tempo, não convenientemente no final da hora, do dia, da semana ou do mês. O gráfico de perfil pode ser usado para identificar com mais precisão esse momento específico em que o controle troca de mãos entre compradores e vendedores. Ao definir essas mudanças de controle, o gráfico de perfil permite ao trader identificar níveis importantes de suporte e resistência.

Em resumo, o gráfico de perfil oferece uma quantidade significativa de informações de preço por unidade de tempo, possibilitando ao trader identificar padrões e dinâmicas que não estariam facilmente visíveis com o uso de outros métodos.

Apêndice C: A Base da Construção de um Sistema de Trading*

O desenvolvimento de um sistema de trading é, em parte, arte, ciência e bom senso. Nossa meta não é criar um sistema que gere os melhores retornos com o uso de dados históricos, mas formular um conceito saudável que se desempenhou razoavelmente bem no passado e pode continuar a se desempenhar razoavelmente bem no futuro.

O ideal seria preferir um método totalmente mecânico, aumentando as chances de poder repetir no futuro o desempenho passado. Mecânico significa objetivo: se dez pessoas seguirem as mesmas regras e atingirem os mesmos resultados, dizemos que essas regras são objetivas. Não importa se o sistema mecânico está escrito no papel ou arquivado no computador.

Aqui, porém, imaginaremos estar usando um computador e empregaremos os termos "mecânico" e "informatizado" intercambiavelmente. Isso não significa que seja obrigatório usar um computador para o desenvolvimento de um sistema de trading, embora ele certamente possa ajudar.

---

* Este apêndice foi preparado por Fred G. Schutzman.

Apêndice C: A Base da Construção de um Sistema de Trading

A abordagem mecânica nos oferece três benefícios importantes:

- **Podemos testar ideias antes de aplicá-las.** O computador nos permite testar ideias com dados históricos, e não com dinheiro duramente ganho. Ao nos ajudar a ver como um sistema teria se comportado no passado, ele possibilita que tomemos decisões melhores quando realmente for importante — no presente.
- **Podemos ser mais objetivos e menos emocionais.** A maioria das pessoas tem dificuldade em aplicar sua análise objetiva a situações reais de trading. Analisar (onde não há dinheiro em risco) é fácil, operar (onde temos dinheiro em risco) é estressante. Assim, por que não deixar que o computador puxe o gatilho para nós? Ele está livre das emoções humanas e fará exatamente o que foi instruído a fazer no momento em que desenvolvemos nosso sistema.
- **Podemos realizar mais tarefas, aumentando nossas oportunidades.** Uma abordagem mecânica exige menos tempo para ser aplicada do que a subjetiva, o que nos possibilita atingir mais mercados, operar mais sistemas e analisar mais períodos de tempo todos os dias. Isso se aplica principalmente a usuários de computador, visto que ele pode trabalhar mais depressa e por mais tempo do que nós, sem perder a concentração.

O PLANO DE CINCO ETAPAS

1. Comece com um conceito.
2. Transforme-o em um conjunto de regras objetivas.
3. Verifique-o visualmente nos gráficos.
4. Teste-o formalmente com o computador.
5. Avalie os resultados.

ETAPA 1: COMECE COM UM CONCEITO (UMA IDEIA)

Desenvolva seus próprios conceitos sobre o funcionamento dos mercados. Você pode começar observando quantos gráficos puder, tentando identificar cruzamentos de médias móveis, osciladores, configurações padrões de preço ou outros elementos de evidência objetiva, indícios objetivos que precedem movimentos de mercado importantes. Também tente reconhecer sinais que ofereçam avisos precoces sobre movimentos que provavelmente falharão. Eu analisei um gráfico depois do outro na esperança de encontrar essas respostas. Essa abordagem "visual" funcionou, e realmente a recomendo.

Além de estudar gráficos de preço e ler livros como este, sugiro que leia sobre sistemas de trading e estude o que outras pessoas fizeram. Embora ninguém vá lhe dizer onde está o "Santo Graal", há muitas informações úteis por aí. Mais importante, use a cabeça. Eu descobri que as ideias mais interessantes raramente são originais, mas frequentemente são as suas.

A maioria dos sistemas de trading segue tendências. Contudo, sistemas contrários a tendências não devem ser ignorados, porque colocam um certo grau de correlação negativa à situação. Isso significa que, quando um sistema está ganhando dinheiro, o outro está perdendo, resultando em uma curva de equity mais suave para os dois sistemas combinados do que para cada um em separado.

Princípios para um Bom Design de Conceito

Bons conceitos geralmente fazem sentido. Se parece que um conceito funciona, mas não faz muito sentido, talvez você esteja entrando na esfera da coincidência, e as chances de ele continuar a funcionar no futuro diminuem muito. Seus conceitos devem se ajustar à sua personalidade a fim de lhe dar a disciplina de segui-los mesmo quando estão perdendo dinheiro (isto é, em períodos de diminuição de recursos [drawdown]). Seus conceitos devem ser diretos e objetivos e, se seguidores de tendências, devem operar de acordo com uma tendência principal, gerar lucros e reduzir os prejuízos. Mais importante, seus conceitos devem produzir lucros no longo prazo (isto é, precisam ter uma expectativa positiva).

Projetar entradas é difícil, mas projetar saídas é ainda mais complicado e mais importante. A lógica da entrada é relativamente simples, mas saídas devem levar várias contingências em consideração, como com que rapidez reduzir os prejuízos e o que fazer com os lucros acumulados Eu prefiro sistemas que não se revertem automaticamente — eu gosto de sair de uma operação antes de colocar outra operação na direção oposta. Trabalhe duro para melhorar suas saídas, e seus retornos melhorarão de acordo com os riscos que assumir.

Outra sugestão: tente otimizar o mínimo possível. A otimização usando dados históricos muitas vezes leva a uma expectativa de retornos irreais que não podem ser replicados em uma operação real. Tente usar poucos parâmetros e aplicar a mesma técnica em vários mercados diferentes. Isso melhorará suas chances de sucesso no longo prazo ao reduzir as armadilhas do excesso de otimização.

As três principais categorias de sistemas de trading são:

- **Seguidor de tendências.** Esses sistemas operam na direção da tendência principal, comprando de acordo com a alta e vendendo de acordo com a baixa. Médias móveis e a regra semanal de Donchian são metodologias populares entre gerenciadores de dinheiro.
- **Contratendência**
  - » Suporte/Resistência. Compre um declínio no suporte; venda uma alta na resistência.
  - » Retrações. Aqui compramos pullbacks em um mercado em alta e vendemos rallies em um mercado em baixa. Por exemplo, compre um pullback de 50% no último aumento, mas só se a tendência principal continuar em alta. O risco desses sistemas é que nunca se sabe até onde irá a retração e fica difícil implementar uma técnica de saída aceitável.
  - » Osciladores. A ideia é comprar quando o oscilador estiver sobrevendido e vender quando estiver sobrecomprado. Se houver divergência entre as séries de preços e o oscilador, é dado um sinal muito mais forte. Entretanto, geralmente é melhor esperar por algum sinal de reversão de preço antes de comprar ou vender.

Apêndice C: A Base da Construção de um Sistema de Trading

- **Reconhecimento de padrões** (visual e estatístico). Exemplos incluem a formação altamente confiável de cabeça e ombros (visual) e padrões de preços sazonais (estatístico).

ETAPA 2: TRANSFORME-O EM UM CONJUNTO DE REGRAS OBJETIVAS

Esta será a etapa mais difícil em seu plano, muito mais difícil do que muitos esperariam a princípio! Para completar esta etapa com êxito, precisamos manifestar nossa ideia em termos objetivos de modo que cem pessoas que sigam nossas regras cheguem exatamente às mesmas conclusões.

Determine o que se espera que seu sistema faça e como. É com essa etapa que produziremos os detalhes necessários para completar a tarefa de programação. Precisamos tomar o problema inteiro e dividi-lo em vários detalhes até serem todos finalizados.

ETAPA 3: VERIFIQUE-O VISUALMENTE NOS GRÁFICOS

Seguindo as regras explícitas determinadas na Etapa 2, procederemos a uma verificação visual dos sinais de trading que são produzidos no gráfico de preços. Este é um processo informal, que tem a intenção de gerar dois resultados: primeiro, queremos ver se nossa ideia foi expressa adequadamente, e, segundo, antes de criar um código de computador complicado, queremos alguma prova de que a ideia é potencialmente lucrativa.

ETAPA 4: TESTE-O FORMALMENTE COM O COMPUTADOR

Agora é hora de converter sua lógica em um código de computador. Para o meu trabalho, uso um programa chamado TradeStation®, da Omega Research, Inc. em Miami, FL. O TradeStation é o pacote de software de análise técnica mais abrangente para formular e testar sistemas de trading. Ele reúne tudo, desde a visualização da ideia ao auxílio na operação de seu sistema em tempo real.

Criar um código em qualquer linguagem de programação não é tarefa fácil, e o EasyLanguage&td, da TradeStation, não é exceção. O trabalho com o EasyLanguage, porém, é bastante simplificado por causa do editor user-friendly do programa e da inclusão de muitas funções integradas e muitos códigos de amostra. Veja a Figura C.1.

Depois de criado o programa, passamos à fase de teste. Para começar, precisamos escolher uma ou mais séries de dados para testar. Para traders de ações, essa é uma tarefa fácil. Traders de futuros, porém, se veem diante de contratos que vencem após um período de tempo relativamente curto. Eu gosto de realizar os testes iniciais usando uma série de preços (com spread ajustado) popularizada por Jack Schwager. (*Schwager on Futures: Technical Analysis*, Wiley, 1996.) Se esses resultados parecerem promissores, eu passo para contratos reais.

Em seguida, é preciso decidir quantos dados usar ao construir o sistema. Eu uso toda a série de dados sem guardar nenhum para teste fora da amostra (construir seu sistema com parte dos dados e então testá-lo nos dados restantes "não vistos"). Muitos especialistas discordariam dessa abordagem, mas eu acho que ela funciona melhor com minha metodologia, que conta com conceitos bons e sólidos, praticamente nenhuma otimização e um procedimento de teste que cobre uma ampla variedade de conjuntos de parâmetros e mercados. Começo com uma metodologia que acredito ser consistente e, então, a testo, para provar ou refutar minha teoria. Constatei que a maioria das pessoas faz o oposto, testando séries de dados para chegar a um sistema de trading.

Eu não contabilizo custos da operação (slippage e comissões) quando testo os sistemas, mas os incluo no final. Acho que isso mantém o processo de avaliação mais puro e permite que meus resultados continuem úteis caso certas pressuposições mudem no futuro.

Eu exijo que meus sistemas funcionem em:

Apêndice C: A Base da Construção de um Sistema de Trading   **509**

- **Diferentes conjuntos de parâmetros.** Se eu estiver pensando em usar um sistema com cruzamento de médias móveis de 5/20, então esperaria que 6/18, 6/23, 4/21 e 5/19 também se desempenhassem relativamente bem. Caso contrário, eu ficaria cético sobre os resultados do 5/20 imediatamente.

```
{********************************************************************************

//fileName: JJMBook.Four%Model
//Written by Fred G. Schutzman, CMT
//Logic by Ned Davis
    //see Zweig book: Martin Zweig's Winning with New IRAs, pages 117–128
//Model was designed to be applied to a weekly chart of the Value Line Composite Index
(VLCI)
//Program uses the weekly (usually Friday) close of the VLCI to initiate trades
    //buy if the weekly close of the VLCI rises 4% or more from its lowest close (since the last
sell signal)
    //sell if the weekly close of the VLCI falls 4% or more from its highest close (since the last
buy signal)
//Date last changed: February 8, 1998

********System Properties********
Properties tab:
Pyramid Settings = Do not allow multiple entries in same direction
Entry Settings = default values
Max number of bars system will reference = 1

********************************************************************************}

Inputs:              perOffLo(4.00),      { percent off lowest close }
                     perOffHi(4.00);      { percent off highest close }
Variables:           LC(0),               { lowest close}
                     HC(0),               { highest close }
                     trend(0);            { 0 = no trades yet, +1 = up, –1 down }
{ initialize variables }
If currentBar = 1 then begin
  LC = close;
  HC = close;
  trend = 0;
end;

{ update trend variable and place trading orders }
if trend = 0 then begin
  if ((close-LC) / LC) > = (perOffLo / 100) then trend = +1;
  if ((HC-close) / HC) > = (perOffHi / 100) then trend = –1;
end
else if trend = +1 and ((HC-close) / HC) > = (perOffHi / 100) then begin
  sell on close;
  trend = –1;
  LC = close;
end
else if trend = –1 and ((close-LC) / LC) > = (perOffLo / 100) then begin
  buy on close;
  trend = +1;
  HC = close;
end;

{ update LC & HC variables }
If close < LC then LC = close;
If close > HC then HC = close;

{ End of Code }
```

Figura C.1 *(Código EasyLanguage): Este código EasyLanguage foi criado usando o TradeStation's Power Editor&td. Ele tem a aparência — e o poder — de uma linguagem de programação completa. Vejas as Figuras C.2 e C.3 para os resultados desse sistema seguidor de tendências descrito por Martin Zweig.*

- **Diferentes períodos de tempo** (por exemplo, 1990–1995 e 1981–1986). Um sistema que se sai bem com o Iene japonês em um período recente de cinco anos também deveria se sair razoavelmente bem em qualquer outro intervalo de cinco anos. Essa é outra área em que parece que minha opinião é minoria.
- **Muitos mercados diferentes.** Um sistema que funcionou bem com petróleo também deveria funcionar bem com óleo para aquecimento e gasolina sem chumbo no mesmo período de tempo. Se não funcionar, procurarei uma explicação e provavelmente descartarei o sistema. Contudo, irei ainda mais adiante e testarei o mesmo sistema com todo o meu banco de dados, esperando que tenha bom desempenho na maioria deles.

Quando o teste estiver terminado, inspecionaremos visualmente os sinais gerados pelo computador em um gráfico de preços para garantir que o sistema faça o que se propõe a fazer. O TradeStation facilita esse processo colocando setas de compra e venda diretamente no gráfico para nós! Se o sistema não fizer o que é esperado, precisamos proceder às correções necessárias no código e testá-lo de novo. Lembre-se de que muito poucas ideias se mostram lucrativas, geralmente menos que 5%. E, por um motivo ou outro, a maioria dessas ideias "bem-sucedidas" nem mesmo se presta à operação.

Apêndice C: A Base da Construção de um Sistema de Trading

ETAPA 5: AVALIE OS RESULTADOS

Tentaremos entender o conceito que fundamenta nosso sistema de trading. Ele faz sentido ou é apenas uma coincidência? Analise a equity curve. Podemos sobreviver aos drawdowns? Avalie o sistema em uma base trade-by-trade. O que acontece no caso de um sinal ruim? Com que rapidez o sistema sai dos perdedores? Quanto tempo ele permanece com os vencedores? Certifique-se de estar completamente à vontade com os resultados dos testes, ou não poderemos operar esse sistema em tempo real.

Os três dados estatísticos da TradeStation a ser analisados são:

- **Fator de lucro.** Equipara *Lucro bruto* em trades ganhadoras/*Perdas brutas* em trades perdedoras. Esses dados estatísticos nos dizem quantos dólares o sistema ganhou para cada dólar perdido e medem os riscos. Traders de longo prazo devem visar fatores de lucro de 2,00 ou mais. Traders de curto prazo podem aceitar valores um pouco menores.
- **Avg trade (ganho & perda).** Esta é a expectativa de nosso sistema matemático. Ele deve ao menos ser alto o suficiente para cobrir custos de operação (slippage e comissões); do contrário, perderemos dinheiro.
- **Max intraday drawdown.** Esta é a queda maior em termos de dólar, de um equity peak a um equity trough. Prefiro fazer esse cálculo em termos percentuais. Eu também diferencio entre drawdowns a partir de um ponto inicial (em que estou perdendo dinheiro do meu bolso) versus drawdowns de um equity peak (em que estou devolvendo lucros obtidos no mercado). Geralmente sou mais flexível com o último.

GERENCIAMENTO DE DINHEIRO

O gerenciamento de dinheiro, embora esteja fora do âmbito deste apêndice, é um tema muito importante. Ele é essencial à operação lucrativa, tão importante quanto um bom sistema de trading.

Técnicas de gerenciamento de dinheiro devem ser bem planejadas. Aceite o fato de que perdas são parte do jogo. Controle seu downside, e os lucros cuidarão de si mesmos.

Nessa área, pratique a diversificação o máximo possível. A diversificação lhe possibilitará aumentar seus lucros ao mesmo tempo em que mantém os riscos constantes, ou reduzir o risco ao mesmo tempo em que mantém lucros constantes. Diversifique entre os mercados, sistemas, parâmetros e time frames.

CONCLUSÃO

Discutimos a filosofia básica de sistemas de trading e por que objetivo é melhor que subjetivo. Falamos sobre os três principais benefícios de uma abordagem computadorizada e criamos um plano de cinco etapas para construir um sistema de trading. E, por último, mas não menos importante, citamos a importância do gerenciamento de dinheiro e da diversificação.

Sistemas de trading podem melhorar seu desempenho e ajudá-lo a tornar-se um trader de sucesso. As razões para tanto são claras:

- Eles o obrigam a se preparar *antes* de fazer uma operação.
- Eles fornecem uma estrutura disciplinada, facilitando a tarefa de seguir regras.
- Eles lhe permitem aumentar seu grau de diversificação.

Com muito trabalho duro e dedicação, qualquer pessoa pode criar um sistema de trading bem-sucedido. Não é fácil, mas certamente está ao seu alcance. Como quase tudo na vida, os resultados de seu esforço estarão diretamente relacionados com seu empenho. (Veja as Figuras C.2 e C.3.)

Apêndice C: A Base da Construção de um Sistema de Trading   513

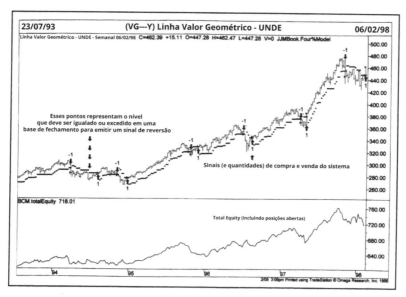

Figura C.2 *(Gráfico de Preços): Este sistema de trading foi projetado para ser aplicado em um gráfico semanal do Value Line Composite Index (VLCI), mas também teve bom desempenho no teste em um gráfico diário do VLCI e os gráficos diários e semanais em outros mercados, votos de confiança no conceito subjacente. Este é o sistema descrito na Figura C.1.*

JJMBook Four%Model Linha de Valor Geométrico - UNDE - Semanal 30/06/61 - 06/02/98			
Resumo de Desempenho Todas as Negociações			
Lucro líquido total	US$ 718,01	Posição aberta P/L	US$ 0,00
Lucro bruto	US$ 1.118,15	Perda bruta	US$ -400,14
Nº. total de operações	137	Porcentagem de lucros	49%
Quantidade de trades vencedores	67	Quantidade de trades perdedores	70
Maior operação vencedora	US$ 78,06	Maior operação perdedora	US$ -15,95
Operação vencedora média	US$ 18,69	Operação perdedora média	US$ -5,72
Coeficiente médio venc./média perda	2,92	Operação média (ganhos e perdas)	US$ 5,24
Máx. ganhadores consec.	7	Máx. perdedores consec.	5
Méd. no. barras em ganhadores	21	Méd. no. barras em perdedores	7
Max intraday drawdown	US$ -45,01		
Fator de lucro	2,79	Máx nº. contratos mantidos	1
Tamanho de conta exigido	US$ 45,01	Retorno na conta	1.595%

Criado com TradeStation por Omega Research 1996

Figura C.3 *(Resumo de Desempenho): Este é um Resumo de Desempenho de 36 anos do sistema mostrado nas Figuras C.1 e C.2. O desempenho nos últimos 12 anos tem sido consistente com os resultados gerais. O fator de lucro, o Avg trade (ganho e perda) e o max intraday drawdown são excelentes.*

Apêndice D: Contratos Futuros Contínuos*

Com um banco de dados limpo de dados "brutos" de commodities, há vários tipos de contratos que podem ser extraídos dos dados brutos, como Nearest Contracts, Next Contracts, Contratos de Gann e Continuous Contracts. A seguir há ideias para construir esses derivativos de contratos futuros. Os símbolos são usados somente com fins de ilustração. Esses continuous contracts podem ser criados com o Dial Data Service (56 Pine Street, Nova York, NY 10005, [212] 422-1600.)

NEAREST CONTRACT

Um nearest contract é usado principalmente pelos traders que só querem um grande arquivo de dados contínuos formado por preços de operações reais. Eles se satisfazem com os dados com vencimento próximo e com rolagem (roll over) automática.

É muito provável que ninguém opere o nearest contract em 15 a 30 dias do vencimento. Isso ocorre porque a liquidez desaparece muito depressa nos últimos dias do contrato. O número de dias antes do vencimento que um indivíduo pode fazer o roll over para o próximo contrato é uma função

---

* Este apêndice foi preparado por Greg Morris.

da commodity que está sendo operada (o número de meses até o próximo contrato), e o estilo de trading individual. É totalmente possível que o mesmo indivíduo faça o roll over em diferentes momentos para diferentes commodities.

Quando fazer o roll over para o próximo contrato provavelmente dependerá do volume do contrato atual. Quando ele começar a se desgastar, esse é o momento de roll forward.

Portanto, o trader deveria ter a opção de quando fazer o roll over de seu Nearest Contract. Lembre-se, Nearest Contracts são formados por dados reais. Aqui estão alguns exemplos: o gerente do portfólio A deseja fazer o roll over no vencimento; assim, ele só quer o Nearest Contract "padrão" com o símbolo TRNE00 (Títulos do Tesouro). O gerente A provavelmente está gerenciando dinheiro e precisa de cálculos de equity que ele pode extrair dos dados. O trader B sente que operar no mês do vencimento não lhe dá liquidez suficiente; assim, ele quer fazer o roll over de seu Nearest Contract 15 dias antes do vencimento — o símbolo poderia ser TRNE15. O analista C gostaria de avaliar diferentes datas de roll over, assim talvez ele queira fazer o download de múltiplos Nearest Contracts, como: TRNE00, TRNE05, TRNE12 e TRNE21 (cujos roll over ocorrem em 5, 12 e 21 dias antes do vencimento).

Lembre-se de que todos esses contratos são Nearest Contracts e contêm dados de contratos reais. A única diferença é de qual contrato real os dados vêm.

NEXT CONTRACT

Um Next Contract é derivado do Nearest Contract. Ele é exatamente igual ao Nearest Contract, exceto pelo fato de que ele é *sempre* o contrato que segue o Nearest Contract. Em outras palavras, se o Nearest Contract estiver usando dados de dezembro para Títulos do Tesouro (TR), então o Next Contract está usando dados do contrato de Títulos do Tesouro de março. Quando o contrato de dezembro vencer, o Nearest faz o roll para março e

Apêndice D: Contratos Futuros Contínuos **517**

o Next faz o roll para o contrato de junho. Ele é definido como o contrato Next-1.

Segundo esse conceito, outro Next Contract está disponível, chamado Next-2. Aqui, os dados sempre vêm do contrato que está a dois contratos de distância do Nearest Contract. De acordo com o exemplo, se o Nearest estiver usando dados do contrato de dezembro, o Contrato Next-2 está usando dados do contrato de junho. Quando o contrato de dezembro vencer, o Nearest começará a usar dados do contrato de março e o Contrato Next-2 usará dados do contrato de setembro, e assim por diante.

Os símbolos do ticker para os Next Contracts são: TRNXT1 e TRNXT2. Naturalmente, o ticker real de futuros será usado, em vez do TR usado neste exemplo.

CONTRATOS DE GANN

Contratos de Gann se referem ao uso de um mês de contrato específico e ao roll over apenas ao mesmo contrato no ano seguinte. Por exemplo, Trigo Julho seria usado até o contrato de julho vencer, e então o Contrato de Gann começaria usando dados do contrato Trigo Julho do ano seguinte.

Exemplos de símbolos de ticker para Contratos de Gann são: W07GN, GC04GN, JY12GN etc. (representando Trigo Julho, Ouro Abril, Iene Japonês Dezembro).

CONTINUOUS CONTRACTS

Continuous Contracts foram desenvolvidos para ajudar analistas a superar o problema da redução de liquidez e gaps de prêmios (ou desconto) em dados futuros. Isso se torna um problema quando o analista está testando um sistema ou modelo de trading com vários anos de dados. Ele permite um fluxo contínuo de dados com a compensação sendo feita por roll over jumps em tendências de preço.

CONSTANT FORWARD CONTINUOUS CONTRACTS

Um Constant Forward Continuous Contract parece um período de tempo constante no futuro. Para isso, ele usa mais que um contrato. Um método comum é usar os dois nearest contracts e realizar uma extrapolação linear dos dados. (Veja a Figura D.1.)

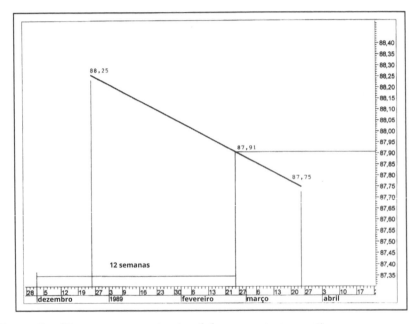

Figura D.1 *Uma representação visual de um contrato contínuo.*

Uma possibilidade é dar ao trader de futuros (como com os Nearest Contracts) a habilidade de construir o próprio Constant Forward Continuous Contract. Para tanto, são necessárias três coisas: o símbolo da commodity, a quantidade de contratos que ele quer usar no cálculo e a quantidade de semanas que ele quer ver no futuro. Por exemplo, se ele quiser títulos do tesouro, usando 3 dos nearest contracts e olhando 14 semanas no futuro, o símbolo poderia ser: TRCF314. TR é o símbolo, CF representa

Apêndice D: Contratos Futuros Contínuos
519

Continuous (Forward Looking), 3 é o número de contratos usados, e 14 é a quantidade de semanas de projeção do preço.

O mecanismo é relativamente simples. Primeiro, uma data de roll over fixa precisa ser definida para cada conjunto de commodities. Seria interessante começar com 10 dias antes do vencimento. O importante aqui é que há um roll over em algum momento antes do vencimento real. Segundo, a quantidade de contratos usados nunca será inferior a dois e, provavelmente, nunca maior que quatro. A quantidade de semanas usadas provavelmente sempre seria maior que 3, podendo chegar a 40 em alguns casos.

Exemplo: este é o método usado pela Commodity Systems, Inc. (Veja *Perpetual Contract* no Capítulo 8.)

Títulos do Tesouro serão usados novamente porque eles têm um ciclo de vencimento uniforme a cada 3 meses. Digamos que um trader queira um Continuous Contract de Títulos do Tesouro usando os 2 meses mais próximos e olhando para 12 semanas no futuro (símbolo = TRCF212). Hoje é 1º de dezembro. Uma representação gráfica facilita a compreensão (Veja a Figura D.1). O eixo vertical é o preço, e o horizontal é o tempo. A data de hoje é marcada no eixo horizontal, e as datas de vencimento dos dois contratos mais próximos (dezembro e março) também são marcadas. Ele quer olhar para 12 semanas no futuro, de modo que uma marca é feita a 12 semanas de hoje, o que é perto de 25 de fevereiro. O preço de fechamento do contrato de dezembro foi de 88,25, e o fechamento do contrato de março foi de 87,75. Esses pontos são então colocados acima de suas datas de vencimento nos preços correspondentes. Em seguida, uma extrapolação linear é feita simplesmente traçando-se uma linha entre os dois pontos. A inclinação dessa linha poderá variar para cima e para baixo, dependendo da perspectiva das taxas de juros de longo prazo (neste exemplo de Títulos do Tesouro). Neste exemplo em especial, a perspectiva é de juros mais altos, porque o preço de futuros de março é mais baixo que o preço de dezembro.

Para encontrar o valor do preço de fechamento de TRCF212 para hoje, encontre o ponto no eixo horizontal que fica a 12 semanas do dia de hoje (25 de fevereiro) e suba até a linha traçada no gráfico. Então, a partir da linha, vá para a direita, e este é o preço de fechamento para esse Constant Forward Continuous Contract (cerca de 87,91). Você também pode ver no gráfico que o contrato de março tem mais peso do que o contrato de dezembro, porque o ponto de interceptação está mais próximo de março. Esse método pode ser utilizado na Abertura, Máximo, Mínimo e Fechamento exatamente da mesma forma. Naturalmente, o computador faz isso matematicamente; essa é apenas uma explicação visual de como o Contrato Perpétuo é construído.

Glossário

Análise das ondas de Elliott: Uma abordagem à análise do mercado baseada em padrões de onda repetitivos e a sequência de números de Fibonacci. Um padrão de ondas de Elliott ideal mostra um avanço de cinco ondas seguido por um declínio de três ondas. (*Veja* números de Fibonacci).

Análise de coeficiente: O uso de um coeficiente para comparar a força relativa de duas entidades. Uma ação individual ou grupo industrial dividido pelo índice S&P 500 pode determinar se essa ação ou grupo industrial está com bom ou mau desempenho no mercado como um todo. A análise de coeficiente pode ser usada para comparar quaisquer duas entidades. Um coeficiente de alta indica que o numerador do coeficiente está com desempenho melhor que o denominador. A análise de tendência pode ser aplicada à linha de coeficiente para determinar importantes pontos de virada.

Análise Fundamentalista: O oposto da análise técnica. A análise fundamentalista conta com informações econômicas sobre oferta e demanda em comparação à atividade de mercado.

Análise Intermercado: Um aspecto adicional da análise de mercado que considera o price action de setores de mercados relacionados. Os quatro setores são moedas, commodities, títulos e ações. Mercados internacionais também estão incluídos. Essa abordagem se baseia na premissa de que todos os mercados estão inter-relacionados e se impactam mutuamente.

Análise Técnica: O estudo da ação de mercado, geralmente com gráficos de preços, que inclui padrões de volume e interesse aberto. Também chamada análise gráfica, análise de mercado e, mais recentemente, análise visual.

Análise visual: Uma forma de análise que usa gráficos e indicadores de mercado para determinar a direção do mercado.

Bandas de Bollinger: Desenvolvido por John Bollinger, esse indicador plota bandas de trading dois desvios-padrão acima e abaixo de uma média móvel de 20 períodos. Muitas vezes, os preços encontrarão resistência na banda superior e suporte na banda inferior.

Bandeira: Um padrão de preço de continuação, geralmente com duração inferior a três semanas, que se assemelha a um paralelogramo que se inclina na direção da tendência prevalecente. A bandeira representa uma pequena pausa em uma tendência de preço dinâmica. (*Veja* Flâmula.)

Breakaway gap: Um gap de preço que se forma no final de um importante padrão de preço. Um breakaway gap geralmente sinaliza o início de um importante movimento de preço. (*Veja* Gaps.)

Cabeça e ombros: O padrão de reversão mais conhecido. Em uma alta de mercado, formam-se três picos proeminentes em que o pico central (ou cabeça) é ligeiramente mais alto que os outros dois (ombros). Quando a linha de tendência (pescoço) que liga os dois vales intermediários é rompida, o padrão está completo. Um padrão de fundo é uma imagem de espelho de um topo e é chamado de cabeça e ombros invertido.

Glossário

Confirmação: Ter o máximo de fatores de mercado possíveis concordando uns com os outros. Por exemplo, se os preços e o volume estão subindo juntos, o volume está confirmando o price action. O oposto da confirmação é a divergência.

Dia de reversão-chave: Em uma tendência de alta, esse padrão de um dia ocorre quando os preços abrem em novas altas e então fecham abaixo do preço de fechamento do dia anterior. Em uma tendência de baixa, os preços abrem mais baixos e depois fecham mais altos. Quanto maior a variação de preço no dia de reversão-chave e maior o volume, mais altas são as chances de que esteja ocorrendo uma reversão. (*Veja* Reversão semanal.)

Divergência: Uma situação em que dois indicadores não confirmam um ao outro. Por exemplo, em análise de osciladores, os preços tendem a subir enquanto um oscilador começa a cair. A divergência geralmente avisa sobre uma reversão de tendência. (*Veja* Confirmação.)

Envelopes: Linhas colocadas a porcentagens fixas acima e abaixo de uma linha de média móvel. Envelopes ajudam a determinar quando o mercado se afastou demais de sua média móvel e está over extended.

Estocásticos: Um oscilador sobrecomprado-sobrevendido popularizado por George Lane. Geralmente, são empregados 14 períodos em sua construção. Os estocásticos usam duas linhas — %K e sua média móvel de três períodos. Essas duas linhas flutuam em uma faixa vertical entre 0 e 100. Leituras acima de 80 são sobrecompradas, enquanto leituras abaixo de 20 são sobrevendidas. Quando a linha mais rápida %K cruza acima da linha mais lenta %D e as linhas estão abaixo de 20, um sinal de venda é dado. Quando a linha %K cruza abaixo da linha %D e as linhas estão acima de 80, um sinal de venda é dado.

Flâmula: Este padrão de continuação de preço é semelhante à bandeira, com a exceção de ser mais horizontal e se parecer com um pequeno triângulo simétrico. Como a bandeira, a flâmula geralmente dura de uma a três semanas e costuma ser seguida pela retomada da tendência anterior.

Gap: São espaços deixados no gráfico de barras onde não ocorreu trading. Um gap de alta é formado quando o preço mais baixo de um dia de operação é mais alto do que o máximo do dia anterior. Um gap de baixa se forma quando o preço mais alto do dia é mais baixo que o preço mínimo do dia anterior. Um gap de alta geralmente é um sinal de força de mercado, enquanto um gap de baixa é sinal de fraqueza de mercado. Os três tipos de gaps são breakaway, runaway (também chamado de mensuração) e exaustão.

Gap de Exaustão: Um gap de preço que ocorre no final de uma tendência importante e sinaliza que ela está terminando. (*Veja* Gaps.)

Gráfico de Barras: Em um gráfico de barras diário, cada barra representa a atividade de um dia. A barra vertical é traçada a partir do preço mais alto do dia até o preço mais baixo do dia (a variação). Um tic para a esquerda da barra marca o preço de abertura, enquanto um tic para a direita da barra marca o preço de fechamento. Gráficos de barras podem ser construídos para qualquer período de tempo, incluindo meses, semanas, horas e minutos.

Gráficos de Linha: Gráficos de preço que ligam os preços de fechamento de um determinado mercado em um certo período de tempo. O resultado é uma linha curva no gráfico. Esse tipo de gráfico é muito útil com a sobreposição ou gráficos de comparação comumente usados na análise intermercado. Eles também são empregados na análise visual de tendência de fundos mútuos de interesse aberto.

Glossário

Histograma da MACD: Uma variação do sistema MACD que plota a diferença entre as linhas de sinal de MACD. Mudanças no espaço entre as duas linhas podem ser identificadas mais depressa, gerando sinais de trading antecipados.

Ilha de Reversão: A combinação de um gap de exaustão em uma direção e um gap breakaway em outra no espaço de alguns dias. Por exemplo, no final de uma tendência de alta, os preços formam um gap ascendente e então descendente em poucos dias. O resultado geralmente são dois ou três dias de operação isolados com gaps nos dois lados. A ilha de reversão geralmente sinaliza uma reversão de tendência. (*Veja* Gaps.)

Indicadores de sentimento: Indicadores psicológicos que tentam medir o grau de otimismo ou pessimismo no mercado. Eles são indicadores contrários e são usados de forma semelhante aos osciladores sobrecomprados ou sobrevendidos. São muito importantes quando atingem extremos superiores ou inferiores.

Índice Arms: Desenvolvido por Richard Arms, esse índice contrário é um coeficiente do volume médio de ações em queda dividido pelo volume médio de ações em alta. Uma leitura abaixo de 1,0 indica mais volume de ações em alta. Uma leitura acima de 1,0 reflete mais volume em emissões em queda. Uma média de 10 dias do índice Arms acima de 1,20 é sobrevendida, enquanto uma média de 10 dias abaixo de 0,70 é sobrecomprada.

Índice de Força Relativa (IFR): Um oscilador popular desenvolvido por Welles Wilder Jr. e descrito em seu livro autopublicado em 1978, *New Concepts in Technical Trading Systems*. O IFR é plotado em uma escala vertical de 0 a 100. Valores acima de 70 são considerados sobrecomprados, e valores abaixo de 30, sobrevendidos. Quando os preços estão acima de 70 ou abaixo de 30 e divergem da ação de preço, é dado um aviso de uma possível reversão de tendência. O IFR geralmente emprega 9 ou 14 períodos de tempo.

Índice Somatório McClellan: Uma soma acumulada de todas as leituras diárias do oscilador McClellan que fornecem uma análise de prazo maior da amplitude do mercado. É usado da mesma forma que a linha de avanço e declínio.

Interesse aberto: A quantidade de opções ou contratos futuros que ainda não foram liquidados no final do dia de trading. Um aumento ou queda do interesse aberto mostra que o dinheiro está entrando ou saindo de um contrato ou opção de futuros, respectivamente. Em mercados futuros, o aumento do interesse aberto é considerado bom para a tendência atual. O interesse aberto também mede a liquidez.

Linha de Avanço e Declínio: Um dos indicadores mais amplamente usados para medir a amplitude do avanço ou declínio do mercado de ações. A cada dia (ou semana), a quantidade de emissões com avanço é comparada à de emissões com declínio. Se houver mais avanços que declínios, o total líquido é adicionado ao total acumulado anterior. Se os declínios superarem os avanços, a diferença líquida é subtraída do total acumulado anterior. A linha de avanço e declínio normalmente é comparada a uma média popular do mercado de ações, como a Dow Jones Industrial Average. Elas devem seguir a tendência na mesma direção. Quando a linha de avanço e declínio começa a divergir da média das ações, é dado um aviso inicial de uma possível reversão na tendência.

Linha de Canal: Linhas retas paralelas à linha de tendência básica. Em uma tendência em alta, a linha de canal se inclina para cima e para a direita e é traçada acima de picos de rali; em uma tendência em baixa, a linha de canal é traçada abaixo de vales de preço e se inclina para baixo e para a direita. Muitas vezes, os preços encontrarão resistência em linhas de canal ascendentes e suporte em linhas de canal descendentes.

Glossário **527**

Linha de tendência: Linhas retas traçadas em um gráfico abaixo de reações de baixa em uma tendência de alta, ou acima de picos de rali em uma tendência de baixa, que determinam a inclinação da tendência atual. O rompimento de uma linha de tendência geralmente sinaliza uma reversão de tendência.

Linha de tendência de alta: Uma linha reta traçada para cima e para a direita abaixo da reação de baixa. Quanto mais tempo a linha de tendência de alta permaneceu em efeito e quanto mais vezes ela tiver sido testada, mais significativa ela se torna. A violação da linha de tendência geralmente indica uma mudança na direção da tendência de alta. (*Veja* Linha de tendência de baixa.)

Linha de tendência de baixa: Uma linha horizontal traçada para baixo e para a direita acima de picos de rallies sucessivos. A violação da linha de tendência de baixa geralmente é um sinal de reversão de uma tendência de baixa. (*Veja* Linhas de tendência.)

MACD: Desenvolvido por Gerald Appel, o sistema de convergência/divergência de médias móveis mostra duas linhas. A primeira (MACD) é a diferença entre duas médias móveis exponenciais (geralmente 12 e 26 períodos) de preços de fechamento. A segunda (sinal) geralmente é uma MME de nove períodos da primeira (MACD). São dados sinais quando as duas linhas se cruzam.

Média simples: Uma média móvel que confere peso igual aos casos de preço a todos os dias. (*Veja* Média ponderada e Suavização Exponencial.)

Média móvel: Um indicador seguidor de tendência que funciona melhor em um cenário com tendência. As médias móveis suavizam o price action, mas operam com um atraso de tempo. A média móvel simples de dez dias de uma ação, por exemplo, soma os preços de fechamentos dos últimos dez dias e divide o total por dez. Esse procedimento se repete todos os dias.

Podem-se empregar quaisquer quantidades de médias móveis com diferentes espaços de tempo para gerar sinais de compra e venda. Quando apenas uma média é empregada, é dado um sinal de compra quando o preço fecha acima da média. Quando suas médias são usadas, um sinal de compra é dado quando a média menor cruza acima da média maior. Há três tipos: simples, ponderada e exponencialmente suavizada.

Média ponderada: Uma média móvel que usa um período de tempo selecionado, mas confere maior peso a dados de preço mais recentes. (*Veja* Média móvel.)

Momentum: Uma técnica usada para construir um oscilador sobrecomprado-sobrevendido. O momentum mede as diferenças de preço em um espaço de tempo selecionado. Para construir uma linha de momentum de dez dias, o preço de fechamento de dez dias antes é subtraído do preço mais recente. O valor positivo ou negativo resultante é plotado acima ou abaixo da linha zero. (*Veja* Osciladores.)

Números de Fibonacci: A sequência de números de Fibonacci (1, 2, 3, 5, 8, 13, 21, 34, 55, 89, 144...) é construída com a soma dos primeiros dois números para chegar ao terceiro. O coeficiente de qualquer número em relação ao próximo número maior é 62%, que é um popular número de retração de Fibonacci. O inverso de 62%, que é 38%, também é usado como um número de retração de Fibonacci. O coeficiente de qualquer número em relação ao próximo número menor é 1,62%, que é usado para alcançar alvos de preço de Fibonacci. (*Veja* Análise das ondas de Elliott.)

On balance volume: Desenvolvido por Joseph Granville, o OBV é o total acumulado do volume de alta e baixa. O volume é somado em dias de alta e subtraído em dias de baixa. A linha OBV é plotada com a linha de preço para ver se as duas se confirmam mutuamente. (*Veja* Volume.)

Oscilador: Indicadores que determinam quando um mercado está sobrecomprado ou sobrevendido. Quando o oscilador atinge o extremo superior, o mercado está sobrecomprado. Quando a linha do oscilador atinge o limite inferior, o mercado está sobrevendido. (*Veja* Momentum, Taxa de Mudança, Índice de Força Relativa e Estocásticos.)

Oscilador McClellan: Desenvolvido por Sherman McClellan, este oscilador é a diferença entre médias móveis exponencialmente suavizadas de 19 dias (tendência de 10%) e de 39 dias (tendência de 5%) dos números diários líquidos de declínio. Cruzamentos acima da linha zero são positivos, e abaixo da linha zero, negativos. Leituras acima de +100 são sobrecompradas, enquanto leituras abaixo de -100 são sobrevendidas.

Padrões de Continuação: A formação de preços que implica uma pausa ou consolidação na tendência prevalecente. Os tipos mais comuns são triângulos, bandeiras e flâmulas.

Padrões de preço: Padrões que aparecem nos gráficos de preço e têm valor preditivo. Os padrões são divididos em padrões de reversão e continuação.

Padrões de reversão: Padrões de preço em um gráfico de preços que geralmente indicam que está ocorrendo uma reversão de tendência. Os padrões de reversão mais conhecidos são o cabeça e ombros e os topos e fundos duplos e triplos.

Percent investment advisors bullish: Essa medida do sentimento do mercado de ações de alta é publicada semanalmente pela Investor's Intelligence of New Rochelle, Nova York. Quando só 35% dos profissionais estão em alta, o mercado é considerado sobrevendido. Uma leitura de 55% é considerado sobrecomprado.

Resistência: O oposto de suporte. A resistência é marcada por um pico de preços anterior e fornece uma barreira grande o bastante acima do mercado para deter o avanço de preços. (*Veja* Suporte.)

Retrações: Os preços normalmente retraçam a tendência anterior em um percentual antes de retomar a tendência original. O exemplo mais conhecido é a retração de 50%. Retrações máximas ou mínimas normalmente são de 1/3 e 2/3, respectivamente. A análise das ondas de Elliott usa retrações de Fibonacci de 38% e 62%.

Reversão semanal: Uma reversão semanal de alta ocorre quando os preços abrem em baixa na segunda-feira e, na sexta-feira, fecham acima do fechamento da semana anterior. Uma reversão semanal em baixa abre a semana mais alto, mas fecha em baixa na sexta-feira. (*Veja* Dia de reversão-chave.)

Runaway gap: Um gap de preço que geralmente ocorre no ponto médio de uma tendência de mercado importante. Por esse motivo, ele também é chamado de gap de mensuração. (*Veja* Gap.)

Sobrecomprado: Um termo geralmente usado em referência a um oscilador. Quando um oscilador atinge um extremo superior, acredita-se que o mercado subiu demais e está vulnerável a uma onda de vendas.

Sobrevendido: Um termo geralmente usado em referência a um oscilador. Quando o oscilador atinge um extremo inferior, acredita-se que o mercado caiu demais e está propenso a um bounce.

Suavização Exponencial: Uma média móvel que usa todos os pontos de dados, mas confere peso maior a dados de preço mais recentes. (*Veja* Média móvel.)

Glossário

Suporte: Um preço, ou zona de preço, abaixo do preço de mercado atual, onde o poder de compra é suficiente para deter uma queda de preço. Uma reação de baixa anterior geralmente forma um nível de suporte.

Taxa de variação: Uma técnica usada para construir um oscilador sobrecomprado-sobrevendido. A taxa de mudança emprega um coeficiente de preço em um período de tempo selecionado. Para construir um oscilador com uma taxa de mudança de dez dias, o último preço de fechamento é dividido pelo preço de fechamento de dez dias antes. O valor resultante é plotado acima ou abaixo do valor de 100.

Tendência: Refere-se à direção dos preços. Picos e vales ascendentes mostram uma tendência de alta, picos e vales descendentes mostram uma tendência de baixa. Uma faixa de trading é caracterizada por picos e vales horizontais. As tendências são geralmente classificadas em principais (mais que um ano), intermediária (de um a seis meses) e menores (menos que um mês).

Teoria de Dow: Uma das mais antigas e mais respeitadas teorias técnicas. Um sinal de compra da Teoria de Dow é dado quando as médias Dow Industrial e Dow Transportation fecham acima da alta de preço anterior. Um sinal de venda é dado quando do as duas médias fecham abaixo da reação de baixa anterior.

Topo duplo: Esse padrão de preço exibe dois picos proeminentes. A reversão se completa quando o vale central é rompido. O fundo duplo é uma imagem de espelho do topo.

Topo triplo: Um padrão de preço com três com picos proeminentes, semelhante ao topo de cabeça e ombros, exceto pelo fato de que os três picos ocorrem mais ou menos no mesmo nível. O fundo triplo é uma imagem em espelho do topo.

Triângulo: Padrões de preço laterais em que os preços flutuam entre linhas convergentes. Os três tipos de triângulos são o simétrico, o ascendente e o descendente.

Triângulo Ascendente: Um padrão de preço lateral entre duas linhas de tendência convergentes, no qual a linha inferior está subindo, enquanto a linha superior é horizontal. Isso geralmente é um padrão de alta. (*Veja* Triângulos.)

Triângulo Descendente: Um padrão de preço lateral entre duas linhas de tendência convergentes, no qual a linha superior está em declínio, enquanto a linha inferior é horizontal. Geralmente, esse é um padrão de baixa. (*Veja* Triângulos.)

Triângulo Simétrico: Um padrão de preço lateral entre duas linhas de tendência convergentes no qual a linha de tendência superior está em queda e a linha de tendência inferior está aumentando. Esse padrão representa um equilíbrio, apesar de a tendência anterior geralmente ser retomada. O breakout em qualquer linha de tendência sinaliza a direção da tendência de preço. (*Veja* Triângulo Ascendente e Triângulo Descendente.)

Volume: O nível de atividade de trading em ações, opções ou contratos futuros. Expandir o volume na direção da tendência de preço atual confirma a tendência de preço. (*Veja* On balance volume.)

Bibliografia

Achelis, Steven B. *Technical Analysis from A to Z*, Probus, 1995.

Allen, R.C. *How to Build a Fortune in Commodities* (Windsor Books, Brightwaters, NY) (Best Books, Chicago), 1972.

Allen, R.C. *How to Use the 4 Day, 9 Day, and 18 Day Moving Averages to Earn Large Profits in Commodities*, Best Books, 1974.

Arms, Richard W. *The Arms Index (TRIN)*, Dow Jones-Irwin, 1989.

_____. *Volume Cycles in the Stock Market: Market Timing Through Equivolume—Charting*, Dow Jones-Irwin, 1983.

Bressert, Walter J. *The Power of Oscillator/Cycle Combinations*, Bressert & Associates, 1991.

Burke, Michael L. *Three-Point Reversal Method of Point & Figure Construction and Formations*, Chartcraft, 1990.

Colby, Robert W.; Thomas A. Meyers. *The Encyclopedia of Technical Market Indicators*, Dow Jones-Irwin, 1988.

deVilliers, Victor. *The Point and Figure Method of Anticipating Stock Price Movements* (1933: disponível em Traders' Library, P.O. Box 2466, Ellicott City, MD 20141 [1-800-222-2855]).

Dewey, Edward R. com Og Mandino, *Cycles, the Mysterious Forces That Trigger Events*, Manor Books, 1973.

Dorsey, Thomas J. *Point & Figure Charting*, Wiley, 1995.

Edwards, Robert D.; John Magee, *Technical Analysis of Stock Trends*, 5ª Edição, John Magee, 1966.

Ehlers, John F. *MESA and Trading Market Cycles*, Wiley, 1992.

Elder, Alexander Dr., *Trading for a Living*, Wiley, 1993.

_____. *Study Guide* for Trading for a Living [s. d.].

Freund, John E.; Frank J. Williams. *Modem Business Statistics*, Prentice-Hall.

Frost, Alfred J.; Robert R. Prechter. *Elliott Wave Principle, Key to Stock Market Profits*, New Classics Library, 1978.

Gann, W.D. *How to Make Profits in Commodities*, edição revisada, Lambert-Gann Publishing, orig. 1942, reimpressão em 1976.

Granville, Joseph. *Granville's New Key to Stock Market Profits*, Prentice Hall, Englewood Cliffs, NJ, 1963.

Hadady, R. Earl. *Contrary Opinion: How to Use It for Profit in Trading Commodity Futures*, Hadady Publications, 1983.

Hamilton, William Peter. *The Stock Market Barometer*. Robert Rhea aprofundou ainda mais a teoria em *Dow Theory* (Nova York: Barron's), publicado em 1932.

Hurst, J.M. *The Profit Magic of Stock Transaction Timing*, Prentice-Hall, 1970.

Kaufman, Perry. *Smarter Trading*, McGraw-Hill, 1995.

Kondratieff, Nikolai, traduzido por Guy Daniels. *The Long Wave Cycle*, Nova York: Richardson and Snyder, 1984. (Dois outros livros sobre o assunto são *The K Wave*, de David Knox Barker, e *The Great Cycle*, de Dick Stoken.)

LeBeau, Charles; David W. Lucas. *Technical Traders Guide to Computer Analysis of the Futures Market*, Business One Irwin, 1992.

Lukac, Louis; B. Wade Brorsen; Scott Irwin, *A Comparison of Twelve Technical Trading Systems*, Traders Press, Greenville, SC, 1990.

McMillan, Lawrence G. *McMillan on Options*, Wiley, 1996.

Moore, Geoffrey H. *Leading Indicators for the 1990s*, Dow Jones-Irwin, 1990.

Morris, Gregory L. *Candlestick Charting Explained*, Dow Jones-Irwin, 1995 (Originalmente publicado como *CandlePower* em 1992).

Murphy, John J. *Intermarket Technical Analysis*, Wiley, 1991.

_____. *The Visual Investor: How to Spot Market Trends*, Wiley, 1996.

Neely, Christopher, J. *Technical Analysis in the Foreign Exchange Market: A Layman's Guide*, Federal Reserve Bank of St. Louis Review, setembro/outubro de 1997.

Neill, Humphrey B. *The Art of Contrary Thinking*, Caldwell, OH: The Caxton Printers, 1954.

Nelson, S.A. *ABC of Stock Market Speculation*, primeira publicação em 1903, reimpresso em 1978 por Frasier Publishing Co.

Nison, Steve. *Japanese Candlestick Charting Techniques*, NY Institute of Finance, 1991.

_____. *Beyond Candlesticks*, Wiley, 1994.

Prechter, Jr.; Robert R. *The Major Works of R. N. Elliott*, Gainesville, GA: New Classics Library, 1980.

Pring, Martin J. *Technical Analysis Explained*, 3ª Edição, McGraw-Hill, 1991.

_____. *Pring on Market Momentum*, Intl. Institute for Economic Research, 1993.

Ruggiero, Murray A. *Cybernetic Trading Strategies*, Wiley, 1997.

Schwager, Jack D. *Schwager on Futures Technical Analysis*, Wiley, 1996.

Steidlmayer, Peter J. *141 West Jackson*, Steidlmayer Software, 1996.

_____. Steidlmayer on Markets, A New Approach to Trading, Wiley, 1989.

Teweles, Richard J.; Charles V. Harlow; Herbert L. Stone. *The Commodity Futures Game*, McGraw-Hill.

Wheelan, Alexander. *Study Helps in Point & Figure Technique*, Morgan Rogers & Roberts, 1954, reimpressão em 1990 por Traders Press.

Wilder J. Welles. *New Concepts in Technical Trading Systems*, Greensboro, NC: Trend Research, 1978.

Wilkinson, Chris, *Technically Speaking: Tips and Strategies from 16 Top Analysts*, Traders Press, 1997.

Índice

A

ações
  do mercado
    market action, 2
  individuais, 186
  large cap, 432
  médias de, 186
  negociação de, 7
  small cap, 432
análise
  cíclica, 226, 354
  da razão
    (ratio), 330
  de divergências, 259
  de força relativa, 432
  de investimentos, 26
  de longo prazo, 388
  de movimentos de preço de longo prazo, 190
  de osciladores, 266
  de tendência, 27
    básica, 259
  de volume, 473
  Espectral de Entropia Máxima
    (MESA), 385
  fundamentalista, 5
  gráfica, 9
    princípios, 9
  intermercados, 424–441
  técnica
    abordagem multidimensional, 163
    definição, 2
área de congestão, 283
  fulcro, 284
Avg trade (ganho & perda), 511

B

bandas
  de Bollinger, 218
  de preço, 206
base intraday, 73
bolsa
  de Opções de Chicago, 434
  de valores, 15
breakdown point, 120
breakout, 75, 137
  acima de um triângulo de alta, 289
  ascendente acima de uma linha de resistência
    de alta, 289
    de baixa, 289
  de alta, 137, 275
  de queda, 276
  de um topo triplo, 289
  falso, 128
  point, 139
bushel
  unidade de medida para mercadorias sólidas
    e secas
    (ex.: grãos), 13

C

checklist, 463–470
ciclo
  características
    amplitude, 358
    fase, 358
    período, 358
  classificação
    de longo prazo, 370
    de trading, 370
      de 28 dias, 373
      mensal, 259
    primário
      ou intermediário, 370
      semanal, 372
    sazonal, 370
  de preços, 358

fundos
  vales, 358
  topos
    cristas, 358
  de tempo, 219, 353
  dominantes, 368
  econômicos, 354
  lunar, 373
  mensal, 219
  Presidencial, 384
  subjacente, 219
coeficiente
  de Eficiência, 231
  de Fibonacci, 348
commodities
  tendência, 11
compra
  adicionais, 63
  alerta de, 213
  oportunidade de, 213
  sinal de, 213
continuação
  padrão de
    Três Métodos de Alta, 315
contratos
  de futuros, 14
  spot, 191
  tipos de
    Continuous Contracts, 517
    Constant Forward, 518
    Contratos de Gann, 517
    nearest contract, 515
    Next Contract, 516
Convergência/Divergência de Médias Móveis (MACD), 222

D

day trade, 10
dia de reversão, 95
  -chave, 193
  de fundo, 96
  de topo, 96
dip corretivo, 71
Doji
  Candlesticks, 310
  Lápide, 310
  Libélula, 311
  linhas, 310
  Pernalta, 310

Dow
  Industrials, 445
  Jones
    & Company, 25
    Industrial Average, 16

E

Ehrlich Cycle Finder, ferramenta, 375
escala
  aritmética, 42
  de preço, 274
  de tempo, 274
  logarítmica, 42
estatística
  descritiva
    definição, 20
  indutiva
    definição, 20
estocástico %D, 318
estratégia
  buy and hold, 7
  de lucro, 497
expectativas
  econômicas, 11
  inflacionárias, 11
explosões e clímaces de vendas, 183

F

falha
  de swing, 250
  na oscilação, 32
  no cabeça e ombros, 118
filosofia cíclica, 361
filtro
  de preço, 127
  de tempo, 75, 127
Finanças Comportamentais, 24, 469
fluxo
  de dinheiro, 476
  de fundos
    definição, 17
força relativa, 248
formação
  de alargamento, 145
  de bandeiras, 146
  de flâmulas, 146
  do retângulo, 153
  em cunha, 151
frequência de distribuição, 485
fundo

Índice

de pires, 130
de recursos naturais, 432

G
global
cenário, 9
economias, 11
gráfico, 2
biblioteca de, 14
contínuo, 191
de barras, 37, 38
construção, 43
diário, 37
mensais, 37
semanais, 37
volume, 44
de candlesticks, 307–328
básicos, 309
corpo
branco, 308
preto, 308
padrão
análise do, 311–317
de continuação, 315–316
de reversão, 312–315
filtragem de, 317–318
de fundos mútuos, 437
de linha, 38
de ponto e figura, 273
contagem em, 157
flexibilidade (vantagem), 276
de preço, 3
de reversão, 287
Equivolume, 457
grafista, 3–24
intraday, 287
mensais, 189
padrões, 16
semanais, 189
semi-log, 197
teoria dos, 163

H
hipótese
do mercado eficiente, 21
do Passeio Aleatório
definição, 21
(Random Walk), 17

I
indicador

antecedente
leading indicator, 6
Automático de Linhas de Tendência, 401
de confirmação, 164
de Padrões de Candlestick, 401
de sentimento, 17
índice
de Canal de Commodities
(CCI), 245–247
de Consenso da Opinião do Mercado Otimista,
267
de Demanda
(DI), 473–475
James Sibbet, 174
de Fluxo de Dinheiro, 174
de Novas Altas-Novas Baixas, 452–453
de preços de commodities, 429
de Resultado de Herrick, 174, 476
de transporte ferroviário, 26
futuro
definição, 9
industriais, 186
Open Arms Index, 456
Somatório McClellan, 450–451
interesse aberto, 2, 165
definição, 45
grandes
especuladores, 184
hedgers, 184
pequenos traders, 184

J
janelas de tempo, 354

L
leituras
de Disposição do Investidor
revista Barron's, 270
negativas, 476
leque de Fibonacci, 94
linha
ADX de Wilder, 394
de avanço e declínio (LAD), 446–448
de tendência, 286
do canal, 84–102
zero, 235

M
Market Technician Association
associação técnica, 467

média
- aritmética, 206
- de Amplitude de Variação, 479
- exponencial suavizada, 207
- móvel, 205
  - adaptável, 230
  - Convergência/Divergência de, 261–265
    - (MACD), 261
  - definição, 203
  - de longa duração, 220
  - dispositivo suavizador, 205
  - exponencial (MME), 482
  - ponderada linear, 207
mensuração vertical, 107
mercado
- análise de
  - para fins de previsão, 196
- atividade de, 491
  - curto prazo, 491
  - longo prazo, 491
- comprar o, 54
- de ações
  - internacional, 9
- de curto prazo
  - comportamento do, 189
- de faixa de trading, 230
- de opções, 2
- de tendências, 230
- dinâmico, 146
- futuros, 2
- previsão de, 267
- táticas de, 118
- touro
  - bullish, 3
- urso
  - bearish, 3
- vender o, 54
- viradas de, 130
método
- Chartcraft, 301
- de cruzamento triplo, 212
- do cruzamento duplo, 211
- nontrending, 222
moedas estrangeiras, 9
momentum, 236–240
- linha de, 238–240
movimento
- de preço
  - intraday, 274

price action, 2
- de retorno, 137
- Direcional, 395
- mensurado, 157

N

Nasdaq Composite Index, 126
Negociação Contínua, 491
New York Stock Exchange (NYSE), 444
números de Fibonacci, 220

O

objetivos de swing, 352
ondas
- corretivas, 330
  - plano, 336–339
  - triângulos, 339–341
  - zigue-zague, 334–336
- de impulso, 330
Oportunidade de Tempo e Preço (OTP), 489
ordem
- administrada (M.I.T.), 415
- a mercado, 414
- limitada, 414
  - de compra, 414
  - de venda, 414
oscilador, 233–272
- estocástico, 254–257
  - lento, 255
  - rápido, 255
- extensão do, 259
- Larry Williams %R, 258–259
- McClellan, 448–449

P

padrão
- de cabeça e ombros, 117
  - complexo, 117
- de continuação, 132, 133
- de reversão, 155
- de volume, 155
penetração
- de ponto pleno, 75
- intraday, 138
Perfil de Mercado, 422, 485
períodos
- de inflação e deflação, 195
Perpetual ContractTM, 192
perspectivas de longo prazo, 256
plano de ação, 465
ponto

Índice

de breakout, 114
de stopout, 226
pivot, 418–419
porcentagens
  de Fibonacci, 90
  de retração, 89
preço
  bounce off, 218
  de fechamento, 33
  distribuição de, 487
  Gaps de, 98
    breakaway
      definição, 99
    exaustão
      definição, 101
    runaway
      definição, 100
  horizontal
    contagem de, 303
  nível de
    resistência
      (alta anterior), 57
    suporte
      (baixa anterior), 57
  objetivos de, 76
  padrões de, 59
    continuação, 104
    de reversão, 104
      cabeça e ombros, 108
princípio
  cíclico
    da Harmonia, 362
    da Nominalidade, 363
    da Proporção, 363
    da Sincronia, 363
    da Somatória, 361
    da Variação, 363
  da divergência, 162
  da Opinião Contrária, 267
  de confirmação, 161
  do leque, 78
processos de hedging, 9
profecia autorrealizável, 18–21

R

reação de baixa, 63
regra
  da alternância, 341–342
  de 2 semanas, 220

de 4 semanas, 220
dos dois dias, 75
relação risco/retorno, 408
relacionamentos econômicos
  integrados, 9
resistência, 103
retrações percentuais, 114, 190
reversão
  diárias, 98
  mensais, 98
  padrão de
    Estrela da Manhã, 314
    Estrela da Noite, 314
    Nuvem Negra, 313
    Piercing Line, 313
  semanais, 98
  semanal e mensal, 193
rotinas técnicas, 388

S

sabedoria convencional, 7
saúde econômica, 25
série de tempo, 192
serviço Chartcraft, 287
sinais
  de compra
    de alta simples, 289
    e venda, 203
  de reversão de tendência, 243
  de tendência, 203
    mudança, 219
  falsos
    (whipsaws), 209
Sistema
  de Movimento Direcional, 388
  Parabólico, 388
    de Wilder (SAR), 391–392
softwares gráficos, 388
S&P 500
  contratos de futuros, 425
  índice bolsa de valores, 11
  índice monetário, 425
speedlines, 91–102
stop, 19
  de rastreamento, 296
  protetivos, 407
suporte, 103
swings, 156

T

taxa
- de juros, 9
- de variação, 242

técnica
- Bandas de Bollinger, 216
- de bandas, 479
- de centralização, 219
- de mensuração, 114, 142

tendência, 51
- acelerada, 82
- consolidações de, 132
- de alta, 52
- de baixa, 52
- de cinco ondas, 137
- definição, 4
- de mercado, 51
- de preço, 2, 168
- evidências de, 70
- geral do mercado, 7
- intermediária, 10
- inversão de, 78
- linha de, 68
  - de alta, 68
  - descendente, 68–102
  - pescoço, 111
  - preliminar, 70
- primária, 28
  - fase
    - de acumulação, 28
    - de distribuição, 28
    - de participação do público, 28
  - reversão da, 59
  - topo duplo, 59
- secundária, 28
- seguidores de, 221
- seguimento de, 205
- terciária, 28

teoria
- das Ondas de Elliott, 29
- de Dow, 25

Teóricos do Random Walk, 193

tic de fechamento, 445

timing, 7
- dos compromissos de mercado, 196

topo
- duplo, 123
- e fundos, 193
- triplo, 121
  - ascendente, 289
  - spread, 289

trader
- Comportamento do, 491
- iniciante, 494
- responsivo, 494
- Compromisso dos
  - relatório
    - (COT), 184
- fundamentalista, 6
- técnico, 6

triângulo
- ascendentes, 134
- de continuação, 171
- descendente, 142
- expandido, 134
- simétricos, 134

V

valor
- de ponto médio, 205
- intrínseco
  - definição, 5
- justo, 425

variedade invertida, 134

venda
- alerta de, 214
- sinal de, 214

visão de túnel
- falta de percepção do entorno, 9

volatilidade, 218
- baixa
  - de mercado, 218

volume, 164
- análise de, 176
- fluxo do, 171
- indicadores de, 171
  - On Balance Volume (OBV), 171
- padrão de, 104

W

whipsaws, 74
- sinais falsos, 127

Z

zona de perigo, 253

CONHEÇA OUTROS LIVROS DA ALTA BOOKS

Todas as imagens são meramente ilustrativas.

+ CATEGORIAS
Negócios - Nacionais - Comunicação - Guias de Viagem - Interesse Geral - Informática - Idiomas

SEJA AUTOR DA ALTA BOOKS!

Envie a sua proposta para: autoria@altabooks.com.br

Visite também nosso site e nossas redes sociais para conhecer lançamentos e futuras publicações!

www.altabooks.com.br

ALTA BOOKS
EDITORA

 /altabooks ▪ /altabooks ▪ /alta_books

Este livro foi impresso nas oficinas gráficas da Editora Vozes Ltda.,
Rua Frei Luís, 100 – Petrópolis, RJ.